U0925756

# 喻世明言

中国古典文学名著丛书

[明]冯梦龙 著

華夏出版社
HUAXIA PUBLISHING HOUSE

# 目　录

# 第一卷　蒋兴哥重会珍珠衫

仕至千钟非贵，年过七十常稀。浮名身后有谁知？万事空花游戏。　　休逞少年狂荡，莫贪花酒便宜。脱离烦恼是和非，随分安闲得意。

这首词，名为《西江月》，是劝人安分守己，随缘作乐，莫为“酒”、“色”、“财”、“气”四字，损却精神，亏了行止。求快活时非快活，得便宜处失便宜。说起那四字中，总到不得那“色”字利害。眼是情媒，心为欲种。起手时，牵肠挂肚；过后去，丧魄销魂。假如墙花路柳，偶然适兴，无损于事；若是生心设计，败俗伤风，只图自己一时欢乐，却不顾他人的百年恩义，——假如你有娇妻爱妾，别人调戏上了，你心下如何？古人有四句道得好：

人心或可昧，天道不差移。
我不淫人妇，人不淫我妻。

看官，则今日听我说《珍珠衫》这套词话①，可见果报不爽，好教少年子弟做个榜样。

话中单表一人，姓蒋名德，小字兴哥，乃湖广襄阳府枣阳县人氏。父亲叫做蒋世泽，从小走熟广东做客买卖。因为丧了妻房罗氏，只遗下这兴哥，年方九岁，别无男女，这蒋世泽割舍不下，又绝不得广东的衣食道路②，千思百计，无可奈何，只得带那九岁的孩子同行作伴，就教他学些乖巧。这孩子虽则年小，生得：

眉清目秀，齿白唇红。行步端庄，言辞敏捷。聪明赛过读书家，伶俐不输长大汉。人人唤做粉孩儿，个个羡他无价宝。

蒋世泽怕人妒忌，一路上不说是嫡亲儿子，只说是内侄罗小官人。原来罗

---

① 词话——说唱艺术的一种，起于宋元，流行到明代。明代也把夹有诗词的章回小说称为词话。

② 道路——生意、买卖。

家也是走广东的,蒋家只走得一代,罗家倒走过三代了。那边客店牙行[①],都与罗家世代相识,如自己亲眷一般。这蒋世泽做客,起头也还是丈人罗公领他走起的;因罗家近来屡次遭了屈官司,家道消乏[②],好几年不曾走动。这些客店牙行见了蒋世泽,那一遍不动问罗家消息,好生牵挂!今番见蒋世泽带个孩子到来,问知是罗家小官人,且是生得十分清秀,应对聪明,想着他祖父三辈交情,如今又是第四辈了,那一个不欢喜。

闲话休提。却说蒋兴哥跟随父亲做客,走了几遍,学得伶俐乖巧,生意行中,百般都会,父亲也喜不自胜。何期到一十七岁上,父亲一病身亡。且喜刚在家中,还不做客途之鬼。兴哥哭了一场,免不得揩干泪眼,整理大事。殡殓之外,做些功德超度,自不必说。七七四十九日内,内外宗亲,都来吊孝。本县有个王公,正是兴哥的新岳丈,也来上门祭奠,少不得蒋门亲戚陪侍叙话。中间说起:兴哥少年老成,这般大事,亏他独力支持。因话随话间,就有人撺掇[③]道:"王老亲翁,如今令爱[④]也长成了,何不乘凶完配,教他夫妇作伴,也好过日。"王公未肯应承,当日相别去了。众亲戚等安葬事毕,又去撺掇兴哥。兴哥初时也不肯,却被撺掇了几番,自想孤身无伴,只得应允。央原媒人往王家去说,王公只是推辞,说道:"我家也要备些薄薄妆奁[⑤],一时如何来得?况且孝未期年[⑥],于礼有碍。便要成亲,且待小祥[⑦]之后再议。"媒人回话,兴哥见他说得正理,也不相强。

光阴如箭,不觉周年已到。兴哥祭过了父亲灵位,换去粗麻衣服,再央媒人王家去说,方才依允。不隔几日,六礼完备,娶了新妇进门。有《西江月》为证:

孝幕翻成红幕,色衣[⑧]换去麻衣。画楼结彩烛光辉,合卺花筵齐

---

① 牙行——专在买卖当中做中间人,协助买卖双方成交而从中取得佣金的商号和个人。
② 消乏——耗尽、零落、贫困。
③ 撺掇——怂恿。
④ 令爱——尊称对方的女儿。
⑤ 妆奁(lián)——嫁妆。
⑥ 期年——一整年。
⑦ 小祥——古代父母丧后一周年的祭名。
⑧ 色衣——带颜色的衣裳,也叫色服。

备。　那美妆奁富盛，难求丽色娇妻。今宵云雨足欢娱，来日人称恭喜。

说这新妇是王公最幼之女，小名唤做三大儿；因他是七月七日生的，又唤做三巧儿。王公先前嫁过的两个女儿，都是出色标致的。枣阳县中，人人称羡，造出四句口号①，道是：

天下妇人多，王家美色寡。

有人娶着他，胜似为驸马。

常言道："做买卖不着，只一时；讨老婆不着，是一世。"若干官宦大户人家，单拣门户相当，或是贪他嫁资丰厚，不分皂白，定了亲事。后来娶下一房奇丑的媳妇，十亲九眷面前，出来相见，做公婆的好没意思。又且丈夫心下不喜，未免私房走野②。偏是丑妇极会管老公，若是一般见识的，便要反目；若使顾惜体面，让他一两遍，他就做大③起来。有此数般不妙，所以蒋世泽闻知王公惯生得好女儿，从小便送过财礼，定下他幼女与儿子为婚。今日娶过门来，果然娇姿艳质，说起来，比他两个姐儿加倍标致。正是：

吴宫西子不如，楚国南威④难赛。

若比水月观音，一样烧香礼拜。

蒋兴哥人才本自齐整，又娶得这房美色的浑家⑤，分明是一对玉人，良工琢就，男欢女爱，比别个夫妻更胜十分。三朝之后，依先⑥换了些浅色衣服，只推制中⑦，不与外事，专在楼上与浑家成双捉对，朝暮取乐。真个行坐不离，梦魂作伴。自古苦日难熬，欢时易过，暑往寒来，早已孝服完满。起灵⑧除孝，不在话下。

兴哥一日间想起父亲存日广东生理，如今担搁三年有余了，那边还放下许多客帐，不曾取得，夜间与浑家商议，欲要去走一遭。浑家初时也答

---

① 口号——一种诗体的名称，随口吟咏。

② 走野——指搞不正当的男女关系。

③ 做大——摆架子、神气活现。

④ 南威——即南之威，春秋时代的一个美女。

⑤ 浑家——此指妻子。

⑥ 依先——照旧。

⑦ 制中——居丧叫做制。制中，就是在丧中。

⑧ 起灵——除灵。

应道"该去",后来说到许多路程,恩爱夫妻,何忍分离?不觉两泪交流。兴哥也自割舍不得,两下凄惨一场,又丢开了。如此已非一次。

光阴荏苒①,不觉又捱过了二年。那时兴哥决意要行,瞒过了浑家,在外面暗暗收拾行李。拣了个上吉的日期,五日前方对浑家说知,道:"常言'坐吃山空',我夫妻两口,也要成家立业,终不然抛了这行衣食道路?如今这二月天气,不寒不暖,不上路更待何时?"浑家料是留他不住了,只得问道:"丈夫此去几时可回?"兴哥道:"我这番出外,甚不得已,好歹一年便回,宁可第二遍多去几时罢了。"浑家指着楼前一棵椿树道:"明年此树发芽,便盼着官人回也。"说罢,泪下如雨。兴哥把衣袖替他揩拭,不觉自己眼泪也挂下来。两下里怨离惜别,分外恩情,一言难尽。

到第五日,夫妇两个啼啼哭哭,说了一夜的说话,索性不睡了。五更时分,兴哥便起身收拾,将祖遗下的珍珠细软,都交付与浑家收管,自己只带得本钱银两、帐目底本及随身衣服、铺陈②之类,又有预备下送礼的人事③,都装叠得停当。原有两房家人,只带一个后生些的去;留一个老成的在家,听浑家使唤,买办日用。两个婆娘,专管厨下。又有两个丫头,一个叫晴云,一个叫暖雪,专在楼中伏侍,不许远离。吩咐停当了,对浑家说道:"娘子耐心度日。地方轻薄子弟不少,你又生得美貌,莫在门前窥瞰④,招风揽火。"浑家道:"官人放心,早去早回。"两下掩泪而别。正是:

世上万般哀苦事,无非死别与生离。

兴哥上路,心中只想着浑家,整日的不偢不保⑤。不一日,到了广东地方,下了客店。这伙旧时相识都来会面,兴哥送了些人事,排家⑥的治酒接风,一连半月二十日,不得空闲。兴哥在家时,原是淘虚了的身子,一路受些劳碌,到此未免饮食不节,得了个疟疾,一夏不好,秋间转成水痢。每日请医切脉,服药调治,直延到秋尽,方得安痊。把买卖都担搁了,眼见得一年回去不成。正是:

---

① 荏苒(rěnrǎn)——(时间)渐渐过去。

② 铺陈——被褥、铺盖。

③ 人事——礼物。

④ 窥瞰(kuīkàn)——窥探,暗中偷看。

⑤ 不偢不保(chǒucǎi)——就是一切都不过问,诸事不理睬。

⑥ 排家——逐家,挨家挨户。

只为蝇头微利，抛却鸳被良缘。

兴哥虽然想家，到得日久，索性把念头放慢了。

不提兴哥做客之事，且说这里浑家王三巧儿，自从那日丈夫吩咐了，果然数月之内，目不窥户，足不下楼。光阴似箭，不觉残年将尽，家家户户，闹轰轰的暖火盆①，放爆竹，吃合家欢耍子。三巧儿触景伤情，思想丈夫，这一夜好生凄楚！正合古人的四句诗，道是：

腊尽愁难尽，春归人未归。

朝来嗔寂寞，不肯试新衣。

明日正月初一日，是个岁朝②。晴云、暖雪两个丫头，一力劝主母在前楼去看看街坊景象。原来蒋家住宅前后通连的两带楼房，第一带临着大街，第二带方做卧室，三巧儿闲常只在第二带中坐卧。这一日被丫头们撺掇不过，只得从边厢里走过前楼，吩咐推开窗子，把帘儿放下，三口儿在帘内观看。这日街坊上好不闹杂！三巧儿道："多少东行西走的人，偏没个卖卦先生在内；若有时，唤他来卜问官人消息也好。"晴云道："今日是岁朝，人人要闲耍的，那个出来卖卦？"暖雪叫道："娘限在我两个身上，五日内包唤一个来占卦便了。"

到初四日早饭过后，暖雪下楼小解，忽听得街上当当的敲响。响的这件东西，唤做"报君知"③，是瞎子卖卦的行头。暖雪等不及解完，慌忙捡了裤腰，跑出门外，叫住了瞎先生，拨转脚头一口气跑上楼来，报知主母。三巧儿吩咐：唤在楼下坐启④内坐着。讨他课钱，通陈⑤过了，走下楼梯，听他剖断。那瞎先生占成一卦，问是何用。那时厨下两个婆娘，听得热闹，也都跑将来了，替主母传语道："这卦是问行人的。"瞎先生道："可是妻问夫么？"婆娘道："正是。"先生道："青龙治世，财爻发动；若是妻问夫，行人在半途，金帛千箱有，风波一点无。青龙属木，木旺于春，立春前后，已动身了。月尽月初，必然回家，更兼十分财采。"三巧儿叫买办的，把三分银子打发他去，欢天喜地，上楼去了。真所谓"望梅止渴"，"画饼充饥"。

---

① 暖火盆——除夕之夜庭院中架起松柏树枝，点火焚烧。

② 岁朝——夏历正月初一。

③ 报君知——算命占卦的盲人手敲的铁、铜片，碰击发声，以报人知。

④ 坐启——日常起居、会客的便厅。

⑤ 通陈——祷告、祷祝。

大凡人不做指望,倒也不在心上;一做指望,便痴心妄想,时刻难过。三巧儿只为信了卖卦先生之语,一心只想丈夫回来,从此时常走向前楼,在帘内东张西望。直到二月初旬,椿树抽芽,不见些儿动静。三巧儿思想丈夫临行之约,愈加心慌,一日几遍,向外探望。也是合当有事,遇着这个俊俏后生。正是:

有缘千里能相会,无缘对面不相逢。

这个俊俏后生是谁?原来不是本地,是徽州新安县人氏,姓陈名商,小名叫做大喜哥,后来改口呼为大郎。年方二十四岁,且是生得一表人物,虽胜不得宋玉、潘安,也不在两人之下。这大郎也是父母双亡,凑了二三千金本钱,来走襄阳贩籴些米豆之类,每年常走一遍。他下处①自在城外,偶然这日进城来,要到大市街汪朝奉②典铺中问个家信。那典铺正在蒋家对门,因此经过。你道怎生打扮?头上带一顶苏样的百柱鬃帽③,身上穿一件鱼肚白的湖纱道袍,又恰好与蒋兴哥平昔穿着相像。三巧儿远远瞧见,只道是他丈夫回了,揭开帘子,定睛而看。陈大郎抬头,望见楼上一个年少的美妇人,目不转睛的,只道心上欢喜了他,也对着楼上丢个眼色。谁知两个都错认了。三巧儿见不是丈夫,羞得两颊通红,忙忙把窗儿拽转,跑在后楼,靠着床沿上坐地④,兀自⑤心头突突的跳一个不住。谁知陈大郎的一片精魂,早被妇人眼光儿摄上去了。回到下处,心心念念的放他不下,肚里想道:"家中妻子,虽是有些颜色,怎比得妇人一半?欲待通个情款,争奈无门可入。若得谋他一宿,就消花⑥这些本钱,也不枉为人在世。"叹了几口气,忽然想起大市街东巷,有个卖珠子的薛婆,曾与他做过交易。这婆子能言快语⑦,况且日逐串街走巷,那一家不认得?须是与他商议,定有道理。

这一夜翻来覆去,勉强过了。次日起个清早,只推有事,讨些凉水梳

① 下处——歇宿的地方,客店、寓处。

② 朝奉——官名,一般也用作对富翁的称呼。

③ 鬃(zōng)帽——一种用棕、藤编织成的帽子,样子像一钟状的盔。

④ 坐地——坐着。

⑤ 兀自——还、犹。

⑥ 消花——用掉。

⑦ 能言快语——能说会道。

洗，取了一百两银子、两大锭金子，急急的跑进城来。这叫做：

欲求生受用，须下死工夫。

陈大郎进城，一径来到大市街东巷，去敲那薛婆的门。薛婆蓬着头，正在天井里拣珠子，听得敲门，一头收过珠包，一头问道："是谁？"才听说出"徽州陈"三字，慌忙开门请进，道："老身未曾梳洗，不敢为礼了。大官人起得好早！有何贵干？"陈大郎道："特特而来，若迟时，怕不相遇。"薛婆道："可是作成老身出脱①些珍珠首饰么？"陈大郎道："珠子也要买，还有大买卖作成你。"薛婆道："老身除了这一行货②，其余都不熟惯。"陈大郎道："这里可说得话么？"薛婆便把大门关上，请他到小阁儿坐着，问道："大官人有何吩咐？"大郎见四下无人，便向衣袖里摸出银子，解开布包，摊在卓③上，道："这一百两白银，干娘收过了，方才敢说。"婆子不知高低，那里肯受。大郎道："莫非嫌少？"慌忙又取出黄灿灿的两锭金子，也放在卓上，道："这十两金子，一并奉纳。若干娘再不收时，便是故意推调了。今日是我来寻你，非是你来求我。只为这桩大买卖，不是老娘成不得，所以特地相求。便说做不成时，这金银你只管受用；终不然我又来取讨，日后再没相会的时节了？我陈商不是恁般④小样⑤的人！"看官，你说从来做牙婆⑥的那个不贪钱钞？见了这般黄白之物，如何不动火⑦？薛婆当时满脸堆下笑来，便道："大官人休得错怪，老身一生不曾要别人一厘一毫不明不白的钱财。今日既承大官人吩咐，老身权且留下；若是不能效劳，依旧奉纳。"说罢，将金锭放银包内，一齐包起，叫声："老身大胆了。"拿向卧房中藏过，忙[illegible]San⑧出来，道："大官人，老身且不敢称谢，你且说甚么买卖，用着老身之处？"大郎道："急切要寻一件救命之宝，是处⑨都无；只

---

① 出脱——货物卖出成交，即卖脱、销掉。

② 行货——货物、商品。

③ 卓——同桌。

④ 恁(nèn)般——这般，这样。

⑤ 小样——不大方，小器。

⑥ 牙婆——买卖的居间人，牙婆是女的牙人，也叫牙嫂。

⑦ 动火——此指动心、起贪心。

⑧ 趄——转折；来回地走。

⑨ 是处——到处，处处。

大市街上一家人家方有，特央干娘去借借。"婆子笑将起来，道："又是作怪！老身在这条巷住过二十多年，不曾闻大市街有甚救命之宝。大官人你说，有宝的还是谁家？"大郎道："敝乡里汪三朝奉典铺对门高楼子内是何人之宅？"婆子想了一回，道："这是本地蒋兴哥家里。他男子出外做客，一年多了，止有女眷在家。"大郎道："我这救命之宝，正要问他女眷借借。"便把椅儿掇近了婆子身边，向他诉出心腹，如此如此。婆子听罢，连忙摇首道："此事大难！蒋兴哥新娶这房娘子，不上四年，夫妻两个如鱼似水，寸步不离。如今没奈何出去了，这小娘子足不下楼，甚是贞节。因兴哥做人有些古怪，容易嗔嫌①，老身辈从不曾上他的阶头。连这小娘子面长面短，老身还不认得，如何应承得此事？方才所赐，是老身薄福，受用不成了。"陈大郎听说，慌忙双膝跪下。婆子去扯他时，被他两手拿住衣袖，紧紧按定在椅上，动掸②不得。口里说："我陈商这条性命，都在干娘身上。你是必思量个妙计，作成我入马③，救我残生。事成之日，再有白金百两相酬。若是推阻，即今便是个死。"慌得婆子没理会处，连声应道："是，是，莫要折杀老身，大官人请起，老身有话讲。"陈大郎方才起身，拱手道："有何妙策，作速见教。"薛婆道："此事须从容图之，只要成就，莫论岁月。若是限时限日，老身决难奉命。"陈大郎道："若果然成就，便迟几日何妨？只是计将安出？"薛婆道："明日不可太早，不可太迟，早饭后，相约在汪三朝奉典铺中相会。大官人可多带银两，只说与老身做买卖，其间自有道理。若是老身这两只脚跨进得蒋家门时，便是大官人的造化。大官人便可急回下处，莫在他门首盘桓，被人识破，误了大事。讨得三分机会，老身自来回覆。"陈大郎道："谨依尊命。"唱了个肥喏，欣然开门而去。正是：

> 未曾灭项兴刘，先见筑坛拜将。

当日无话。到次日，陈大郎穿了一身齐整衣服，取上三四百两银子，放在个大皮匣内，唤小郎④背着，跟随到大市街汪家典铺来。瞧见对门楼

---

① 嗔嫌(chēnxián)——生气，不满意。

② 动掸——同动弹。

③ 入马——马，是妇女的隐语。入马，即和女人勾搭得手。

④ 小郎——此指年轻的仆役。

窗紧闭,料是妇人不在,便与管典的①拱了手,讨个木凳儿坐在门前,向东而望。不多时,只见薛婆抱着一个篾丝箱儿来了。陈大郎唤住,问道:"箱内何物?"薛婆道:"珠宝首饰,大官人可用么?"大郎道:"我正要买。"薛婆进了典铺,与管典的相见了,叫声聒噪②,便把箱儿打开。内中有十来包珠子,又有几个小匣儿,都盛着新样簇花点翠的首饰,奇巧动人,光灿夺目。陈大郎拣几吊③极粗极白的珠子,和那些簪珥之类,做一堆儿放着,道:"这些我都要了。"婆子便把眼儿瞅着,说道:"大官人要用时尽用,只怕不肯出这样大价钱。"陈大郎已自会意,开了皮匣,把这些银两白花花的,摊做一台,高声的叫道:"有这些银子,难道买你的货不起!"此时邻舍闲汉已自走过七八个人,在铺前站着看了。婆子道:"老身取笑,岂敢小觑大官人。这银两须要仔细,请收过了,只要还得价钱公道便好。"两下一边的讨价多,一边的还钱少,差得天高地远。那讨价的一口不移。这里陈大郎拿着东西,又不放手,又不增添,故意走出屋檐,件件的翻覆认看,言真道假、弹觔估两的在日光中烜耀④。惹得一市人都来观看,不住声的有人喝采。婆子乱嚷道:"买便买,不买便罢,只管担搁人则甚⑤!"陈大郎道:"怎么不买?"两个又论了一番价。正是:

只因酬价争钱口,惊动如花似玉人。

王三巧儿听得对门喧嚷,不觉移步前楼,推窗偷看。只见珠光闪烁,宝色辉煌,甚是可爱。又见婆子与客人争价不定,便吩咐丫鬟去唤那婆子,借他东西看看。晴云领命,走过街去,把薛婆衣袂一扯,道:"我家娘请你。"婆子故意问道:"是谁家?"晴云道:"对门蒋家。"婆子把珍珠之类,劈手夺将过来,忙忙的包了,道:"老身没有许多空闲,与你歪缠!"陈大郎道:"再添些卖了罢。"婆子道:"不卖不卖,像你这样价钱,老身卖去多时了。"一头说,一头放入箱儿里,依先关锁了,抱着便走。晴云道:"我替你老人家拿罢。"婆子道:"不消。"头也不回,径到对门去了。陈大郎心中暗喜,也收拾银两,别了管典的,自回下处。正是:

---

① 管典的——当铺伙计。
② 聒噪——声音杂乱,吵闹。这里为打扰之意。
③ 吊——串。
④ 烜(xuān)耀——盛大,显著。
⑤ 则甚——干什么。

眼望捷旌旗，耳听好消息。

晴云引薛婆上楼，与三巧儿相见了。婆子看那妇人，心下想道："真天人也！怪不得陈大郎心迷，若我做男子，也要浑了。"当下说道："老身久闻大娘贤慧，但恨无缘拜识。"三巧儿问道："你老人家尊姓？"婆子道："老身姓薛，只在这里东巷住，与大娘也是个邻里。"三巧儿道："你方才这些东西，如何不卖？"婆子笑道："若不卖时，老身又拿出来怎的？只笑那下路客人，空自一表人才，不识货物。"说罢便去开了箱儿，取出几件簪珥，递与那妇人看，叫道："大娘，你道这样首饰，便工钱也费多少！他们还得忒不像样，教老身在主人家面前，如何告得许多消乏？"又把几串珠子提将起来，道："这般头号的货，他们还做梦哩。"三巧儿问了他讨价还价，便道："真个亏你些儿。"婆子道："还是大家宝眷，见多识广，比男子汉眼力，倒胜十倍。"三巧儿唤丫鬟看茶，婆子道："不扰茶了。老身有件要紧的事，欲往西街走走，遇着这个客人，缠了多时，正是：'买卖不成，担误工程。'这箱儿连锁放在这里，权烦大娘收拾。老身暂去，少停就来。"说罢，便走。三巧儿叫晴云送他下楼，出门向西去了。

三巧儿心上爱了这几件东西，专等婆子到来酬价，一连五日不至。到第六日午后，忽然下一场大雨。雨声未绝，砰砰的敲门声响。三巧儿唤丫鬟开看，只见薛婆衣衫半湿，提个破伞进来，口儿道：

晴干不肯走，直待雨淋头。

把伞儿放在楼梯边，走上楼来万福①道："大娘，前晚失信了。"三巧儿慌忙答礼道："这几日在那里去了？"婆子道："小女托赖新添了个外孙，老身去看看，留住了几日，今早方回。半路上下起雨来，在一个相识人家借得把伞，又是破的，却不是晦气！"三巧儿道："你老人家几个儿女？"婆子道："只一个儿子，完婚过了。女儿到有四个，这是我第四个了，嫁与徽州朱八朝奉做偏房，就在这北门外开盐店的。"三巧儿道："你老人家女儿多，不把来当事了。本乡本土少什么一夫一妇的，怎舍得与异乡人做小？"婆子道："大娘不知，倒是异乡人有情怀。虽则偏房，他大娘子只在家里，小女自在店中，呼奴使婢，一般受用。老身每遍去时，他当个尊长看待，更不怠慢。如今养了个儿子，愈加好了。"三巧儿道："也是你老人家造化，嫁

① 万福——妇女的敬礼，一面作揖，一面说万福。

得着。”说罢，恰好晴云讨茶上来，两个吃了。婆子道：“今日雨天没事，老身大胆，敢求大娘的首饰一看，看些巧样儿在肚里也好。”三巧儿道：“也只是平常生活，你老人家莫笑话。”就取一把钥匙，开了箱笼，陆续搬出许多钗、钿、缨络之类。薛婆看了，夸美不尽，道：“大娘有恁般珍异，把老身这几件东西，看不在眼了。”三巧儿道：“好说，我正要与你老人家请个实价。”婆子道：“娘子是识货的，何消老身费嘴？”三巧儿把东西捡过，取出薛婆的篾丝箱儿来，放在卓上，将钥匙递与婆子道：“你老人家开了，捡看个明白。”婆子道：“大娘忒精细了。”当下开了箱儿，把东西逐件搬出。三巧儿品评价钱，都不甚远。婆子并不争论，欢欢喜喜的道：“恁地，便不枉了人。老身就少赚几贯钱，也是快活的。”三巧儿道：“只是一件，目下凑不起价钱，只好现奉一半。等待我家官人回来，一并清楚。他也只在这几日回了。”婆子道：“便迟几日，也不妨事。只是价钱上相让多了，银水要足纹①的。”三巧儿道：“这也小事。”便把心爱的几件首饰及珠子收起。唤晴云取杯见成②酒来，与老人家坐坐。婆子道：“造次如何好搅扰？”三巧儿道：“时常清闲，难得你老人家到此，作伴扳③话。你老人家若不嫌怠慢，时常过来走走。”婆子道：“多谢大娘错爱，老身家里当不过嘈杂，像宅上又忒清闲了。”三巧儿道：“你家儿子做甚生意？”婆子道：“也只是接些珠宝客人，每日的讨酒讨浆，刮④的人不耐烦。老身亏杀各宅们走动，在家时少，还好。若只在六尺地上转，怕不燥⑤死了人。”三巧儿道：“我家与你相近，不耐烦时，就过来闲话。”婆子道：“只不敢频频打搅。”三巧儿道：“老人家说那里话。”

只见两个丫鬟轮番的走动，摆了两副杯箸，两碗腊鸡，两碗腊肉，两碗鲜鱼，连果碟素菜，共一十六个碗。婆子道：“如何盛设！”三巧儿道：“见成的，休怪怠慢。”说罢，斟酒递与婆子，婆子将杯回敬，两下对坐而饮。原来三巧儿酒量尽去得，那婆子又是酒壶酒瓮，吃起酒来，一发⑥相投了，

---

① 足纹——成色足的银子。
② 见(xiàn，同现)成——即现成。
③ 扳(pān，同攀)——攀谈，设法接触。
④ 刮——吵闹、喧闹。
⑤ 燥——同躁，烦恼。
⑥ 一发——越发、更加。

只恨会面之晚。那日直吃到傍晚,刚刚雨止,婆子作谢要回。三巧儿又取出大银盅来,劝了几盅,又陪他吃了晚饭,说道:"你老人家再宽坐一时,我将这一半价钱付你去。"婆子道:"天晚了,大娘请自在,不争①这一夜儿,明日却来领罢。连这篾丝箱儿,老身也不拿去了,省得路上泥滑滑的不好走。"三巧儿道:"明日专专望你。"婆子作别下楼,取了破伞,出门去了。正是:

世间只有虔婆②嘴,哄动多多少少人。

却说陈大郎在下处呆等了几日,并无音信。见这日天雨,料是婆子在家,拖泥带水的进城来问个消息,又不相值。自家在酒肆中吃了三杯,用了些点心,又到薛婆门首打听,只是未回。看看天晚,却待转身,只见婆子一脸春色,脚略斜③的走入巷来。陈大郎迎着他,作了揖,问道:"所言如何?"婆子摇手道:"尚早。如今方下种,还没有发芽哩。再隔五六年,开花结果,才到得你口。你莫在此探头探脑,老娘不是管闲事的。"陈大郎见他醉了,只得转去。

次日,婆子买了些时新果子、鲜鸡、鱼、肉之类,唤个厨子安排停当,装做两个盒子,又买一瓮上好的酽酒,央间壁小二挑了,来到蒋家门首。三巧儿这日,不见婆子到来,正教晴云开门出来探望,恰好相遇。婆子教小二挑在楼下,先打发他去了。晴云已自报知主母,三巧儿把婆子当个贵客一般,直到楼梯口边迎他上去。婆子千恩万谢的福④了一回,便道:"今日老身偶有一杯水酒,将来与大娘消遣。"三巧儿道:"到要你老人家赔钞,不当受了。"婆子央两个丫鬟搬将上来,摆做一卓子。三巧儿道:"你老人家忒迂阔了,恁般大弄⑤起来。"婆子笑道:"小户人家,备不出甚么好东西,只当一茶奉献。"晴云便去取杯箸,暖雪便吹起水火炉⑥来。霎时酒暖,婆子道:"今日是老身薄意,还请大娘转坐客位。"三巧儿道:"虽然相

---

① 争——差。

② 虔婆——旧时开设妓院的妇女。也称老鸨。

③ 略斜——形容脚步歪斜。

④ 福——明代妇女行礼下拜,膝盖微屈,而身不弯。

⑤ 大弄——放开手干、铺张。

⑥ 水火炉——一种便于移动携带的铜制小炉,旁有一小火门,上有两孔,以置茶壶小镬,可供暖酒热水之用。

扰,在寒舍岂有此理?”两下谦让多时,薛婆只得坐了客席。这是第三次相聚,更觉熟分了。

饮酒中间,婆子问道:“官人出外好多时了,还不回,亏他撇得大娘下。”三巧儿道:“便是,说过一年就转,不知怎地担搁了?”婆子道:“依老身说,放下了恁般如花似玉的娘子,便博个堆金积玉也不为罕。”婆子又道:“大凡走江湖的人,把客当家,把家当客。比如我第四个女婿朱八朝奉,有了小女,朝欢暮乐,那里想家?或三年四年,才回一遍,住不上一两个月,又来了。家中大娘子替他担孤受寡,那晓得他外边之事?”三巧儿道:“我家官人到不是这样人。”婆子道:“老身只当闲话讲,怎敢将天比地?”当日两个猜谜掷色①,吃得酩酊而别。

第三日,同小二来取家火②,就领这一半价钱。三巧儿又留他吃点心。

从此以后,把那一半赊钱为由,只做问兴哥的消息,不时行走。这婆子俐齿伶牙,能言快语,又半痴不颠的惯与丫鬟们打诨③,所以上下都欢喜他。三巧儿一日不见他来,便觉寂寞,叫老家人认了薛婆家里,早晚常去请他,所以一发来得勤了。世间有四种人惹他不得,引起了头,再不好绝他。是那四种?

游方僧道,乞丐,闲汉④,牙婆。

上三种人犹可,只有牙婆是穿房入户的,女眷们怕冷静时,十个九个到要扳他来往。今日薛婆本是个不善之人,一般甜言软语,三巧儿遂与他成了至交,时刻少他不得。正是:

画虎画皮难画骨,知人知面不知心。

陈大郎几遍讨个消息,薛婆只回言尚早。其时五月中旬,天渐炎热。婆子在三巧儿面前,偶说起家中蜗窄,又是朝西房子,夏月最不相宜,不比这楼上高厂风凉。三巧儿道:“你老人家若撇⑤得家下,到此过夜也好。”婆子道:“好是好,只怕官人回来。”三巧儿道:“他就回,料道不是半夜三

---

① 掷色——色子,就是骰子。一种游戏用具或赌具。掷色,即掷骰子。

② 家火——用具、东西。

③ 打诨——开玩笑、说笑话。

④ 闲汉——帮闲的人。

⑤ 撇——抛、丢。

更。”婆子道:“大娘不嫌蒿恼①,老身惯是挜相知②的,只今晚就取铺陈过来,与大娘作伴,何如?”三巧儿道:“铺陈尽有,也不须拿得。你老人家回覆家里一声,索性在此过了一夏家去不好?”婆子真个对家里儿子媳妇说了,只带个梳匣儿过来。三巧儿道:“你老人家多事,难道我家油梳子也缺了,你又带来怎地?”婆子道:“老身一生怕的是同汤洗脸,合具梳头。大娘怕没有精致的梳具,老身如何敢用?其他姐儿们的,老身也怕用得,还是自家带了便当。只是大娘吩咐在那一门房安歇?”三巧儿指着床前一个小小藤榻儿,道:“我预先排下你的卧处了,我两个亲近些,夜间睡不着好讲些闲话。”说罢,捡出一顶青纱帐来,教婆子自家挂了,又同吃了一会酒,方才歇息。两个丫鬟原在床前打铺相伴,因有了婆子,打发他在间壁房里去睡。

从此为始,婆子日间出去串街做买卖,黑夜便到蒋家歇宿。时常携壶挈榼的殷勤热闹,不一而足。床榻是丁字样铺下的,虽隔着帐子,却象是一头同睡。夜间絮絮叨叨,你问我答,凡街坊秽亵之谈,无所不至。这婆子或时装醉诈风③起来,到说起自家少年时偷汉的许多情事,去勾动那妇人的春心。害得那妇人娇滴滴一副嫩脸,红了又白,白了又红。婆子已知妇人心活,只是那话儿不好启齿。

光阴迅速,又到七月初七日了,正是三巧儿的生日。婆子清早备下两盒礼,与他做生④。三巧儿称谢了,留他吃面。婆子道:“老身今日有些穷忙,晚上来陪大娘,看牛郎织女做亲。”说罢,自去了。

下得阶头不几步,正遇着陈大郎。路上不好讲话,随到个僻静巷里。陈大郎攒着两眉,埋怨婆子道:“干娘,你好慢心肠!春去夏来,如今又立过秋了。你今日也说尚早,明日也说尚早,却不知我度日如年。再延捱几日,他丈夫回来,此事便付东流,却不活活的害死我也!阴司去少不得与你索命。”婆子道:“你且莫喉急⑤,老身正要相请,来得恰好。事成不成,只在今晚,须是依我而行。”如此如此,这般这般,“全要轻轻悄悄,莫带累

---

① 蒿恼——骚扰、打搅。

② 挜(yà)相知——强要与人相交。

③ 诈风——假装疯癫。

④ 做生——庆贺生辰。

⑤ 喉急——发急、性急。

人。”陈大郎点头道：“好计，好计！事成之后，定当厚报。”说罢，欣然而去。正是：

排成窃玉偷香阵，费尽携云握雨心。

却说薛婆约定陈大郎这晚成事，午后细雨微茫，到晚却没有星月。婆子黑暗里引着陈大郎埋伏在左近，自己却去敲门。晴云点个纸灯儿，开门出来。婆子故意把衣袖一摸，说道：“失落了一条临清汗巾儿。姐姐，劳你大家寻一寻。”哄得晴云便把灯向街上照去。这里婆子捉个空①，招着陈大郎一溜溜进门来，先引他在楼梯背后空处伏着。婆子便叫道：“有了，不要寻了。”晴云道：“恰好火也没了，我再去点个来照你。”婆子道：“走熟的路，不消用火。”两个黑暗里关了门，摸上楼来。三巧儿问道：“你没了什么东西？”婆子袖里扯出个小帕儿来，道：“就是这个冤家，虽然不值甚钱，是一个北京客人送我的，却不道：‘礼轻人意重。’”三巧儿取笑道：“莫非是你老相交送的表记。”婆子笑道：“也差不多。”当夜两个耍笑饮酒。婆子道：“酒肴尽多，何不把些赏厨下男女②？也教他闹轰轰，像个节夜。”三巧儿真个把四碗菜，两壶酒，吩咐丫鬟，拿下楼去。那两个婆娘，一个汉子，吃了一回，各去歇息，不提。

再说婆子饮酒中间，问道：“官人如何还不回家？”三巧儿道：“便是算来一年半了。”婆子道：“牛郎织女，也是一年一会，你比他到多隔了半年。常言道：‘一品官，二品客。’做客的那一处没有风花雪月？只苦了家中娘子。”三巧儿叹了口气，低头不语。婆子道：“是老身多嘴了。今夜牛女佳期，只该饮酒作乐，不该说伤情话儿。”说罢，便斟酒去劝那妇人。

约莫半酣，婆子又把酒去劝两个丫鬟，说道：“这是牛郎织女的喜酒，劝你多吃几杯。后日嫁个恩爱的老公，寸步不离。”两个丫鬟被缠不过，勉强吃了，各不胜酒力，东倒西歪。三巧儿吩咐关了楼门，发放他先睡。他两个自在吃酒。

婆子一头吃，口里不住的说啰说皂，道：“大娘几岁上嫁的？”三巧儿道：“十七岁。”婆子道：“破得身迟，还不吃亏；我是十三岁上就破了身。”三巧儿道：“嫁得恁般早？”婆子道：“论起嫁，倒是十八岁了。不瞒大娘

---

① 捉个空——乘人不备、趁机。

② 男女——对人的贱称，常称奴仆为男女。

说，因是在间壁人家学针指，被他家小官人调诱，一时间贪他生得俊俏，就应承与他偷了。初时好不疼痛，两三遍后，就晓得快活。大娘你可也是这般么?”三巧儿只是笑。婆子又道：“那话儿到是不晓得滋味的到好，尝过的便丢不下，心坎里时时发痒。日里还好，夜间好难过哩。”三巧儿道：“想你在娘家时阅人多矣，亏你怎生充得黄花女儿嫁去?”婆子道：“我的老娘也晓得些影像①，生怕出丑，教我一个童女方，就遮过了。”三巧儿道：“你做女儿时，夜间也少不得独睡。”婆子道：“还记得在娘家时节，哥哥出外，我与嫂嫂一头同睡。”三巧儿道：“两个女人做对，有甚好处?”婆子走过三巧儿那边，挨肩坐了，说道：“大娘，你不知，只要大家知音，一般有趣，也撒得火。”三巧儿举手把婆子肩胛上打一下，说道：“我不信，你说谎。”婆子见他欲心已动，有心去挑拨他，又道：“老身今年五十二岁了，夜间常痴性发作，打熬②不过，亏得你少年老成。”三巧儿道：“你老人家打熬不过，终不然还去打汉子③。”婆子道：“败花枯柳，如今那个要我了?不瞒大娘说，我也有个自取其乐，救急的法儿。”三巧儿道：“你说谎，又是甚么法儿?”婆子道：“少停到床上睡了，与你细讲。”

说罢，只见一个飞蛾在灯上旋转，婆子便把扇来一扑，故意扑灭了灯，叫声：“阿呀！老身自去点个灯来。”便去开楼门。陈大郎已自走上楼梯，伏在门边多时了。——都是婆子预先设下的圈套。婆子道：“忘带个取灯儿④去了。”又走转来，便引着陈大郎到自己榻上伏着。婆子下楼去了一回，复上来道：“夜深了，厨下火种都熄了，怎么处?”三巧儿道：“我点灯睡惯了，黑魆魆地，好不怕人!”婆子道：“老身伴你一床睡何如?”三巧儿正要问他救急的法儿，应道：“甚好。”婆子道：“大娘，你先上床，我关了门就来。”三巧儿先脱了衣服，床上去了，叫道：“你老人家快睡罢。”婆子应道：“就来了。”却在榻上拖陈大郎上来，赤条条的掇在三巧儿床上去。三巧儿摸着身子，道：“你老人家许多年纪，身上恁般光滑!”那人并不回言，钻进被里。那妇人一则多了杯酒，醉眼朦胧；二则被婆子挑拨，春心飘荡，

---

① 影像——影子、踪迹、印象。指不很清楚的知识或记忆。

② 打熬——熬、忍受、支撑。

③ 打汉子——偷汉子。

④ 取灯儿——即发烛。用以引火用的小火炬。

到此不暇致详①,凭他轻薄。

一个是闺中怀春的少妇,一个是客邸慕色的才郎。一个打熬许久,如文君初遇相如;一个盼望多时,如必正初谐陈女②。分明久旱逢甘雨,胜过他乡遇故知。

陈大郎是走过风月场的人,颠鸾倒凤,曲尽其趣,弄得妇人魂不附体。云雨毕后,三巧儿方问道:"你是谁?"陈大郎把楼下相逢,如此相慕,如此苦央薛婆用计,细细说了:"今番得遂平生,便死瞑目。"婆子走到床间,说道:"不是老身大胆,一来可怜大娘青春独宿,二来要救陈郎性命。你两个也是宿世姻缘,非干老身之事。"三巧儿道:"事已如此,万一我丈夫知觉,怎么好?"婆子道:"此事你知我知,只买定了晴云、暖雪两个丫头,不许他多嘴,再有谁人漏泄?在老身身上,管成你夜夜欢娱,一些事也没有;只是日后不要忘记了老身。"三巧儿到此,也顾不得许多了,两个又狂荡起来。直到五更鼓绝,天色将明,两个兀自不舍。婆子催促陈大郎起身,送他出门去了。

自此无夜不会,或是婆子同来,或是汉子自来。两个丫鬟被婆子把甜话儿偎③他,又把利害话儿吓他,又教主母赏他几件衣服,汉子到时,不时把些零碎银子赏他们买果儿吃,骗得欢欢喜喜,已自做了一路。夜来明去,一出一入,都是两个丫鬟迎送,全无阻隔。真个是你贪我爱,如胶似漆,胜如夫妇一般。陈大郎有心要结识这妇人,不时的制办好衣服、好首饰送他,又替他还了欠下婆子的一半价钱。又将一百两银子谢了婆子。往来半年有余,这汉子约有千金之费。三巧儿也有三十多两银子东西,送那婆子。婆子只为图这些不义之财,所以肯做牵头④。这都不在话下。

古人云:"天下无不散的筵席。"

才过十五元宵夜,又是清明三月天。

陈大郎思想蹉跎了多时生意,要得还乡。夜来与妇人说知,两下恩深义重,各不相舍。妇人倒情愿收拾了些细软,跟随汉子逃走,去做长久夫妻。

---

① 致详——深究、细察。

② 必正初谐陈女——宋代传说:河南人潘必正与女贞观女道士陈妙常恋爱,最后结成夫妇。

③ 偎——哄、安慰、打动。

④ 牵头——牵线人,不正当男女关系的拉拢人。

陈大郎道:"使不得。我们相交始末,都在薛婆肚里。就是主人家吕公,见我每夜进城,难道没有些疑惑?况客船上人多,瞒得那个?两个丫鬟又带去不得。你丈夫回来,跟究①出情由,怎肯干休?娘子权且耐心,到明年此时,我到此,觅个僻静下处,悄悄通个信儿与你,那时两口儿同走,神鬼不觉,却不安稳?"妇人道:"万一你明年不来,如何?"陈大郎就设起誓来。妇人道:"既然你有真心,奴家也决不相负。你若到了家乡,倘有便人,托他捎个书信到薛婆处,也教奴家放意②。"陈大郎道:"我自用心,不消吩咐。"

又过几日,陈大郎雇下船只,装载粮食完备,又来与妇人作别。这一夜倍加眷恋,两下说一会,哭一会,又狂荡一会,整整的一夜不曾合眼。到五更起身,妇人便去开箱,取出一件宝贝,叫做"珍珠衫",递与陈大郎道:"这件衫儿,是蒋门祖传之物,暑天若穿了他,清凉透骨。此去天道渐热,正用得着。奴家把与你做个记念,穿了此衫,就如奴家贴体一般。"陈大郎哭得出声不得,软做一堆。妇人就把衫儿亲手与汉子穿下,叫丫鬟开了门户,亲自送他出门,再三珍重而别。诗曰:

昔年含泪别夫郎,今日悲啼送所欢。
堪恨妇人多水性,招来野鸟胜文鸾。

话分两头。却说陈大郎有了这珍珠衫儿,每日贴体穿着,便夜间脱下,也放在被窝中同睡,寸步不离。一路遇了顺风,不两月行到苏州府枫桥地面。那枫桥是柴米牙行聚处,少不得投个主家脱货,不在话下。

忽一日,赴个同乡人的酒席。席上遇个襄阳客人,生得风流标致。那人非别,正是蒋兴哥。原来兴哥在广东贩了些珍珠、玳瑁、苏木③、沉香④之类,搭伴起身。那伙同伴商量,都要到苏州发卖。兴哥久闻得"上说天堂,下说苏杭",好个大马头所在,有心要去走一遍,做这一回买卖,方才回去。还是去年十月中到苏州的。因是隐姓为商,都称为罗小官人,所以陈大郎更不疑惑。他两个萍水相逢,年相若,貌相似,谈吐应对之间,彼此敬慕。即席间问了下处,互相拜望,两下遂成知己,不时会面。

---

① 跟究——查究、追究。

② 放意——放心。

③ 苏木——即苏枋,常绿小乔木,浸汁可作染料。可入药。

④ 沉香——一种上等的香料,入水即沉,所以称为沉香。

兴哥讨完了客帐,欲待起身,走到陈大郎寓所作别。大郎置酒相待,促膝谈心,甚是款洽。此时五月下旬,天气炎热。两个解衣饮酒,陈大郎露出珍珠衫来。兴哥心中骇异,又不好认他的,只夸奖此衫之美。陈大郎恃了相知,便问道:“贵县大市街有个蒋兴哥家,罗兄可认得否?”兴哥到也乖巧,回道:“在下出外日多,里中虽晓得有这个人,并不相认。陈兄为何问他?”陈大郎道:“不瞒兄长说,小弟与他有些瓜葛。”便把三巧儿相好之情,告诉了一遍。扯着衫儿看了,眼泪汪汪道:“此衫是他所赠。兄长此去,小弟有封书信,奉烦一寄,明日侵早送到贵寓。”兴哥口里答应道:“当得,当得。”心下沉吟:“有这等异事!现在珍珠衫为证,不是个虚话了。”当下如针刺肚,推故不饮,急急起身别去。回到下处,想了又恼,恼了又想,恨不得学个缩地法儿,顷刻到家。连夜收拾,次早便上船要行。

只见岸上一个人气吁吁的赶来,却是陈大郎。亲把书信一大包,递与兴哥,叮嘱千万寄去。气得兴哥面如土色,说不得,话不得,死不得,活不得。只等陈大郎去后,把书看时,面上写道:“此书烦寄大市街东巷薛妈妈家。”兴哥性起,一手扯开,却是八尺多长一条桃红绉纱汗巾。又有个纸糊长匣儿,内有羊脂玉凤头簪一根。书上写道:“微物二件,烦干娘转寄心爱娘子三巧儿亲收,聊表记念。相会之期,准在来春。珍重,珍重。”兴哥大怒,把书扯得粉碎,撇在河中;提起玉簪在船板上一掼,折做两段。一念想起道:“我好糊涂!何不留此做个证见也好。”便捡起簪儿和汗巾,做一包收拾,催促开船。急急的赶到家乡,望见了自家门首,不觉堕下泪来。想起:“当初夫妻何等恩爱,只为我贪着蝇头微利,撇他少年守寡,弄出这场丑来,如今悔之何及!”在路上性急,巴不得赶回。及至到了,心中又苦又恨,行一步,懒一步。进得自家门里,少不得忍住了气,勉强相见。兴哥并无言语,三巧儿自己心虚,觉得满脸惭愧,不敢殷勤上前扳话。兴哥搬完了行李,只说去看看丈人丈母,依旧到船上住了一晚。

次早回家,向三巧儿说道:“你的爹娘同时害病,势甚危笃。昨晚我只得住下,看了他一夜。他心中只牵挂着你,欲见一面。我已雇下轿子在门首,你可作速回去,我也随后就来。”三巧儿见丈夫一夜不回,心里正在疑虑;闻说爹娘有病,却认真了,如何不慌?慌忙把箱笼上匙钥递与丈夫,唤个婆娘跟了,上轿而去。兴哥叫住了婆娘,向袖中摸出一封书来,吩咐他送与王公:“送过书,你便随轿回来。”

却说三巧儿回家,见爹娘双双无恙,吃了一惊。王公见女儿不接而回,也自骇然。在婆子手中接书,拆开看时,却是休书一纸。上写道:

立休书人蒋德,系襄阳府枣阳县人,从幼凭媒聘定王氏为妻,岂期过门之后,本妇多有过失,正合七出之条①。因念夫妻之情,不忍明言,情愿退还本宗,听凭改嫁,并无异言。休书是实。

成化二年　　月　　日　　　手掌为记。

书中又包着一条桃红汗巾,一枝打折的羊脂玉凤头簪。王公看了,大惊,叫过女儿问其缘故。三巧儿听说丈夫把他休了,一言不发,啼哭起来。王公气忿忿的一径跟到女婿家来,蒋兴哥连忙上前作揖,王公回礼,便问道:"贤婿,我女儿是清清白白嫁到你家的,如今有何过失,你便把他休了?须还我个明白。"蒋兴哥道:"小婿不好说得,但问令爱便知。"王公道:"他只是啼哭,不肯开口,教我肚里好闷!小女从幼聪慧,料不到得②犯了淫盗。若是小小过失,你可也看老汉薄面,恕了他罢。你两个是七八岁上定下的夫妻,完婚后并不曾争论一遍两遍,且是和顺。你如今做客才回,又不曾住过三朝五日,有什么破绽落在你眼里?你直如此狠毒,也被人笑话,说你无情无义。"蒋兴哥道:"丈人在上,小婿也不敢多讲。家下有祖遗下珍珠衫一件,是令爱收藏,只问他如今在否。若在时,半字休提;若不在,只索③休怪了。"王公忙转身回家,问女儿道:"你丈夫只问你讨什么珍珠衫,你端的④拿与何人去了?"那妇人听得说着了他紧要的关目⑤,羞得满脸通红,开不得口,一发号啕大哭起来,慌得王公没做理会处。王婆劝道:"你不要只管啼哭,实实的说个真情与爹妈知道,也好与你分剖。"妇人那里肯说,悲悲咽咽,哭一个不住。王公只得把休书和汗巾簪子,都付与王婆,教他慢慢的偎着女儿,问他个明白。

王公心中纳闷,走在邻家闲话去了。王婆见女儿哭得两眼赤肿,生怕苦坏了他,安慰了几句言语,走往厨房下去暖酒,要与女儿消愁。三巧儿

---

① 七出之条——古代休妻的七个条件,即:无子、淫佚、不事舅姑、口舌、盗窃、妒忌、恶疾。

② 不到得——不会、不至于。

③ 只索——只得、只好。

④ 端的——究竟。

⑤ 关目——情节。

在房中独坐,想着珍珠衫泄漏的缘故,好生难解!这汗巾簪子,又不知那里来的。沉吟了半晌道:"我晓得了:这折簪是镜破钗分之意,这条汗巾,分明教我悬梁自尽。他念夫妻之情,不忍明言,是要全我的廉耻。可怜四年恩爱,一旦决绝,是我做的不是,负了丈夫恩情。便活在人间,料没有个好日,不如缢死,到得干净。"说罢,又哭了一回,把个坐兀子①填高,将汗巾兜在梁上,正欲自缢。也是寿数未绝,不曾关上房门。恰好王婆暖得一壶好酒走进房来,见女儿安排这事,急得他手忙脚乱,不放酒壶,便上前去拖拽。不期一脚踢番②坐兀子,娘儿两个跌做一团,酒壶都泼翻了。王婆爬起来,扶起女儿,说道:"你好短见!二十多岁的人,一朵花还没有开足,怎做这没下梢③的事?莫说你丈夫还有回心转意的日子,便真个休了,恁般容貌,怕没人要你?少不得别选良姻,图个下半世受用。你且放心过日子去,休得愁闷。"王公回家,知道女儿寻死,也劝了他一番,又嘱咐王婆用心提防。过了数日,三巧儿没奈何,也放下了念头。正是:

　　夫妻本是同林鸟,大限来时各自飞。

再说蒋兴哥把两条索子,将晴云、暖雪捆缚起来,拷问情由。那丫头初时抵赖,吃打不过,只得从头至尾,细细招将出来,已知都是薛婆勾引,不干他人之事。到明朝,兴哥领了一伙人,赶到薛婆家里,打得他雪片相似,只饶他拆了房子。薛婆情知自己不是,躲过一边,并没一人敢出头说话。兴哥见他如此,也出了这口气。回去唤个牙婆,将两个丫头都卖了。楼上细软箱笼,大小共十六只,写三十二条封皮,打叉封了,更不开动。这是甚意儿?只因兴哥夫妇,本是十二分相爱的。虽则一时休了,心中好生痛切。见物思人,何忍开看?

话分两头。却说南京有个吴杰进士,除授广东潮阳县知县,水路上任,打从襄阳经过。不曾带家小,有心要择一美妾。一路看了多少女子,并不中意。闻得枣阳县王公之女,大有颜色,一县闻名,出五十金财礼,央媒议亲。王公到也乐从,只怕前婿有言,亲到蒋家,与兴哥说知。兴哥并不阻挡。临嫁之夜,兴哥雇了人夫,将楼上十六个箱笼,原封不动,连钥匙

---

① 坐兀子——小矮凳。

② 番——同翻。

③ 没下梢——梢,就是末端。没下梢指没结果,没结局。

送到吴知县船上,交割与三巧儿,当个赔嫁。妇人心上到过意不去。傍人晓得这事,也有夸兴哥做人忠厚的,也有笑他痴骇①的,还有骂他没志气的:正是人心不同。

闲话休提。再说陈大郎在苏州脱货完了,回到新安,一心只想着三巧儿。朝暮看了这件珍珠衫,长吁短叹。老婆平氏心知这衫儿来得跷蹊,等丈夫睡着,悄悄的偷去,藏在天花板上。陈大郎早起要穿时,不见了衫儿,与老婆取讨。平氏那里肯认。急得陈大郎性发,倾箱倒箧的寻个遍,只是不见,便破口骂老婆起来。惹得老婆啼啼哭哭,与他争嚷,闹吵了两三日。陈大朗情怀撩乱,忙忙的收拾银两,带个小郎,再望襄阳旧路而进。

将近枣阳,不期遇了一伙大盗,将本钱尽皆劫去,小郎也被他杀了。陈商眼快,走向船梢舵上伏着,幸免残生。思想还乡不得,且到旧寓住下,待会了三巧儿,与他借些东西,再图恢复。叹了一口气,只得离船上岸。

走到枣阳城外主人吕公家,告诉其事;又道如今要央卖珠子的薛婆,与一个相识人家借些本钱营运。吕公道:"大郎不知,那婆子为勾引蒋兴哥的浑家,做了些丑事。去年兴哥回来,问浑家讨什么'珍珠衫',原来浑家赠与情人去了,无言回答,兴哥当时休了浑家回去,如今转嫁与南京吴进士做第二房夫人了。那婆子被蒋家打得个片瓦不留,婆子安身不牢,也搬在隔县②去了。"

陈大郎听得这话,好似一桶冷水没头淋下,这一惊非小。当夜发寒发热,害起病来。这病又是郁症,又是相思症,也带些怯症③,又有些惊症,床上卧了两个多月,翻翻覆覆只是不愈,连累主人家小厮,伏侍得不耐烦。陈大郎心上不安,打熬起精神,写成家书一封,请主人来商议,要觅个便人捎信往家中,取些盘缠,就要个亲人来看觑④同回。这几句正中了主人之意,恰好有个相识的承差⑤,奉上司公文要往徽宁一路,水陆驿递,极是快的。吕公接了陈大郎书札,又替他应出五钱银子,送与承差,央他乘便寄去。果然的"自行由得我,官差急如火",不够几日,到了新安县。问着陈

① 痴骇(chī ái)——呆笨、不灵敏。

② 隔县——邻县。

③ 怯症——痨病。

④ 看觑(qù)——看望。

⑤ 承差——递送文书的官差。

商家里，送了家书，那承差飞马去了。正是：

只为千金书信，又成一段姻缘。

话说平氏拆开家信，果是丈夫笔迹，写道：

陈商再拜，贤妻平氏见字：别后襄阳遇盗，劫资杀仆。某受惊患病，见卧旧寓吕家，两月不愈。字到可央一的当①亲人，多带盘缠，速来看视。伏枕草草。

平氏看了，半信半疑，想道："前番回家，亏折了千金赀本。据这件珍珠衫，一定是邪路上来的。今番又推被盗，多讨盘缠，怕是假话。"又想道："他要个的当亲人，速来看视，必然病势利害。这话是真，也未可知。如今央谁人去好？"左思右想，放心不下。与父亲平老朝奉商议。收拾起细软家私，带了陈旺夫妇，就请父亲作伴，顾个船只，亲往襄阳看丈夫去。到得京口，平老朝奉痰火病发，央人送回去了。平氏引着男女，上水②前进。

不一日，来到枣阳城外，问着了旧主人吕家。原来十日前，陈大郎已故了。吕公赔些钱钞，将就入殓。平氏哭倒在地，良久方醒。慌忙换了孝服，再三向吕公说，欲待开棺一见，另买副好棺材，重新殓过。吕公执意不肯。平氏没奈何，只得买木做个外棺包裹，请僧做法事超度，多焚冥资。吕公已自索了他二十两银子谢仪，随他闹吵，并不言语。

过了一月有余，平氏要选个好日子，扶柩而回。吕公见这妇人年少姿色，料是守寡不终，又且囊中有物，思想儿子吕二，还没有亲事，何不留住了他，完其好事，可不两便？吕公买酒请了陈旺，央他老婆委曲进言，许以厚谢。陈旺的老婆是个蠢货，那晓得什么委曲？不顾高低，一直的对主母说了。平氏大怒，把他骂了一顿，连打几个耳光子，连主人家也数落③了几句。吕公一场没趣，敢怒而不敢言。正是：

羊肉馒头没的吃，空教惹得一身骚。

吕公便去撺掇陈旺逃走。陈旺也思量没甚好处了，与老婆商议，教他做脚，里应外合，把银两首饰，偷得罄尽，两口儿连夜走了。吕公明知其情，反埋怨平氏道：不该带这样歹人出来，幸而偷了自家主母的东西，若偷

① 的当——妥当、恰当。

② 上水——逆水。

③ 数落——责骂、埋怨。

了别家的,可不连累人!又嫌这灵柩碍他生理,教他快些抬去。又道后生寡妇,在此住居不便,催促他起身。平氏被逼不过,只得别赁下一间房子住了。雇人把灵柩移来,安顿在内。这凄凉景象,自不必说。

间壁有个张七嫂,为人甚是活动。听得平氏啼哭,时常走来劝解。平氏又时常央他典卖几件衣服用度,极感其意。不够几月,衣服都典尽了。从小学得一手好针线,思量要到个大户人家,教习女红度日,再作区处。正与张七嫂商量这话,张七嫂道:"老身不好说得,这大户人家,不是你少年人走动的。死的没福自死了,活的还要做人。你后面日子正长哩,终不然做针线娘①了得你下半世?况且名声不好,被人看得轻了。还有一件,这个灵柩,如何处置?也是你身上一件大事。便出赁房钱,终久是不了之局。"平氏道:"奴家也都虑到,只是无计可施了。"张七嫂道:"老身倒有一策,娘子莫怪我说。你千里离乡,一身孤寡,手中又无半钱,想要搬这灵柩回去,多是虚了。莫说你衣食不周,到底难守;便多守得几时,亦有何益?依老身愚见,莫若趁此青年美貌,寻个好对头,一夫一妇的,随了他去。得些财礼,就买块土来葬了丈夫,你的终身又有所托,可不生死无憾?"平氏见他说得近理,沉吟了一会,叹口气道:"罢,罢,奴家卖身葬夫,傍人也笑我不得。"张七嫂道:"娘子若定了主意时,老身现有个主儿在此。年纪与娘子相近,人物齐整,又是大富之家。"平氏道:"他既是富家,怕不要二婚的。"张七嫂道:"他也是续弦了,原对老身说:不拘头婚二婚,只要人才出众。似娘子这般丰姿,怕不中意。"原来张七嫂曾受蒋兴哥之托,央他访一头好亲。因是前妻三巧儿出色标致,所以如今只要访个美貌的。那平氏容貌,虽不及得三巧儿,论起手脚伶俐,胸中泾渭,又胜似他。

张七嫂次日就进城,与蒋兴哥说了。兴哥闻得是下路人,愈加欢喜。这里平氏分文财礼不要,只要买块好地殡葬丈夫要紧。张七嫂往来回复了几次,两相依允。

话休烦絮。却说平氏送了丈夫灵柩入土,祭奠毕了,大哭一场,免不得起灵除孝。临期,蒋家送衣饰过来,又将他典下的衣服都赎回了。成亲之夜,一般大吹大擂,洞房花烛。正是:

规矩熟闲虽旧事,恩情美满胜新婚。

---

① 针线娘——富豪人家的专司缝纫的女佣人。

蒋兴哥见平氏举止端庄,甚相敬重。一日,从外而来,平氏正在打叠衣箱,内有珍珠衫一件。兴哥认得了,大惊问道:“此衫从何而来?”平氏道:“这衫儿来得跷蹊。”便把前夫如此张致①,夫妻如此争嚷,如此赌气分别,述了一遍。又道:“前日艰难时,几番欲把他典卖,只愁来历不明,怕惹出是非,不敢露人眼目。连奴家至今,不知这物事那里来的。”兴哥道:“你前夫陈大郎名字,可叫做陈商?可是白净面皮,没有须,左手长指甲的么?”平氏道:“正是。”蒋兴哥把舌头一伸,合掌对天道:“如此说来,天理昭彰,好怕人也!”平氏问其缘故,蒋兴哥道:“这件珍珠衫,原是我家旧物。你丈夫奸骗了我的妻子,得此衫为表记。我在苏州相会,见了此衫,始知其情,回来把王氏休了。谁知你丈夫客死,我今续弦,但闻是徽州陈客之妻,谁知就是陈商!却不是一报还一报!”平氏听罢,毛骨竦然。从此恩情愈笃。这才是“蒋兴哥重会珍珠衫”的正话②。诗曰:

天理昭昭不可欺,两妻交易孰便宜?
分明欠债偿他利,百岁姻缘暂换时。

再说蒋兴哥有了管家娘子,一年之后,又往广东做买卖。也是合当有事,一日到合浦县贩珠,价都讲定。主人家老儿,只拣一粒绝大的偷过了,再不承认。兴哥不忿③,一把扯他袖子要搜。何期去得势重,将老儿掭翻在地,跌下便不做声。忙去扶时,气已断了。儿女亲邻,哭的哭,叫的叫,一阵的簇拥将来,把兴哥捉住。不由分说,痛打一顿,关在空房里。连夜写了状词,只等天明,县主④早堂⑤,连人进状。县主准了,因这日有公事,吩咐把凶身锁押,次日候审。

你道这县主是谁?姓吴名杰,南畿⑥进士,正是三巧儿的晚老公。初选原在潮阳,上司因见他清廉,调在这合浦县采珠的所在来做官。是夜,吴杰在灯下将准过的状词细阅。三巧儿正在旁边闲看,偶见宋福所告人命一词,凶身罗德,枣阳县客人,不是蒋兴哥是谁!想起旧日恩情,不觉痛

---

① 张致——举止、样子。
② 正话——正题、正文。
③ 不忿——不平、不服气。
④ 县主——知县。
⑤ 早堂——官府每日清晨卯时坐衙理事,受群吏参谒叫早堂。
⑥ 南畿——明代称南京附近地区为南畿。

酸,哭告丈夫道:"这罗德是贱妾的亲哥,出嗣在母舅罗家的。不期客边,犯此大辟。官人可看妾之面,救他一命还乡。"县主道:"且看临审如何。若人命果真,教我也难宽宥。"三巧儿两眼噙泪,跪下苦苦哀求。县主道:"你且莫忙,我自有道理。"明早出堂,三巧儿又扯住县主衣袖哭道:"若哥哥无救,贱妾亦当自尽,不能相见了。"

当日县主升堂,第一就问这起。只见宋福、宋寿弟兄两个,哭啼啼的与父亲执命,禀道:"因争珠怀恨,登时打闷,仆地身死。望爷爷做主。"县主问众干证①口词,也有说打倒的,也有说推跌的。蒋兴哥辩道:"他父亲偷了小人的珠子,小人不忿,与他争论。他因年老脚[illegible]LIB②,自家跌死,不干小人之事。"县主问宋福道:"你父亲几岁了?"宋福道:"六十七岁了。"县主道:"老年人容易昏绝,未必是打。"宋福、宋寿坚执是打死的。县主道:"有伤无伤,须凭检验。既说打死,将尸发在漏泽园③去,俟晚堂听检。"原来宋家也是个大户,有体面的,老儿曾当过里长,儿子怎肯把父亲在尸场剔骨?两个双双叩头道:"父亲死状,众目共见,只求爷爷到小人家里相验,不愿发检。"县主道:"若不见贴骨伤痕,凶身怎肯伏罪?没有尸格④,如何申得上司过?"弟兄两个只是求告,县主发怒道:"你既不愿检,我也难问。"慌的他弟兄两个连连叩头道:"但凭爷爷明断。"县主道:"望七⑤之人,死是本等⑥。倘或不因打死,屈害了一个平人⑦,反增死者罪过。就是你做儿子的,巴得父亲到许多年纪,又把个不得善终的恶名与他,心中何忍?但打死是假,推仆是真,若不重罚罗德,也难出你的气。我如今教他披麻戴孝,与亲儿一般行礼;一应殡殓之费,都要他支持。你可服么?"弟兄两个道:"爷爷吩咐,小人敢不遵依。"兴哥见县主不用刑罚,断得干净,喜出望外。当下原被告都叩头称谢。县主道:"我也不写审单⑧,

① 干证——与案件有关的证人。
② 脚跸——跸,失误的意思。脚跸,脚下疏失,失足。
③ 漏泽园——官设的义冢。
④ 尸格——验尸时填具的表格,也叫"验状"、"尸单"。
⑤ 望七——将近七十岁。
⑥ 本等——本分、本来。
⑦ 平人——好人、无罪之人。
⑧ 审单——审判书。

着差人押出，待事完回话，把原词①与你销讫便了。”正是：

公堂造业真容易，要积阴功亦不难。

试看今朝吴大尹②，解冤释罪两家欢。

却说三巧儿自丈夫出堂之后，如坐针毡。一闻得退衙，便迎住问个消息。县主道：“我……如此如此断了，看你之面，一板也不曾责他。”三巧儿千恩万谢，又道：“妾与哥哥久别，渴思一会，问取爹娘消息。官人如何做个方便，使妾兄妹相见，此恩不小。”县主道：“这也容易。”看官们，你道三巧儿被蒋兴哥休了，恩断义绝，如何恁地用情？他夫妇原是十分恩爱的，因三巧儿做下不是，兴哥不得已而休之，心中兀自不忍；所以改嫁之夜，把十六只箱笼，完完全全的赠他。只这一件，三巧儿的心肠，也不容不软了。今日他身处富贵，见兴哥落难，如何不救？这叫做知恩报恩。

再说蒋兴哥遵了县主所断，着实小心尽礼，更不惜费，宋家弟兄都没话了。丧葬事毕，差人押到县中回复，县主唤进私衙赐坐，说道：“尊舅这场官司，若非令妹再三哀恳，下官几乎得罪了。”兴哥不解其故，回答不出。少停茶罢，县主请入内书房，教小夫人出来相见。你道这番意外相逢，不像个梦景么？他两个也不行礼，也不讲话，紧紧的你我相抱，放声大哭。就是哭爹哭娘，从没见这般哀惨，连县主在旁，好生不忍，便道：“你两人且莫悲伤，我看你不像哥妹，快说真情，下官有处。”两个哭得半休不休的，那个肯说？却被县主盘问不过，三巧儿只得跪下，说道：“贱妾罪当万死，此人乃妾之前夫也。”蒋兴哥料瞒不得，也跪下来，将从前恩爱，及休妻再嫁之事，一一诉知。说罢，两人又哭做一团，连吴知县也堕泪不止，道：“你两人如此相恋，下官何忍拆开？幸然在此三年，不曾生育，即刻领去完聚。”两个插烛也似拜谢。

县主即忙讨个小轿，送三巧儿出衙；又唤集人夫，把原来赔嫁的十六个箱笼抬去，都教兴哥收领；又差典吏③一员，护送他夫妇出境。——此乃吴知县之厚德。正是：

---

① 原词——原状。

② 大尹——对知府、知县的尊称。

③ 典吏——司、道、府、州、县衙门的属吏。

珠还合浦①重生采,剑合丰城②倍有神。

堪羡吴公存厚道,贪财好色竟何人?

此人向来艰子③,后行取④到吏部,在北京纳宠,连生三子,科第不绝,人都说阴德之报,这是后话。

再说蒋兴哥带了三巧儿回家,与平氏相见。论起初婚,王氏在前;只因休了一番,这平氏到是明媒正娶,又且平氏年长一岁,让平氏为正房,王氏反做偏房。两个姊妹相称,从此一夫二妇,团圆到老。有诗为证:

恩爱夫妻虽到头,妻还作妾亦堪羞。

殃祥果报无虚谬,咫尺青天莫远求。

# 第二卷　陈御史巧勘金钗钿

世事番腾似转轮,眼前凶吉未为真。

请看久久分明应,天道何曾负善人?

闻得老郎⑤们相传的说话,不记得何州甚县,单说有一人,姓金名孝,年长未娶。家中只有个老母,自家卖油为生。一日挑了油担出门,中途因里急,走上茅厕大解,拾得一个布裹肚⑥,内有一包银子,约莫有三十两。金孝不胜欢喜,便转担回家,对老娘说道:"我今日造化,拾得许多银子。"老娘看见,到吃了一惊,道:"你莫非做下歹事偷来的么?"金孝道:"我几

① 珠还合浦——典出《后汉书·孟尝传》。合浦郡(今广西合浦县东北)海中出珍珠,历来太守都贪得无厌,所以珍珠渐移往别处。后孟尝为太守,尽革前弊,珍珠复还。

② 剑合丰城——晋代传说,张华望见丰城有剑气,乃以雷焕为丰城令,雷焕掘得双剑,一口送给张华,一口自佩。张华、雷焕死后,双剑入延平津复合,化为二龙。

③ 艰子——不生儿子。

④ 行取——地方官员调京另行授职。

⑤ 老郎——这里是艺人们对本行中前辈的一种称呼。

⑥ 裹肚——兜肚。宋代则称围腰巾为裹肚。

曾偷惯了别人的东西？却恁般说！早是①邻舍不曾听得哩。这裹肚，其实不知什么人遗失在茅坑旁边，喜得我先看见了，拾取回来。我们做穷经纪的人，容易得这主大财？明日烧个利市②，把来做贩油的本钱，不强似赊别人的油卖？"老娘道："我儿，常言道：'贫富皆由命。'你若命该享用，不生在挑油担的人家来了。依我看来，这银子虽非是你设心③谋得来的，也不是你辛苦挣来的。只怕无功受禄，反受其殃。这银子，不知是本地人的，远方客人的？又不知是自家的，或是借贷来的？一时间失脱了，抓寻④不见，这一场烦恼非小。连性命都失图⑤了，也不可知。曾闻古人裴度还带积德⑥，你今日原到拾银之处，看有甚人来寻，便引来还他原物，也是一番阴德，皇天必不负你。"

金孝是个本分的人，被老娘教训了一场，连声应道："说得是，说得是。"放下银包裹肚，跑到那茅厕边去。只见闹嚷嚷的一丛人围着一个汉子，那汉子气忿忿的叫天叫地。金孝上前问其缘故。原来那汉子是他方客人，因登东⑦，解脱了裹肚，失了银子，找寻不见。只道卸下茅坑，唤几个泼皮⑧来，正要下去掏摸。街上人都拥着闲看。金孝便问客人道："你银子有多少？"客人胡乱应道："有四五十两。"金孝老实，便道："可有个白布裹肚么？"客人一把扯住金孝，道："正是，正是。是你拾着，还了我，情愿出赏钱。"众人中有快嘴的便道："依着道理，平半分也是该的。"金孝道："真个是我拾得，放在家里，你只随我去便有。"众人都想道：拾得钱财，巴不得瞒过了人，那曾见这个人到去寻主儿还他？也是异事。金孝和

① 早是——幸而、幸亏。
② 烧利市——烧纸祭献福神。
③ 设心——居心、存心。
④ 抓寻——寻找。
⑤ 失图——丢掉、保不住。
⑥ 裴度还带积德——唐代裴度未发迹时，有一天游香山寺，拾到了两条玉带和一条犀带，这三条带是一个女人从别人处借来营救她那陷在狱中的父亲的。裴度问明后，把带还给失主。据迷信的说法他因这事积了德，所以后来一直做到宰相。
⑦ 登东——上厕所。
⑧ 泼皮——无赖、流氓。

客人动身时,这伙人一哄都跟了去。

金孝到了家中,双手儿捧出裹肚,交还客人。客人捡出银包看时,晓得原物不动;只怕金孝要他出赏钱,又怕众人乔主张①他平分,反使欺心,赖着金孝,道:"我的银子,原说有四五十两,如今只剩得这些。你匿过一半了,可将来还我!"金孝道:"我才拾得回来,就被老娘逼我出门,寻访原主还他,何曾动你分毫?"那客人赖定短少了他的银两,金孝负屈忿恨,一个头肘子撞去。那客人力大,把金孝一把头发提起,像只小鸡一般,放番②在地,捻着拳头便要打。引得金孝七十岁的老娘,也奔出门前叫屈。众人都有些不平,似杀阵般嚷将起来。

恰好县尹相公在这街上过去,听得喧嚷,歇了轿,吩咐做公的拿来审问。众人怕事的,四散走开去了。也有几个大胆的,站在旁边看县尹相公怎生断这公事。

却说做公的将客人和金孝母子拿到县尹面前,当街跪下,各诉其情。一边道:"他拾了小人的银子,藏过一半不还。"一边道:"小人听了母亲言语,好意还他,他反来图赖小人。"县尹问众人:"谁做证见?"众人都上前禀道:"那客人脱了银子,正在茅厕边抓寻不着,却是金孝自走来承认了,引他回去还他。这是小人们众目共睹。只银子数目多少,小人不知。"县令道:"你两下不须争嚷,我自有道理。"教做公的带那一干人到县来。

县尹升堂,众人跪在下面。县尹教取裹肚和银子上来,吩咐库吏,把银子兑准③回复。库吏复道:"有三十两。"县主又问客人道:"你银子是许多?"客人道:"五十两。"县主道:"你看见他拾取的,还是他自家承认的?"客人道:"实是他亲口承认的。"县主道:"他若是要赖你的银子,何不全包都拿了?却止藏一半,又自家招认出来?他不招认,你如何晓得?可见他没有赖银之情了。你失的银子是五十两,他拾的是三十两,这银子不是你的,必然另是一个人失落的。"客人道:"这银子实是小人的,小人情愿只领这三十两去罢。"县尹道:"数目不同,如何冒认得去?这银两合断与金孝领去,奉养母亲;你的五十两,自去抓寻。"金孝得了银子,千恩万

① 乔主张——乱做主张。

② 放番——弄倒、摔倒。

③ 兑准——兑,用天平称金银。兑准,即称准了。

谢的，扶着老娘去了。那客人已经官断，如何敢争？只得含羞噙泪而去。众人无不称快。这叫做：

欲图他人，翻失自己。自己羞惭，他人欢喜。

看官，今日听我说"金钗钿"这桩奇事。有老婆的翻没了老婆，没老婆的翻得了老婆。只如金孝和客人两个，图银子的翻失了银子，不要银子的翻得了银子。事迹虽异，天理则同。

却说江西赣州府石城县，有个鲁廉宪①，一生为官清介，并不要钱，人都称为"鲁白水"。那鲁廉宪与同县顾佥事②累世通家。鲁家一子，双名学曾；顾家一女，小名阿秀，两下面约为婚。来往间亲家相呼，非止一日。因鲁奶奶病故，廉宪携着孩儿在于任所，一向迁延，不曾行得大礼。谁知廉宪在任，一病身亡。学曾扶柩回家，守制三年，家事愈加消乏，止存下几间破房子，连口食都不周了。

顾佥事见女婿穷得不像样，遂有悔亲之意，与夫人孟氏商议道："鲁家一贫如洗，眼见得六礼难备，婚娶无期；不若别求良姻，庶不误女儿终身之托。"孟夫人道："鲁家虽然穷了，从幼许下的亲事，将何辞以绝之？"顾佥事道："如今只差人去说男长女大，催他行礼。两边都是宦家，各有体面，说不得'没有'两个字，也要出得他的门，入的我的户。那穷鬼自知无力，必然情愿退亲。我就要了他休书，却不一刀两断？"孟夫人道："我家阿秀性子有些古怪，只怕他倒不肯。"顾佥事道："在家从父，这也由不得他。你只慢慢的劝他便了。"

当下孟夫人走到女儿房中，说知此情。阿秀道："妇人之义，从一而终；婚姻论财，夷虏之道。爹爹如此欺贫重富，全没人伦，决难从命。"孟夫人道："如今爹去催鲁家行礼，他若行不起礼，倒愿退亲，你只索罢休。"阿秀道："说那里话！若鲁家贫不能聘，孩儿情愿守志③终身，决不改适④。当初钱玉莲投江全节⑤，留名万古。爹爹若是见逼，孩儿就拚却一

---

① 廉宪——廉访使的俗称。

② 佥事——官名。

③ 守志——守节。

④ 改适——适，旧指女子出嫁。改适即改嫁。

⑤ 钱玉莲投江全节——传说宋王十朋妻钱玉莲，继母逼其改嫁富人孙汝权，玉莲不从，自投于瓯江中。

命,亦有何难!”孟夫人见女执性,又苦他,又怜他。心生一计:除非瞒过佥事,密地①唤鲁公子来,助他些东西,教他作速行聘,方成其美。

忽一日,顾佥事往东庄收租,有好几日担搁。孟夫人与女儿商量停当了,唤园公②老欧到来。夫人当面吩咐,教他去请鲁公子,后门相会,如此如此,“不可泄漏,我自有重赏。”老园公领命,来到鲁家。但见:

门如败寺,屋似破窑。窗槅离披,一任风声开闭;厨房冷落,绝无烟气蒸腾。颓墙漏瓦权栖足,只怕雨来;旧椅破床便当柴,也少火力。尽说宦家门户倒,谁怜清吏子孙贫?

说不尽鲁家穷处。

却说鲁学曾有个姑娘,嫁在梁家,离城将有十里之地。姑夫已死,止存一子梁尚宾,新娶得一房好娘子,三口儿一处过活,家道粗足。这一日鲁公子恰好到他家借米去了,只有个烧火的白发婆婆在家。老管家只得传了夫人之命,教他作速寄信去请公子回来:“此是夫人美情,趁这几日老爷不在家中,专等专等,不可失信。”嘱罢自去了。这里老婆子想道:此事不可迟缓,也不好转托他人传话。当初奶奶存日,曾跟到姑娘家去,有些影像在肚里。当下嘱咐邻人看门,一步一跌的问到梁家。梁妈妈正留着侄儿在房中吃饭,婆子向前相见,把老园公言语细细述了。姑娘道:“此是美事。”撺掇侄儿快去。

鲁公子心中不胜欢喜,只是身上蓝缕,不好见得岳母,要与表兄梁尚宾借件衣服遮丑。原来梁尚宾是个不守本分的歹人,早打下欺心草稿,便答应道:“衣服自有,只是今日进城,天色已晚了;宦家门墙,不知深浅,令岳母夫人虽然有话,众人未必尽知,去时也须仔细。凭着愚见,还屈贤弟在此草榻,明日只可早往,不可晚行。”鲁公子道:“哥哥说得是。”梁尚宾道:“愚兄还要到东村一个人家,商量一件小事,回来再得奉陪。”又嘱咐梁妈妈道:“婆子走路辛苦,一发留他过宿,明日去罢。”妈妈也只道孩儿是个好意,真个把两人都留住了。谁知他是个奸计,只怕婆子回去时,那边老园公又来相请,露出鲁公子不曾回家的消息,自己不好去打脱冒③

① 密地——悄悄地、暗暗地。

② 园公——管园的林人。

③ 打脱冒——冒充、冒骗。

了。正是：

欺天行当人难识，立地机关鬼不知。

梁尚宾背却公子，换了一套新衣，悄地出门，径投城中顾佥事家来。

却说孟夫人是晚教老园公开了园门伺候。看看日落西山，黑影里只见一个后生，身上穿得齐齐整整，脚儿走得慌慌张张，望着园门欲进不进的。老园公问道："郎君可是鲁公子么？"梁尚宾连忙鞠个躬应道："在下正是。因老夫人见召，特地到此，望乞通报。"老园公慌忙请到亭子中暂住，急急的进去，报与夫人。孟夫人就差个管家婆出来传话，请公子到内室相见。才下得亭子，又有两个丫鬟，提着两碗纱灯来接。弯弯曲曲行过多少房子，忽见朱楼画阁，方是内室。孟夫人揭起朱帘，秉烛而待。那梁尚宾一来是个小家出身，不曾见恁般富贵样子；二来是个村郎①，不通文墨；三来自知假货，终是怀着个鬼胎，意气不甚舒展。上前相见时，跪拜应答，眼见得礼貌粗疏，语言涩滞。孟夫人心下想道："好怪！全不像宦家子弟。"一念又想道："常言'人贫智短'，他恁地贫困，如何怪得他失张失智②？"转了第二个念头，心下愈加可怜起来。

茶罢，夫人吩咐忙排夜饭，就请小姐出来相见。阿秀初时不肯，被母亲逼了两三次，想着：父亲有赖婚之意，万一如此，今宵便是永诀；若得见亲夫一面，死亦甘心。当下离了绣阁，含羞而出。孟夫人道："我儿过来见了公子，只行小礼罢。"假公子朝上连作两个揖，阿秀也福了两福，便要回步。夫人道："既是夫妻，何妨同坐。"便教他在自己肩下坐了。假公子两眼只瞧那小姐，见他生得端丽，骨髓里都发痒起来。这里阿秀只道见了真丈夫，低头无语，满腹恓惶，只饶得③哭下一场。正是：真假不同，心肠各别。

少顷，饮馔已到，夫人教排做两桌，上面一桌请公子坐，打横一桌娘儿两个同坐。夫人道："今日仓卒奉邀，只欲周旋公子姻事，殊不成礼，休怪休怪。"假公子刚刚谢得个"打搅"二字，面皮都急得通红了。席间夫人把女儿守志一事，略叙一叙。假公子应了一句，缩了半句。夫人也只认他害

---

① 村郎——村，有鄙陋、伧俗的意思。村郎，就是伧夫。

② 失张失智——惊慌失措、失神落魄。

③ 只饶得——只剩、只欠。

羞,全不为怪。那假公子在席上自觉局促,本是能饮的,只推量窄,夫人也不强他。又坐了一回,夫人吩咐收拾铺陈在东厢下,留公子过夜。假公子也假意作别要行,夫人道:“彼此至亲,何拘形迹?我母子还有至言相告。”假公子心中暗喜。只见丫鬟来禀,东厢内铺设已完,请公子安置。假公子作揖谢酒,丫鬟掌灯送到东厢去了。

夫人唤女儿进房,赶去侍婢,开了箱笼,取出私房银子八十两,又银杯二对,金首饰一十六件,约值百金,一手交付女儿,说道:“做娘的手中只有这些,你可亲去交与公子,助他行聘完婚之费。”阿秀道:“羞答答如何好去?”夫人道:“我儿,礼有经权①,事有缓急。如今尴尬之际,不是你亲去嘱咐,把夫妻之情打动他,他如何肯上紧②?穷孩子不知世事,倘或与外人商量,被人哄诱,把东西一时花了,不枉了做娘的一片用心?那时悔之何及!这东西也要你袖里藏去,不可露人眼目。”阿秀听了这一班道理,只得依允,便道:“娘,我怎好自去?”夫人道:“我教管家婆跟你去。”当下唤管家婆来到,吩咐他只等夜深,密地送小姐到东厢,与公子叙话。又附耳道:“送到时,你只在门外等候,省得两下碍眼,不好交谈。”管家婆已会其意了。

再说假公子独坐在东厢,明知有个跷蹊缘故,只是不睡。果然一更之后,管家婆捱门而进,报道:“小姐自来相会。”假公子慌忙迎接,重新叙礼。有这等事:那假公子在夫人前一个字也讲不出,及至见了小姐,偏会温存絮话!这里小姐,起初害羞,遮遮掩掩。今番背却夫人,一般也老落③起来。两个你问我答,叙了半晌。阿秀话出衷肠,不觉两泪交流。那假公子也装出捶胸叹气,揩眼泪缩鼻涕,许多丑态。又假意解劝小姐,抱持绰趣④,尽他受用。管家婆在房门外,听见两下悲泣,连累他也恓惶,堕下几点泪来。谁知一边是真,一边是假。阿秀在袖中摸出银两首饰,递与假公子,再三嘱咐,自不必说。假公子收过了,便一手抱住小姐把灯儿吹灭,苦要求欢。阿秀怕声张起来,被丫鬟们听见了,坏了大事,只得勉从。有人作《如梦令》词云:

① 经权——遵守常规与灵活变通。

② 上紧——抓紧、用心。

③ 老落——老练、自在。

④ 绰趣——逗趣、取乐。

可惜名花一朵，绣幙深闺藏护。不遇探花郎，抖被狂蜂残破。错误，错误！怨杀东风吩咐。

常言："事不三思，终有后悔。"孟夫人要私赠公子，玉成亲事，这是锦片的一团美意，也是天大的一桩事情，如何不教老园公亲见公子一面？及至假公子到来，只合当面嘱咐一番，把东西赠他，再教老园公送他回去，看个下落，万无一失。千不合，万不合，教女儿出来相见，又教女儿自往东厢叙话，这分明放一条方便路，如何不做出事来？莫说是假的，就是真的，也使不得，枉做了一世牵扳①的话柄。这也算做姑息之爱，反害了女儿的终身。

闲话休提。且说假公子得了便宜，放松那小姐去了。五鼓时，夫人教丫鬟催促起身梳洗，用些茶汤点心之类。又嘱咐道："拙夫不久便回，贤婿早做准备，休得怠慢。"假公子别了夫人，出了后花园门，一头走一头想道："我白白里骗了一个宦家闺女，又得了许多财帛，不曾露出马脚，万分侥幸。只是今日鲁家又来，不为全美。听得说顾佥事不久便回，我如今再担搁他一日，待明日才放他去。若得顾佥事回来，他便不敢去了，这事就十分干净了。"计较已定，走到个酒店上自饮三杯，吃饱了肚里，直延捱到午后方才回家。

鲁公子正等得不耐烦，只为没有衣服，转身不得。姑娘也焦燥②起来，教庄家往东村寻取儿子，并无踪迹。走向媳妇田氏房前问道："儿子衣服有么？"田氏道："他自己捡在箱里，不曾留得钥匙。"原来田氏是东村田贡元③的女儿，到有十分颜色，又且通书达礼。田贡元原是石城县中有名的一个豪杰，只为一个有司官与他做对头，要下手害他，却是梁尚宾的父亲与他舅子鲁廉宪说了，廉宪也素闻其名，替他极口分辩，得免其祸。因感激梁家之恩，把这女儿许他为媳。那田氏像了父亲，也带三分侠气，见丈夫是个蠢货，又且不干好事，心下每每不说，开口只叫做"村郎"。以此夫妇两不和顺，连衣服之类，都是那"村郎"自家收拾，老婆不去管他。

却说姑侄两个正在心焦，只见梁尚宾满脸春色回家。老娘便骂道：

---

① 牵扳——拉扯闲谈。

② 焦燥——燥，通躁。着急而烦躁。

③ 贡元——对贡生的一种尊称。

"兄弟在此专等你的衣服,你却在那里噇[1]酒,整夜不归?又没寻你去处!"梁尚宾不回娘话,一径到自己房中,把袖里东西都藏过了,才出来对鲁公子道:"偶为小事缠住身子,担搁了表弟一日,休怪休怪。今日天色又晚了,明日回宅罢。"老娘骂道:"你只顾把件衣服借与做兄弟的,等他自己干正务,管他今日明日!"鲁公子道:"不但衣服,连鞋袜都要告借。"梁尚宾道:"有一双青段子鞋在间壁皮匠家瓬底[2],今晚催来,明日早奉穿去。"鲁公子没奈何,只得又住了一宿。

到明朝,梁尚宾只推头疼,又睡个日高三丈。早饭都吃过了,方才起身,把道袍、鞋、袜慢慢的逐件搬将出来,无非要延捱时刻,误其美事。鲁公子不敢就穿,又借个包袱儿包好,付与老婆子拿了。姑娘收拾一包白米和些瓜菜之类,唤个庄客送公子回去,又嘱咐道:"若亲事就绪,可来回复我一声,省得我牵挂。"鲁公子作揖转身,梁尚宾相送一步,又说道:"兄弟你此去须是仔细,不知他意儿好歹,真假如何。依我说,不如只往前门硬挺着身子进去,怕不是他亲女婿,赶你出来?又且他家差老园公请你,有凭有据,须不是你自轻自贱。他有好意,自然相请;若是翻转脸来,你拼得与他诉落[3]一场,也教街坊上人晓得。倘到后园旷野之地,被他暗算,你却没有个退步。"鲁公子又道:"哥哥说得是。"正是:

背后害他当面好,有心人对没心人。

鲁公子回到家里,将衣服鞋袜装扮起来。只有头巾分寸不对,不曾借得。把旧的脱将下来,用清水摆净,教婆子在邻舍家借个熨斗,吹些火来熨得直直的;有些磨坏的去处,再把些饭儿粘得硬硬的,墨儿涂得黑黑的。只是这顶巾,也弄了一个多时辰,左带右带,只怕不正。教婆子看得件件停当了,方才移步径投顾佥事家来。门公认是生客,回道:"老爷东庄去了。"鲁公子终是宦家的子弟,不慌不忙的说道:"可通报老夫人,说道:鲁某在此。"门公方知是鲁公子,却不晓得来情,便道:"老爷不在家,小人不敢乱传。"鲁公子道:"老夫人有命,唤我到来。你去通报自知,须不连累你们。"门公传话进去,禀说:"鲁公子在外要见,还是留他进来,还是

---

① 噇——没有节制地吃喝。

② 瓬(zhǎng)底——上鞋底。

③ 诉落——数责、理论、争吵。

辞他?"

孟夫人听说,吃了一惊。想:他前日去得,如何又来?且请到正厅坐下。先教管家婆出去,问他有何话说。管家婆出来瞧了一瞧,慌忙转身进去,对老夫人道:"这公子是假的,不是前夜的脸儿。前夜是胖胖儿的,黑黑儿的;如今是白白儿的,瘦瘦儿的。"夫人不信道:"有这等事!"亲到后堂,从帘内张看,果然不是了。孟夫人心上委决不下,教管家婆出去,细细把家事盘问,他答来一字无差。孟夫人初见假公子之时,心中原有些疑惑;今番的人才清秀,语言文雅,倒像真公子的样子。再问他今日为何而来,答道:"前蒙老园公传语呼唤,因鲁某羁滞乡间,今早才回,特来参谒,望恕迟误之罪。"夫人道:"这是真情无疑了。只不知前夜打脱冒的冤家,又是那里来的?"慌忙转身进房,与女儿说其缘故,又道:"这都是做爹的不存天理,害你如此,悔之不及!幸而没人知道,往事不须提起了。如今女婿在外,是我特地请来的,无物相赠,如之奈何?"正是:

只因一着错,满盘都是空。

阿秀听罢,呆了半晌。那时一肚子情怀,好难描写:说慌又不是慌,说羞又不是羞,说恼又不是恼,说苦又不是苦。分明似乱针刺体,痛痒难言。喜得他志气过人,早有了三分主意,便道:"母亲且与他相见,我自有道理。"孟夫人依了女儿言语,出厅来相见公子。公子掇一把校椅①,朝上放下:"请岳母大人上坐,待小婿鲁某拜见。"孟夫人谦让了一回,从旁站立,受了两拜,便教管家婆扶起看坐。公子道:"鲁某只为家贫,有缺礼数。蒙岳母大人不弃,此恩生死不忘。"夫人自觉惶愧,无言可答。忙教管家婆把厅门掩上,请小姐出来相见。

阿秀站住帘内,如何肯移步。只教管家婆传语道:"公子不该担搁乡间,负了我母子一片美意。"公子推故道:"某因患病乡间,有失奔趋。今方践约,如何便说相负?"阿秀在帘内回道:"三日以前,此身是公子之身;今迟了三日,不堪伏侍巾栉,有玷清门。便是金帛之类,亦不能相助了。所存金钗二股,金钿一对,聊表寸意。公子宜别选良姻,休得以妾为念。"管家婆将两般首饰递与公子,公子还疑是悔亲的说话,那里肯收。阿秀又

① 校椅——可以折叠的轻便坐具。

道:"公子但留下,不久自有分晓①。公子请快转身,留此无益。"说罢,只听得哽哽咽咽的哭了进去。

鲁学曾愈加疑惑,向夫人发作道:"小婿虽贫,非为这两件首饰而来。今日小姐似有决绝之意,老夫人如何不出一语?既如此相待,又呼唤鲁某则甚?"夫人道:"我母子并无异心。只为公子来迟,不将姻事为重,所以小女心中愤怨,公子休得多疑。"鲁学曾只是不信,叙起父亲存日许多情分,"如今一死一生,一贫一富,就忍得改变了?鲁某只靠得岳母一人做主,如何三日后,也生退悔之心?"唠唠叨叨的说个不休。孟夫人有口难辩,倒被他缠住身子,不好动身。

忽听得里面乱将起来。丫鬟气喘喘的奔来报道:"奶奶,不好了!快来救小姐!"吓得孟夫人一身冷汗,巴不得再添两只脚在肚下。管家婆扶着左腋,跑到绣阁,只见女儿将罗帕一幅,缢死在床上。急急解救时,气已绝了,叫唤不醒,满房人都哭起来。鲁公子听小姐缢死,还道是做成的圈套,睹②他出门,兀自在厅中嚷刮③。孟夫人忍着疼痛,传话请公子进来。公子来到绣阁,只见牙床锦被上,直挺挺躺着个死小姐。夫人哭道:"贤婿,你今番认一认妻子。"公子当下如万箭攒心,放声大哭。夫人道:"贤婿,此处非你久停之所,怕惹出是非,贻累不小,快请回罢。"教管家婆将两般首饰,纳在公子袖中,送他出去。鲁公子无可奈何,只得揾泪出门去了。

这里孟夫人一面安排入殓,一面东庄去报顾佥事回来。只说女儿不愿停婚④,自缢身死。顾佥事懊悔不迭⑤,哭了一场,安排成丧出殡不题。后人有诗赞阿秀云:

死生一诺重千金,谁料奸谋祸穽深?
三尺红罗报夫主,始知污体不污心。

却说鲁公子回家看了金钗钿,哭一回,叹一回,疑一回,又解一回,正不知什么缘故,也只是自家命薄所致耳。过了一晚,次日把借来的衣服鞋

---

① 分晓——明白、清楚。
② 睹(niǎn,同撵)——驱逐、赶走。
③ 嚷刮——喊叫、吵闹。
④ 停婚——把原来的婚事搁起。
⑤ 不迭——不及。

袜,依旧包好,亲到姑娘家去送还。梁尚宾晓得公子到来,到躲了出去。公子见了姑娘,说起小姐缢死一事,梁妈妈连声感叹,留公子酒饭去了。

梁尚宾回来,问道:“方才表弟到此,说曾到顾家去不曾?”梁妈妈道:“昨日去的,不知甚么缘故,那小姐嗔怪他来迟三日,自缢而死。”梁尚宾不觉失口叫声:“呵呀,可惜好个标致小姐!”梁妈妈道:“你那里见来?”梁尚宾遮掩不来,只得把自己打脱冒事,述了一遍。梁妈妈大惊,骂道:“没天理的禽兽,做出这样勾当!你这房亲事还亏母舅作成你的,你今日恩将仇报,反去破坏了做兄弟的姻缘,又害了顾小姐一命,汝心何安?”千禽兽,万禽兽,骂得梁尚宾开口不得。走到自己房中,田氏闭了房门,在里面骂道:“你这样不义之人,不久自有天报,休想善终!从今你自你,我自我,休得来连累人!”梁尚宾一肚气,正没出处。又被老婆诉说,一脚跌①开房门,揪了老婆头发便打。又是梁妈妈走来,喝了儿子出去。田氏捶胸大哭,要死要活。梁妈妈劝他不住,唤个小轿抬回娘家去了。

梁妈妈又气又苦,又受了惊,又愁事迹败露,当晚一夜不睡,发寒发热。病了七日,呜呼哀哉。田氏闻得婆婆死了,特来奔丧带孝。梁尚宾旧愤不息,便骂道:“贼泼妇!只道你住在娘家一世,如何又有回家的日子?”两下又争闹起来。田氏道:“你干了亏心的事,气死了老娘,又来消遣②我!我今日若不是婆死,永不见你村郎之面!”梁尚宾道:“怕断了老婆种,要你这泼妇见我!只今日便休了你去,再莫上门!”田氏道:“我宁可终身守寡,也不愿随你这样不义之徒。若是休了到得干净,回去烧个利市。”梁尚宾一向夫妻无缘,到此说了尽头话,瘪一口气③,真个就写了离书手印,付与田氏。田氏拜别婆婆灵位,哭了一场,出门而去。正是:

有心去调他人妇,无福难招自己妻。
可惜田家贤慧女,一场相骂便分离。

话分两头。再说孟夫人追思女儿,无日不哭。想道:信是老欧寄去的,那黑胖汉子,又是老欧引来的,若不是通同作弊,也必然漏泄他人了。等丈夫出门拜客,唤老欧到中堂,再三讯问。却说老欧传命之时,其实不

---

① 跌(diē)——蹬。

② 消遣——此处指捉弄、对付。

③ 瘪(biē)口气——赌口气。

曾泄漏,是鲁学曾自家不合借衣,惹出来的奸计。当夜来的是假公子,三日后来的是真公子,孟夫人肚里明明晓得有两个人,那老欧肚里还自认做一个人,随他分辩,如何得明白?夫人大怒,喝教手下把他拖翻在地,重责三十板子,打得皮开血喷。

顾佥事一日偶到园中,叫老园公扫地,听说被夫人打坏,动掸不得。教人扶来,问其缘故。老欧将夫人差去约鲁公子来家,及夜间房中相会之事,一一说了。顾佥事大怒道:"原来如此!"便叫打轿,亲到县中,与知县诉知其事,要将鲁学曾抵偿女儿之命。知县教补了状词,差人拿鲁学曾到来,当堂审问。鲁公子是老实人,就把实情细细说了:"见有金钗钿两般,是他所赠;其后园私会之事,其实没有。"知县就唤园公老欧对证。这老人家两眼模糊,前番黑夜里认假公子的面庞不真,又且今日家主吩咐了说话,一口咬定鲁公子,再不松放。知县又徇了顾佥事人情,着实用刑拷打。鲁公子吃苦不过,只得招道:"顾奶奶好意相唤,将金钗钿助为聘资。偶见阿秀美貌,不合辄起淫心,强逼行奸。到第三日,不合又往,致阿秀羞愤自缢。"知县录了口词,审得鲁学曾与阿秀空言议婚,尚未行聘过门,难以夫妻而论。既因奸致死,合依威逼律问绞。一面发在死囚牢里,一面备文书申详上司。孟夫人闻知此信大惊,又访得他家,只有一个老婆子也吓得病倒,无人送饭,想起:"这事与鲁公子全没相干,到是我害了他。"私下处些银两,吩咐管家婆央人替他牢中使用,又屡次劝丈夫保全公子性命,顾佥事愈加忿怒。石城县把这件事当做新闻,沿街传说。正是:

好事不出门,恶事行千里。

顾佥事为这声名不好,必欲置鲁学曾于死地。

再说有个陈濂御史,湖广籍贯,父亲与顾佥事是同榜进士,以此顾佥事叫他是年侄。此人少年聪察,专好辨冤析枉,其时正奉差巡按江西。未入境时,顾佥事先去嘱托此事。陈御史口虽领命,心下不以为然。莅任三日,便发牌①按临赣州,吓得那一府官吏尿流屁滚。审录日期,各县将犯人解进。陈御史审到鲁学曾一起,阅了招词,又把金钗钿看了,叫鲁学曾问道:"这金钗钿是初次与你的么?"鲁学曾道:"小人只去得一次,并无二次。"御史道:"招上说三日后又去,是怎么说?"鲁学曾口称"冤枉",诉

① 发牌——官员上路,必发牌先行,宋时称为先牌,明清之间叫作起马牌。

道："小人的父亲存日，定下顾家亲事。因父亲是个清官，死后家道消乏，小人无力行聘。岳父顾佥事欲要悔亲，是岳母不肯，私下差老园公来唤小人去，许赠金帛。小人羁身在乡，三日后方去。那日只见得岳母，并不曾见小姐之面，这奸情是屈招的。"御史道："既不曾见小姐，这金钗钿何人赠你？"鲁学曾道："小姐立在帘内，只责备小人来迟误事，莫说婚姻，连金帛也不能相赠了，这金钗钿权留个忆念。小人还只认做悔亲的话，与岳母争辩。不期小姐房中缢死，小人至今不知其故。"御史道："恁般说，当夜你不曾到后园去了。"鲁学曾道："实不曾去。"御史想了一回：若特地唤去，岂止赠他钗钿二物？想阿秀抱怨口气，必然先有人冒去东西，连奸骗都是有的，以致羞愤而死。便叫老欧问道："你到鲁家时，可曾见鲁学曾么？"老欧道："小人不曾面见。"御史道："既不曾面见，夜间来的你如何就认得是他？"老欧道："他自称鲁公子，特来赴约，小人奉主母之命，引他进见的，怎赖得没有？"御史道："相见后，几时去的？"老欧道："闻得里面夫人留酒，又赠他许多东西，五更时去的。"鲁学曾又叫屈起来。御史喝住了，又问老欧："那鲁学曾第二遍来，可是你引进的？"老欧道："他第二遍是前门来的，小人并不知。"御史道："他第一次如何不到前门，却到后园来寻你？"老欧道："我家奶奶着小人寄信，原教他在后园来的。"御史唤鲁学曾问道："你岳母原教你到后园来，你却如何往前门去？"鲁学曾道："他虽然相唤，小人不知意儿真假，只怕园中旷野之处，被他暗算，所以径奔前门，不曾到后园去。"御史想来，鲁学曾与园公，分明是两样说话，其中必有情弊。御史又指着鲁学曾问老欧道："那后园来的，可是这个嘴脸，你可认得真么？不要胡乱答应。"老欧道："昏黑中小人认得不十分真，像是这个脸儿。"御史道："鲁学曾既不在家，你的信却寄与何人的？"老欧道："他家只有个老婆婆，小人对他说的，并无闲人在旁。"御史道："毕竟还对何人说来？"老欧道："并没第二个人知觉。"御史沉吟半晌，想道："不究出根由，如何定罪？怎好回复老年伯？"又问鲁学曾道："你说在乡，离城多少？家中几时寄到的信？"鲁学曾道："离北门外只十里，是本日得信的。"御史拍案叫道："鲁学曾，你说三日后方到顾家，是虚情了。既知此信，有恁般好事，路又不远，怎么迟延三日？理上也说不去！"鲁学曾道："爷爷息怒，小人细禀：小人因家贫，往乡间姑娘家借米。闻得此信，便欲进城。怎奈衣衫蓝缕，与表兄借件遮丑，已蒙许下。怎奈这日他有事出去，直到明晚方归。小人专等衣服,所以迟了两日。”御史道:“你表兄晓得你借衣服的缘故不?”鲁学曾道:“晓得的。”御史道:“你表兄何等人?叫甚名字?”鲁学曾道:“名唤梁尚宾,庄户人家。”御史听罢,喝散众人,明日再审。正是:

如山巨笔难轻判,似佛慈心待细参。

公案见成翻者少,覆盆何处不冤含?

次日,察院①小开门,挂一面宪牌②出来。牌上写道:

本院偶染微疾,各官一应公务,俱候另示施行。

本月　　日

府县官朝暮问安,自不必说。

话分两头。再说梁尚宾自闻鲁公子问成死罪,心下到宽了八分。一日,听得门前喧嚷,在壁缝张看时,只见一个卖布的客人,头上带一顶新孝头巾,身穿旧白布道袍,口内打江西乡谈③,说是南昌府人,在此贩布买卖。闻得家中老子身故,星夜要赶回。存下几百匹布,不曾发脱④,急切要投个主儿,情愿让些价钱。众人中有要买一匹的,有要两匹三匹的,客人都不肯,道:“恁地零星卖时,再几时还不得动身。那个财主家一总⑤脱去,便多让他些也罢。”梁尚宾听了多时,便走出门来问道:“你那客人存下多少布?值多少本钱?”客人道:“有四百余匹,本钱二百两。”梁尚宾道:“一时间那得个主儿?须是肯折⑥些,方有人贪你。”客人道:“便折十来两,也说不得。只要快当⑦,轻松了身子,好走路。”梁尚宾看了布样,又到布船上去翻复细看,口里只夸:“好布,好布!”客人道:“你又不做个要买的,只管翻乱了我的布包,担搁人的生意。”梁尚宾道:“怎见得我不像个买的?”客人道:“你要买时,借银子来看。”梁尚宾道:“你若加二⑧肯

---

① 察院——都察院的简称。
② 宪牌——此指官府的告示牌。
③ 打乡谈——说家乡话,操方言。
④ 发脱——卖掉。
⑤ 一总——全部、总共。
⑥ 折——亏损。
⑦ 快当——迅速、干脆。
⑧ 加二——就是二成。

折,我将八十两银子,替你出脱了一半。"客人道:"你也是呆话,做经纪的,那里折得起加二?况且只用一半,这一半我又去投谁?一般样担搁了。我说不像要买的!"又冷笑道:"这北门外许多人家,就没个财主,四百匹布便买不起!罢,罢,摇到东门寻主儿去。"梁尚宾听说,心中不忿,又见价钱相因①,有些出息,放他不下。便道:"你这客人好欺负人!我偏要都买了你的,看如何?"客人道:"你真个都买我的,我便让你二十两。"梁尚宾定要折四十两,客人不肯。众人道:"客人,你要紧脱货,这位梁大官,又是贪便宜的,依我们说,从中酌处,一百七十两,成了交易罢。"客人初时也不肯,被众人劝不过,道:"罢,这十两银子,奉承列位面上。快些把银子兑过,我还要连夜赶路。"梁尚宾道:"银子凑不来许多,有几件首饰,可用得着么?"客人道:"首饰也就是银子,只要公道作价。"梁尚宾邀入客坐②,将银子和两对银钟,共兑准了一百两;又金首饰尽数搬来,众人公同估价,勾了七十两之数。与客收讫,交割了布匹。梁尚宾看这场交易,尽有便宜,欢喜无限。正是:

贪痴无底蛇吞象,祸福难明螳捕蝉。

原来这贩布的客人,正是陈御史装的。他托病关门,密密吩咐中军官③聂千户④,安排下这些布匹,先雇下小船,在石城县伺候。他悄地带个门子⑤私行到此,聂千户就扮做小郎跟随,门子只做看船的小厮,并无人识破,这是做官的妙用。

却说陈御史下了小船,取出见成写就的宪牌填上梁尚宾名字,就着聂千户密拿。又写书一封,请顾佥事,到府中相会。比及御史回到察院,说病好开门,梁尚宾已解到了,顾佥事也来了。御史忙教摆酒后堂,留顾佥事小饭。

坐间,顾佥事又提起鲁学曾一事。御史笑道:"今日奉屈老年伯到此,正为这场公案,要剖个明白。"便教门子开了护书匣⑥,取出银钟二对,

---

① 相因——便宜。

② 客坐——客堂、客厅。

③ 中军官——掌兵权者手下的首领官。

④ 千户——宋元明卫所之官,率兵一千人,世袭。

⑤ 门子——官员的侍从。

⑥ 护书匣——放书札、柬帖的小匣子。

及许多首饰,送与顾佥事看。顾佥事认得是家中之物,大惊问道:"那里来的?"御史道:"令爱小姐致死之由,只在这几件东西上。老年伯请宽坐,容小侄出堂,问这起数与老年伯看,释此不决之疑。"

御史吩咐开门,仍唤鲁学曾一起复审。御史且教带在一边,唤梁尚宾当面①。御史喝道:"梁尚宾,你在顾佥事家,干得好事!"梁尚宾听得这句,好似青天里闻了个霹雳,正要硬着嘴分辩。只见御史教门子把银钟、首饰与他认赃,问道:"这些东西那里来的?"梁尚宾抬头一望,那御史正是卖布的客人,唬得顿口无言,只叫:"小人该死。"御史道:"我也不动夹棍,你只将实情写供状来。"梁尚宾料赖不过,只得招称了。你说招词怎么写来?有词名《锁南枝》一只为证:

写供状,梁尚宾。只因表弟鲁学曾,岳母念他贫,约他助行聘。为借衣服知此情,不合使欺心,缓他行。乘昏黑,假学曾,园公引入内室门,见了孟夫人,把金银厚相赠。因留宿,有了奸骗情。三日后学曾来,将小姐送一命。

御史取了招词,唤园公老欧上来:"你仔细认一认,那夜间园上假装鲁公子的,可是这个人?"老欧睁开两眼看了,道:"爷爷,正是他。"御史喝教皂隶,把梁尚宾重责八十,将鲁学曾枷杻打开,就套在梁尚宾身上。合依强奸论斩,发本县监候处决。布四百匹,追出,仍给铺户取价还库。其银两、首饰,给与老欧领回。金钗、金钿,断还鲁学曾。俱释放宁家②。鲁学曾拜谢活命之恩。正是:

奸如明镜照,恩喜覆盆开。
生死俱无憾,神明御史台。

却说顾佥事在后堂,听了这番审录,惊骇不已。候御史退堂,再三称谢道:"若非老公祖神明烛照,小女之冤,几无所伸矣。但不知银两、首饰,老公祖何由取到?"御史附耳道:"小侄……如此如此。"顾佥事道:"妙哉!只是一件,梁尚宾妻子,必知其情,寒家首饰,定然还有几件在彼,再望老公祖一并逮问。"御史道:"容易。"便行文书,仰石城县提梁尚宾妻严审,仍追余赃回报。顾佥事别了御史自回。

---

① 当面——对面、见面。此指过堂、见官。

② 宁家——回家。

却说石城县知县见了察院文书，监中取出梁尚宾问道："你妻子姓甚？这一事曾否知情？"梁尚宾正怀恨老婆，答应道："妻田氏，因贪财物，其实同谋的。"知县当时佥禀差人提田氏到官。

话分两头。却说田氏父母双亡，只在哥嫂身边，针指度日。这一日，哥哥田重文正在县前，闻知此信，慌忙奔回，报与田氏知道。田氏道："哥哥休慌，妹子自有道理。"当时带了休书上轿，径抬到顾佥事家，来见孟夫人。夫人发一个眼花，分明看见女儿阿秀进来。及至近前，却是个蓦生①标致妇人，吃了一惊，问道："是谁？"田氏拜倒在地，说道："妾乃梁尚宾之妻田氏，因恶夫所为不义，只恐连累，预先离异了。贵宅老爷不知，求夫人救命。"说罢，就取出休书呈上。

夫人正在观看，田氏忽然扯住夫人衫袖，大哭道："母亲，俺爹害得我好苦也！"夫人听得是阿秀的声音，也哭起来。便叫道："我儿，有甚话说？"只见田氏双眸紧闭，哀哀的哭道："孩儿一时错误，失身匪人，羞见公子之面，自缢身亡，以守贞性。何期爹爹不行细访，险些反害了公子性命。幸得暴白了，只是他无家无室，终是我母子担误了他。母亲若念孩儿，替爹爹说声，周全其事，休绝了一脉姻亲。孩儿在九泉之下，亦无所恨矣。"说罢，跌倒在地。夫人也哭昏了。

管家婆和丫鬟、养娘②都团聚将来，一齐唤醒。那田氏还呆呆的坐地，问他时全然不省。夫人看了田氏，想起女儿，重复哭起，众丫鬟劝住了。夫人悲伤不已，问田氏："可有爹娘？"田氏回说："没有。"夫人道："我举眼无亲，见了你，如见我女儿一般。你做我的义女肯么？"田氏拜道："若得伏侍夫人，贱妾有幸。"夫人欢喜，就留在身边了。

顾佥事回家，闻说田氏先期离异，与他无干，写了一封书帖，和休书送与县官，求他免提，转回察院。又见田氏贤而有智，好生敬重，依了夫人收为义女。夫人又说起女儿阿秀负魂③一事，他千叮万嘱，休绝了鲁家一脉姻亲。如今田氏少艾④，何不就招鲁公子为婿？以续前姻。顾佥事见鲁学曾无辜受害，甚是懊悔。今番夫人说话有理，如何不依？只怕鲁公子生

① 蓦生——陌生。

② 养娘——婢女。

③ 负魂——死人的魂魄附在活人身上，叫负魂，这是古人的一种迷信。

④ 少艾——年轻美丽。

疑,亲到其家,谢罪过了,又说续亲一事。鲁公子再三推辞不过,只得允从。就把金钗钿为聘,择日过门成亲。

原来顾佥事在鲁公子面前,只说过继的远房侄女;孟夫人在田氏面前,也只说赘个秀才,并不说真名真姓。到完婚以后,田氏方才晓得就是鲁公子,公子方才晓得就是梁尚宾的前妻田氏。自此夫妻两口和睦,且是十分孝顺。顾佥事无子,鲁公子承受了他的家私,发愤攻书。顾佥事见他三场通透,送入国子监,连科及第。所生二子,一姓鲁,一姓顾,以奉两家宗祀。梁尚宾子孙遂绝。诗曰:

一夜欢娱害自身,百年姻眷属他人。
世间用计行奸者,请看当时梁尚宾。

# 第三卷　新桥市韩五卖春情

情宠娇多不自由,骊山举火戏诸侯。
只知一笑倾人国,不觉胡尘满玉楼。

这四句诗,是胡曾①《咏史诗》,专道着昔日周幽王宠一个妃子,名曰褒姒,千方百计的媚他。因要取褒姒一笑,向骊山之上,把与诸侯为号的烽火烧起来。诸侯只道幽王有难,都举兵来救。及到幽王殿下,寂然无事。褒姒呵呵大笑。后来犬戎起兵来攻,诸侯皆不来救,犬戎遂杀幽王于骊山之下。又春秋时,有个陈灵公,私通于夏徵舒之母夏姬,与其臣孔宁、仪行父日夜往其家,饮酒作乐。征舒心怀愧恨,射杀灵公。后来六朝时,陈后主宠爱张丽华、孔贵嫔,自制《后庭花》曲,姱美其色,沉湎淫逸,不理国事。被隋兵所追,无处躲藏,遂同二妃投入井中,为隋将韩擒虎所获,遂亡其国。诗云:

欢娱夏厩②忽兴戈,眢井③犹闻《玉树》歌。

---

① 胡曾——唐邵阳人,懿宗、僖宗时代,曾任西川节度使幕府官,著有《九疑图经》、《咏史诗》、《安定集》等。

② 夏厩——春秋时,陈灵公与孔宁、仪行父私通夏徵舒之母夏姬,徵舒俟灵公出来,自厩中射杀之。

③ 眢(yuān)井——枯井。

试看二陈同一律，从来亡国女戎多。

当时隋炀帝，也宠萧妃之色。要看扬州景，用麻叔度为帅，起天下民夫百万，开汴河一千余里，役死人夫无数。造风舰龙舟，使宫女牵之，两岸乐声闻于百里。后被宇文化及造反江都，斩炀帝于吴公台下，其国亦倾。有诗为证：

千里长河一旦开，亡隋波浪九天来。

锦帆未落干戈起，惆怅龙舟更不回。

至于唐明皇宠爱杨贵妃之色，春纵春游，夜专夜宠。谁想杨妃与安禄山私通，却抱禄山做孩儿。一日云雨方罢，杨妃钗横鬓乱，被明皇撞见，支吾过了。明皇从此疑心，将禄山除出在渔阳地面做节度使。那禄山思恋杨妃，举兵反叛。正是：

渔阳鼙鼓动地来，惊破《霓裳羽衣》曲。

那明皇无计奈何，只得带取百官逃难。马嵬山下兵变，逼死了杨妃。明皇直走到西蜀，亏了郭令公①血战数年，才恢复得两京。

且如说这几个官家②，都只为贪爱女色，致于亡国捐躯；如今愚民小子，怎生不把色欲警戒！

说话的③，你说那戒色欲则甚？自家今日说一个青年子弟，只因不把色欲警戒，去恋着一个妇人，险些儿坏了堂堂六尺之躯，丢了泼天④的家计，惊动新桥市上，变成一本风流说话。正是：

好将前事错，传与后人知。

说这宋朝临安府，去城十里，地名湖墅；出城五里，地名新桥。那市上有个富户吴防御⑤，妈妈潘氏，止生一子，名唤吴山，娶妻余氏，生得四岁一个孩儿。防御门首开个丝绵铺，家中放债积谷，果然是金银满箧，米谷成仓。去新桥五里地名灰桥市上，新造一所房屋，令子吴山，再拨主管⑥

---

① 郭令公——指郭子仪。

② 官家——皇帝。

③ 说话的——说书人。

④ 泼天——天一般大。

⑤ 防御——本是官名。后为一般的称呼，与员外、朝奉相似。

⑥ 主管——管家。

帮扶,也好开一个铺。家中收下的丝绵,发到铺中,卖与在城①机户②。吴山生来聪俊,粗知礼义,干事朴实,不好花哄③,因此防御不虑他在外边闲理会④。

且说吴山每日早晨到铺中卖货,天晚回家。这铺中房屋,只占得门面,里头房屋都是空的。忽一日,吴山在家有事,至晌午才到铺中。走进看时,只见屋后河边泊着两只剥船⑤,船上许多箱笼、桌、凳、家伙,四五个人尽搬入空屋里来。船上走起三个妇人,一个中年胖妇人,一个老婆子,一个小妇人,尽走入屋里来。只因这妇人入屋,有分⑥教吴山:

身如五鼓衔山月,命似三更油尽灯。

吴山问主管道:"甚么人不问事由,擅自搬入我屋来?"主管道:"在城人家,为因里役,一时间无处寻屋,央此间邻居范老来说,暂住两三日便去。正欲报知,恰好官人自来。"吴山正欲发怒,见那小娘子敛袂⑦向前深深的道个万福:"告官人息怒,非干主管之事,是奴家大胆,一时事急,出于无奈,不及先来宅上禀知,望乞恕罪,容住三四日寻了屋就搬去,房金依例拜纳。"吴山便放下脸来道:"既如此,便多住些时也不妨。请自稳便⑧。"妇人说罢,就去搬箱运笼。吴山看得心痒,也替他搬了几件家伙。

说话的,你说吴山平生鲠直,不好花哄,因何见了这个妇人,回嗔作喜,又替他搬家伙?你不知道:吴山在家时,被父母拘管得紧,不容他闲走。他是个聪明俊俏的人,干事活动,又不是一个木头的老实;况且青春年少,正是他的时节,父母又不在面前,浮铺⑨中见了这个美貌的妇人,如何不动心?

那胖妇人与小妇人都道:"不劳官人用力。"吴山道:"在此间住,就是

---

① 在城——城里,本城。
② 机户——织户。
③ 花哄——瞎起哄、哄骗。
④ 闲理会——无事生非、惹事。
⑤ 剥船——同驳船。载货船。
⑥ 有分(fèn)——有机会、有可能。
⑦ 敛袂——整理衣袖。
⑧ 稳便——稳当、便利。
⑨ 浮铺——店面铺子。

自家一般,何必见外?”彼此俱各欢喜。天晚,吴山回家,吩咐主管与里面新搬来的说,写纸房契来与我。主管答应了,不在话下。

且说吴山回到家中,并不把搬来一事说与父母知觉。当夜心心念念,想着那小妇人。次日早起,换身好衣服,打扮齐整,叫个小厮寿童跟着,摇摆到店中来。正是:

没兴①店中赊得酒,命衰撞着有情人。

吴山来到铺中,卖了一回货,里面走动的八老②来接吃茶,要纳房状③。吴山心下,正要进去,恰好得八老来接,便起身入去。只见那小妇人笑容可掬,接将出来万福:“官人请里面坐。”吴山到中间轩子内坐下。那老婆子和胖妇人都来相见陪坐,坐间止有三个妇人。吴山动问道:“娘子高姓?怎么你家男儿汉不见一个?”胖妇人道:“拙夫姓韩,与小儿在衙门跟官,早去晚回,官身④不得相会。”坐了一回,吴山低着头睃那小妇人,这小妇人一双俊俏眼觑着吴山道:“敢问官人青春多少?”吴山道:“虚度二十四岁,拜问娘子青春?”小妇人道:“与官人一缘一会⑤,奴家也是二十四岁。城中搬下来,偶辏遇官人,又是同岁,正是有缘千里能相会。”那老妇人和胖妇人看见关目⑥,推个事故起身去了。止有二人对坐,小妇人到把些风流话儿挑引吴山。吴山初然只道好人家,容他住,不过研光⑦而已。谁想见面,到来刮涎⑧,才晓得是不停当⑨的。欲待转身出去,那小妇人又走过来挨在身边坐定,作娇作痴,说道:“官人,你将头上金簪子来借我看一看。”吴山除下帽子,正欲拔时,被小妇人一手按住吴山头髻,一手拔了金簪,就便起身道:“官人,我和你去楼上说句话。”一头说,径走上楼去了,吴山随后跟上楼来讨簪子。正是:

---

① 没(mò)兴——倒楣、晦气。
② 八老——娼妓家的仆役。
③ 房状——房契。
④ 官身——承当着公事或官差的役吏。
⑤ 一缘一会——天缘凑合的意思。
⑥ 关目——名堂、内情。
⑦ 研光——调情,偷情,勾引妇女。
⑧ 刮涎——勾引、挑逗。
⑨ 停当——适当、妥帖。

由你奸似鬼，也吃洗脚水。

吴山走上楼来，叫道："娘子，还我簪子，家中有事，就要回去。"妇人道："我与你是宿世姻缘，你不要妆假，愿谐枕席之欢。"吴山道："行不得！倘被人知觉，却不好看，况此间耳目较近。"待要下楼，怎奈那妇人放出那万种妖娆，搂住吴山，倒在怀中，携手上床，成其云雨。霎时云收雨散，两个起来偎倚而坐。吴山且惊且喜，问道："姐姐，你叫做甚么名字？"妇人道："奴家排行第五，小字赛金。长大，父母顺口叫道金奴。敢问官人排行第几？宅上做甚行业？"吴山道："父母止生得我一身，家中收丝放债，新桥市上出名的财主。此间门前铺子，是我自家开的。"金奴暗喜道："今番缠得这个有钱的男儿，也不枉了。"

原来这人家是隐名的娼妓，又叫做"私窠子"，是不当官吃衣饭①的。家中别无生意，只靠这一本帐。那老妇人是胖妇人的娘，金奴是胖妇人的女儿。在先胖妇人也是好人家出来的，因为丈夫无用，阐闼②不得，已干这般勾当。金奴自小生得标致，又识几个字，当时已自嫁与人去了。只因在夫家不跸叠③，做出来，发回娘家。事有凑巧，物有偶然，此时胖妇人年纪约近五旬，孤老④来得少了，恰好得女儿来接代，也不当断这样行业，索性大做了。原在城中住，只为这样事，被人告发，慌了，搬下来躲避。却恨吴山偶然撞在他手里，圈套都安排停当，漏⑤将人来，不由你不落水。怎地男儿汉不见一个？但看有人来，父子们都回避过了，做成的规矩。这个妇人，但贪他的，便着他的手，不止陷了一个汉子。

当时金奴道："一时慌促搬来，缺少盘费。告官人，有银子乞借应五两，不可推故。"吴山应允了，起身整了衣冠，金奴依先还了金簪。两个下楼，依旧坐在轩子内。吴山自思道："我在此耽搁了半晌，虑恐邻舍们谈论。"又吃了一杯茶，金奴留吃午饭，吴山道："我耽搁长久，不吃饭了。少间就送盘缠来与你。"金奴道："午后特备一杯菜酒，官人不要见却。"说罢，吴山自出铺中。

---

① 吃衣饭——挂牌营业，做买卖。

② 阐闼（zhèng chuài）——挣扎。

③ 不跸（cuò）叠——不检点。

④ 孤老——官人的隐语，妓女、小贩等常称其相熟的顾主为孤老。

⑤ 漏——引诱、诱骗。

原来外边近邻见吴山进去。那房屋却是两间六椽的楼屋，金奴只占得一间做房，这边一间就是丝铺，上面却是空的。有好事哥哥，见吴山半晌不出来，伏在这间空楼壁边，入马之时，都张见明白。比及吴山出来，坐在铺中。只见几个邻人都来和哄①道："吴小官人，恭喜恭喜！"吴山初时已自心疑他们知觉，次后见众人来取笑，他通红了脸皮，说道："好没来由②！有甚么喜贺！"内中有原张见的，是对门开杂货铺的沈二郎，叫道："你兀自赖哩，拔了金簪子，走上楼去做甚么？"吴山被他一句说着了，顿口无言，推个事故，起身便走。众人拦住道："我们斗③分银子，与你作贺。"吴山也不顾众说，使性子往西走了。

去到娘舅潘家，讨午饭吃了。踱到门前，向一个店家借过等子，将身边买丝银子秤了二两，放在袖中。又闲坐了一回，捱到半晚，复到铺中来。主管道："里面住的正在此请官人吃酒。"恰好八老出来道："官人，你那里闲耍？教老子④没处寻。家中特备菜酒，止请主管相陪，再无他客。"吴山就同主管走到轩子下，已安排齐整，无非鱼、肉、酒、果之类。吴山正席，金奴对坐，主管在旁，三人坐定，八老筛酒。吃过几杯，主管会意，只推要收铺中，脱身出来。吴山平日酒量浅，主管去了，开怀与金奴吃了十数杯，便觉有些醉来。将袖中银子送与金奴，便起身挽了金奴手，道："我有一句话和你说：这桩事，却有些不谐当⑤。邻舍们都知了，来打和哄。倘或传到我家去，父母知道，怎生是好？此间人眼又紧，口嘴又歹，容不得人。倘有人不惬气⑥，在此飞砖掷瓦，安身不稳。姐姐，依着我口，寻个僻静所在去住，我自常来看顾你。"金奴道："说得是，奴家就与母亲商议。"说罢，那老子又将两杯茶来。吃罢，免不得又做些干生活。吴山辞别动身，嘱咐道："我此去未来哩，省得众人口舌。待你寻得所在，八老来说知，我来送你起身。"说罢，吴山出来铺中，吩咐主管说话，一径自回，不在话下。

且说金奴送吴山去后，天色已晚，上楼卸了浓妆，下楼来吃了晚饭，将

---

① 和哄——起哄、哄骗。
② 没来由——无缘无故、毫无道理。
③ 斗——此指拼、凑。
④ 老子——老年男子的自称。即老头子、老人家。
⑤ 谐当——妥善、稳当。
⑥ 不惬气——由于嫉妒而不满。

吴山所言移屋一节,备细①说与父母知道,当夜各自安歇。次早起来,胖妇人吩咐八老,悄地打听邻舍消息。八老到门前站了一回,踅②到间壁粜米张大郎门前,闲坐了一回。只听得这几家邻舍指指搠搠,只说这事。八老回家,对这胖妇人说道:“街坊上嘴舌不是养人③的去处。”胖妇人道:“因为在城中被人打搅,无奈搬来。指望寻个好处安身,久远居住,谁想又撞这般的邻舍!”说罢叹了口气。一面教老公去寻房子,一面看邻舍动静计较。

却说吴山自那日回家,怕人嘴舌,瞒着父母,只推身子不快,一向不到店中来。主管自行卖货。金奴在家清闲不惯,八老又去招引旧时主顾,一般来走动。那几家邻舍初然只晓得吴山行踏④,次后见往来不绝,方晓得是个大做的。内中有生事的道:“我这里都是好人家,如何容得这等鏖糟⑤的在此住?常言道:‘近奸近杀。’倘若争锋起来,致伤人命,也要带累邻舍。”说罢,却早那八老听得,进去说:今日邻舍们又如此如此说。胖妇人听得八老说了,没出气处,碾那老婆子道:“你七老八老,怕兀谁⑥?不出去门前叫骂这短命多嘴的鸭黄儿⑦!”婆子听了,果然就起身走到门前叫骂道:“那个多嘴贼鸭黄儿,在这里学放屁!若还敢来应我的,做这条老性命结识他。那个人家没亲眷来往?”邻舍们听得,道:“这个贼做大的出精老狗,不说自家干这般没理的事,到来欺邻骂舍!”开杂货店沈二郎正要应那婆子,中间又有守本分的劝道:“且由他,不要与这半死的争好歹,赶他起身便了。”婆子骂了几声,见无人来睬他,也自入去。

却说众邻舍都来与主管说:“是你没分晓⑧,容这等不明不白的人在这里住。不说自家理短,反教老婆子叫骂邻舍,你耳内须听得。我们都到你主家说与防御知道,你身上也不好看。”主管道:“列位高邻息怒,不必

① 备细——仔细、详细。
② 踅——同暂。
③ 养人——存活人、覆育人。
④ 行踏——走动、往来。
⑤ 鏖糟(áozāo)——即鏖糟。肮脏,不干净。
⑥ 兀谁——什么人、谁。
⑦ 鸭黄儿——骂人话。王八蛋、乌龟。
⑧ 没分晓——糊涂、不明事理。

说得,早晚就着他搬去。”众人说罢,自去了。主管当时到里面对胖妇人说道:“你们可快快寻个所在搬去,不要带累我。看这般模样,住也不秀气①。”胖妇人道:“不劳吩咐,拙夫已寻屋在城,只在旦晚就搬。”说罢,主管出来。

胖妇人与金奴说道:“我们明早搬入城,今日可着八老,悄地与吴小官说知,只莫教他父母知觉。”八老领语,走到新桥市上吴防御丝绵大铺,不敢径进,只得站在对门人家檐下踅去,一眼只看着铺里。不多时,只见吴山踱将出来,看见八老,慌忙走过来,引那老子离了自家门首,借一个织熟绢人家坐下,问道:“八老有甚话说?”八老道:“家中五姐领官人尊命,明日搬入城去居住,特着老汉来与官人说知。”吴山道:“如此最好,不知搬在城中何处?”八老道:“搬在游奕营②羊毛寨南横桥街上。”吴山就身边取出一块银子,约有二钱,送与八老道:“你自将去买杯酒吃。明日晌午,我自来送你家起身。”八老收了银子,作谢了,一径自回。

且说吴山到次日巳牌时分,唤寿童跟随出门,走到归锦桥③边南货店里,买了两包干果,与小厮拿着,来到灰桥市上铺里。主管相叫④罢,将日逐卖丝的银子帐来算了一回。吴山起身,入到里面与金奴母子叙了寒温,将寿童手中果子,身边取出一封银子,说道:“这两包粗果,送与姐姐泡茶⑤;银子三两,权助搬屋之费。待你家过屋后,再来看你。”金奴接了果子并银两,母子两个起身谢道:“重蒙见惠,何以克当!”吴山道:“不必谢,日后正要往来哩。”说罢,起身看时,箱笼家伙已自都搬下船了。金奴道:“官人,去后几时来看我?”吴山道:“只在三五日间便来相望。”金奴一家别了吴山,当日搬入城去了。正是:

　　此处不留人,自有留人处。

且说吴山原有害夏⑥的病,每过炎天时节,身体便觉疲倦,形容清减。此时正值六月初旬,因此请个针灸医人,背后灸了几穴火,在家调养,不到

① 不秀气——做事不漂亮、不争气。
② 游奕营——宋临安(今杭州市)地名。
③ 归锦桥——临安北桥名,俗称“卖鱼桥”。
④ 相叫——见礼。
⑤ 泡茶——宋、明时人,往往把干果、蜜饯等和茶叶沏在一起,称为泡茶。
⑥ 害夏——苦夏、疰夏。夏季长期发烧的病。

店内。心下常常思念金奴,争奈灸疮疼,出门不得。

却说金奴从五月十七搬移在横桥街上居住,那条街上俱是营里军家,不好此事,路又僻拗①,一向没人走动。胖妇人向金奴道:“那日吴小官许下我们三五日间就来,到今一月,缘何不见来走一遍?若是他来,必然也看觑我们。”金奴道:“可着八老去灰桥市上铺中探望他。”

当时八老去,就出艮山门②到灰桥市上丝铺里见主管。八老相见罢,主管道:“阿公来有甚事?”八老道:“特来望吴小官。”主管道:“官人灸火在家未痊,向不到此。”八老道:“主管若是回宅,烦寄个信,说老汉到此不遇。”八老也不耽搁,辞了主管便回家中,回覆了金奴。金奴道:“可知不来,原来灸火在家。”

当日金奴与母亲商议,教八老买两个猪肚磨净,把糯米莲肉灌在里面,安排烂熟。次早,金奴在房中磨墨挥笔,拂开鸾笺,写封简道:

> 贱妾赛金再拜,谨启情郎吴小官人:自别尊颜,思慕之心,未尝少怠,悬悬不忘于心。向蒙期约,妾倚门凝望,不见降临。昨遣八老探拜,不遇而回。妾移居在此,甚是荒凉。听闻贵恙灸火疼痛,使妾坐卧不安。空怀思忆,不能代替。谨具猪肚二枚,少申问安之意,幸希笑纳。情照不宣。仲夏二十一日,贱妾赛金再拜。

写罢,折成简子,将纸封了。猪肚装在盒里,又用帕子包了,都交付八老,叮嘱道:“你到他家,寻见吴小官,须索与他亲收。”

八老提了盒子,怀中揣着简帖③,出门径往大街,走出武林门④,直到新桥市上,吴防御门首,坐在街檐石上。只见小厮寿童走出,看见叫道:“阿公,你那里来,坐在这里?”八老扯寿童到人静去处说:“我特来见你官人说话。我只在此等,你可与我报与官人知道。”寿童随即转身,去不多时,只见吴山踱将出来。八老慌忙作揖:“官人,且喜贵体康安。”吴山道:“好,阿公,你盒子里什么东西?”八老道:“五姐记挂官人灸火,没甚好物,只安排得两个猪肚,送来与官人吃。”吴山遂引那老子到个酒店楼上坐定,问道:“你家搬在那里好么?”八老道:“甚是消索。”怀中将柬帖子递与

---

① 僻拗——偏僻不便。

② 艮山门——临安(今杭州市)东北城门。

③ 简帖——信简。

④ 武林门——杭州城北门,俗呼北关门,宋时叫余杭门,至明改称武林门。

吴山,吴山接柬在手,拆开看毕,依先折了藏在袖中。揭开盒子拿一个肚子,教酒博士①切做一盘,吩咐烫②两壶酒来。吴山道:“阿公,你自在这里吃,我家去写回字与你。”八老道:“官人请稳便。”吴山来到家里卧房中,悄悄的写了回简,又秤五两白银,复到酒店楼上,又陪八老吃了几杯酒。八老道:“多谢官人好酒,老汉吃不得了。”起身回去。吴山遂取银子并回柬说道:“这五两银子,送与你家盘缠。多多拜覆五姐:过三两日,定来相望。”八老收了银简,起身下楼,吴山送出酒店。

却说八老走到家中,天晚入门,将银简都付与金奴收了。将简拆开灯下看时,写道:

> 山顿首,字覆爱卿韩五娘妆次:向前会间,多蒙厚款。又且云情雨意,枕席钟情,无时少忘。所期正欲趋会,生因贱躯灸火,有失卿之盼望。又蒙遣人垂顾,兼惠可口佳肴,不胜感感。二三日间,容当面会。白金五两,权表微情,伏乞收入。吴山再拜。

看简毕,金奴母子得了五两银子,千欢万喜,不在话下。

且说吴山在酒店里,捱到天晚,拿了一个猪肚,悄地里到自卧房,对浑家说:“难得一个识熟机户,闻我灸火,今日送两个熟肚与我。在外和朋友吃了一个,拿一个回来与你吃。”浑家道:“你明日也用作谢他。”当晚吴山将肚子与妻在房吃了,全不教父母知觉。

过了两日,第三日,是六月二十四日。吴山起早,告父母道:“孩儿一向不到铺中,喜得今日好了,去走一遭。况在城神堂巷③有几家机户赊帐要讨,入城便回。”防御道:“你去不可劳碌。”吴山辞父,讨一乘兜轿④抬了,小厮寿童打伞跟随。只因吴山要进城,有分教金奴险送他性命。正是:

> 二八佳人体似酥,腰间仗剑斩愚夫。
> 虽然不见人头落,暗里教君骨髓枯。

吴山上轿,不觉早到灰桥市上。下轿进铺,主管相见。吴山一心只在金奴身上,少坐,便起身吩咐主管:“我入城收拾机户赊帐,回来算你日逐

---

① 酒博士——对酒保的尊称。
② 烫——暖酒。
③ 神堂巷——临安巷名。
④ 兜轿——竹轿、藤轿,只有座位,没有轿厢。

卖帐。”主管明知到此处去，只不敢阻，但劝：“官人贵体新痊，不可别处闲走，空受疼痛。”吴山不听，上轿预先吩咐轿夫，径进艮山门。迤逦到羊毛寨南横桥，寻问湖市搬来韩家。旁人指说：药铺间壁就是。吴山来到门首下轿，寿童敲门。里面八老出来开门，见了吴山，慌入去说知。吴山进门，金奴母子两个堆下笑来迎接，说道：“贵人难见面，今日甚风吹得到此？”吴山与金奴母子相唤①罢，到里面坐定吃茶。金奴道：“官人认认奴家房里。”吴山同金奴到楼上房中。正所谓：

合意友来情不厌，知心人至话相投。

金奴与吴山在楼上，如鱼得水，似漆投胶，两个无非说些深情密意的话。少不得安排酒肴，八老搬上楼来，掇过镜架，就摆在梳妆卓上。八老下来，金奴讨酒，才敢上去。两个并坐，金奴筛酒②一杯，双手敬与吴山道：“官人灸火，妾心无时不念。”吴山接酒在手道：“小生为因灸火，有失期约。”酒尽，也筛一杯回敬与金奴。吃过十数杯，二人情兴如火，免不得再把旧情一叙。交欢之际，无限恩情。事毕起来，洗手更酌。又饮数杯，醉眼朦胧，余兴未尽。吴山因灸火在家，一月不曾行事。见了金奴，如何这一次便罢？吴山合当死，魂灵都被金奴引散乱了，情兴复发，又弄一火。正是：

爽口物多终作疾，快心事过必为殃。

吴山重复自觉神思散乱，身体困倦，打熬不过，饭也不吃，倒身在床上睡了。金奴见吴山睡着，走下楼到外边，说与轿夫道：“官人吃了几杯酒，睡在楼上。二位太保③宽坐等一等，不要催促。”轿夫道：“小人不敢来催。”金奴吩咐毕，走上楼来，也睡在吴山身边。

且说吴山在床上方合眼，只听得有人叫：“吴小官好睡！”连叫数声。吴山醉眼看见一个胖大和尚，身披一领旧褊衫④，赤脚穿双僧鞋，腰系着一条黄丝绦，对着吴山打个问讯。吴山跳起来还礼道：“师父上刹何处？

---

① 相唤——见礼、打招呼。

② 筛酒——斟酒。

③ 太保——此指轿夫。

④ 褊衫——褊，一作偏。一种僧侣的外衣。

因甚唤我?”和尚道:“贫僧是桑菜园水月寺①住持②,因为死了徒弟,特来劝化官人。贫僧看官人相貌,生得福薄,无缘受享荣华,只好受些清淡,弃俗出家,与我做个徒弟。”吴山道:“和尚好没分晓,我父母半百之年,止生得我一人,成家接代,创立门风,如何出家?”和尚道“你只好出家,若还贪享荣华,即当命夭。依贫僧口,跟我去罢。”吴山道:“乱话!此间是妇人卧房,你是出家人,到此何干?”那和尚睁着两眼,叫道:“你跟我去也不?”吴山道:“你这秃驴,好没道理!只顾来缠我做甚?”和尚大怒,扯了吴山便走。到楼梯边,吴山叫起屈③来,被和尚尽力一推,望楼梯下面倒撞下来。撒然④惊觉,一身冷汗。开眼时,金奴还睡未醒,原来做一场梦。觉得有些恍惚,爬起坐在床上,呆了半晌。金奴也醒来,道:“官人好睡。难得你来,且歇了,明早去罢。”吴山道:“家中父母记挂,我要回去,别日再来望你。”金奴起身,吩咐安排点心。吴山道:“我身子不快⑤,不要点心。”金奴见吴山脸色不好,不敢强留。吴山整了衣冠,下楼辞了金奴母子,急急上轿。

天色已晚,吴山在轿思量:白日里做场梦,甚是作怪。又惊又忧,肚里渐觉疼起来。在轿过活不得,巴不得到家,吩咐轿夫快走。捱到自家门首,肚疼不可忍,跳下轿来,走入里面,径奔楼上。坐在马桶上,疼一阵,撒一阵,撒出来都是血水。半晌方上床,头眩眼花,倒在床上,四肢倦怠,百骨酸疼。大底是本身元气微薄,况又色欲过度。

防御见吴山面青失色,奔上楼来,吃了一惊,道:“孩儿因甚这般模样?”吴山应道:“因在机户人家多吃了几杯酒,就在他家睡。一觉醒来热渴,又吃了一碗冷水,身体便觉拘急⑥,如今作起泻来。”说未了,咬牙寒噤,浑身冷汗如雨,身如炭火一般。防御慌急下楼,请医来看,道:“脉气

① 桑菜园水月寺——桑菜园,地名,在临安西南梯云岭附近。水月寺,宋代寺名,即在梯云岭下,宋太平兴国二年建,元末焚毁。

② 住持——寺庵中的当家僧尼。

③ 叫屈——鸣不平、呼冤。

④ 撒然——形容梦醒的神情。

⑤ 不快——有病、不适。

⑥ 拘急——拘挛,身体痉挛、抽搐。

将绝,此病难医。”再三哀恳太医①,乞用心救取。医人道:“此病非干泄泻之事,乃是色欲过度,耗散元气,为脱阳之症,多是②不好。我用一帖药,与他扶助元气。若是服药后,热退脉起,则有生意。”医人撮了药自去。父母再三盘问,吴山但摇头不语。

将及初更,吴山服了药,伏枕而卧。忽见日间和尚又来,立在床边,叫道:“吴山,你强熬做甚?不如早随我去。”吴山道:“你快去,休来缠我!”那和尚不由分说,将身上黄丝绦缚在吴山项上,扯了便走。吴山攀住床棂,大叫一声,惊醒,又是一梦。开眼看时,父母浑家皆在面前。父母问道:“我儿因甚惊觉?”吴山自觉神思散乱,料捱不过,只得将金奴之事,并梦见和尚,都说与父母知道。说罢,哽哽咽咽哭将起来。父母浑家,尽皆泪下。防御见吴山病势危笃,不敢埋怨他,但把言语来宽解。

吴山与父母说罢,昏晕数次。复苏,泣谓浑家道:“你可善侍公姑,好看幼子。丝行资本,尽彀盘费。”浑家哭道:“且宽心调理,不要多虑。”吴山叹了气一口,唤丫鬟扶起,对父母说道:“孩儿不能复生矣,爹娘空养了我这个忤逆子。也是年灾命厄,逢着这个冤家。今日虽悔,噬脐③何及!传与少年子弟,不要学我干这等非为的事,害了自己性命。男子六尺之躯,实是难得,要贪花恋色的,将我来做个样。孩儿死后,将身尸丢在水中,方可谢抛妻弃子不养父母之罪。”言讫,方才合眼,和尚又在面前。吴山哀告:“我师,我与你有甚冤仇,不肯放舍我?”和尚道:“贫僧只因犯了色戒,死在彼处,久滞幽冥,不得脱离鬼道。向日偶见官人,白昼交欢,贫僧一时心动,欲要官人做个阴魂之伴。”言罢而去。

吴山醒来,将这话对父母说知。吴防御道:“原来被冤魂来缠。”慌忙在门外街上,焚香点烛,摆列羹饭,望空拜告:“慈悲放舍我儿生命,亲到彼处设醮追拔。”祝毕,烧化纸钱。

防御回到楼上,天晚,只见吴山朝着里床睡着。猛然翻身坐将起来,睁着眼道:“防御,我犯如来色戒,在羊毛寨里寻了自尽。你儿子也来那里淫欲,不免把我前日的事,陡然想起,要你儿子做个替头,不然求他超

① 太医——御医。对医生的尊称。

② 多是——多半、大抵。

③ 噬(shì)脐——用嘴咬肚脐,够不着。比喻人后悔时就像用嘴咬肚脐一样,来不及了。

度。适才承你羹饭纸钱,许我荐拔,我放舍了你的儿子,不在此作祟。我还去羊毛寨里等你超拔,若得脱生,永不来了。”说话方毕,吴山双手合掌作礼,洒然而觉,颜色复旧。浑家摸他身上,已住了热。起身下床解手,又不泻了。一家欢喜。复请原日医者来看,说道:“六脉已复,有可救生路。”撮下了药,调理数日,渐渐好了。

防御请了几位僧人,在金奴家做了一昼夜道场。只见金奴一家做梦,见个胖和尚拿了一条拄杖去了。

吴山将息半年,依旧在新桥市上生理。一日,与主管说起旧事,不觉追悔道:“人生在世,切莫为昧己勾当。真个明有人非,幽有鬼责,险些儿丢了一条性命。”从此改过前非,再不在金奴家去。亲邻有知道的,无不钦敬。正是:

痴心做处人人爱,冷眼观时个个嫌。
觑破关头邪念息,一生出处自安恬。

# 第四卷　闲云庵阮三偿冤债

好姻缘是恶姻缘,莫怨他人莫怨天。
但愿向平①婚嫁早,安然无事度余年。

这四句,奉劝做人家的,早些毕了儿女之债。常言道:“男大须婚,女大须嫁;不婚不嫁,弄出丑吒②。”多少有女儿的人家,只管要拣门择户,扳高嫌低,耽误了婚姻日子。情窦开了,谁熬得住?男子便去偷情嫖院③,女儿家拿不定定盘星④,也要走差了道儿,那时悔之何及!

则今日说个大大官府,家住西京河南府⑤梧桐街兔演巷,姓陈,名太

---

① 向平——向长,字子平,东汉时人,隐居不仕,子女婚嫁完毕,即断绝家务,遨游五岳名山,后来不知所终。所以俗称子女的婚嫁为向平之愿。

② 丑吒——丑事。

③ 嫖院——嫖同嫖。嫖院,即嫖妓。

④ 定盘星——秤杆上标识零位的星。拿不定定盘星,也就是拿不定主意。

⑤ 西京河南府——宋代以河南府洛阳为“西京”。

常。自是小小出身,累官至殿前太尉①之职。年将半百,娶妾无子,止生一女,叫名玉兰。那女孩儿生于贵室,长在深闺,青春二八,真有如花之容,似月之貌;况描绣针线,件件精通,琴棋书画,无所不晓。那陈太常常与夫人说,我位至大臣,家私万贯,止生得这个女儿,况有才貌,若不寻个名目相称②的对头③,枉居朝中大臣之位。便唤官媒婆吩咐道:"我家小姐年长,要选良姻。须是三般全的方可来说:一要当朝将相之子,二要才貌相当,三要名登黄甲④。有此三者,立赘为婿;如少一件,枉自劳力。"因此往往选择,或有登科及第的,又是小可⑤出身;或门当户对,又无科第;及至两事俱全,年貌又不相称了:以此蹉跎下去。光阴似箭,玉兰小姐不觉一十九岁了,尚没人家。

时值正和二年上元令节,国家有旨庆赏元宵。五凤楼⑥前架起鳌山⑦一座,满地华灯,喧天锣鼓。自正月初五日起,至二十日止,禁城不闭,国家与民同乐。怎见得?有只词儿,名《瑞鹤仙》,单道着上元佳景:

瑞烟浮禁苑,正绛阙春回,新正方半,冰轮桂华满。溢花衢歌市,芙蓉开遍。龙楼两观,见银烛星毬⑧灿烂。卷珠帘,尽日笙歌,盛集宝钗金钏。

堪羡!绮罗丛里,兰麝香中,正宜游玩。风柔夜暖,花影乱,笑声喧。闹蛾儿⑨满地,成团打块,簇着冠儿⑩斗转。喜皇都,旧日风光,太平再见。

只为这元宵佳节,处处观灯,家家取乐,引出一段风流的事来。

话说这兔演巷内,有个年少才郎,姓阮名华,排行第三,唤做阮三郎。

---

① 殿前太尉——即殿前司都指挥使。

② 名目相称——名目,名声、名位。名目相称,就是名位相当。

③ 对头——对象、配偶。

④ 黄甲——进士名册,用黄纸书写,称黄甲。

⑤ 小可——平常、低微。

⑥ 五凤楼——宋西京(洛阳)宫城的正门,创建于梁太祖朱全忠时。

⑦ 鳌山——元宵节燃灯的彩山。

⑧ 星毬——圆灯笼。

⑨ 闹蛾儿——妇女们在过节时插在头上的装饰物。

⑩ 冠儿——妇女所戴的冠。

他哥哥阮大，与父亲专在两京商贩。阮二专一管家。那阮三年方二九，一貌非俗，诗词歌赋，般般皆晓，笃好吹箫；结交几个豪家子弟，每日向歌馆娼楼，留连风月。时遇上元灯夜，知会几个弟兄来家，笙箫弹唱，歌笑赏灯。这伙子弟在阮三家，吹唱到三更方散。阮三送出门，见行人稀少，静夜月明如昼，向众人说道："恁般良夜，何忍便睡？再举一曲何如？"众人依允，就在阶沿石上向月而坐，取出笙、箫、象板，口吐清音，呜呜咽咽的又吹唱起来。正是：

隔墙须有耳，窗外岂无人？

那阮三家，正与陈太尉对衙。衙内小姐玉兰，欢耍赏灯，将次要去歇息。忽听得街上乐声缥缈，响彻云际。料得夜深，众人都睡了，忙唤梅香①，轻移莲步，直至大门边。听了一回，情不能已。有个心腹的梅香，名曰碧云，小姐低低吩咐道："你替我去街上看甚人吹唱。"梅香巴不得趋承小姐，听得使唤这事，轻轻地走到街边，认得是对邻子弟，忙转身入内，回复小姐道："对邻阮三官与几个相识，在他门首吹唱。"那小姐半晌之间，口中不道，心下思量："数日前，我爹曾说阮三点报朝中驸马，因使用不到，退回家中，想就是此人了，才貌必然出众。"又听了一个更次，各人分头散去。小姐回转香房，一夜不曾合眼，心心念念，只想着阮三："我若嫁得恁般风流子弟，也不枉一生夫妇。怎生得会他一面也好？"正是：

邻女乍萌窥玉②意，文君早乱听琴心。

且说次日天晓，阮三同几个子弟到永福寺中游玩，见烧香的士女佳人，来往不绝，自觉心性荡漾。到晚回家，仍集昨夜子弟，吹唱消遣。每夜如此，迤逦至二十日。这一夜，众子弟们各有事故，不到阮三家里。阮三独坐无聊，偶在门侧临街小轩内，拿壁间紫玉鸾箫③，手中按着宫、商、角、徵、羽，将时样新词曲调，清清地吹起。吹不了半只曲儿，忽见个侍女推门而入，深深地向前道个万福。阮三停箫问道："你是谁家的姐姐？"丫鬟道："贱妾碧云，是对邻陈衙小姐贴身伏侍的。小姐私慕官人，特地着奴请官人一见。"那阮三心下思量道："他是个官宦人家，守阃耳目不少，进

① 梅香——丫鬟、婢女。

② 玉——指宋玉。

③ 紫玉鸾箫——用紫竹制成的箫。

去易,出来难。被人瞧见盘问时,将何回答?却不枉受凌辱?”当下回言道:“多多上复小姐,怕出入不便,不好进来。”碧云转身回复小姐。小姐想起夜来音韵标格,一时间春心摇动,便将手指上一个金镶宝石戒指儿,褪将下来,付与碧云,吩咐道:“你替我将这件物事,寄与阮三郎,将带他来见我一见,万不妨事。”碧云接得在手,一心忙似箭,两脚走如飞,慌忙来到小轩。阮三官还在那里,碧云手儿内托出这个物来,致了小姐之意。阮三口中不道,心下思量:“我有此物为证,又有梅香引路,何怕他人?”随即与碧云前后而行,到二门①外,小姐先在门旁守候,觑着阮三目不转睛,阮三看得女子也十分仔细。正欲交言,门外吆喝道:“太尉回衙。”小姐慌忙回避归房,阮三郎火速回家。

自此把那戒指儿紧紧的戴在左手指上,想那小姐的容貌,一时难舍。只恨闺阁深沉,难通音信。或在家,或出外,但是看那戒指儿,心中十分惨切。无由再见,追忆不已。那阮三虽不比宦家子弟,亦是富室伶俐的才郎。因是相思日久,渐觉四肢羸瘦,以致废寝忘餐。忽经两月有余,恹恹成病。父母再三严问,并不肯说。正是:

口含黄柏味,有苦自家知。

却说有一个与阮三一般的豪家子弟,姓张名远,素与阮三交厚。闻得阮三有病月余,心中悬挂。一日早,到阮三家内,询问起居。阮三在卧榻上,听得堂中有似张远的声音,唤仆邀入房内。张远看着阮三面黄肌瘦,咳嗽吐痰,心中好生不忍,嗟叹不已,坐向榻床上去问道:“阿哥,数日不见,怎么染着这般晦气?你害的是甚么病?”阮三只摇头不语。张远道:“阿哥,借你手我看看脉息。”阮三一时失于计较,便将左手抬起,与张远察脉。张远按着寸关尺②,正看脉间,一眼瞧见那阮三手指上戴着个金嵌宝石的戒指。张远口中不说,心下思量:“他这等害病,还戴着这个东西。况又不是男子之物,必定是妇人的表记,料得这病根从此而起。”也不讲脉理,便道:“阿哥,你手上戒指从何而来?恁般病症,不是当要。我与你相交数年,重承不弃,日常心腹,各不相瞒。我知你心,你知我意,你可实

---

① 二门——仪门。即官署大门之内的门。另一说为官府旁门。

② 寸关尺——中医学上两手经脉部位的名称。

对我说。”阮三见张远猜到八九分的地步，况兼是心腹朋友，只得将来历因依①，尽行说了。张远道：“阿哥，他虽是个宦家的小姐，若无这个表记，便对面相逢，未知他肯与不肯；既有这物事，心下已允。待阿哥将息贵体，稍健旺时，在小弟身上，想个计策，与你成就此事。”阮三道：“贱恙只为那事而起，若要我病好，只求早图良策。”枕边取出两锭银子，付与张远道：“倘有使用，莫惜小费。”张远接了银子道：“容小弟从容计较，有些好音，却来奉报。你可宽心保重。”张远作别出门，到陈太尉衙前站了两个时辰，内外出入人多，并无相识，张远闷闷而回。

次日，又来观望，绝无机会。心下想道：“这事难以启齿，除非得他梅香碧云出来，才可通信。”看看到晚，只见一个人捧着两个磁瓮，从衙里出来，叫唤道：“门上那个走差的闲在那里？奶奶着你将这两瓮小菜送与闲云庵王师父去。”张远听得了，便想道：“这闲云庵王尼姑，我平昔相认的。奶奶送他小菜，一定与陈衙内往来情熟②。他这般人，出入内里，极好传消递息，何不去寻他商议？”

又过了一夜，到次早，取了两锭银子，径投闲云庵来。这庵儿虽小，其实幽雅。怎见得？有诗为证：

短短横墙小小亭，半檐疏玉响玲玲。

尘飞不到人长静，一篆炉烟两卷经。

庵内尼姑，姓王名守长，他原是个收心③的弟子④。因师弃世日近，不曾接得徒弟，止有两个烧香上灶烧火的丫头。专一向富贵人家布施，佛殿后新塑下观音、文殊、普贤三尊法像，中间观音一尊，亏了陈太尉夫人发心喜舍，妆金完了，缺那两尊未有施主。这日正出庵门，恰好遇着张远，尼姑道：“张大官何往？”张远答道：“特来。”尼姑回身请进，邀入庵堂中坐定。

茶罢，张远问道：“适间师父要往那里去？”尼姑道：“多蒙陈太尉家奶奶布施，完了观音圣像，不曾去回复他。昨日又承他差人送些小菜来看我，作意备些薄礼，来日到他府中作谢。后来那两尊，还要他大出手⑤哩。

---

① 因依——原委、缘由。

② 情熟——相熟、亲密。

③ 收心——改邪归正。

④ 弟子——这里指官妓。

⑤ 大出手——大量出钱、大量施舍。

因家中少替力的人，买几件小东西，也只得自身奔走。”张远心下想道：“又好个机会。”便向尼姑道：“师父，我有个心腹朋友，是个富家。这二尊圣像，就要他独造也是容易，只要烦师父干一件事。”张远在袖儿里摸出两锭银子，放在香桌上道：“这银子权当开手①，事若成就，盖庵盖殿，随师父的意。”那尼姑贪财，见了这两锭细丝白银②，眉花眼笑道：“大官人，你相识是谁？委我干甚事来？”张远道：“师父，这事是件机密事，除是你干得，况是顺便，可与你到密室说知。”说罢，就把二锭银子，纳入尼姑袖里，尼姑半推不推收了。二人进一个小轩内竹榻前坐下，张远道：“师父，我那心腹朋友阮三官，于今岁正月间，蒙陈太尉小姐使梅香寄个表记来与他，至今无由相会。明日师父到陈府中去见奶奶，乘这个便，倘到小姐房中，善用一言，约到庵中与他一见，便是师父用心之处。”尼姑沉吟半晌，便道：“此事未敢轻许，待会见小姐，看其动静，再作计较。你且说甚么表记？”张远道：“是个嵌宝金戒指。”尼姑道：“借过这戒指儿来暂时，自有计较。”张远见尼姑收了银子，又不推辞，心中大喜。当时作别，便到阮三家来，要了他的金戒指，连夜送到尼姑处了。

却说尼姑在床上想了半夜，次日天晓起来，梳洗毕，将戒指戴在左手上，收拾礼盒，着女童挑了，迤逦来到陈衙，直至后堂歇了。夫人一见，便道：“出家人如何烦你坏钞③？”尼姑稽首道：“向蒙奶奶布施，今观音圣像已完，山门有幸。贫僧正要来回覆奶奶，昨日又蒙厚赐，感谢不尽。”夫人道：“我见你说没有好小菜吃粥，恰好江南一位官人，送得这几瓮瓜菜来，我分两瓮与你。这些小东西，也谢什么！”尼姑合掌道：“阿弥陀佛！滴水难消，虽是我僧家口吃十方，难说是应该的。”夫人道：“这圣像完了中间一尊，也就好看了。那两尊以次而来，少不得还要助些工费。”尼姑道：“全仗奶奶做个大功德，今生恁般富贵，也是前世布施上修来的。如今再修去时，那一世还你荣华受用。”夫人教丫鬟收了礼盒，就吩咐厨下办斋，留尼姑过午。

少间，夫人与尼姑吃斋，小姐也坐在侧边相陪。斋罢，尼姑开言道：

---

① 开手——首次出手。

② 细丝白银——带有丝纹的白银锭。

③ 坏钞——破费、花钱。

"贫僧斗胆,还有句话相告:小庵圣像新完,涓选①四月初八日,我佛诞辰,启建道场,开佛光明②。特请奶奶小姐光降随喜,光辉出门则个。"夫人道:"老身定来拜佛,只是小姐怎么来得?"那尼姑眉头一蹙,计上心来,道:"前日坏腹③,至今未好,借解一解。"那小姐因为牵挂阮三,心中正闷,无处可解情怀。忽闻尼姑相请,喜不自胜。正要行动,仍听夫人有阻,巴不得与那尼姑私下计较。因见尼姑要解手,便道:"奴家陪你进房。"两个直至闺室。正是:

背地商量无好话,私房计较有奸情。

尼姑坐在触桶④上,道:"小姐,你到初八日同奶奶到我小庵觑一觑,若何?"小姐道:"我巴不得来,只怕爹妈不肯。"尼姑道:"若是小姐坚意要去,奶奶也难固执。奶奶若肯时,不怕太尉不容。"尼姑一头说话,一头去拿粗纸,故意露出手指上那个宝石嵌的金戒指来。小姐见了大惊,便问道:"这个戒指那里来的?"尼姑道:"两月前,有个俊雅的小官人进庵,看妆观音圣像,手中褪下这个戒指儿来,带在菩萨手指上,祷祝道:'今生不遂来生愿,愿得来生逢这人。'半日间对着那圣像,潸然挥泪。被我再四严问,他道:'只要你替我访这戒指的对儿,我自有话说。'"小姐见说了意中之事,满面通红。停了一会,忍不住又问道:"那小官人姓甚?常到你庵中么?"尼姑回道:"那官人姓阮,不时来庵闲观游玩。"小姐道:"奴家有个戒指,与他到是一对。"说罢,连忙开了妆盒,取出个嵌宝戒指,递与尼姑。尼姑将两个戒指比看,果然无异,笑将起来。小姐道:"你笑什么?"尼姑道:"我笑这个小官人,痴痴的只要寻这戒指的对儿;如今对到寻着了,不知有何话说?"小姐道:"师父,我要……"说了半句,又住了口。尼姑道:"我们出家人,第一口紧。小姐有话,不妨吩咐。"小姐道:"师父,我要会那官人一面,不知可见得么?"尼姑道:"那官人求神祷佛,一定也是为着小姐了。要见不难,只在四月初八这一日,管你相会。"小姐道:"便是爹妈容奴去时,母亲在前,怎得方便?"尼姑附耳低言道:"到那日来我庵中,倘斋罢闲坐,便可推睡,此事就谐了。"小姐点头会意,便将自己的

---

① 涓选——涓,选择。涓选,选取吉日。

② 开佛光明——塑画佛像、神像,最后点眼睛。

③ 坏腹——腹泻。

④ 触桶——便桶。

戒指都舍与尼姑。尼姑道:"这金子好把做妆佛用,保小姐百事称心。"说罢,两个走出房来。夫人接着,问道:"你两个在房里多时,说甚么样话?"惊得那尼姑心头一跳,忙答道:"小姐因问我浴佛①的故事,以此讲说这一晌②。"又道:"小姐也要瞻礼佛像,奶奶对太尉老爷说声,至期专望同临。"夫人送出厅前,尼姑深深作谢而去。正是:

惯使牢笼计,安排年少人。

再说尼姑出了太尉衙门,将了小姐舍的金戒指儿,一直径到张远家来。张远在门首伺候多时了,远远地望见尼姑,口中不道,心下思量:"家下耳目众多,怎么言得此事?"提起脚儿,慌忙迎上一步,道:"烦师父回庵去,随即就到。"尼姑回身转巷,张远穿径寻庵,与尼姑相见,邀入松轩,从头细话,将一对戒指儿度与张远,张远看见,道:"若非师父,其实难成,阮三官还有重重相谢。"张远转身就去回复阮三,阮三又收了一个戒指,双手带着,欢喜自不必说。

至四月初七日,尼姑又自到陈衙邀请,说道:"因夫人小姐光临,各位施主人家,贫僧都预先回了。明日更无别人,千万早降。"夫人已自被小姐朝暮聒絮③的要去拜佛,只得允了。那晚,张远先去期约阮三。到黄昏人静,悄悄地用一乘女轿抬到庵里。尼姑接入,寻个窝窝凹凹的房儿,将阮三安顿了。分明正是:

猪羊送屠户之家,一脚脚来寻死路。

尼姑睡到五更时分,唤女童起来,佛前烧香点烛,厨下准备斋供。天明便去催那采画匠来,与圣像开了光明,早斋就打发去了:少时陈太尉女眷到来,怕不稳便。单留同辈女僧,在殿上做功德诵经。

将次到巳牌时分,夫人与小姐两个轿儿来了。尼姑忙出迎接,邀入方丈。茶罢,去殿前、殿后拈香礼拜。夫人见旁无杂人,心下欢喜。尼姑请到小轩中宽坐,那伙随从的男女各有个坐处。尼姑支分④完了,来陪夫人小姐前后行走,观看了一回,才回到轩中吃斋。斋罢,夫人见小姐饭食稀

① 浴佛——佛教以四月初八为佛生日,寺院多于此日营斋会,以小盆浴佛,称为浴佛会。

② 一晌——一段时间,许久。

③ 聒絮——絮絮叨叨、噜苏。

④ 支分——支使、分派。

少，洋洋瞑目作睡。夫人道："孩儿，你今日想是起得早了些。"尼姑慌忙道："告奶奶，我庵中绝无闲杂之辈，便是志诚①老实的女娘们，也不许他进我的房内。小姐去我房中拴上房门睡一睡，自取个稳便，等奶奶闲步一步。你们几年何月来走得一遭！"夫人道："孩儿，你这般困倦，不如在师父房内睡睡。"

小姐依了母命，走进房内。刚拴上门，只见阮三从床背后走出来，看了小姐，深深的作揖道："姐姐，候之久矣。"小姐慌忙摇手，低低道："莫要则声②！"阮三倒褪③几步，候小姐近前，两手相挽，转过床背后，开了侧门，又到一个去处，小巧漆桌藤床，隔断了外人耳目。两人搂做一团。说了几句情话，双双解带，其实畅快。

原来阮三是个病久的人，因为这女子，七情所伤，身子虚弱。不料乐极悲生，为好成歉，一阳失去，片时气断丹田，七魄分飞，顷刻魂归阴府。正所谓：

天有不测风云，人有旦夕祸福。

只见牙关紧咬难开，摸着遍身冰冷，惊慌了云雨娇娘，顶门上不见了三魂，脚底下荡散了七魄。翻身推在里床，起来忙穿襟袄，带转了侧门，走出前房。喘息未定，怕娘来唤，战战兢兢，向妆台重整花钿，对鸾镜再匀粉黛。恰才整理完备，早听得房外夫人声唤④。小姐慌忙开门，夫人道："孩儿，殿上功德也散了，你睡才醒？"小姐道："我睡了半晌，在这里整头面⑤，正要出来和你回衙去。"夫人道："轿夫伺候多时了。"小姐与夫人谢了尼姑，上轿回衙去不提。

且说尼姑王守长送了夫人起身，回到庵中，厨房里洗了盘碗器皿，佛殿上收了香火供食，一应都收拾已毕。只见那张远同阮二哥进庵，与尼姑相见了，称谢不已，问道："我家三官今在那里？"尼姑道："还在我里头房里睡着。"尼姑便引阮二与张远开了侧房门，来卧床边叫道："三哥，你恁的好睡还未醒！"连叫数次不应。阮二用手摇也不动，口鼻全无气息，仔细看时，呜呼哀哉了。阮二吃了一惊，便道："师父，怎地把我兄弟坏了性

① 志诚——虔诚、诚恳。
② 则声——作声、出声。
③ 褪——同退。
④ 声唤——叫喊。
⑤ 头面——首饰。

命？这事不得干净①！”尼姑慌道：“小姐吃了午斋便推要睡，就入房内，约有两个时辰，殿上功德完了，老夫人叫醒来，恰才去得不多时。我只道睡着，岂知有此事。”阮二道：“说便是这般说，却是怎了？”尼姑道：“阮二官，今日幸得张大官在此，向蒙张大官吩咐，实望你家做檀越施主，因此用心，终不成要害你兄弟性命？张大官，今日之事，却是你来寻我，非是我来寻你。告到官司，你也不好，我也不好。向日蒙施银二锭，一锭我用去了，止存一锭不敢留用，将来与三官人凑买棺木盛殓。只说在庵养病，不料死了。”说罢，将出这锭银子，放在卓上，道：“你二位，凭你怎么处置。”张远与阮二默默无言，呆了半晌。阮二道：“且去买了棺木来再议。”张远收了银子，与阮二同出庵门，迤逦路上行着。张远道：“二哥，这个事本不干尼姑事，三哥是个病弱的人，想是与女子交会，用过了力气，阳气一脱，就是死的。我也只为令弟面上情分好，况令弟前日，在床前再四叮咛，央浼②不过，只得替他干这件事。”阮二回言道：“我论此事，人心天理，也不干着那尼姑事，亦不干你事。只是我这小官人年命如此，神作祸作，作出这场事来。我心里也道罢了，只愁大哥与老官人回来埋怨③，怎的了？”连晚与张远买了一口棺木，抬进庵里，盛殓了，就放在西廊下，只等阮员外、大哥回来定夺。正是：

酒到散筵欢趣少，人逢失意叹声多。

忽一日，阮员外同大官人商贩回家，与院君④相见，合家欢喜。员外动问三儿病症，阮二只得将前后事情，细细诉说了一遍。老员外听得说三郎死了，放声大哭了一场，要写起词状，与陈太尉女儿索命：“你家贱人来惹我的儿子！”阮大、阮二再四劝道：“爹爹，这个事想论来，都是兄弟作出来的事，以致送了性命。今日爹爹与陈家讨命，一则势力不敌，二则非干太尉之事。”勉劝老员外选个日子，就庵内修建佛事，送出郊外安厝了。

却说陈小姐自从闲云庵归后，过了月余，常常恶心气闷，心内思酸，一连三个月经脉不举。医者用行经顺气之药，如何得应？夫人暗地问道：“孩儿，你莫是与那个成这等事么？可对我实说。”小姐晓得事露了，没奈何，只得与

---

① 干净——了结。

② 央浼(měi)——央求、恳求。

③ 埋怨——抱怨、埋怨。

④ 院君——有封号的妇人，对一般富户官吏妻子的尊称。

夫人实说。夫人听得呆了,道:"你爹爹只要寻个有名目的才郎,靠你养老送终。今日弄出这丑事,如何是好?只怕你爹爹得知这事,怎生奈何?"小姐道:"母亲,事已如此,孩儿只是一死,别无计较。"夫人心内又恼又闷。

看看天晚,陈太尉回衙,见夫人面带忧容,问道:"夫人,今日何故不乐?"夫人回道:"我有一件事恼心。"太尉便问:"有甚么事恼心?"夫人见问不过,只得将情一一诉出。太尉不听说万事俱休,听得说了,怒从心上起,道:"你做母的不能看管孩儿,要你做甚?"急得夫人阁泪①汪汪,不敢回对。太尉左思右想,一夜未寐。

天晓出外理事,回衙与夫人计议:"我今日用得买实做了。如官府去,我女孩儿又出丑,我府门又不好看;只得与女孩儿商量作何理会。"女儿扑簌簌吊②下泪来,低头不语。半晌间,扯母亲于背静处,说道:"当初原是儿的不是,坑了阮三郎的性命。欲要寻个死,又有三个月遗腹在身;若不寻死,又恐人笑。"一头哭着,一头说:"莫若等待十个月满足,生得一男半女,也不绝了阮三后代,也是当日相爱情分。妇人从一而终,虽是一时苟合,亦是一日夫妻,我断然再不嫁人。若天可怜见,生得一个男子,守他长大,送还阮家,完了夫妻之情。那时寻个自尽,以赎玷辱父母之罪。"夫人将此话说与太尉知道,太尉只叹了一口气,也无奈何,暗暗着人请阮员外来家计议,说道:"当初是我闺门不谨,以致小女背后做出天大事来,害了你儿子性命,如今也休提了。但我女儿已有三个月遗腹,如何出活③?如今只说我女曾许嫁你儿子,后来在闲云庵相遇,为想我女,成病几死,因而彼此私情。庶他日生得一男半女,犹有许嫁情由,还好看相。"阮员外依允,从此就与太尉两家来往。

十月满足,阮员外一般遣礼催生,果然生个孩儿。到了三岁,小姐对母亲说,欲待领了孩儿,到阮家拜见公婆,就去看看阮三坟墓。夫人对太尉说知,俱依允了。拣个好日,小姐备礼过门,拜见了阮员外夫妇。次日,到阮三墓上哭奠了一回;又取出银两,请高行真僧,广设水陆道场,追荐亡夫阮三郎。其夜梦见阮三到来,说道:"小姐,你晓得夙因么?前世你是

① 阁泪——含泪而不垂下来。
② 吊——掉、落。
③ 出活——出脱、开脱。

个扬州名妓，我是金陵人，到彼访亲，与你相处情厚，许定一年之后再来，必然娶你为妻。及至归家，惧怕父亲，不敢禀知，别成姻眷。害你终朝悬望，郁郁而死。因是夙缘未断，今生乍会之时，两情牵恋。闲云庵相会，是你来索冤债，我登时身死，偿了你前生之命。多感你诚心追荐，今已得往好处托生。你前世抱志节而亡，今世合享荣华。所生孩儿，他日必大贵，烦你好好抚养教训。从今你休怀忆念。"玉兰小姐梦中一把扯住阮三，正要问他托生何处，被阮三用手一推，惊醒将来，嗟叹不已。方知生死恩情，都是前缘夙债。

从此小姐放下情怀，一心看觑孩儿。光阴似箭，不觉长成六岁，生得清奇，与阮三一般标致，又且资性聪明。陈太尉爱惜真如掌上之珠，用自己姓，取名陈宗阮，请个先生教他读书。到一十六岁，果然学富五车，书通二酉①。十九岁上，连科及第，中了头甲状元，奉旨归娶。陈、阮二家争先迎接回家，宾朋满堂，轮流做庆贺筵席。当初陈家生子时，街坊上晓得些风声来历的，免不得点点搠搠，背后讥诮。到陈宗阮一举成名，翻夸奖玉兰小姐贞节贤慧，教子成名，许多好处。世情②以成败论人，大率如此。后来陈宗阮做到吏部尚书留守官，将他母亲十九岁上守寡，一生不嫁，教子成名等事，表奏朝廷，启建贤节牌坊。正所谓：贫家百事百难做，富家差得鬼推磨。虽然如此，也亏陈小姐后来守志，一床锦被遮盖了，至今河南府传作佳话。有诗为证，诗曰：

兔演巷中担病害，闲云庵里偿冤债。
周全末路仗贞娘，一床锦被相遮盖。

# 第五卷　穷马周遭际卖䭔媪

前程暗漆本难知，秋月春花各有时。
静听天公吩咐去，何须昏夜苦奔驰？

---

① 书通二酉——二酉，指大、小酉山，唐时两山山洞中藏有书籍千卷。书通二酉，比喻读书读得多。

② 世情——世态人情。

话说大唐贞观改元，太宗皇帝仁明有道，信用贤臣。文有十八学士，武有十八路总管。真个是鸳班济济，鹭序彬彬。凡天下有才有智之人，无不举荐在位，尽其抱负。所以天下太平，万民安乐。

就中单表一人，姓马名周，表字宾王，博州茌平人氏。父母双亡，一贫如洗，年过三旬，尚未娶妻，单单只剩一身。自幼精通书史，广有学问，志气谋略，件件过人。只为孤贫无援，没有人荐拔他，分明是一条神龙困于泥淖之中，飞腾不得。眼见别人才学万倍不如他的，一个个出身通显，享用爵禄，偏则自家怀才不遇，每日郁郁自叹道："时也，运也，命也。"一生挣得一副好酒量，闷来时只是饮酒，尽醉方休。日常饭食，有一顿，没一顿，都不计较，单少不得杯中之物。若自己没钱买时，打听邻家有酒，便去噇吃。却又大模大样，不谨慎，酒后又要狂言乱叫，发风骂坐。这伙三邻四舍被他聒噪的不耐烦，没一个不厌他，背后唤他做"穷马周"，又唤他是"酒鬼"。那马周晓得了，也全不在心上。正是：

未逢龙虎会，一任马牛呼。

且说博州刺史姓达，名奚，素闻马周明经有学，聘他为本州助教之职。到任之日，众秀才携酒称贺，不觉吃得大醉。次日刺史亲到学宫请教，马周兀自中酒，爬身不起，刺史大怒而去。马周醒后，晓得刺史曾到，特往州衙谢罪，被刺史责备了许多说话。马周口中唯唯，只是不能悛改。每遇门生执经问难，便留住他同饮。支得俸钱，都付与酒家；兀自不敷，依旧在门生家噇酒。一日吃醉了，两个门生左右扶住，一路歌咏而回，恰好遇着刺史前导，喝他回避，马周那里肯退步？瞋着双眼到骂人起来，又被刺史当街发作了一场。马周当时酒醉不知，次日醒后，门生又来劝马周，在刺史处告罪。马周叹口气道："我只为孤贫无援，欲图个进身之阶，所以屈志于人。今因酒过，屡被刺史责辱，何面目又去鞠躬取怜？古人不为五斗米折腰，这个助教官儿，也不是我终身养老之事。"便把公服交付门生，教他缴还刺史，仰天大笑，出门而去。正是：

此去好凭三寸舌，再来不值一文钱。

自古道："水不激不跃，人不激不奋。"马周只为吃酒上受刺史责辱不过，叹口气出门，到一个去处，遇了一个人提携，直做到吏部尚书地位，此是后话。

且说如今到那里去？他想着冲州撞府①，没甚大遭际②，则除是长安帝都，公侯卿相中，有个能举荐的萧相国，识贤才的魏无知③，讨个出头日子，方遂平生之愿。望西迤逦而行，不一日，来到新丰。

原来那新丰城是汉高皇所筑。高皇生于丰里，后来起兵，诛秦灭项，做了大汉天子，尊其父为太上皇。太上皇在长安城中，思想故乡风景；高皇命巧匠照依故丰，建造此城，迁丰人来居住。凡街市屋宇，与丰里制度，一般无二，把张家鸡儿，李家犬儿，纵放在街上，那鸡犬也都认得自家门首，各自归家。太上皇大喜，赐名新丰。今日大唐仍建都于长安，这新丰总是关内之地，市井稠密，好不热闹！只这招商旅店，也不知多少！

马周来到新丰市上，天色已晚，只拣个大大客店，踱将进去。但见红尘滚滚，车马纷纷，许多商贩客人，驮着货物，挨三顶五④的进店安歇。店主王公迎接了，慌忙指派房头⑤，堆放行旅。众客人寻行逐队，各据坐头⑥，讨浆索酒。小二哥搬运不迭，忙得似走马灯一般。马周独自个冷清清地坐在一边，并没半个人睬他。马周心中不忿，拍案大叫道："主人家，你好欺负人！偏俺不是客，你就不来照顾？是何道理！"王公听得发作，便来收科⑦道："客官不须发怒，那边人众，只得先安放他；你只一位，却容易答应。但是用酒用饭，只管吩咐老汉就是。"马周道："俺一路行来，没有洗脚，且讨些干净热水用用。"王公道："锅子不方便，要热水再等一会。"马周道："既如此，先取酒来。"王公道："用多少酒？"马周指着对面大座头上一伙客人，问主人家道："他们用多少，俺也用多少。"王公道："他们五位客人，每人用一斗好酒。"马周道："论起来还不够俺半醉，但俺途中节饮，也只用五斗罢。有好嗄饭⑧尽你搬来。"王公吩咐小二过了，一连暖五斗酒，放在桌上，摆一只大磁瓯，几碗肉菜之类。马周举瓯独酌，旁若

---

① 冲州撞府——跑马头、闯江湖，奔走各地。

② 遭际——际遇、发迹。

③ 魏无知——汉代人，曾向刘邦推荐陈平。

④ 挨三顶五——三三五五地挨接着。

⑤ 房头——房位、房间。

⑥ 坐头——座位。

⑦ 收科——收场、圆场。

⑧ 嗄(xià)饭——下饭用的菜肴。

无人。约莫吃了三斗有余，讨个洗脚盆来，把剩下的酒，都倾在里面，蹝[①]脱双靴，便伸脚下去洗濯。众客见了，无不惊怪。王公暗暗称奇，知其非常人也。同时岑文本[②]画得有《马周濯足图》，后有烟波钓叟[③]题赞于上，赞曰：

世人尚口，吾独尊足。口易兴波，足能踄陆。

处下不倾，千里可逐。劳重赏薄，无言忍辱。

酬之以酒，慰尔仆仆。令尔忘忧，胜吾厌腹。

吁嗟宾王，见超凡俗。

当夜安歇无话。次日王公早起会钞，打发行客登程。马周身无财物，想天气渐热了，便脱下狐裘与王公当酒钱。王公见他是个慷慨之士，又嫌狐裘价重，再四推辞不受。马周索笔，题诗壁上。诗云：

古人感一饭，千金弃如屣；

匕箸安足酬？所重在知己。

我饮新丰酒，狐裘不用抵；

贤哉主人翁，意气倾闾里！

后写茌平人马周题。王公见他写作[④]俱高，心中十分敬重。便问："马先生如今何往？"马周道："欲往长安求名。"王公道："曾有相熟寓所否？"马周回道："没有。"王公道："马先生大才，此去必然富贵。但长安乃米珠薪桂之地，先生资釜[⑤]既空，将何存立？老夫有个外甥女，嫁在彼处万寿街卖䭔[⑥]赵三郎家。老夫写封书，送先生到彼作寓，比别家还省事。更有白银一两，权助路资，休嫌菲薄。"马周感其厚意，只得受了。王公写书已毕，递与马周。马周道："他日寸进，决不相忘。"作谢而别。

行至长安，果然是花天锦地，比新丰市又不相同。马周径问到万寿街赵卖䭔家，将王公书信投递。原来赵家积世卖这粉食为生，前年赵三郎已故了；他老婆在家守寡，接管店面，这就是新丰店中王公的外甥女儿。年

---

① 蹝(xí)——踏。

② 岑文本——唐棘阳人，字景仁，唐太宗时，官至中书令。

③ 烟波钓叟——唐代诗人张志和，自称"烟波钓徒"。

④ 写作——书法和文章。

⑤ 资釜——釜，同斧。旅费、盘缠。

⑥ 䭔(duī)——蒸饼。

纪虽然三十有余,兀自丰艳胜人,京师人顺口都唤他做"卖䭔媪"。北方的"媪"字,即如南方的"妈"字一般。这王媪初时坐店卖䭔,神相袁天罡一见大惊,叹道:"此媪面如满月,唇若红莲,声响神清,山根①不断,乃大贵之相,他日定为一品夫人,如何屈居此地?"偶在中郎将常何面前,谈及此事,常何深信袁天罡之语,吩咐苍头,只以买䭔为名,每日到他店中闲话,说发②王媪嫁人,欲娶为妾。王媪只是干笑,全不统口③。正是:

姻缘本是前生定,不是姻缘莫强求。

却说王媪隔夜得一异梦,梦见一匹白马,自东而来,到他店中,把粉䭔一口吃尽。自己执箠赶逐,不觉腾上马背。那马化为火龙,冲天而去。醒来满身都热,思想此梦非常。恰好这一日,接得母舅王公之信,送个姓马的客人到来,又马周身穿白衣。王媪心中大疑,就留住店中作寓。一日三餐,殷勤供给。那马周恰似理之当然一般,绝无谦逊之意,这里王媪也始终不怠。叵耐④邻里中有一班浮荡子弟,平日见王媪是个俏丽孤孀,闲常时倚门靠壁,不三不四,轻嘴薄舌的狂言挑拨。王媪全不招惹,众人到也道他正气。今番见他留个远方单身客在家,未免言三语四,造出许多议论。王媪是个精细的人,早已察听在耳朵里,便对马周道:"贱妾本欲相留,奈孀妇之家,人言不雅。先生前程远大,宜择高枝栖止,以图上进。若埋没大才于此,枉自可惜。"马周道:"小生情愿为人馆宾,但无路可投耳。"

言之未已,只见常中郎家苍头,又来买䭔。王媪想着常何是个武臣,必定少不得文士相帮,乃向苍头问道:"有个薄亲马秀才,饱学之士,在此觅一馆舍,未知你老爷用得着否?"苍头答应道:"甚好。"原来那时正值天旱,太宗皇帝诏五品以上官员,都要悉心竭虑,直言得失,以凭采用。论常何官职也该具奏,正欲访求饱学之士,倩他代笔。恰好王媪说起马秀才,分明是饥时饭,渴时浆,正搔着痒处。苍头回去禀知常何,常何大喜,即刻遣人备马来迎。马周别了王媪,来到常中郎家里。常何见马周一表非俗,好生钦敬。当日置酒相待,打扫书馆,留马周歇宿。

---

① 山根——星相家称鼻梁为山根。

② 说发——说动、怂恿。

③ 统口——松口、改口。

④ 叵耐——叵,同叵。叵耐,不可容忍。

次日,常何取白金二十两,彩绢十端,亲送到馆中,权为贽礼。就将圣旨求言一事,与马周商议。马周索取笔研,拂开素纸,手不停挥,草成便宜二十条,常何叹服不已。连夜缮写齐整,明日早朝进呈御览。太宗皇帝看罢,事事称善,便问常何道:“此等见识议论,非卿所及,卿从何处得来?”常何拜伏在地,口称:“死罪!这便宜二十条,臣愚实不能建白,此乃臣家客马周所为也。”太宗皇帝道:“马周何在?可速宣来见朕。”黄门官奉了圣旨,径到常中郎家,宣马周。马周吃了早酒,正在鼾睡,呼唤不醒。又是一道旨意下来,催促到第三遍,常何自来了,此见太宗皇帝爱才之极也。史官有诗云:

三道征书络绎催,贞观天子惜贤才。
朝廷爱士皆如此,安得英雄困草莱?

常何亲到书馆中,教馆童扶起马周,用凉水喷面,马周方才苏醒。闻知圣旨,慌忙上马。常何引到金銮见驾,拜舞已毕,太宗玉音问道:“卿何处人氏?曾出仕否?”马周奏道:“臣乃茌平县人,曾为博州助教。因不得其志,弃官来游京都。今获觐天颜,实出万幸。”太宗大喜,即日拜为监察御史,钦赐袍笏官带。马周穿着了,谢恩而出,仍到常何家,拜谢举荐之德。常何重开筵席,把酒称贺。

至晚酒散,常何不敢屈留马周在书馆住宿,欲备轿马,送到令亲王媪家去。马周道:“王媪原非亲戚,不过借宿其家而已。”常何大惊问道:“御史公有宅眷否?”马周道:“惭愧,实因家贫未娶。”常何道:“袁天罡先生曾相王媪有一品夫人之贵,只怕是令亲,或有妨碍;既然萍水相逢,便是天缘。御史公若不嫌弃,下官即当作伐。”马周感王媪殷勤,亦有此意,便道:“若得先辈玉成,深荷大德。”是晚,马周仍在常家安歇。

次早,马周又同常何面君。那时鞑虏突厥反叛,太宗皇帝正遣四大总管出兵征剿,命马周献平虏策。马周在御前,口诵如流,句句中了圣意,改为给事中之职。常何举贤有功,赐绢百匹。常何谢恩出朝,吩咐马上就引到卖䭔店中,要请王媪相见。王媪还只道常中郎强要娶他,慌忙躲过,那里肯出来。常何坐在店中,叫苍头去寻个老年邻妪,替他传话:今日常中郎来此,非为别事,专为马给谏①求亲。王媪问其情由,方知马给谏就是马周,向时白马化龙之梦,今已验矣。此乃天付姻缘,不可违也。常何见

① 给谏——给事中(官名)称为给谏。

王媪允从了,便将御赐绢匹,替马周行聘;赁下一所空宅,教马周住下。择个吉日,与王媪成亲,百官都来庆贺。正是:

分明乞相①寒儒,忽作朝家贵客。

王媪嫁了马周,把自己一家一火②,都搬到马家来了。里中无不称羡,这也不在话下。

却说马周自从遇了太宗皇帝,言无不听,谏无不从,不上三年,直做到吏部尚书,王媪封做夫人之职。那新丰店主人王公,知马周发迹荣贵,特到长安望他,就便先看看外甥女。行至万寿街,已不见了卖䭔店,只道迁居去了。细问邻舍,才晓得外甥女已寡,晚嫁的就是马尚书,王公这场欢喜非通小可。问到尚书府中,与马周夫妇相见,各叙些旧话。住了月余,辞别要行。马周将千金相赠,王公那里肯受。马周道:"壁上诗句犹在,一饭千金,岂可忘也?"王公方才收了,作谢而回,遂为新丰富民。此乃投瓜报玉,施恩报恩,也不在话下。

再说达奚刺史,因丁忧回籍,服满到京。闻马周为吏部尚书,自知得罪,心下忧惶,不敢补官。马周晓得此情,再三请他相见。达奚拜倒在地,口称:"有眼不识泰山,望乞恕罪。"马周慌忙扶起道:"刺史教训诸生,正宜取端谨之士。嗜酒狂呼,此乃马周之罪,非贤刺史之过也。"即日举荐达奚为京兆尹。京师官员见马周度量宽洪,无不敬服。马周终身富贵,与王媪偕老。后人有诗叹云:

一代名臣属酒人,卖䭔王媪亦奇人。
时人不具波斯眼③,枉使明珠混俗尘。

# 第六卷　葛令公生遣弄珠儿

当时五霸说庄王,不但强梁压上邦。
多少倾城因女色,绝缨一事已无双。

---

① 乞相——乞丐相。

② 一家一火——一应家火、所有家计。

③ 波斯眼——波斯商人常贩卖珍宝,波斯眼,指能辨识珍宝的眼睛。

话说春秋时,楚国有个庄王,姓芈①,名旅,是五霸中一霸。那庄王曾大宴群臣于寝殿,美人俱侍。偶然风吹烛灭,有一人从暗中牵美人之衣。美人扯断了他系冠的缨索,诉与庄王,要他查名治罪。庄王想道:“酒后疏狂,人人常态,我岂为一女子上坐人罪过,使人笑戏?轻贤好色,岂不可耻。”于是出令曰:“今日饮酒甚乐,在坐不绝缨者不欢。”比及烛至,满座的冠缨都解,竟不知调戏美人的是那一个。后来晋楚交战,庄王为晋兵所困,渐渐危急。忽有一将,杀入重围,救出庄王。庄王得脱,问:“救我者为谁?”那将俯伏在地,道:“臣乃昔日绝缨之人也。蒙吾王隐蔽,不加罪责,臣今愿以死报恩。”庄王大喜道:“寡人若听美人之言,几丧我一员猛将矣。”后来大败晋兵,诸侯都叛晋归楚,号为一代之霸。有诗为证:

美人空自绝冠缨,岂为蛾眉失虎臣?
莫怪荆襄多霸气,骊山戏火是何人?

世人度量狭窄,心术刻薄,还要搜他人的隐过,显自己的精明;莫说犯出不是来,他肯轻饶了你!这般人一生有怨无恩,但有缓急,也没人与他分忧替力了。像楚庄王恁般弃人小过,成其大业,真乃英雄举动,古今罕有。

说话的,难道真个没有第二个了?看官,我再说一个与你听。你道是那一朝人物?却是唐末五代时人。那五代?梁、唐、晋、汉、周,是名五代。梁乃朱温,唐乃李存勖②,晋乃石敬瑭,汉乃刘知远,周乃郭威。方才要说的,正是梁朝中一员虎将,姓葛名周,生来胸襟海阔,志量③山高;力敌万夫,身经百战。他原是芒砀山中同朱温起手做事的,后来朱温受了唐禅,做了大梁皇帝,封葛周中书令兼领节度使之职,镇守兖州。这兖州,与河北逼近,河北便是后唐李克用地面。所以梁太祖特着亲信的大臣镇守,弹压山东,虎视那河北。河北人仰他的威名,传出个口号来,道是:

山东一条葛,无事莫撩拨④。

从此人都称为“葛令公⑤”。手下雄兵十万,战将如云,自不必说。

---

① 芈(mǐ)。
② 勖(xù)——同勖。勉励。
③ 志量——志气。
④ 撩拨——撩惹、引逗。
⑤ 令公——中书令的尊称。

其中单表一人,复姓申徒,名泰,泗水人氏,身长七尺,相貌堂堂,抡的好刀,射的好箭。先前未曾遭际,只在葛令公帐下做个亲军。后来葛令公在甑山打围①,申徒泰射倒一鹿,当有三班教师前来争夺。申徒泰只身独臂,打赢了三班教师,手提死鹿,到令公面前告罪。令公见他胆勇,并不计较,到有心抬举他。次日,教场演武,夸他弓马熟闲,补他做个虞候②,随身听用。一应军情大事,好生重托。他为自家贫未娶,只在府厅耳房③内栖止,这伙守厅军壮都称他做"厅头④";因此上下人等,顺口也都唤做"厅头"。正是:

萧何治狱为秦吏,韩信曾官执戟郎。

蠖屈龙腾皆运会,男儿出处又何常?

话分两头。却说葛令公姬妾众多,嫌宅院狭窄,教人相了地形,在东南角旺地上另创个衙门,极其宏丽,限一年内务要完工,每日差厅头去点闸⑤两次。

时值清明佳节,家家士女踏青,处处游人玩景。葛令公吩咐设宴岳云楼⑥上。这个楼是兖州城中最高之处,葛令公引着一班姬妾,登楼玩赏。原来令公姬妾虽多,其中只有一人出色,名曰弄珠儿。那弄珠儿生得如何?

目如秋水,眉似远山。小口樱桃,细腰杨柳。妖艳不数太真,轻盈胜如飞燕。恍疑仙女临凡世,西子南威总不如。

葛令公十分宠爱,日则侍侧,夜则专房,宅院中称为"珠娘"。这一日,同在岳云楼饮酒作乐。

那申徒泰在新府点闸了人工,到楼前回话。令公唤他上楼,把金莲花巨杯赏他三杯美酒。申徒泰吃了,拜谢令公赏赐,起在一边。忽然抬头,见令公身边立个美妾,明眸皓齿,光艳照人。心中暗想:"世上怎有恁般好女子?莫非天上降下来的神仙么?"那申徒泰正当壮年慕色之际,况且

---

① 打围——打猎。

② 虞候——军校的名称。

③ 耳房——堂屋两边的小房。

④ 厅头——守厅的头目。

⑤ 点闸——查点。

⑥ 岳云楼——古兖州城楼。

不曾娶妻，平昔间也曾听得人说，令公有个美姬，叫做珠娘，十分颜色，只恨难得见面。今番见了这出色的人物，料想是他了，不觉三魂飘荡，七魄飞扬，一对眼睛光射定在这女子身上。真个是观之不足，看之有余。不提防葛令公有话问他，叫道："厅头，这工程几时可完？呀，申徒泰，申徒泰！问你工程几时可完！"连连唤了几声，全不答应。自古道心无二用，原来申徒泰一心对着那女子身上出神去了，这边呼唤，都不听得，也不知吩咐的是甚话。葛令公看见申徒泰目不转睛，已知其意，笑了一笑，便教撤了筵席，也不叫唤他，也不说破他出来。

却说伏侍的众军校看见令公叫呼不应，到替他捏两把汗。幸得令公不加嗔责，正不知甚么意思，少不得学与申徒泰知道。申徒泰听罢，大惊，想道："我这条性命，只在早晚，必然难保。"整整愁了一夜。正是：

是非只为闲撩拨，烦恼皆因不老成。

到次日，令公升厅理事，申徒泰远远跕①着，头也不敢抬起。巴得散衙②，这日就无事了。一连数日，神思恍惚，坐卧不安。葛令公晓得他心下忧惶，到把几句好言语安慰他；又差他往新府，专管催督工程，遣他闸去。申徒泰离了令公左右，分明拾了性命一般。才得三分安稳，又怕令公在这场差使内寻他罪罚，到底有些疑虑，十分小心勤谨，早夜督工，不辞辛苦。

忽一日，葛令公差虞候许高，来替申徒泰回衙。申徒泰闻知，又是一番惊恐，战战兢兢的离了新府，到衙门内参见，禀道："承恩相呼唤，有何差使？"葛令公道："主上在夹寨失利，唐兵分道入寇。李存璋引兵侵犯山东境界，见有本地告急文书到来。我待出师拒敌，因帐下无人，要你同去。"申徒泰道："恩相钧旨，小人敢不遵依。"令公吩咐甲仗库内，取熟铜盔甲一副，赏了申徒泰。申徒泰拜谢了，心中一喜一忧：喜的是跟令公出去，正好立功；忧的怕有小小差迟，令公记其前过，一并治罪。正是：

青龙白虎同行③，吉凶全然未保。

却说葛令公简④兵选将，即日兴师。真个是旌旗蔽天，锣鼓震地。一

---

① 跕——同站。

② 散衙——即退堂。

③ 青龙白虎同行——青龙是吉神，白虎是凶神，二者同行，比喻吉凶不分。

④ 简——选择（人才）。

行来到郯城，唐将李存璋正待攻城，闻得兖州大兵将到，先占住瑯琊山高阜去处，大小下了三个寨。葛周兵到，见失了地形，倒退三十里屯扎，以防冲突。一连四五日挑战，李存璋牢守寨栅，只不招架。到第七日，葛周大军拔寨都起，直逼李家大寨搦战。李存璋早做准备，在山前结成方阵，四面迎敌。阵中埋伏着弓箭手，但去冲阵的，都被射回。葛令公亲自引兵阵前，看了一回，见行列齐整，如山不动，叹道："人传李存璋柏乡大战，今观此阵，果大将之才也。"这个方阵，一名"九宫八卦阵"，昔日吴王夫差与晋公会于黄池，用此阵以取胜。须俟其倦怠，阵脚稍乱，方可乘之，不然实难攻矣。当下出令，吩咐严阵相持，不许妄动。

看看申牌时分，葛令公见军士们又饥又渴，渐渐立脚不定，欲待退军，又怕唐兵乘胜追赶，踌躇不决。忽见申徒泰在旁，便问道："厅头，你有何高见？"申徒泰道："据泰愚意，彼军虽整，然以我军比度，必然一般疲困。诚得亡命勇士数人，出其不意，疾驰赴敌。倘得陷入其阵，大军继之，庶可成功耳。"令公抚其背道："我素知汝骁勇，能为我陷此阵否？"申徒泰即便掉刀上马，叫一声："有志气的快跟我来破贼！"帐前并无一人答应。申徒泰也不回顾，径望敌军奔去。

葛周大惊，急领众将，亲出阵前接应。只见申徒泰一匹马一把刀，马不停蹄，刀不停手。马不停蹄，疾如电闪；刀不停手，快若风轮。不管三七二十一，直杀入阵中去了。原来对阵唐兵，初时看见一人一骑，不将他为意。谁知申徒泰拼命而来，这把刀神出鬼没，遇着他的，就如砍瓜切菜一般，往来阵中，如入无人之境。恰好遇着先锋沈祥，只一合斩于马下，跳下马来，割了首级；复飞身上马，杀出阵来，无人拦挡。葛周大军已到，申徒泰大呼道："唐兵阵乱矣！要杀贼的快来！"说罢，将首级掷于葛周马前，翻身复杀入对阵去了。

葛周将令旗一招，大军一齐并力，长驱而进。唐兵大乱，李存璋禁押不住，只得鞭马先走。唐兵被梁家杀得七零八落，走得快的，逃了性命；略迟慢些，就为沙场之鬼。李存璋唐朝名将，这一阵，杀得大败亏输，望风而遁，弃下器械马匹，不计其数。梁家大获全胜。葛令公对申徒泰道："今日破敌，皆汝一人之功。"申徒泰叩头道："小人有何本事？皆仗令公虎威耳！"令公大喜，一面写表申奏朝廷；传令犒赏三军，休息他三日，第四日班师回兖州去。果然是：

喜孜孜鞭敲金镫响，笑吟吟齐唱凯歌回。

却说葛令公回衙，众侍妾罗拜称贺。令公笑道："为将者出师破贼，自是本分常事，何足为喜？"指着弄珠儿对众妾说道："你们众人只该贺他的喜。"众妾道："相公今日破敌，保全地方，朝廷必有恩赏。凡侍巾栉的，均受其荣，为何只是珠娘之喜？"令公道："此番出师，全亏帐下一人力战成功。无物酬赏他，欲将此姬赠与为妻。他终身有托，岂不可喜？"弄珠儿恃着平日宠爱，还不信是真，带笑的说道："相公休得取笑。"令公道："我生平不作戏言，已曾取库上六十万钱，替你具办资妆去了。只今晚便在西房独宿，不敢劳你侍酒。"弄珠儿听罢，大惊，不觉泪如雨下，跪禀道："贱妾自侍巾栉，累年以来，未曾得罪。今一旦弃之他人，贱妾有死而已，决难从命。"令公大笑道："痴妮子，我非木石，岂与你无情？但前日岳云楼饮宴之时，我见此人目不转睛，晓得他钟情与汝。此人少年未娶，新立大功，非汝不足以快其意耳。"弄珠儿扯住令公衣袂，撒娇撒痴，千不肯，万不肯，只是不肯从命。令公道："今日之事，也由不得你。做人的妻，强似做人的妾。此人将来功名，不弱于我，乃汝福分当然。我又不曾误你，何须悲怨！"教众妾扶起珠娘，莫要啼哭。众妾为平时珠娘有专房之宠，满肚子恨他，巴不得撚他出去。今日闻此消息，正中其怀，一拥上前，拖拖拽拽，扶他到西房去，着实窝伴①他，劝解他。弄珠儿此时也无可奈何，想着令公英雄性子，在儿女头上不十分留恋，叹了口气，只得罢了。从此日为始，令公每夜轮遣两名姬妾，陪珠娘西房宴宿，再不要他相见。有诗为证：

昔日专房宠，今朝召见稀。
非关情太薄，犹恐动情痴。

再说申徒泰自郯城回后，口不言功，禀过令公，依旧在新府督工去了。这日工程报完，恰好库吏也来禀道："六十万钱资妆，俱已备下，伏乞钧旨。"令公道："权且寄下，待移府后取用。"一面吩咐阴阳生择个吉日，阖家迁在新府住居，独留下弄珠儿及丫鬟、养娘数十人。库吏奉了钧帖，将六十万钱资妆，都搬来旧衙门内，摆设得齐齐整整，花堆锦簇。众人都疑道令公留这旧衙门做外宅，故此重新摆设，谁知其中就里！

---

① 窝伴——抚慰、陪伴。

这日，申徒泰同着一般虞候，正在新府声喏①庆贺。令公独唤申徒泰上前，说道："郑城之功，久未图报。闻汝尚未娶妻，小妾颇工颜色，特奉赠为配。薄有资妆，都在旧府。今日是上吉之日，便可就彼成亲，就把这宅院判与你夫妻居住。"申徒泰听得，到吓得面如土色，不住的磕头，只道得个"不敢"二字，那里还说得出什么说话！令公又道："大丈夫意气相许，头颅可断，何况一妾？我主张已定，休得推阻。"申徒泰兀自谦让，令公吩咐众虞候，替他披红插花，随班乐工奏动鼓乐。众虞候喝道："申徒泰，拜谢了令公！"申徒泰恰似梦里一般，拜了几拜，不由自身做主，众人拥他出府上马，乐人迎导而去，直到旧府。只见旧时一班直厅②的军壮，预先领了钧旨，都来参谒。前厅后堂，悬花结彩。丫鬟、养娘等引出新人交拜，鼓乐喧天，做起花烛筵席。申徒泰定睛看时，那女子正是岳云楼中所见。当时只道是天上神仙霎时出现，因为贪看她颜色，险些儿获其大祸，丧了性命。谁知今日等闲间做了百年眷属，岂非侥幸！进到内宅，只见器用供帐，件件新，色色备，分明钻入锦绣窝中，好生过意不去。当晚就在西房安置，夫妻欢喜，自不必说。

次日，双双两口儿都到新府拜谢葛令公。令公吩咐挂了回避牌，不消相见。刚才转身回去，不多时门上报到令公自来了，申徒泰慌忙迎着马头下跪迎接。葛令公下马扶起，直至厅上。令公捧出告身③一道，请申徒泰为参谋之职。原来那时做镇使的，都请得有空头告身④，但是军中合用官员，随他填写取用，然后奏闻朝廷，无有不依。况且申徒泰已有功绩，申奏去了，朝廷自然优录的。令公教取官带与申徒泰换了，以礼相接。自此申徒泰洗落了"厅头"二字，感谢令公不尽。

一日，与浑家闲话，问及令公平日恁般宠爱，如何割舍得下？弄珠儿叙起岳云楼目不转睛之语，令公说你钟情于妾，特地割爱相赠。申徒泰听罢，才晓得令公体悉人情，重贤轻色，真大丈夫之所为也。这一节，传出军中，都知道了，没一个人不夸扬令公仁德，都愿替他出力尽死。终令公之世，人心悦服，地方安静。后人有诗赞云：

---

① 声喏——唱喏。

② 直厅——在客厅上值班。

③ 告身——古代授官的凭证。

④ 空头告身——没有填写的告身。

重贤轻色古今稀，反怨为恩事更奇。

试借兖州功簿看，黄金台①上有名姬。

# 第七卷　羊角哀舍命全交

背手为云覆手雨，纷纷轻薄何须数？

君看管鲍②贫时交，此道今人弃如土。

昔时齐国有管仲，字夷吾；鲍叔，字宣子，两个自幼时以贫贱结交。后来鲍叔先在齐桓公门下，信用显达，举荐管仲为首相，位在己上。两人同心辅政，始终如一。管仲曾有几句言语道："吾尝三战三北，鲍叔不以我为怯，知我有老母也；吾尝三仕三见逐，鲍叔不以我为不肖，知我不遇时也；吾尝与鲍叔谈论，鲍叔不以我为愚，知时有利不利也；吾尝与鲍叔为贾，分利多，鲍叔不以我为贪，知我贫也。生我者父母，知我者鲍叔。"所以古今说知心结交，必曰"管鲍"。今日说两个朋友，偶然相见，结为兄弟，各舍其命，留名万古。

春秋时，楚元王崇儒重道，招贤纳士。天下之人闻其风而归者，不可胜计。西羌积石山，有一贤士，姓左，双名伯桃，幼亡父母，勉力攻书，养成济世之才，学就安民之业。年近四旬，因中国诸侯互相吞并，行仁政者少，恃强霸者多，未尝出仕。后闻得楚元王慕仁好义，遍求贤士，乃携书一囊，辞别乡中邻友，径奔楚国而来。迤逦来到雍地，时值隆冬，风雨交作。有一篇《西江月》词，单道冬天雨景：

习习悲风割面，濛濛细雨侵衣。催冰酿雪逞寒威，不比他时和气。　山色不明常暗，日光偶露还微。天涯游子尽思归，路上行人应悔。

左伯桃冒雨荡风③，行了一日，衣裳都沾湿了。看看天色昏黄，走向村间，

① 黄金台——战国时，燕昭王筑台，置千金于台上，以招纳贤士，号称为"黄金台"。黄金台在今河北省易县。

② 管鲍——指管仲，鲍叔牙。

③ 荡风——顶风、冒风。

欲觅一宵宿处①。远远望见竹林之中,破窗透出灯光。径奔那个去处,见矮矮篱笆围着一间草屋。乃推开篱障,轻叩柴门。中有一人,启户而出。左伯桃立在檐下,慌忙施礼曰:“小生西羌人氏,姓左,双名伯桃。欲往楚国,不期中途遇雨,无觅旅邸之处,求借一宵,来早便行,未知尊意肯容否?”那人闻言,慌忙答礼,邀入屋内。伯桃视之,止有一榻。榻上堆积书卷,别无他物。伯桃已知亦是儒人,便欲下拜。那人云:“且未可讲礼,容取火烘干衣服,却当会话。”当夜烧竹为火,伯桃烘衣。那人炊办酒食,以供伯桃,意甚勤厚。伯桃乃问姓名。其人曰:“小生姓羊,双名角哀,幼亡父母,独居于此。平生酷爱读书,农业尽废。今幸遇贤士远来,但恨家寒,乏物为款,伏乞恕罪。”伯桃曰:“阴雨之中,得蒙遮蔽,更兼一饮一食,感佩何忘!”当夜二人抵足而眠,共话胸中学问,终夕不寐。

比及天晓,淋雨不止。角哀留伯桃在家,尽其所有相待;结为昆仲,伯桃年长角哀五岁,角哀拜伯桃为兄。一住三日,雨止道干。伯桃曰:“贤弟有王佐之才,抱经纶之志;不图竹帛,甘老林泉,深为可惜。”角哀曰:“非不欲仕,奈未得其便耳。”伯桃曰:“今楚王虚心求士,贤弟既有此心,何不同往?”角哀曰:“愿从兄长之命。”遂收拾些小路费粮米,弃其茅屋,二人同望南方而进。

行不两日,又值阴雨,羁身旅店中,盘费罄尽。止有行粮一包,二人轮换负之,冒雨而走。其雨未止,风又大作,变为一天大雪。怎见得?你看:

> 风添雪冷,雪趁风威。纷纷柳絮狂飘,片片鹅毛乱舞。团空搅阵,不分南北西东;遮地漫天,变尽青黄赤黑。探梅诗客多清趣,路上行人欲断魂。

二人行过岐阳,道经梁山路,问及樵夫,皆说:从此去百余里,并无人烟,尽是荒山旷野,狼虎成群,只好休去。伯桃与角哀曰:“贤弟心下如何?”角哀曰:“自古道:‘死生有命。’既然到此,只顾前进,休生退悔。”又行了一日,夜宿古墓中。衣服单薄,寒风透骨。

次日,雪越下得紧,山中仿佛盈尺。伯桃受冻不过,曰:“我思此去百余里,绝无人家,行粮不敷,衣单食缺。若一人独往,可到楚国;二人俱去,纵然不冻死,亦必饿死于途中。与草木同朽,何益之有?我将身上衣服,

---

① 宵宿处——过夜的处所。

脱与贤弟穿了，贤弟可独赍此粮，于途强挣而去。我委的行不动了，宁可死于此地。待贤弟见了楚王，必当重用，那时却来葬我未迟。”角哀曰：“焉有此理！我二人虽非一父母所生，义气过于骨肉，我安忍独去而求进身耶？”遂不许。扶伯桃而行，行不十里，伯桃曰：“风雪越紧，如何去得？且于道旁寻个歇处。”见一株枯桑，颇可避雪。那桑下止容得一人，角哀遂扶伯桃入去坐下。伯桃命角哀敲石取火，爇①些枯枝，以御寒气。比及角哀取了柴火到来，只见伯桃脱得赤条条地，浑身衣服，都做一堆放着。角哀大惊曰：“吾兄何为如此？”伯桃曰：“吾寻思无计，贤弟勿自误了，速穿此衣服，负粮前去，我只在此守死。”角哀抱持大哭曰：“吾二人死生同处，安可分离？”伯桃曰：“若皆饿死，白骨谁埋？”角哀曰：“若如此，弟情愿解衣与兄穿了，兄可赍粮去，弟宁死于此。”伯桃曰：“我平生多病，贤弟少壮，比我甚强；更兼胸中之学，我所不及。若见楚君，必登显宦。我死何足道哉？弟勿久滞，可宜速往。”角哀曰：“今兄饿死桑中，弟独取功名，此大不义之人也，我不为之。”伯桃曰：“我自离积石山，至弟家中，一见如故。知弟胸次不凡，以此劝弟求进。不幸风雨所阻，此吾天命当尽。若使弟亦亡于此，乃吾之罪也。”言讫欲跳前溪觅死。角哀抱住痛哭，将衣拥护，再扶至桑中，伯桃把衣服推开。角哀再欲上前劝解时，但见伯桃神色已变，四肢厥冷，口不能言，以手挥令去。角哀寻思：“我若久恋，亦冻死矣。死后谁葬吾兄？”乃于雪中再拜伯桃而哭曰：“不肖弟此去，望兄阴力相助。但得微名，必当厚葬。”伯桃点头半答，角哀取了衣粮，带泣而去。伯桃死于桑中。后人有诗赞云：

寒来雪三尺，人去途千里。
长途苦雪寒，何况囊无米？
并粮一人生，同行两人死；
两死诚何益？一生尚有恃。
贤哉左伯桃！陨命成人美。

角哀捱着寒冷，半饥半饱，来至楚国，于旅邸中歇定。次日入城，问人曰：“楚君招贤，何由而进？”人曰：“宫门外设一宾馆，令上大夫裴仲接纳天下之士。”角哀径投宾馆前来，正值上大夫下车，角哀乃向前而揖。裴

---

① 爇（ruò）——点燃，焚烧。

仲见角哀衣虽蓝缕,器宇不凡,慌忙答礼,问曰:“贤士何来?”角哀曰:“小生姓羊,双名角哀,雍州人也。闻上国招贤,特来归投。”裴仲邀入宾馆,具酒食以进,宿于馆中。

次日,裴仲到馆中探望,将胸中疑义,盘问角哀,试他学问如何。角哀百问百答,谈论如流。裴仲大喜,入奏元王。王即时召见,问富国强兵之道,角哀首陈十策,皆切当世之急务。元王大喜,设御宴以待之,拜为中大夫,赐黄金百两,彩段百匹。角哀再拜流涕。元王大惊而问曰:“卿痛哭者何也?”角哀将左伯桃脱衣并粮之事,一一奏知。元王闻其言,为之感伤,诸大臣皆为痛惜。元王曰:“卿欲如何?”角哀曰:“臣乞告假到彼处,安葬伯桃已毕,却回来事大王。”元王遂赠已死伯桃为中大夫,厚赐葬资,仍差人跟随角哀车骑同去。

角哀辞了元王,径奔梁山地面。寻旧日枯桑之处,果见伯桃死尸尚在,颜貌如生前一般。角哀乃再拜而哭,呼左右唤集乡中父老,卜地于浦塘之原。前临大溪,后靠高崖,左右诸峰环抱,风水甚好。遂以香汤沐浴伯桃之尸,穿戴大夫衣冠,置内棺外椁,安葬起坟。四围筑墙栽树,离坟三十步建享堂①,塑伯桃仪容,立华表,柱上建牌额。墙侧盖瓦屋,令人看守。造毕,设祭于享堂,哭泣甚切。乡老从人,无不下泪。祭罢,各自散去。

角哀是夜明灯燃烛而坐,感叹不已。忽然一阵阴风飒飒,烛灭复明。角哀视之,见一人于灯影中或进或退,隐隐有哭声。角哀叱曰:“何人也?辄敢夤夜而入!”其人不言。角哀起而视之,乃伯桃也。角哀大惊,问曰:“兄阴灵不远,今来见弟,必有事故。”伯桃曰:“感贤弟记忆,初登仕路,奏请葬吾,更赠重爵,并棺椁衣衾之美,凡事十全。但坟地与荆轲墓相连近,此人在世时,为刺秦王不中被戮,高渐离以其尸葬于此处。神极威猛,每夜仗剑来骂吾曰:‘汝是冻死饿杀之人,安敢建坟居吾上肩,夺吾风水?若不迁移他处,吾发墓取尸,掷之野外!’有此危难,特告贤弟。望改葬于他处,以免此祸。”角哀再欲问之,风起,忽然不见。角哀在享堂中一梦惊觉,尽记其事。

天明,再唤乡老,问此处有坟相近否。乡老曰:“松阴中有荆轲墓,墓

---

① 享堂——供奉神位的祭堂。

前有庙。”角哀曰:“此人昔刺秦王不中被杀,缘何有坟于此?”乡老曰:“高渐离乃此间人,知荆轲被害,弃尸野外,乃盗其尸,葬于此地。每每显灵。土人建庙于此,四时享祭,以求福利。”角哀闻其言,遂信梦中之事,引从者径奔荆轲庙,指其神而骂曰:“汝乃燕邦一匹夫,受燕太子奉养,名姬重宝,尽汝受用。不思良策以副重托,入秦行事,丧身误国。却来此处惊惑乡民,而求祭祀!吾兄左伯桃,当代名儒,仁义廉洁之士,汝安敢逼之?再如此,吾当毁其庙,而发其冢,永绝汝之根本!”骂讫,却来伯桃墓前祝曰:“如荆轲今夜再来,兄当报我。”

归至享堂,是夜秉烛以待。果见伯桃哽咽而来,告曰:“感贤弟如此,奈荆轲从人极多,皆土人所献。贤弟可束草为人,以彩为衣,手执器械,焚于墓前。吾得其助,使荆轲不能侵害。”言罢不见。角哀连夜使人束草为人,以彩为衣,各执刀枪器械,建数十于墓侧,以火焚之。祝曰:“如其无事,亦望回报。”

归至享堂,是夜闻风雨之声,如人战敌。角哀出户观之,见伯桃奔走而来,言曰:“弟所焚之人,不得其用。荆轲又有高渐离相助,不久吾尸必出墓矣。望贤弟早与迁移他处殡葬,免受此祸。”角哀曰:“此人安敢如此欺凌吾兄!弟当力助以战之。”伯桃曰:“弟阳人也,我皆阴鬼;阳人虽有勇烈,尘世相隔,焉能战阴鬼也?虽刍草之人,但能助喊,不能退此强魂。”角哀曰:“兄且去,弟来日自有区处。”次日,角哀再到荆轲庙中大骂,打毁神像。方欲取火焚庙,只见乡老数人,再四哀求,曰:“此乃一村香火,若触犯之,恐贻祸于百姓。”须臾之间,土人聚集,都来求告。角哀拗他不过,只得罢了。

回到享堂,修一道表章,上谢楚王,言:“昔日伯桃并粮与臣,因此得活,以遇圣主。重蒙厚爵,平生足矣,容臣后世尽心图报。”词意甚切。表付从人,然后到伯桃墓侧,大哭一场。与从者曰:“吾兄被荆轲强魂所逼,去往无门,吾所不忍。欲焚庙掘坟,又恐拂土人之意。宁死为泉下之鬼,力助吾兄战此强魂。汝等可将吾尸葬于此墓之右,生死共处,以报吾兄并粮之义。回奏楚君,万乞听纳臣言,永保山河社稷。”言讫,掣取佩剑,自刎而死。从者急救不及,速具衣棺殡殓,埋于伯桃墓侧。

是夜二更,风雨大作,雷电交加,喊杀之声闻数十里。清晓视之,荆轲墓上,震烈如发,白骨散于墓前,墓边松柏,和根拔起。庙中忽然起火,烧做白地。乡老大惊,都往羊左二墓前,焚香展拜。从者回楚国,将此事上奏元王,元王感其义重,差官往墓前建庙,加封上大夫,敕赐庙额,曰"忠义之祠",就立碑以记其事,至今香火不断。荆轲之灵,自此绝矣。土人四时祭祀,所祷甚灵。有古诗云:

古来仁义包天地,只在人心方寸间。
二士庙前秋日净,英魂常伴月光寒。

# 第八卷　吴保安弃家赎友

古人结交惟结心,今人结交惟结面。结心可以同死生,结面那堪共贫贱?九衢鞍马日纷纭,追攀送谒无晨昏。座中慷慨出妻子,酒边拜舞犹弟兄。一关微利已交恶,况复大难肯相亲?君不见当年羊左称死友,至今史传高其人。

这篇词,名为《结交行》,是叹末世人心险薄,结交最难。平时酒杯往来,如兄若弟;一遇虱大的事,才有些利害相关,便尔我不相顾了。真个是:酒肉弟兄千个有,落难之中无一人。还有朝兄弟,暮仇敌,才放下酒杯,出门便弯弓相向的。所以陶渊明欲息交①,嵇叔夜欲绝交②,刘孝标③又做下《广绝交论》,都是感慨世情,故为忿激之谭耳。如今我说的两个朋友,却是从无一面的。只因一点意气上相许,后来患难之中,死生相救,这才算做心交至友。正是:

说来贡禹冠尘动④,道破荆卿剑气寒。

话说大唐开元年间,宰相代国公郭震,字元振,河北武阳人氏,有侄儿郭仲翔,才兼文武,一生豪侠尚气,不拘绳墨,因此没人举荐。他父亲见他

① 陶渊明欲息交——陶潜《归去来辞》中有"请息交兮绝游"的话。
② 嵇叔夜欲绝交——嵇康,字叔夜,三国魏时人。山涛为选曹郎,想举嵇康自代。嵇康去书和他绝交。
③ 刘孝标——梁刘峻,字孝标,作《广绝交论》。后汉朱穆曾作《绝交论》。
④ 贡禹冠尘动——贡禹,汉代人,元帝时,官至御史大夫。他和同时人王吉友善,二人用退常相同。所以当时人有"王阳(王吉,字子阳)在位,贡公弹冠"的说法。弹冠,拂除冠上尘埃,准备出仕。

年长无成,写了一封书,教他到京参见伯父,求个出身之地。元振谓曰:“大丈夫不能掇巍科①,登上第,致身青云,亦当如班超②、傅介子③,立功异域,以博富贵。若但借门第为阶梯,所就岂能远大乎?”仲翔唯唯。

适边报到京:南中洞蛮作乱。原来武则天娘娘革命之日,要买嘱人心归顺,只这九溪十八洞蛮夷,每年一小犒赏,三年一大犒赏。到玄宗皇帝登极,把这犒赏常规都裁革了。为此群蛮一时造反,侵扰州县。朝廷差李蒙为姚州都督,调兵进讨。李蒙领了圣旨,临行之际,特往相府辞别,因而请教。郭元振曰:“昔诸葛武侯七擒孟获,但服其心,不服其力。将军宜以慎重行之,必当制胜。舍侄郭仲翔颇有才干,今遣与将军同行。俟破贼立功,庶可附骥尾以成名耳。”即呼仲翔出,与李蒙相见。李蒙见仲翔一表非俗,又且当朝宰相之侄,亲口嘱托,怎敢推委?即署仲翔为行军判官之职。仲翔别了伯父,跟随李蒙起程。

行至剑南地方,有同乡一人,姓吴,名保安,字永固,见任东川遂州方义尉。虽与仲翔从未识面,然素知其为人义气深重,肯扶持济拔人的。乃修书一封,特遣人驰送于仲翔。仲翔拆书读之,书曰:

> 吴保安不肖,幸与足下生同乡里,虽缺展拜,而慕仰有日。以足下大才,辅李将军以平小寇,成功在旦夕耳。保安力学多年,仅官一尉。僻在剑外,乡关梦绝。况此官已满,后任难期,恐厄选曹④之格限也。稔闻足下分忧急难,有古人风。今大军征进,正在用人之际。傥垂念乡曲,灵及细微,使保安得执鞭从事,树尺寸于幕府,足下丘山之恩,敢忘衔结⑤?

仲翔玩其书意,叹曰:“此人与我素昧平生,而骤以缓急相委,乃深知我者。大丈夫遇知己而不能与之出力,宁不负愧乎?”遂向李蒙夸奖吴保安之才,乞征来军中效用。李都督听了,便行下文帖,到遂州去,要取方义尉吴保安为管记⑥。

---

① 掇巍科——巍科,最高的科举考试。掇巍科,犹如说擢高第、名列前茅。
② 班超——汉代人,汉明帝时出使西域,团结五十余国,封定远侯。
③ 傅介子——汉代人,汉昭帝时出使西域,后以斩楼兰王立功,封义阳侯。
④ 选曹——吏部。
⑤ 衔结——衔环结草、感激图报。
⑥ 管记——管文牍的官,即书记。

才打发差人起身，探马报蛮贼猖獗，逼近内地。李都督传令，星夜趱行①。来到姚州，正遇着蛮兵抢掳财物，不做准备，被大军一掩，都四散乱窜，不成队伍，杀得他大败全输。李都督恃勇，招引大军，乘势追逐五十里。天晚下寨，郭仲翔谏曰："蛮人贪诈无比，今兵败远遁，将军之威已立矣，宜班师回州，遣人宣播威德，招使内附，不可深入其地，恐堕诈谋之中。"李蒙大喝曰："群蛮今已丧胆，不乘此机扫清溪洞，更待何时？汝勿多言，看我破贼！"

次日，拔寨都起。行了数日，直到乌蛮界上。只见万山叠翠，草木蒙茸，正不知那一条是去路。李蒙心中大疑，传令暂退平衍处屯扎，一面寻觅土人，访问路径。忽然山谷之中，金鼓之声四起，蛮兵�山遍野而来。洞主姓蒙，名细奴逻，手执木弓药矢，百发百中。驱率各洞蛮酋穿林渡岭，分明似鸟飞兽奔，全不费力。唐兵陷于伏中，又且路生力倦，如何抵敌？李都督虽然骁勇，奈英雄无用武之地。手下爪牙看看将尽，叹曰："悔不听郭判官之言，乃为犬羊所侮。"拔出靴中短刀，自刺其喉而死，全军皆没于蛮中。后人有诗云：

马援铜柱②标千古，诸葛旗台镇九溪。
何事唐师皆覆没？将军姓李数偏奇。

又有一诗，专咎李都督不听郭仲翔之言，以自取败。诗云：

不是将军数独奇，悬军深入总堪危。
当时若听还师策，总有群蛮谁敢窥？

其时郭仲翔也被掳去，细奴逻见他丰神不凡，叩问之，方知是郭元振之侄，遂给与本洞头目乌罗部下。原来南蛮从无大志，只贪图中国财物。掳掠得汉人，都分给与各洞头目。功多的，分得多；功少的，分得少。其分得人口，不问贤愚，只如奴仆一般，供他驱使，斫柴割草，饲马牧羊。若是人口多的，又可转相买卖。汉人到此，十个九个只愿死，不愿生。却又有蛮人看守，求死不得，有恁般苦楚。这一阵厮杀，掳得汉人甚多。其中多有有职位的，蛮酋一一审出，许他寄信到中国去，要他亲戚来赎，获其厚利。你想被掳的人，那一个不思想还乡的？一闻此事，不论富家贫家，都

---

① 趱行——催行、赶路。

② 马援铜柱——东汉时马援征服交趾，在边界上立铜柱，以夸耀战功。

寄信到家乡来了。就是各人家属,十分没法处置的,只得罢了。若还有亲有眷,挪移补凑得来,那一家不想借贷去取赎？那蛮酋忍心贪利,随你孤身穷汉,也要勒取好绢三十匹,方准赎回。若上一等的,凭他索诈。乌罗闻知郭仲翔是当朝宰相之侄,高其赎价,索绢一千匹。

仲翔想道:"若要千绢,除非伯父处可办。只是关山迢递,怎得寄个信去？"忽然想着:"吴保安是我知已,我与他从未会面,只为见他数行之字,便力荐于李都督,召为管记。我之用情,他必谅之。幸他行迟,不与此难,此际多应已到姚州。诚央他附信于长安,岂不便乎？"乃修成一书,径致保安。书中具道苦情,及乌罗索价详细:"倘永固不见遗弃,传语伯父,早来见赎,尚可生还。不然,生为俘囚,死为蛮鬼,永固其忍之乎？"永固者,保安之字也。书后附一诗云:

箕子为奴①仍异域,苏卿受困在初年。
知君义气深相悯,愿脱征骖学古贤。

仲翔修书已毕,恰好有个姚州解粮官,被赎放回。仲翔乘便就将此书付之,眼盼盼看着他人去了,自己不能奋飞,万箭攒心,不觉泪如雨下。正是:

眼看他鸟高飞去,身在笼中怎出头？

不提郭仲翔蛮中之事。且说吴保安奉了李都督文帖,已知郭仲翔所荐,留妻房张氏和那新生下未周岁的孩儿在遂州住下,一主一仆飞身上路,赶来姚州赴任。闻知李都督阵亡消息,吃了一惊。尚未知仲翔生死下落,不免留身打探。恰好解粮官从蛮地放回,带得有仲翔书信。吴保安拆开看了,好生凄惨。便写回书一纸,书中许他取赎,留在解粮官处,嘱他觑便寄到蛮中,以慰仲翔之心。忙整行囊,便望长安进发。这姚州到长安三千余里,东川正是个顺路。保安径不回家,直到京都,求见郭元振相公。谁知一月前元振已薨②,家小都扶柩而回了。

吴保安大失所望,盘缠罄尽,只得将仆马卖去,将来使用。覆身回到遂州,见了妻儿,放声大哭。张氏问其缘故。保安将郭仲翔失陷南中之

① 箕子为奴——箕子,商代人,名胥馀,封于箕,故称箕子。箕子谏劝纣王不听,把他囚禁,于是佯狂为奴。

② 薨(hōng)——诸侯或大官之死。

事，说了一遍，“如今要去赎他，争奈自家无力，使他在穷乡悬望，我心何安？”说罢又哭。张氏劝止之曰：“常言‘巧媳妇煮不得没米粥’，你如今力不从心，只索付之无奈了。”保安摇首曰：“吾向者偶寄尺书，即蒙郭君垂情荐拔；今彼在死生之际，以性命托我，我何忍负之？不得郭回，誓不独生也。”

于是倾家所有，估计来止直得绢二百匹。遂撇了妻儿，欲出外为商。又怕蛮中不时有信寄来，只在姚州左近营运①。朝驰暮走，东趁西奔；身穿破衣，口吃粗粝。虽一钱一粟，不敢妄费，都积来为买绢之用。得一望十，得十望百；满了百匹，就寄放姚州府库。眠里梦里只想着“郭仲翔”三字，连妻子都忘记了。整整的在外过了十个年头，刚刚的凑得七百匹绢，还未足千匹之数。正是：

离家千里逐锥刀②，只为相知意气饶。

十载未偿蛮洞债，不知何日慰心交？

话分两头。却说吴保安妻张氏，同那幼年孩子，孤孤凄凄的住在遂州，初时还有人看县尉面上，小意儿周济他，一连几年不通音耗③，就没人理他了。家中又无积蓄，捱到十年之外，衣单食缺，万难存济④，只得并迭⑤几件破家火，变卖盘缠，领了十一岁的孩儿，亲自问路，欲往姚州，寻取丈夫吴保安。夜宿朝行，一日只走得三四十里。比到得戎州界上，盘费已尽，计无所出。欲待求乞前去，又含羞不惯。思量薄命，不如死休；看了十一岁的孩儿，又割舍不下。左思右想，看看天晚，坐在乌蒙山下，放声大哭，惊动了过往的官人⑥。那官人，姓杨，名安居，新任姚州都督，正顶着李蒙的缺。从长安驰驿到任，打从乌蒙山下经过，听得哭声哀切，又是个妇人，停了车马，召而问之。张氏手搀着十一岁的孩儿，上前哭诉曰：“妾乃遂州方义尉吴保安之妻，此孩儿即妾之子也。妾夫因友人郭仲翔陷没蛮中，欲营求千匹绢往赎，弃妾母子，久住姚州，十年不通音信。妾贫苦无

---

① 营运——经营。

② 锥刀——微末之利。

③ 音耗——音讯、消息。

④ 存济——生存、安身。

⑤ 并迭——收拾、拼凑。

⑥ 官人——此指官员。

依，亲往寻取。粮尽路长，是以悲泣耳。”安居暗暗叹异道：“此人真义士，恨我无缘识之。”乃谓张氏曰：“夫人休忧，下官忝任姚州都督，一到彼郡，即差人寻访尊夫。夫人行李之费，都在下官身上。请到前途馆驿中，当与夫人设处。”张氏收泪拜谢。虽然如此，心下尚怀惶惑。杨都督车马如飞去了。

张氏母子相扶，一步步捱到驿前。杨都督早已吩咐驿官伺候，问了来历，请到空房饭食安置。次日五鼓，杨都督起马先行。驿官传杨都督之命，将十千钱赠为路费，又备下一辆车儿，差人夫送至姚州普溯驿中居住。张氏心中感激不尽。正是：

好人还遇好人救，恶人自有恶人磨。

且说杨安居一到姚州，便差人四下寻访吴保安下落。不三四日，便寻着了。安居请到都督府中，降阶迎接，亲执其手，登堂慰劳。因谓保安曰：“下官常闻古人有死生之交，今亲见之足下矣。尊夫人同令嗣远来相觅，见在驿舍。足下且往，暂叙十年之别。所需绢匹若干，吾当为足下图之。”保安曰：“仆为友尽心，固其分内，奈何累及明公乎？”安居曰：“慕公之义，欲成公之志耳。”保安叩首曰：“既蒙明公高谊，仆不敢固辞。所少尚三分之一，如数即付，仆当亲往蛮中，赎取吾友。然后与妻孥相见，未为晚也。”时安居初到任，乃于库中撮借官绢四百匹，赠与保安，又赠他全副鞍马，保安大喜，领了这四百匹绢，并库上七百匹，共一千一百之数，骑马直到南蛮界。只寻个熟蛮，往蛮中通话，将所余百匹绢，尽数托他使费。只要仲翔回归，心满意足。正是：

应时还得见，胜是岳阳金。

却说郭仲翔在乌罗部下，乌罗指望他重价取赎，初时好生看待，饮食不缺。过了一年有余，不见中国人来讲话。乌罗心中不悦，把他饮食都裁减了，每日一餐，着他看养战象。仲翔打熬不过，思乡念切，乘乌罗出外打围，拽开脚步，望北而走。那蛮中都是险峻的山路，仲翔走了一日一夜，脚底都破了，被一般看象的蛮子，飞也似赶来，捉了回去。乌罗大怒，将他转卖与南洞主新丁蛮为奴，离乌罗部二百里之外。那新丁最恶，差使小不遂意，整百皮鞭，鞭得背都青肿，如此已非一次。仲翔熬不得痛苦，捉个空，又想逃走。争奈[1]路径不熟，只在山凹内盘旋，又被本洞蛮子追着了，拿去献与新丁。新丁不用了，又卖到南方一洞去，一步远一步了。那洞主号菩萨蛮，更是利害。晓得郭仲翔屡次逃走，乃取木板两片，各长五六尺厚三四寸，教仲翔把两只脚立在板上，用铁钉钉其脚面，直透板内，日常带着二板行动。夜间纳土洞中，洞口用厚木板门遮盖。本洞蛮子就睡在板上看守，一毫转动不得。两脚被钉处，常流脓血，分明是地狱受罪一般。有诗为证：

身卖南蛮南更南，土牢木锁苦难堪。
十年不达中原信，梦想心交不敢谭。

却说熟蛮领了吴保安言语，来见乌罗，说知求赎郭仲翔之事。乌罗晓得绢足千匹，不胜之喜，便差人往南洞转赎郭仲翔回来。南洞主新丁，又引至菩萨蛮洞中，交割了身价，将仲翔两脚钉板，用铁钳取出钉来。那钉头入肉已久，脓水干后，如生成一般，今番重复取出，这疼痛比初钉时，更自难忍，血流满地，仲翔登时闷绝。良久方醒，寸步难移。只得用皮袋盛了，两个蛮子扛抬着，直送到乌罗帐下。乌罗收足了绢匹，不管死活，把仲翔交付熟蛮，转送吴保安收领。

吴保安接着，如见亲骨肉一般。这两个朋友，到今日方才识面。未暇叙话，各睁眼看了一看，抱头而哭，皆疑以为梦中相逢也。郭仲翔感谢吴保安，自不必说。保安见仲翔形容憔悴，半人半鬼，两脚又动弹不得，好生凄惨，让马与他骑坐，自己步行随后，同到姚州城内，回复杨都督。

原来杨安居曾在郭元振门下做个幕僚，与郭仲翔虽未厮认，却有通家之谊；又且他是个正人君子，不以存亡易心，一见仲翔，不胜之喜，教他洗沐过了，将新衣与他更换，又教随军医生医他两脚疮口。好饮好食将息，不够一月，平复如故。

且说吴保安从蛮界回来，方才到普溯驿中，与妻儿相见。初时分别，儿子尚在襁褓，如今十一岁了。光阴迅速，未免伤感于怀。杨安居为吴保安义气上，十分敬重。他每对人夸奖，又写书与长安贵要，称他弃家赎友之事；又厚赠资粮，送他往京师补官。凡姚州一郡官府，见都督如此用情，无不厚赠。仲翔仍留为都督府判官。保安将众人所赠，分一半与仲翔，留

① 争奈——无奈、怎奈。

下使用。仲翔再三推辞,保安那里肯依,只得受了。吴保安谢了杨都督,同家小往长安进发。仲翔送出姚州界外,痛哭而别。保安仍留家小在遂州,单身到京,升补嘉州彭山丞之职。那嘉州仍是西蜀地方,迎接家小又方便,保安欢喜赴任去讫,不在话下。

再说郭仲翔在蛮中日久,深知款曲。蛮中妇女,尽有姿色,价反在男子之下。仲翔在任三年,陆续差人到蛮洞购求年少美女,共有十人,自己教成歌舞,鲜衣美饰,特献与杨安居伏侍,以报其德。安居笑曰:"吾重生高义,故乐成其美耳。言及相报,得无以市井见待耶?"仲翔曰:"荷明公仁德,微躯再造,特求此蛮口奉献,以表区区。明公若见辞,仲翔死不瞑目矣。"安居见他诚恳,乃曰:"仆有幼女,最所钟爱,勉受一小口为伴,余则不敢如命。"仲翔把那九个美女,赠与杨都督帐下九个心腹将校,以显杨公之德。

时朝廷正追念代国公军功,要录用其子侄。杨安居表奏:"故相郭震嫡侄仲翔,始进谏于李蒙,预知胜败;继陷身于蛮洞,备著坚贞。十年复返于故乡,三载效劳于幕府。荫既可叙,功亦宜酬。"于是郭仲翔得授蔚州录事参军①。自从离家到今,共一十五年了,他父亲和妻子在家闻得仲翔陷没蛮中,杳无音信,只道身故已久,忽见亲笔家书,迎接家小临蔚州任所,举家欢喜无限。

仲翔在蔚州做官两年,大有声誉,升迁代州户曹参军②。又经三载,父亲一病而亡,仲翔扶柩回归河北。丧葬已毕,忽然叹曰:"吾赖吴公见赎,得有余生。因老亲在堂,方谋奉养,未暇图报私恩;今亲殁服除,岂可置恩人于度外乎?"访知吴保安在宦所未回,乃亲到嘉州彭山县看之。

不期保安任满家贫,无力赴京听调,就便在彭山居住;六年之前,患了疫症,夫妇双亡,藁葬在黄龙寺后隙地。儿子吴天祐从幼母亲教训,读书识字,就在本县训蒙度日。仲翔一闻此信,悲啼不已。因制缞③麻之服,腰绖执杖,步至黄龙寺内,向冢号泣,具礼祭奠。奠毕,寻吴天祐相见,即将自己衣服,脱与他穿了,呼之为弟,商议归葬一事。乃为文以告于保安

---

① 录事参军——州县专管文簿及举弹善恶的属官。

② 户曹参军——州县专管户籍的属官。

③ 缞(cuī)——旧时用粗麻布制成的丧服。

之灵,发开土堆,止存枯骨二具。仲翔痛哭不已,旁观之人,莫不堕泪。仲翔预制下练囊①二个,装保安夫妇骸骨。又恐失了次第,敛葬时一时难认,逐节用墨记下,装入练囊,总贮一竹笼之内,亲自背负而行。吴天祐道是他父母的骸骨,理合他驮,来夺那竹笼。仲翔那肯放下,哭曰:"永固为我奔走十年,今我暂时为之负骨,少尽我心而已。"一路且行且哭,每到旅店,必置竹笼于上坐,将酒饭浇奠过了,然后与天祐同食。夜间亦安置竹笼停当,方敢就寝。自嘉州到魏郡,凡数千里,都是步行。他两脚曾经钉板,虽然好了,终是血脉受伤,一连走了几日,脚面都紫肿起来,内中作痛。看看行走不动,又立心不要别人替力,勉强挨去。有诗为证:

酬恩无地只奔丧,负骨徒行日夜忙。

遥望平阳数千里,不知何日到家乡?

仲翔思想:前路正长,如何是好?天晚就店安宿,乃设酒饭于竹笼之前,含泪再拜,虔诚哀恳:"愿吴永固夫妇显灵,保祐仲翔脚患顿除,步履方便,早到武阳,经营葬事。"吴天祐也从旁再三拜祷。到次日起身,仲翔便觉两脚轻健,直到武阳县中,全不疼痛。此乃神天护佑吉人,不但吴保安之灵也。

再说仲翔到家,就留吴天祐同居。打扫中堂,设立吴保安夫妇神位,买办衣衾棺椁,重新殡敛。自己戴孝,一同吴天祐守幕受吊,雇匠造坟。凡一切葬具,照依先葬父亲一般。又立一道石碑,详纪保安弃家赎友之事,使往来读碑者,尽知其善。又同吴天祐庐墓三年。那三年中,教训天祐经书,得他学问精通,方好出仕。三年后,要到长安补官,念吴天祐无家未娶,择宗族中侄女有贤德者,替他纳聘,割东边宅院子,让他居住成亲,又将一半家财,分给天祐过活。正是:

昔年为友抛妻子,今日孤儿转受恩。

正是投瓜还得报,善人不负善心人。

仲翔起服②到京,补岚州长史,又加朝散大夫。仲翔思念保安不已,乃上疏,其略曰:

---

① 练囊——绢囊。

② 起服——服,当为复。官吏遭丧守孝,服未满而起用,或开缺官员重新被起用,均为起复。

臣闻有善必劝者，固国家之典；有恩必酬者，亦匹夫之义。臣向从故姚州都督李蒙进御蛮寇，一战奏捷。臣谓深入非宜，尚当持重；主帅不听，全军覆没。臣以中华世族，为绝域穷囚。蛮贼贪利，责绢还俘。谓臣宰相之侄，索至千匹。而臣家绝万里，无信可通。十年之中，备尝艰苦，肌肤毁劙，靡刻不泪。牧羊有志，射雁无期①。而遂州方义尉吴保安，适至姚州，与臣虽系同乡，从无一面，徒以意气相慕，遂谋赎臣。经营百端，撇家数载，形容憔悴，妻子饥寒。拔臣于垂死之中，赐臣以再生之路。大恩未报，遽尔淹殁。臣今幸沾朱绂，而保安子天祐，食藿悬鹑②，臣窃愧之。且天祐年富学深，足堪任使，愿以臣官，让之天祐。庶几国家劝善之典，与下臣酬恩之义，一举两得。臣甘就退闲，没齿无怨。谨昧死披沥以闻。

时天宝十二年也。疏入，下礼部详议。此一事，哄动了举朝官员。虽然保安施恩在前，也难得郭仲翔义气，真不愧死友者矣。礼部为此覆奏，盛夸郭仲翔之品，宜破格俯从，以励浇俗。吴天祐可试岚谷县尉，仲翔原官如故。这岚谷县与岚州相邻。使他两个朝夕相见，以慰其情，这是礼部官的用情处。朝廷依允，仲翔领了吴天祐告身一道，谢恩出京，回到武阳县，将告身付与天祐。备下祭奠，拜告两家坟墓。择了吉日，两家宅眷，同日起程，向西京到任。

那时做一件奇事，远近传说，都道吴郭交情，虽古之管鲍、羊左，不能及也。后来郭仲翔在岚州，吴天祐在岚谷县，皆有政绩，各升迁去。岚州人追慕其事，为立双义祠，祀吴保安、郭仲翔。里中凡有约誓，都在庙中祷告，香火至今不绝。有诗为证：

频频握手未为亲，临难方知意气真。
试看郭吴真义气，原非平日结交人。

---

① 牧羊射雁——指汉代苏武，被匈奴羁留，牧羊于北海上。后来汉使诈言天子射雁得书，方得放还。

② 食藿悬鹑——食藿，以豆叶为食。悬鹑，形容衣衫褴褛。食藿悬鹑，即穷苦。

# 第九卷 裴晋公义还原配

官居极品富千金,享用无多白发侵。

惟有存仁并积善,千秋不朽在人心。

当初汉文帝朝中,有个宠臣,叫做邓通,出则随辇,寝则同榻,恩幸无比。其时有神相许负,相那邓通之面,有纵理纹入口①,必当穷饿而死。文帝闻之,怒曰:"富贵由我,谁人穷得邓通?"遂将蜀道铜山赐之,使得自铸钱。当时邓氏之钱,布满天下,其富敌国。一日,文帝偶然生下个痈疽,脓血迸流,疼痛难忍。邓通跪而吮之,文帝觉得爽快,便问道:"天下至爱者何人?"邓通答道:"莫如父子。"恰好皇太子入宫问疾,文帝也教他吮那痈疽。太子推辞道:"臣方食鲜脍,恐不宜近圣恙。"太子出宫去了。文帝叹道:"至爱莫如父子,尚且不肯为我吮疽,邓通爱我胜如吾子。"由是恩宠俱加。皇太子闻知此语,深恨邓通吮疽之事。后来文帝驾崩,太子即位,是为景帝,遂治邓通之罪,说他吮疽献媚,坏乱钱法。籍其家产,闭于空室之中,绝其饮食,邓通果然饿死。又汉景帝时,丞相周亚夫也有纵理纹在口。景帝忌他威名,寻他罪过,下之于廷尉狱中。亚夫怨恨,不食而死。这两个极富极贵,犯了饿死之相,果然不得善终。然虽如此,又有一说,道是面相不如心相。假如上等贵相之人,也有做下亏心事,损了阴德,反不得好结果。又有犯着恶相的,却因心地端正,肯积阴功,反祸为福。此是人定胜天,非相法之不灵也。

如今说唐朝有个裴度,少年时,贫落未遇。有人相他纵理入口,法当饿死。后游香山寺中,于井亭栏干上,拾得三条宝带。裴度自思:"此乃他人遗失之物,我岂可损人利己,坏了心术?"乃坐而守之。少顷间,只见有个妇人,啼哭而来。说道:"老父陷狱,借得三条宝带,要去赎罪。偶到寺中盥手烧香,遗失在此。如有人拾取,可怜见还,全了老父之命。"裴度将三条宝带,即时交付与妇人,妇人拜谢而去。

① 纵理纹入口——相术家称人面部鼻端两旁的皱纹为法令纹,法令纹通到嘴里,叫做"纵理入口",迷信说命中注定要饿死。

他日，又遇了那相士，相士大惊，道："足下骨法全改，非复向日饿莩之相，得非有阴德乎？"裴度辞以没有。相士云："足下试自思之，必有拯溺救焚之事。"裴度乃言还带一节。相士云："此乃大阴功，他日富贵两全，可预贺也。"后来裴度果然进身及第，位至宰相，寿登耄耋①。正是：

面相不如心相准，为人须是积阴功。
假饶②方寸难移相，饿莩焉能享万钟？

说话的，你只道裴晋公是阴德上积来的富贵，谁知他富贵以后，阴德更多。则今听我说义还原配这节故事，却也十分难得。

话说唐宪宗皇帝元和十三年，裴度领兵削平了淮西反贼吴元济，还朝拜为首相，进爵晋国公。又有两处积久负固的藩镇，都惧怕裴度威名，上表献地赎罪：恒冀节度使王承宗，愿献德、隶二州；淄青节度使李师道，愿献沂、密、海三州。宪宗皇帝看见外寇渐平，天下无事，乃修龙德殿，浚龙首池，起承晖殿，大兴土木。又听山人③柳泌，合长生之药。裴度屡次切谏，都不听。佞臣皇甫镈判度支④，程异掌盐铁，专一刻剥百姓财物，名为羡余，以供无事之费。由是投了宪宗皇帝之意，两个佞臣并同平章事。裴度羞与同列，上表求退。宪宗皇帝不许，反说裴度好立朋党，渐有疑忌之心。裴度自念功名太盛，惟恐得罪，乃口不谈朝事，终日纵情酒色，以乐余年。四方郡牧，往往访觅歌儿舞女，献于相府，不一而足。论起裴晋公，那里要人来献？只是这班阿谀谄媚的，要博相国欢喜，自然重价购求，也有用强逼取的，鲜衣美饰，或假作家妓，或伪称侍儿，遣人殷殷勤勤的送来。裴晋公来者不拒，也只得纳了。

再说晋州万泉县，有一人，姓唐名璧，字国宝，曾举孝廉科，初任括州龙宗县尉，再任越州会稽丞。先在乡时，聘定同乡黄太学⑤之女小娥为妻。因小娥尚在稚龄，待年未嫁。比及长成，唐璧两任游宦，都在南方。以此两下蹉跎，不曾婚配。

那小娥年方二九，生得脸似堆花，体如琢玉，又且通于音律，凡箫管琵

---

① 耄耋（màodié）——指八九十岁的老人。
② 假饶——假若、如果。
③ 山人——隐士、方士。
④ 度支——官名，掌管国家的财政。
⑤ 太学——古代设立在京城的最高学府，明代人也称呼一般监生为太学。

琶之类，无所不工。晋州刺史奉承裴晋公，要在所属地方选取美貌歌姬一队进奉。已有了五人，还少一个出色掌班的。闻得黄小娥之名，又道太学之女，不可轻得，乃捐钱三十万，嘱托万泉县令求之。那县令又奉承刺史，遣人到黄太学家致意。黄太学回道："已经受聘，不敢从命。"县令再三强求，黄太学只是不允。时值清明，黄太学举家扫墓，独留小娥在家。县令打听的实，乃亲到黄家，搜出小娥，用肩舆抬去，着两个稳婆相伴，立刻送到晋州刺史处交割。硬将三十万钱撇在他家，以为身价。比及黄太学回来，晓得女儿被县令劫去，急往县中，已知送去州里。再到晋州，将情哀求刺史。刺史道："你女儿才色过人，一入相府，必然擅宠，岂不胜作他人箕帚乎？况已受我聘财六十万钱，何不赠与汝婿，别图配偶？"黄太学道："县主乘某扫墓，将钱委置，某未尝面受，况止三十万，今悉持在此。某只愿领女，不愿领钱也。"刺史拍案大怒道："你得财卖女，却又瞒过三十万，强来絮聒，是何道理？汝女已送至晋国公府中矣，汝自往相府取索，在此无益。"黄太学看见刺史发怒，出言图赖，再不敢开口，两眼含泪而出。在晋州守了数日，欲得女儿一见，寂然无信，叹了口气，只得回县去了。

却说刺史将千金置买异样服饰，宝珠璎珞，妆扮那六个人，如天仙相似，全副乐器，整日在衙中操演。直待晋国公生日将近，遣人送去，以作贺礼。那刺史费了许多心机，破了许多钱钞，要博相国一个大欢喜。谁知相国府中，歌舞成行，各镇所献美女，也不计其数，这六个人，只凑得闹热，相国那里便看在眼里、留在心里？从来奉承尽有折本的，都似此类。有诗为证：

> 割肉剜肤买上欢，千金不吝备吹弹。
> 相公见惯浑闲事，羞杀州官与县官。

话分两头。再说唐璧在会稽任满，该得升迁。想黄小娥今已长成，且回家毕姻，然后赴京未迟。当下收拾宦囊，望万泉县进发。到家次日，就去谒见岳丈黄太学。黄太学已知为着姻事，不等开口，便将女儿被夺情节，一五一十，备细的告诉了。唐璧听罢，呆了半晌，咬牙切齿恨道："大丈夫浮沉薄宦，至一妻之不能保，何以生为？"黄太学劝道："贤婿英年才望，自有好姻缘相凑，吾女儿自没福相从，遭此强暴，休得过伤怀抱，有误前程。"唐璧怒气不息，要到州官、县官处，与他争论。黄太学又劝道："人已去矣，争论何益？况干碍裴相国，方今一人之下，万人之上，倘失其欢心，恐于贤婿前程不便。”乃将县令所留三十万钱抬出，交付唐璧道：“以此为图婚之费。当初宅上有碧玉玲珑为聘，在小女身边，不得奉还矣。贤婿须念前程为重，休为小挫以误大事。”唐璧两泪交流，答道：“某年近三旬，又失此良偶，琴瑟之事，终身已矣。蜗名微利，误人之本，从此亦不复思进取也。”言讫，不觉大恸。黄太学也还痛起来，大家哭了一场，方罢。唐璧那里肯收这钱去，径自空身回了。

次日，黄太学亲到唐璧家，再三解劝，撺掇他早往京师听调，得了官职，然后徐议良姻。唐璧初时不肯，被丈人一连数日强逼不过，思量在家气闷，且到长安走遭，也好排遣。勉强择吉，买舟起程。丈人将三十万钱暗地放在舟中，私下嘱咐从人道：“开船两日后，方可禀知主人，拿去京中，好做使用，讨个美缺。”唐璧见了这钱，又感伤了一场，吩咐苍头：“此是黄家卖女之物，一文不可动用。”

在路不一日，来到长安。雇人挑了行李，就裴相国府中左近处，下个店房，早晚府前行走，好打探小娥信息。过了一夜，次早，到吏部报名，送历任文簿，查验过了。回寓吃了饭，就到相府门前守候。一日最少也踅过十来遍。住了月余，那里通得半个字？这些官吏们一出一入，如蚂蚁相似，谁敢上前把这没头脑的事问他一声！正是：

侯门一入深如海，从此萧郎①是路人。

一日，吏部挂榜，唐璧授湖州录事参军。这湖州，又在南方，是熟游之地，唐璧也倒欢喜。等有了告敕②，收拾行李，雇唤船只出京。行到潼津地方，遇了一伙强人。自古道“慢藏诲盗”，只为这三十万钱带来带去，露了小人眼目，惹起贪心，就结伙做出这事来。这伙强人从京城外直跟至潼津，背地通同了船家，等待夜静，一齐下手。也是唐璧命不该绝，正在船头上登东，看见声势不好，急忙跳水，上岸逃命。只听得这伙强人乱了一回，连船都撑去，苍头的性命也不知死活。舟中一应行李，尽被劫去，光光剩个身子。正是：

屋漏更遭连夜雨，船迟又被打头风③。

---

① 萧郎——唐代泛称男子为萧郎。

② 告敕——即告身，授官的证书。

③ 打头风——逆风。

那三十万钱和行囊,还是小事,却有历任文簿,和那告敕,是赴任的执照,也失去了,连官也做不成。唐璧那一时真个是控天无路,诉地无门,思量:"我直恁时乖运蹇,一事无成!欲待回乡,有何面目?欲待再往京师,向吏部衙门投诉,奈身畔并无分文盘费,怎生是好?这里又无相识借贷,难道求乞不成?"欲待投河而死,又想:"堂堂一躯,终不然如此结果。"坐在路旁,想了又哭,哭了又想,左算右算,无计可施,从半夜直哭到天明。

喜得绝处逢生,遇着一个老者携杖而来,问道:"官人为何哀泣?"唐璧将赴任被劫之事,告诉了一遍。老者道:"原来是一位大人,失敬了。舍下不远,请那①步则个。"老者引唐璧约行一里,到于家中,重复叙礼。老者道:"老汉姓苏,儿子唤做苏凤华,见做湖州武源县尉,正是大人属下。大人往京,老汉愿少助资斧。"即忙备酒饭管待,取出新衣一套,与唐璧换了;捧出白金二十两,权充路费。

唐璧再三称谢,别了苏老,独自一个上路,再往京师旧店中安下。店主人听说路上吃亏,好生凄惨。唐璧到吏部门下,将情由哀禀。那吏部官道是告敕、文簿尽空,毫无巴鼻②,难辨真伪。一连求了五日,并不作准③。身边银两,都在衙门使费去了。回到店中,只叫得苦,两眼泪汪汪的坐着纳闷。

只见外面一人,约莫半老年纪,头带软翅纱帽,身穿紫裤衫,挺带④皂靴,好似押牙官⑤模样,踱进店来。见了唐璧,作了揖,对面而坐,问道:"足下何方人氏?到此贵干?"唐璧道:"官人不问犹可,问我时,教我一时诉不尽心中苦情。"说未绝声,扑簌簌掉下泪来。紫衫人道:"尊意有何不美?可细话之,或者可共商量也。"唐璧道:"某姓唐名璧,晋州万泉县人氏。近除湖州录事参军,不期行至潼津,忽遇盗劫,资斧一空。历任文簿和告敕都失了,难以之任。"紫衫人道:"中途被劫,非关足下之事。何不以此情诉知吏部,重给告身,有何妨碍?"唐璧道:"几次哀求,不蒙怜准,教我去住两难,无门恳告。"紫衫人道:"当朝裴晋公每怀恻隐,极肯周旋落难之人,足下何不去求见他?"唐璧听说,愈加悲泣道:"官人休提起'裴

---

① 那——同挪。
② 巴鼻——根据、来由。
③ 作准——准许、承认。
④ 挺带——皮带。挺,应为鞓。
⑤ 押牙官——侍卫武官。

晋公'三字,使某心肠如割。"紫衫人大惊道:"足下何故而出此言?"唐璧道:"某幼年定下一房亲事,因屡任南方,未成婚配。却被知州和县尹用强夺去,凑成一班女乐,献与晋公,使某壮年无室。此事虽不由晋公,然晋公受人谄媚,以致府县争先献纳,分明是他拆散我夫妻一般,我今日何忍复往见之?"紫衫人问道:"足下所定之室,何姓何名?当初有何为聘?"唐璧道:"姓黄,名小娥,聘物碧玉玲珑,见在彼处。"紫衫人道:"某即晋公亲校,得出入内室,当为足下访之。"唐璧道:"侯门一入,无复相见之期。但愿官人为我传一信息,使他知我心事,死亦瞑目。"紫衫人道:"明日此时,定有好音奉报。"说罢,拱一拱手,踱出门去了。

唐璧转展思想,懊悔起来:"那紫衫押牙,必是晋公亲信之人,遣他出外探事的。我方才不合议论了他几句,颇有怨望之词。倘或述与晋公知道,激怒了他,降祸不小。"心下好生不安,一夜不曾合眼。

巴到天明,梳洗罢,便到裴府窥望。只听说令公给假在府,不出外堂。虽然如此,仍有许多文书来往,内外奔走不绝,只不见昨日这紫衫人。等了许久,回店去吃了些午饭,又来守候,绝无动静。看看天晚,眼见得紫衫人已是谬言失信了。嗟叹了数声,凄凄凉凉的回到店中。

方欲点灯,忽见外面两个人似令史①妆扮,慌慌忙忙的走入店来,问道:"那一位是唐璧参军?"滤得唐璧躲在一边,不敢答应。店主人走来问道:"二位何人?"那两个人答曰:"我等乃裴府中堂吏②,奉令公之命,来请唐参军到府讲话。"店主人指道:"这位就是。"唐璧只得出来相见了,说道:"某与令公素未通谒,何缘见召?且身穿亵服,岂敢唐突。"堂吏道:"令公立等,参军休得推阻。"

两个左右腋扶着,飞也似跑进府来。到了堂上,教"参军少坐,容某等禀过令公,却来相请。"两个堂吏进去了。不多时,只听得飞奔出来,复道:"令公给假在内,请进去相见。"一路转弯抹角,都点得灯烛辉煌,照耀如白日一般。两个堂吏前后引路,到一个小小厅事中。只见两行纱灯排列,令公角巾③便服,拱立而待。唐璧慌忙拜伏在地,流汗浃背,不敢仰

① 令史——书吏。

② 堂吏——省吏。

③ 角巾——古代隐居者所戴的一种有棱角的头巾。

视。令公传命扶起道:"私室相延,何劳过礼?"便教看坐。唐璧谦让了一回,坐于旁侧,偷眼看着令公,正是昨日店中所遇紫衫之人,愈加惶惧,捏着两把汗,低了眉头,鼻息也不敢出来。

原来裴令公闲时常在外面私行耍子,昨日偶到店中,遇了唐璧。回府去,就查黄小娥名字,唤来相见,果然十分颜色。令公问其来历,与唐璧说话相同。又讨他碧玉玲珑看时,只见他紧紧的带在臂上。令公甚是怜悯,问道:"你丈夫在此,愿一见乎?"小娥流泪道:"红颜薄命,自分永绝。见与不见,权在令公,贱妾安敢自专?"令公点头,教他且去。密地吩咐堂候官①,备下资装千贯;又将空头告敕一道,填写唐璧名字,差人到吏部去,查他前任履历及新授湖州参军文凭,要得重新补给。件件完备,才请唐璧到府。唐璧满肚慌张,那知令公一团美意?

当日令公开谈②道:"昨见所话,诚心恻然。老夫不能杜绝馈③遗,以致足下久旷琴瑟之乐,老夫之罪也。"唐璧离席下拜道:"鄙人身遭颠沛,心神颠倒,昨日语言冒犯,自知死罪,伏惟相公海涵。"令公请起道:"今日颇吉,老夫权为主婚,便与足下完婚。薄有行资千贯奉助,聊表赎罪之意。成亲之后,便可于飞赴任。"唐璧只是拜谢,也不敢再问赴任之事。只听得宅内一派乐声嘹亮,红灯数对,女乐一队前导,几个押班老嬷和养娘辈,簇拥出如花如玉的黄小娥来。唐璧慌欲躲避,老嬷道:"请二位新人就此见礼。"养娘铺下红毡,黄小娥和唐璧做一对儿立了,朝上拜了四拜,令公在旁答揖。早有肩舆在厅事外,伺候小娥登舆,一径抬到店房中去了。令公吩咐唐璧速归逆旅,勿误良期。唐璧跑回店中,只听得人言鼎沸。举眼看时,摆列得绢帛盈箱,金钱满箧,就是起初那两个堂吏看守著,专等唐璧到来,亲自交割。又有个小小箧儿,令公亲判封的。拆开看时,乃官诰在内,复除湖州司户参军。唐璧喜不自胜,当夜与黄小娥就在店中,权作洞房花烛。这一夜欢情,比着寻常毕姻的,更自得意。正是:

---

① 堂候官——省吏称为堂候官。

② 开谈——开言。

③ 馈(kuì)——馈赠,赠送。

运去雷轰荐福碑①，时来风送滕王阁②。

今朝婚宦两称心，不似从前情绪恶。

唐璧此时有婚有宦，又有了千贯资装，分明是十八层地狱的苦鬼，直升至三十三天去了。若非裴令公仁心慷慨，怎肯周旋得人十分满足？

次日，唐璧又到裴府谒谢。令公预先吩咐门吏辞回，不劳再见。唐璧回寓，重理冠带，再整行装。在京中买了几个童仆跟随，两口儿回到家乡，见了岳丈黄太学，好似枯木逢春，断弦再续，欢喜无限。过了几日，夫妇双双往湖州赴任。感激裴令公之恩，将沉香雕成小像，朝夕拜祷，愿其福寿绵延。后来裴令公寿过八旬，子孙繁衍，人皆以为阴德所致。诗云：

无室无官苦莫论，周旋好事赖洪恩。

人能步步存阴德，福禄绵绵及子孙。

# 第十卷　滕大尹鬼断家私

玉树庭前诸谢③，紫荆花下三田④；埙篪⑤和好弟兄贤，父母心中欢

---

① 雷轰荐福碑——宋代传说，范仲淹为饶州太守时，有一个书生来献诗，自称平生未尝得饱，是世上最寒苦的人。当时风行欧阳询的字，欧阳询所写的荐福寺碑拓本，每本值一千铜钱。范仲淹想替他拓印一千本，纸墨都已备好，前一天晚上，碑却被雷击碎。宋元间常用这个故事来比喻人穷困倒楣，运气不好。

② 风送滕王阁——滕王阁，在江西南昌城西江边上。唐代传说，王勃省父到江西，适逢府帅开宴于滕王阁上。王勃船在马当，一阵风把他吹送到南昌，因此得以参与宴会，写出了著名的《滕王阁序》。

③ 诸谢——晋代谢安有一次教训他的子侄们，因问：为什么人家都要子弟们好？他的侄儿谢玄回答说："譬如芝兰玉树，人们都希望它能长在自己的阶庭中。"

④ 三田——古代传说，汉时田真、田庆、田广兄弟三人分家，堂前有一棵紫荆树，他们也要劈为三分。树忽然自己枯死。田氏三兄弟受到感动，决定不再分产，据说紫荆树又复荣。

⑤ 埙篪（xūnchí）——都是乐器的名称。《诗经》中有"伯氏吹埙，仲氏吹篪"的话，比喻兄弟和睦。

忭。　　多少争财竞产，同根苦自相煎。相持鹬蚌枉垂涎，落得渔人取便。

这首词，名为《西江月》，是劝人家弟兄和睦的。且说如今三教经典，都是教人为善的，儒教有十三经、六经、五经，释教有诸品《大藏金经》，道教有《南华冲虚经》，及诸品藏经，盈箱满案，千言万语，看来都是赘疣。依我说，要做好人，只消个两字经，是“孝弟”两个字。那两字经中，又只消理会一个字，是个“孝”字。假如孝顺父母的，见父母所爱者亦爱之，父母所敬者亦敬之，何况兄弟行中，同气连枝，想到父母身上去，那有不和不睦之理？就是家私田产，总是父母挣来的，分什么尔我？较什么肥瘠？假如你生于穷汉之家，分文没得承受，少不得自家挽起眉毛①，挣扎过活。见成有田有地，兀自争多嫌寡，动不动推说爹娘偏爱，分受不均。那爹娘在九泉之下，他心上必然不乐。此岂是孝子所为？所以古人说得好，道是：“难得者兄弟，易得者田地。”怎么是难得者兄弟？且说人生在世，至亲的莫如爹娘；爹娘养下我来时节，极早已是壮年了，况且爹娘怎守得我同去？也只好半世相处。再说至爱的莫如夫妇，白头相守，极是长久的了；然未做亲以前，你张我李，各门各户，也空着幼年一段。只有兄弟们，生于一家，从幼相随到老，有事共商，有难共救，真像手足一般，何等情谊！譬如良田美产，今日弃了，明日又可挣得来的；若失了个弟兄，分明割了一手，折了一足，乃终身缺陷。说到此地，岂不是“难得者兄弟，易得者田地”？若是为田地上坏了手足亲情，到不如穷汉赤光光没得承受，反为干净，省了许多是非口舌。

如今在下说一节国朝的故事，乃是“滕县尹鬼断家私”。这节故事，是劝人重义轻财，休忘了“孝弟”两字经。看官们，或是有弟兄没弟兄，都不关在下之事，各人自去摸着心头，学好做人便了。正是：

善人听说心中刺，恶人听说耳边风。

话说国朝永乐年间，北直②顺天府香河县，有个倪太守，双名守谦，字益之，家累千金，肥田美宅。夫人陈氏，单生一子，名曰善继，长大婚娶之后，陈夫人身故。倪太守罢官鳏居，虽然年老，只落得精神健旺。凡收租

---

① 挽起眉毛——皱着眉头。

② 北直——北直隶（北平）的简称。

放债之事,件件关心,不肯安闲享用。其年七十九岁,倪善继对老子说道:"'人生七十古来稀'。父亲今年七十九,明年八十齐头了,何不把家事交卸与孩儿掌管,吃些见成茶饭①,岂不为美?"老子摇着头,说出几句道:

在一日,管一日。替你心,替你力,挣些利钱穿共吃。直待两脚壁立直,那时不关我事得。

每年十月间,倪太守亲往庄上收租,整月的住下。庄户人家,肥鸡美酒,尽他受用。那一年,又去住了几日。偶然一日,午后无事,绕庄闲步,观看野景。忽然见一个女子,同着一个白发婆婆,向溪边石上捣衣。那女子虽然村妆打扮,颇有几分姿色:

发同漆黑,眼若波明。纤纤十指似栽葱,曲曲双眉如抹黛。随常布帛,俏身躯赛著绫罗;点景野花,美丰仪不须钗钿。五短身材偏有趣,二八年纪正当时。

倪太守老兴勃发,看得呆了。那女子捣衣已毕,随着老婆婆而走。那老儿留心观看,只见他走过数家,进一个小小白篱笆门内去了。倪太守连忙转身,唤管庄的来,对他说如此如此,教他访那女子跟脚②,曾否许人,"若是没有人家时,我要娶他为妾,未知他肯否?"管庄的巴不得奉承家主,领命便走。原来那女子姓梅,父亲也是个府学秀才。因幼年父母双亡,在外婆身边居住。年一十七岁,尚未许人。管庄的访得的实了,就与那老婆婆说:"我家老爷见你女孙儿生得齐整,意欲聘为偏房。虽说是做小,老奶奶去世已久,上面并无人拘管。嫁得成时,丰衣足食,自不须说,连你老人家年常衣服、茶、米,都是我家照顾,临终还得个好断送③,只怕你老人家没福。"老婆婆听得花锦似一片说话,即时依允。也是姻缘前定,一说便成。管庄的回覆了倪太守,太守大喜。讲定财礼,讨皇历看个吉日,又恐儿子阻挡,就在庄上行聘,庄上做亲。成亲之后,一老一少,端的好看!真个是:

恩爱莫忘今夜好,风光不减少年时。

过了三朝,唤个轿子,抬那梅氏回宅,与儿子媳妇相见。阖宅男妇,都

---

① 茶饭——饭肴。茶、饭、菜、汤、酒的总称。
② 跟脚——根柢、履历、出身。
③ 断送——此指死人的发送,包括衣衾、棺木等。

来磕头,称为“小奶奶”。倪太守把些布帛,赏与众人,各各欢喜。只有那倪善继,心中不美①。面前虽不言语,背后夫妻两口儿议论道:“这老人忒没正经,一把年纪,风灯之烛,做事也须料个前后,知道五年十年在世,却去干这样不了不当②的事?讨这花枝般的女儿,自家也得精神对付他,终不然担误他在那里,有名无实?还有一件,多少人家老汉身边,有了少妇,支持不过,那少妇熬不得,走了野路,出乖露丑,为家门之玷。还有一件,那少妇跟随老汉,分明似出外度荒年一般,等得年时成熟,他便去了。平时偷短偷长,做下私房,东三西四的寄开,又撒娇撒痴,要汉子制办衣饰与他;到得树倒鸟飞时节,他便颠作嫁人,一包儿收拾去受用。这是木中之蠹,米中之虫,人家有了这般人,最损元气的。”又说道:“这女子娇模娇样,好像个妓女,全没有良家体段③,看来是个做声分④的头儿,擒老公的太岁。在咱爹身边,只该半妾半婢,叫声姨姐,后日还有个退步,可笑咱爹不明,就叫众人唤他做‘小奶奶’,难道要咱们叫他娘不成?咱们只不作准他,莫要奉承透了,讨⑤他做大起来,明日咱们颠到⑥受他呕气。”夫妻二人,唧唧哝哝,说个不了。早有多嘴的传话出来,倪太守知道了,虽然不乐,却也藏在肚里。幸得那梅氏秉性温良,事上接下,一团和气,众人也都相安。

过了两个月,梅氏得了身孕,瞒着众人,只有老公知道。一日三,三日九,捱到十月满足,生下一个小孩儿出来,举家大惊。这日正是九月九日,乳名取做重阳儿。到十一日,就是倪太守生日。这年恰好八十岁了,贺客盈门。倪太守开筵管待,一来为寿诞,二来小孩儿三朝,就当个汤饼之会⑦。众宾客道:“老先生高年,又新添个小令郎,足见血气不衰,乃上寿之征也。”倪太守大喜。倪善继背后又说道:“男子六十而精绝,况是八十岁了,那见枯树上生出花来?这孩子不知那里来的杂种,决不是咱爹嫡

---

① 不美——不高兴、不满意。

② 不了不当——拖泥带水、没完没了。

③ 体段——举止、样子。

④ 做声分——装腔作势、摆架子。

⑤ 讨——引得、招致。

⑥ 颠到——反而。

⑦ 汤饼之会——生儿三日,设宴请客。

血，我断然不认他做兄弟。”老子又晓得了，也藏在肚里。

光阴似箭，不觉又是一年。重阳儿周岁，整备做晬盘①故事。里亲外眷，又来作贺。倪善继倒走了出门，不来陪客。老子已知其意，也不去寻他回来。自己陪着诸亲，吃了一日酒。虽然口中不语，心内未免有些不足之意。自古道“子孝父心宽”，那倪善继平日做人，又贪又狠，一心只怕小孩子长大起来，分了他一股家私，所以不肯认做兄弟，预先把恶话谣言，日后好摆布他母子。那倪太守是读书做官的人，这个关窍②怎不明白？只恨自家老了，等不及重阳儿成人长大，日后少不得要在大儿子手里讨针线③，今日与他结不得冤家，只索忍耐。看了这点小孩子，好生痛他；又看了梅氏小小年纪，好生怜他。常时想一会，闷一会，恼一会，又懊悔一会。

再过四年，小孩子长成五岁。老子见他伶俐，又忒会顽要，要送他馆中上学。取个学名，哥哥叫善继，他就叫善述。拣个好日，备了果酒，领他去拜师父。那师父就是倪太守请在家里教孙儿的，小叔侄两个同馆上学，两得其便。谁知倪善继与做爹的不是一条心肠，他见那孩子，取名善述，与己排行，先自不象意④了；又与他儿子同学读书，倒要儿子叫他叔叔，从小叫惯了，后来就被他欺压，不如唤了儿子出来，另从个师父罢。当日将儿子唤出，只推有病，连日不到馆中。倪太守初时只道是真病，过了几日，只听得师父说：“大令郎另聘了个先生，分做两个学堂，不知何意？”倪太守不听犹可，听了此言，不觉大怒，就要寻大儿子，问其缘故。又想道：“天生恁般逆种，与他说也没干，由他罢了。”含了一口闷气，回到房中，偶然脚慢⑤，拌着门槛一跌。梅氏慌忙扶起，搀到醉翁床⑥上坐下，已自不省人事。急请医生来看，医生说是中风。忙取姜汤灌醒，扶他上床，虽然心下清爽，却满身麻木，动弹不得。梅氏坐在床头，煎汤煎药，殷勤伏侍。

① 晬盘——民间风俗，小儿周岁时，用盘盛弓箭、纸笔、刀尺、珍宝等物，让他抓取，以试验他的性格，也叫试儿。

② 关窍——诀窍、窍门。

③ 讨针线——讨零花钱，靠人过日子，受人节制。

④ 象意——如意、合意。

⑤ 脚慢——脚下疏忽。

⑥ 醉翁床——专供酒饭后休息之用床。在大床中间嵌着一块小床面，有转轴调整高低，可倚可睡。

连进几服，全无功效。医生切脉道："只好延捱日子，不能全愈了。"倪善继闻知，也来看觑了几遍，见老子病势沉重，料是不起，便呼么喝六，打僮骂仆，预先装出家主公的架子来。老子听得，愈加烦恼。梅氏只得啼哭，连小学生也不去上学，留在房中，相伴老子。

倪太守自知病笃，唤大儿子到面前，取出簿子一本，家中田地屋宅及人头帐目①总数，都在上面，吩咐道："善述年方五岁，衣服尚要人照管，梅氏又年少，也未必能管家，若分家私与他，也是枉然，如今尽数交付与你。倘或善述日后长大成人，你可看做爹的面上，替他娶房媳妇，分他小屋一所，良田五六十亩，勿令饥寒足矣。这段话我都写绝在家私簿上，就当分家，把与你做个执照。梅氏若愿嫁人，听从其便。倘肯守着儿子度日，也莫强他。我死之后，你一一依我言语，这便是孝子。我在九泉，亦得瞑目。"倪善继把簿子揭开一看，果然开得细，写得明，满脸堆下笑来，连声应道："爹休忧虑，恁②儿一一依爹吩咐便了。"抱了家私簿子，欣然而去。梅氏见他去得远了，两眼垂泪，指着那孩子道："这个小冤家，难道不是你嫡血？你却和盘托出，都把与大儿子了，教我母子两口，异日把什么过活？"倪太守道："你有所不知，我看善继，不是个良善之人，若将家私平分了，连这小孩子的性命也难保。不如都把与他，象了他意，再无妒忌。"梅氏又哭道："虽然如此，自古道'子无嫡庶'，忒杀厚薄不均，被人笑话。"倪太守道："我也顾他不得了。你年纪正小，趁我未死，将孩子嘱付善继，待我去世后，多则一年，少则半载，尽你心中拣择个好头脑③，自去图下半世受用，莫要在他们身边讨气吃。"梅氏道："说那里话！奴家也是儒门之女，妇人从一而终，况又有了这小孩儿，怎割舍得抛他？好歹要守在这孩子身边的。"倪太守道："你果然肯守志终身么？莫非日久生悔？"梅氏就发起大誓来。倪太守道："你若立志果坚，莫愁母子没得过活。"便向枕边摸出一件东西来，交与梅氏。梅氏初时只道又是一个家私簿子，却原来是一尺阔三尺长的一个小轴子。梅氏道："要这小轴儿何用？"倪太守道："这是我的行乐图④，其中自有奥妙。你可悄地收藏，休露人目，直待孩子

---

① 人头帐目——别人欠贷的帐目。

② 恁——您。

③ 头脑——人物、主儿、对象。

④ 行乐图——画像。

年长。善继不肯看顾他，你也只含藏于心。等得个贤明有司官来，你却将此轴去诉理，述我遗命，求他细细推详，自然有个处分①，尽够你母子二人受用。"梅氏收了轴子。话休絮烦，倪太守又延了数日，一夜痰厥，叫唤不醒，呜呼哀哉死了。享年八十四岁。正是：

三寸气在千般用，一日无常万事休。

早知九泉将不去，作家辛苦着何由？

且说倪善继得了家私薄，又讨了各仓各库匙钥，每日只去查点家财杂物，那有功夫走到父亲房里问安？直等呜呼之后，梅氏差丫鬟去报知凶信，夫妻两口方才跑来，也哭了几声"老爹爹"。没一个时辰，就转身去了，到委着梅氏守尸。幸得衣衾棺椁，诸事都是预办下的，不要倪善继费心。殡殓成服后，梅氏和小孩子两口守着孝堂，早暮啼哭，寸步不离。善继只是点名应客，全无哀痛之意。七中便择日安葬，回丧②之夜，就把梅氏房中，倾箱倒箧，只怕父亲存下些私房银两在内，梅氏乖巧，恐怕收去了他的行乐图，把自己原嫁来的两只箱笼，到先开了，提出几件穿旧衣裳，教他夫妻两口检看。善继见他大意，到不来看了。夫妻两口儿乱了一回，自去了。梅氏思量苦切，放声大哭。那小孩子见亲娘如此，也哀哀哭个不住。恁般光景：

任是泥人应堕泪，从教铁汉也酸心。

次早，倪善继又唤个做屋匠来，看这房子，要行重新改造，与自家儿子做亲。将梅氏母子，搬到后园三间杂屋内栖身，只与他四脚小床一张，和几件粗台粗凳，连好家伙都没一件。原在房中伏侍有两个丫鬟，只拣大些的又唤去了，止留下十一二岁的小使女，每日是他厨下取饭。有菜没菜，都不照管。梅氏见不方便，索性讨些饭米，堆个土灶，自炊来吃。早晚做些针指，买些小菜，将就度日。小学生到附近邻家上学，束修都是梅氏自出。善继又屡次教妻子劝梅氏嫁人，又寻媒妪与他说亲，见梅氏誓死不从，只得罢了。因梅氏十分忍耐，凡事不言不语，所以善继虽然凶狠，也不将他母子放在心上。

---

① 处分——处置、安排。

② 回丧——回避。旧时认为人死以后，一定日期，鬼魄回家害人，到这一天，家人必须回避。

光阴似箭，善述不觉长成一十四岁。原来梅氏平生谨慎，从前之事，在儿子面前，一字也不提，只怕娃子家口滑，引出是非，无益有损。守得一十四岁时，他胸中渐渐泾渭分明，瞒他不得了。一日，向母亲讨件新绢衣穿，梅氏回他没钱买得，善述道："我爹做过太守，止生我弟兄两人，见今哥哥恁般富贵，我要一件衣服，就不能够了，是怎地？既娘没钱时，我自与哥哥索讨。"说罢就走。梅氏一把扯住道："我儿，一件绢衣，直甚大事，也去开口求人。常言道：'惜福积福。''小来穿线，大来穿绢。'若小时穿了绢，到大来线也没得穿了。再过两年，等你读书进步，做娘的情愿卖身来做衣服与你穿著。你那哥哥不是好惹的，缠他什么？"善述道："娘说得是。"口虽答应，心下不以为然，想着："我父亲万贯家私，少不得兄弟两个大家分受。我又不是随娘晚嫁①，拖来的油瓶，怎么我哥哥全不看顾？娘又是恁般说，终不然一匹绢儿，没有我分，直待娘卖身来做与我穿着，这话好生奇怪！哥哥又不是吃人的虎，怕他怎的？"心生一计，瞒了母亲，径到大宅里去，寻见了哥哥，叫声："作揖。"善继到吃了一惊，问他来做什么。善述道："我是个缙绅子弟，身上蓝缕，被人耻笑。特来寻哥哥讨匹绢去，做衣服穿。"善继道："你要衣服穿，自与娘讨。"善述道："老爹爹家私是哥哥管，不是娘管。"善继听说"家私"二字，题目来得大了，便红着脸问道："这句话，是那个教你说的？你今日来讨衣服穿，还是来争家私？"善述道："家私少不得有日分析，今日先要件衣服，装装体面。"善继道："你这般野种，要什么体面！老爹爹纵有万贯家私，自有嫡子嫡孙，干你野种屁事！你今日是听了甚人撺掇，到此讨野火②吃？莫要惹着我性子，教你母子二人无安身之处！"善述道："一般是老爹爹所生，怎么我是野种？惹着你性子，便怎地？难道谋害了我娘儿两个，你就独占了家私不成？"善继大怒，骂道："小畜生，敢顶撞我！"牵住他衣袖儿，捻起拳头，一连七八个栗暴③，打得头皮都青肿了。善述挣脱了，一道烟走出，哀哀的哭到母亲面前来。一五一十，备细述与母亲知道。梅氏抱怨道："我教你莫去惹事，你不听教训，打得你好！"口里虽如此说，扯着青布衫，替他摩那头上

① 晚嫁——再嫁。
② 讨野火——找麻烦。
③ 栗暴——用拳头或指头的关节处击人头颅，被击处暴起如栗。

肿处，不觉两泪交流。有诗为证：

> 少年嫠妇①拥遗孤，食薄衣单百事无。
>
> 只为家庭缺孝友，同枝一树判荣枯。

梅氏左思右量，恐怕善继藏怒，到遣使女进去致意，说小学生不晓世事，冲撞长兄，招个不是。善继兀自怒气不息，次日侵早，邀几个族人在家，取出父亲亲笔分关②，请梅氏母子到来，公同看了，便道："尊亲长在上，不是善继不肯养他母子，要捻他出去，只因善述昨日与我争取家私，发许多说话，诚恐日后长大，说话一发多了，今日分析他母子出外居住。东庄住房一所，田五十八亩，都是遵依老爹爹遗命，毫不敢自专，伏乞尊亲长作证。"这伙亲族，平昔晓得善继做人利害，又且父亲亲笔遗嘱，那个还肯多嘴，做闲冤家？都将好看的话儿来说。那奉承善继的说道："'千金难买亡人笔'。照依分关，再没话了。"就是那可怜善述母子的，也只说道："'男子不吃分时饭，女子不著嫁时衣'。多少白手成家的，如今有屋住，有田种，不算没根基了，只要自去挣持。得粥莫嫌薄，各人自有个命在。"

梅氏料道在园屋居住，不是了日，只得听凭分析，同孩儿谢了众亲长，拜别了祠堂，辞了善继夫妇，教人搬了几件旧家伙，和那原嫁来的两只箱笼，雇了牲口骑坐，来到东庄屋内。只见荒草满地，屋瓦稀疏，是多年不修整的，上漏下湿，怎生住得？将就打扫一两间，安顿床铺。唤庄户来问时，连这五十八亩田，都是最下不堪的。大熟之年，一半收成还不能够；若荒年，只好赔粮。梅氏只叫得苦。到是小学生有智，对母亲道："我弟兄两个，都是老爹爹亲生，为何分关上如此偏向？其中必有缘故。莫非不是老爹爹亲笔？自古道：'家私不论尊卑。'母亲何不告官申理？厚薄凭官府判断，到无怨心。"梅氏被孩儿提起线索，便将十来年隐下衷情，都说出来道："我儿休疑分关之语，这正是你父亲之笔。他道你年小，恐怕被做哥的暗算，所以把家私都判与他，以安其心。临终之日，只与我行乐图一轴，再三嘱咐：其中含藏哑谜，直待贤明有司在任，送他详审，包你母子两口，有得过活，不致贫苦。"善述道："既有此事，何不早说？行乐图在那里？快取来与孩儿一看。"梅氏开了箱儿，取出一个布包来。解开包袱，里面

---

① 嫠(lí)妇——寡妇。

② 分关——分家的字据。

又有一重油纸封裹着。拆了封,展开那一尺阔三尺长的小轴儿,挂在椅上,母子一齐下拜。梅氏通陈道:“村庄香烛不便,乞恕亵慢。”善述拜罢,起来仔细看时,乃是一个坐像,乌纱白发,画得丰采如生,怀中抱着婴儿,一只手指着地下。揣摩了半晌,全然不解,只得依旧收卷包藏,心下好生烦闷。

过了数日,善述到前村要访个师父讲解,偶从关王庙前经过,只见一伙村人,抬着猪羊大礼,祭赛关圣。善述立住脚头看时,又见一个过路的老者,拄了一根竹杖,也来闲看,问着众人道:“你们今日为甚赛神?”众人道:“我们遭了屈官司,幸赖官府明白,断明了这公事。向日许下神道愿心,今日特来拜偿。”老者道:“什么屈官司?怎生断的?”内中一人道:“本县向奉上司明文,十家为甲。小人是甲首①,叫做成大。同甲中,有个赵裁,是第一手针线,常在人家做夜作,整几日不归家的。忽一日出去了,月余不归。老婆刘氏,央人四下寻觅,并无踪迹。又过了数日,河内浮出一个尸首,头都打破的。地方②报与官府,有人认出衣服,正是那赵裁。赵裁出门前一日,曾与小人酒后争句闲话,一时发怒,打到他家,毁了他几件家私,这是有的。谁知他老婆把这桩人命告了小人,前任漆知县,听信一面之词,将小人问成死罪。同甲不行举首,连累他们都有了罪名。小人无处伸冤,在狱三载。幸遇新任滕爷,他虽乡科③出身,甚是明白。小人因他热审④时节,哭诉其冤。他也疑惑道:‘酒后争嚷,不是大仇,怎的就谋他一命?’准了小人状词,出牌拘人覆审。滕爷一眼看着赵裁的老婆,千不说,万不说,开口便问他曾否再醮。刘氏道:‘家贫难守,已嫁人了。’又问嫁的甚人,刘氏道:‘是班辈⑤的裁缝,叫沈八汉。’滕爷当时飞拿沈八汉来,问道:‘你几时娶这妇人?’八汉道:‘他丈夫死了一个多月,小人方才娶回。’滕爷道:‘何人为媒?用何聘礼?’八汉道:‘赵裁存日,曾借用过小人七八两银子。小人闻得赵裁死信,走到他家探问,就便催取这银子。那

① 甲首——甲长、村长。

② 地方——地保、保正。

③ 乡科——即乡试。

④ 热审——明代制度,因夏月天气炎热,每年于小满后十余日,朝廷下令,命官府将在狱罪囚,审拟发落。

⑤ 班辈——辈分、同辈。

刘氏没得抵偿，情愿将身许嫁小人，准折这银两，其实不曾央媒。'滕爷又问道：'你做手艺的人，那里来这七八两银子？'八汉道：'是陆续凑与他的。'滕爷把纸笔，教他细开逐次借银数目。八汉开了出来，或米或银共十三次，凑成七两八钱之数。滕爷看罢，大喝道：'赵裁是你打死的，如何妄陷平人？'便用夹棍夹起。八汉还不肯认，滕爷道：'我说出情弊，教你心服：既然放本盘利，难道再没第二个人托得，恰好都借与赵裁？必是平昔间与他妻子有奸，赵裁贪你东西，知情故纵。以后想做长久夫妻，便谋死了赵裁。却又教导那妇人告状，捻在成大身上。今日你开帐的字，与旧时状纸笔迹相同，这人命不是你是谁？'再教把妇人拶指①，要他承招。刘氏听见滕爷言语，句句合拍，分明鬼谷先师一般，魂都惊散了，怎敢抵赖？拶子套上，便承认了。八汉只得也招了。原来八汉起初与刘氏密地相好，人都不知。后来往来勤了，赵裁怕人眼目，渐有隔绝之意。八汉私与刘氏商量，要谋死赵裁，与他做夫妻，刘氏不肯。八汉乘赵裁在人家做生活回来，哄他店上吃得烂醉，行到河边，将他推倒，用石块打破脑门，沉尸河底。只等事冷，便娶那妇人回去。后因尸骸浮起，被人认出，八汉闻得小人有争嚷之隙，却去唆那妇人告状。那妇人直待嫁后，方知丈夫是八汉谋死的。既做了夫妻，便不言语。却被滕爷审出真情，将他夫妻抵罪，释放小人宁家。多承列位亲邻斗出公分，替小人赛神。老翁，你道有这般冤事么？"老者道："恁般贤明官府，真个难遇！本县百姓有幸了。"倪善述听到那里，便回家学与母亲知道，如此如此，这般这般，"有恁地好官府，不将行乐图去告诉，更待何时？"母子商议已定，打听了放告②日期，梅氏起个黑早，领着十四岁的儿子，带了轴儿，来到县中叫喊。大尹见没有状词，只有一个小小轴儿，甚是奇怪。问其缘故，梅氏将倪善继平昔所为，及老子临终遗嘱，备细说了。滕知县收了轴子，教他且去，待我进衙细看。正是：

一幅画图藏哑谜，千金家事仗搜寻。

只因嫠妇孤儿苦，费尽神明大尹心。

不提梅氏母子回家，且说滕大尹放告已毕，退归私衙，取那一尺阔三尺长的小轴，看是倪太守行乐图，一手抱个婴孩，一手指着地下。推详了

---

① 拶(zǎn)指——旧时酷刑的一种，以绳穿五根小木棍，套入手指用力紧收。

② 放告——清代州县官定期抬出放告牌，直接受理案件，让含冤者进衙告状。

半日，想道：“这个婴孩就是倪善述，不消说了。那一手指地，莫非要有司官念他地下之情，替他出力么？”又想道：“他既有亲笔分关，官府也难做主了。他说轴中含藏哑谜，必然还有个道理。若我断不出此事，枉自聪明一世。”每日退堂，便将画图展玩，千思万想。如此数日，只是不解。

也是这事合当明白，自然生出机会来。一日午饭后，又去看那轴子。丫鬟送茶来吃，将一手去接茶瓯，偶然失挫①，泼了些茶，把轴子沾湿了。滕大尹放了茶瓯，走向阶前，双手扯开轴子，就日色晒干。忽然日光中照见轴子里面有些字影，滕知县心疑，揭开看时，乃是一幅字纸，托在画上，正是倪太守遗笔，上面写道：

老夫官居五马②，寿逾八旬；死在旦夕，亦无所恨。但孽子善述，方年周岁，急未成立。嫡善继素缺孝友，日后恐为所戕。新置大宅二所，及一切田产，悉以授继。惟左偏旧小屋，可分与述。此屋虽小，室中左壁埋银五千，作五坛；右壁埋银五千，金一千，作六坛，可以准田园之额。后有贤明有司主断者，述儿奉酬白金三百两。八十一翁倪守谦亲笔。

年月日花押③

原来这行乐图，是倪太守八十一岁上，与小孩子做周岁时，预先做下的。古人云“知子莫若父”，信不虚也。滕大尹最有机变的人，看见开着许多金银，未免垂涎之意。眉头一皱，计上心来，差人密拿倪善继来见我，自有话说。

却说倪善继独罟家私，心满意足，日日在家中快乐。忽见县差奉着手批拘唤，时刻不容停留，善继推阻不得，只得相随到县。正直大尹升堂理事，差人禀道：“倪善继已拿到了。”大尹唤到案前问道：“你就是倪太守的长子么？”善继应道：“小人正是。”大尹道：“你庶母梅氏，有状告你，说你逐母逐弟，占产占房。此事真么？”倪善继道：“庶弟善述，在小人身边，从幼抚养大的。近日他母子自要分居，小人并不曾逐他。其家财一节，都是父亲临终，亲笔分析定的，小人并不敢有违。”大尹道：“你父亲亲笔在那

① 失挫——失误、疏失。

② 五马——汉代太守车用五马，所以后世以五马为太守的美称。

③ 花押——签字画押。

里？”善继道：“见在家中，容小人取来呈览。”大尹道：“他状词内告有家财万贯，非同小可。遗笔真伪，也未可知。念你是缙绅之后，且不难为你。明日可唤齐梅氏母子，我亲到你家查阅家私。若厚薄果然不均，自有公道，难以私情而论。”喝教皂快押出善继，就去拘集梅氏母子，明日一同听审。公差得了善继的东道，放他回家去讫，自往东庄拘人去了。

再说善继听见官府口气利害，好生惊恐。论起家私，其实全未分析，单单持着父亲分关执照，千钧之力，须要亲族见证方好。连夜将银两分送三党①亲长，嘱托他次早都到家来，若官府问及遗笔一事，求他同声相助。这伙三党之亲，自从倪太守亡后，从不曾见善继一盘一盒，岁时也不曾酒杯相及，今日大块银子送来，正是“闲时不烧香，急来抱佛脚”，各各暗笑，落得受了买东西吃。明日见官，旁观动静，再作区处。时人有诗云：

休嫌庶母妄兴词，自是为兄意太私。
今日将银买三党，何如匹绢赠孤儿？

且说梅氏见县差拘唤，已知县主与他做主。过了一夜，次日侵早，母子二人，先到县中，去见滕大尹。大尹道：“怜你孤儿寡妇，自然该替你说法。但闻得善继执得有亡父亲笔分关，这怎么处？”梅氏道：“分关虽写得有，却是保全孩子之计，非出亡夫本心。恩相只看家私簿上数目，自然明白。”大尹道：“常言道：‘清官难断家事。’我如今管你母子一生衣食充足，你也休做十分大望。”梅氏谢道：“若得免于饥寒足矣，岂望与善继同作富家郎乎？”

滕大尹吩咐梅氏母子，先到善继家伺候。倪善继早已打扫厅堂，堂上设一把虎皮交椅，焚起一炉好香。一面催请亲族，早来守候。梅氏和善述到来，见十亲九眷，都在眼前，一一相见了，也不免说几句求情的话儿。善继虽然一肚子恼怒，此时也不好发泄，各各暗自打点②见官的说话。

等不多时，只听得远远喝道之声，料是县主来了，善继整顿衣帽迎接。亲族中年长知事的，准备上前见官。其幼辈怕事的，都站在照壁③背后张望，打探消耗。只见一对对执事两班排立，后面青罗伞④下，盖着有才有

① 三党——指父党、母党、妻党。党：家族。
② 打点——准备、收拾。
③ 照壁——蔽门的屏风或小墙。
④ 青罗伞——明代制度，五品官的凉伞用青罗。

智的滕大尹。到得倪家门首，执事跪下，吆喝一声。梅氏和倪家兄弟，都一齐跪下来迎接。门子喝声："起去！"轿夫停了五山屏风轿子。滕大尹不慌不忙，踱下轿来。将欲进门，忽然对着空中，连连打恭，口里应对，恰像有主人相迎的一般。众人都吃惊，看他做甚模样。只见滕大尹一路揖让，直到堂中。连作数揖，口中叙许多寒温的言语。先向朝南的虎皮交椅上打个恭，恰像有人看坐①的一般。连忙转身，就拖一把交椅，朝北主位排下，又向空再三谦让，方才上坐。众人看他见神见鬼的模样，不敢上前，都两旁踮立呆看。只见滕大尹在上坐拱揖，开谈道："令夫人将家产事告到晚生手里，此事端的如何？"说罢，便作倾听之状。良久，乃摇首吐舌道："长公子太不良了。"静听一会，又自说道："教次公子何以存活②？"停一会，又说道："右偏小屋，有何活计③？"又连声道："领教，领教。"又停一时，说道："这项也交付次公子，晚生都领命了。"少停又拱揖道："晚生怎敢当此厚惠？"推逊了多时，又道："既承尊命恳切，晚生勉领，便给批照④与次公子收执。"乃起身，又连作数揖，口称："晚生便去。"众人都看得呆了。

只见滕大尹立起身来，东看西看问道："倪爷那里去了？"门子禀道："没见甚么倪爷？"滕大尹道："有此怪事！"唤善继问道："方才令尊老先生，亲在门外相迎，与我对坐了讲这半日说话，你们谅必都听见的。"善继道："小人不曾听见。"滕大尹道："方才长长的身儿，瘦瘦的脸儿，高颧骨，细眼睛，长眉大耳，朗朗的三牙须，银也似白的，纱帽皂靴，红袍金带，可是倪老先生模样么？"諕得众人一身冷汗，都跪下道："正是他生前模样。"大尹道："如何忽然不见了？他说家中有两处大厅堂，又东边旧存下一所小屋，可是有的？"善继也不敢隐瞒，只得承认道："有的。"大尹道："且到东边小屋去一看，自有话说。"众人见大尹半日自言自语，说得活龙活现，分明是倪太守模样，都信道倪太守真个出现了，人人吐舌，个个惊心。谁知都是滕大尹的巧言，他是看了行乐图，照依小像说来，何曾有半句是真话？有诗为证：

---

① 看坐——让坐。

② 存活——生活、活命。

③ 活计——此指东西。

④ 批照——执照、文凭。又叫照帖。

圣贤自是空题目，惟有鬼神不敢触。

若非大尹假装词，逆子如何肯心服？

倪善继引路，众人随着大尹，来到东偏旧屋内。这旧屋是倪太守未得第时所居，自从造了大厅大堂，把旧屋空着，只做个仓厅，堆积些零碎米麦在内，留下一房家人。看见大尹前后走了一遍，到正屋中坐下，向善继道："你父亲果是有灵，家中事体，备细与我说了，教我主张，这所旧宅子与善述，你意下何如？"善继叩头道："但凭恩台明断。"大尹讨家私簿子细细看了，连声道："也好个大家事。"看到后面遗笔分关，大笑道："你家老先生自家写定的，方才却又在我面前，说善继许多不是，这个老先儿也是没主意的。"唤倪善继过来，"既然分关写定，这些田园帐目，一一给你，善述不许妄争。"梅氏暗暗叫苦，方欲上前哀求，只见大尹又道："这旧屋判与善述，此屋中之所有，善继也不许妄争。"善继想道："这屋内破家破火，不值甚事，便堆下些米麦，一月前都粜得七八了，存不多儿，我也够便宜了。"便连连答应道："恩台所断极明。"大尹道："你两人一言为定，各无翻悔。众人既是亲族，都来做个证见。方才倪老先生当面嘱咐说：'此屋左壁下埋银五千两，作五坛，当与次儿。'"善继不信，禀道："若果然有此，即使万金，亦是兄弟的，小人并不敢争执。"大尹道："你就争执时，我也不准。"便教手下讨锄头铁锹等器，梅氏母子作眼①，率领民壮，往东壁下掘开墙基，果然埋下五个大坛。发起来时，坛中满满的，都是光银子②。把一坛银子，上秤称时，算来该是六十二斤半，刚刚一千两足数。众人看见，无不惊讶。善继益发信真了：若非父亲阴灵出现，面诉县主，这个藏银，我们尚且不知，县主那里知道？只见滕大尹教把五坛银子，一字儿摆在自家面前，又吩咐梅氏道："右壁还有五坛，亦是五千之数。更有一坛金子，方才倪老先生有命，送我作酬谢之意，我不敢当，他再三相强，我只得领了。"梅氏同善述叩头说道："左壁五千，已出望外；若右壁更有，敢不依先人之命。"大尹道："我何以知之？据你家老先生是恁般说，想不是虚话。"再教人发掘西壁，果然六个大坛，五坛是银，一坛是金。善继看着许多黄白之物，眼里都放出火来，恨不得抢他一锭。只是有言在前，一字也不敢开口。

① 作眼——作向导、引领。

② 光银子——白银。

滕大尹写个照帖,给与善述为照,就将这房家人,判与善述母子。梅氏同善述不胜之喜,一同叩头拜谢。善继满肚不乐,也只得磕几个头,勉强说句"多谢恩台主张"。大尹判几条封皮,将一坛金子封了,放在自己轿前,抬回衙内,落得受用。众人都认道真个倪太守许下酬谢他的,反以为理之当然,那个敢道个不字?这正叫做"鹬蚌相持,渔人得利"。若是倪善继存心忠厚,兄弟和睦,肯将家私平等分析,这千两黄金,弟兄大家该五百两,怎到得滕大尹之手?白白里作成了别人,自己还讨得气闷,又加个不孝不弟之名,千算万计,何曾算计得他人?只算计得自家而已。

闲话休提。再说梅氏母子,次日又到县拜谢滕大尹。大尹已将行乐图取去遗笔,重新裱过,给还梅氏收领。梅氏母子方悟行乐图上,一手指地,乃指地下所藏之金银也。此时有了这十坛银子,一般置买田园,遂成富室。后来善述娶妻,连生三子,读书成名。倪氏门中,只有这一枝极盛。善继两个儿子,都好游荡,家业耗废。善继死后,两所大宅子,都卖与叔叔善述管业。里中凡晓得倪家之事本末的,无不以为天报云。诗曰:

从来天道有何私?堪笑倪郎心太痴。
忍以嫡兄欺庶母,却教死父算生儿。
轴中藏字非无意,壁下埋金属有司。
何似存些公道好,不生争竞不兴词。

# 第十一卷　赵伯升茶肆遇仁宗

三寸舌为安国剑,五言诗作上天梯。
青云有路终须到,金榜无名誓不归。

话说大宋仁宗皇帝朝间,有一个秀士,姓赵名旭,字伯升,乃是西川成都府人氏。自幼习学文章,《诗》、《书》、《礼》、《乐》,一览下笔成文,乃是个饱学的秀才。喜闻东京开选①,一心要去应举,特到堂中,禀知父母。其父赵伦,字文宝,母亲刘氏,都是世代诗礼之家,见子要上京应举,遂允其请。赵旭择日束装,其父赠诗一首,诗云:

① 开选——开科考选。

但见诗书频入目,莫将花酒苦迷肠。

来年三月桃花浪①,夺取罗袍转故乡。

其母刘氏亦叮咛道:“愿孩儿早夺魁名,不负男儿之志。”赵旭拜别了二亲,遂携琴剑书箱,带一仆人,径望东京进发,有亲友一行人送出南门之外。赵旭口占②一词,名曰《江神子》,词云:

旗亭③谁唱《渭城》诗④?两相思,怯罗衣。野渡舟横,杨柳折残枝。怕见苍山千万里,人去远,草烟迷。　　芙蓉秋露洗胭脂,断风凄,晓霜微。剑悬秋水,离别惨虹霓。剩有青衫千点泪,何日里,滴休时?

赵旭词毕,作别亲友,起程而行。于路饥餐渴饮,夜住晓行。不则一日⑤,来到东京。遂入城中,观看景致。只见楼台锦绣,人物繁华,正是龙虎风云之地。行到状元坊,寻个客店安歇,守待试期。入场赴选,三场文字已毕,回归下处,专等黄榜⑥。赵旭心中暗喜:“我必然得中也。”

次日,安排早饭已罢,店对过有座茶坊,与店中朋友同会茶⑦之间,赵旭见案上有诗牌⑧,遂取笔,去那粉壁上写下词一首,词云:

足蹑云梯,手攀仙桂,姓名已在登科⑨内。马前喝道状元来,金鞍玉勒成行队。　　宴罢归来,醉游街市,此时方显男儿志。修书急报凤楼人,这回好个风流婿。

写毕,赵旭自心欢喜。至晚各归店中,不在话下。

当时仁宗皇帝早朝升殿,考试官阅卷已毕,齐到朝中。仁宗皇帝问:

---

① 桃花浪——黄河春汛,称为桃花汛。古代传说:每年桃花浪起,鲤鱼跳跃龙门而上,跳过者,即化为龙。所以后来常用跳龙门比喻士子的登第。

② 口占——不用纸笔起草,随口吟诵。

③ 旗亭——酒楼。

④ 《渭城》诗——指王维诗《送元二使安西》:“渭城朝雨浥轻尘,客舍青青柳色新。劝君更尽一杯酒,西出阳关无故人。”后谱入乐府,成为送别的曲子。

⑤ 不则一日——不只一日。

⑥ 黄榜——皇帝的告示,用黄纸书写,故称黄榜。此指录取进士的名榜。

⑦ 会茶——举行茶会。

⑧ 诗牌——供题诗用的木版。也叫诗版。

⑨ 登科——科举考试被录取。

"卿所取榜首年例三名,今不知何处人氏?"试官便将三名文卷呈上御前,仁宗亲自观览。看了第一卷,龙颜微笑,对试官道:"此卷作得极好,可惜中间有一字差错。"试官俯伏在地,拜问圣上,未审何字差写。仁宗笑曰:"乃是个'唯'字。原是'口'旁,如何却写'厶'旁?"试官再拜叩首,奏曰:"此字皆可通用。"仁宗问道:"此人姓甚名谁?何处人氏?"拆开弥封看时,乃是西川成都府人氏,姓赵名旭,见今在状元坊店内安歇。仁宗着快行①急宣。

那时赵旭在店内蒙宣,不敢久停,随使命直到朝中。借得蓝袍槐简②,引见御前,叩首拜舞。仁宗皇帝问道:"卿乃何处人氏?"赵旭叩头奏道:"臣是西川成都府人氏,自幼习学文艺。特赴科场,幸瞻金阙。"帝又问曰:"卿得何题目?作文字多少?内有几字?"赵旭叩首,一一回奏,无有差错。仁宗见此人出语如同注水,暗喜称奇,只可惜一字差写。上曰:"卿卷内有一字差错。"赵旭惊惶俯伏,叩首拜问:"未审何字差写?"仁宗云:"乃是个'唯'字,本是个'口'旁,卿如何却写作'厶'旁?"赵旭叩头回奏道:"此字皆可通用。"仁宗不悦,就御案上取文房四宝,写下八个字,递与赵旭曰:"卿家看想,写着'单單、去吉、吴矣、吕台',卿言通用,与朕拆来。"赵旭看了半晌,无言抵对。仁宗曰:"卿可暂退读书。"赵旭羞愧出朝,回归店中,闷闷不已。

众朋友来问道:"公必然得意?"赵旭被问,言说此事,众皆大惊。遂乃邀至茶坊,啜茶解闷。赵旭蓦然见壁上前日之辞,嗟吁不已,再把文房四宝,作词一首,词云:

> 羽翼将成,功名欲遂,姓名已称男儿意。东君为报牡丹芳,琼林赐与他人醉。　　"唯"字曾差,功名落地,天公误我平生志。问归来,回首望家乡,水远山遥,三千余里。

待得出了金榜,着人看时,果然无赵旭之名。吁嗟涕泣,流落东京,羞归故里。再待三年,必不负我。在下处闷闷不悦,谩题四句于壁上,诗曰:

① 快行——宋代宫中御前急足使。

② 蓝袍槐简——蓝袍,青色公服;槐简,槐木笏。宋代最低阶文官的服制。

宋玉徒悲①，江淹是恨②，韩愈投荒③，苏秦守困④。

赵旭写罢，在店中闷倦无聊，又作词一首，名《浣溪纱》，道：

秋气天寒万叶飘，蛩声唧唧夜无聊，夕阳人影卧平桥。

菊近秋来都烂缦，从他霜后更萧条，夜来风雨似今朝。

思忆家乡，功名不就，展转不寐，起来独坐，又作《小重山》词一首，道：

独坐清灯夜不眠，寸肠千万缕，两相牵。鸳鸯秋雨傍池莲，分飞苦，红泪晚风前。　回首雁翩翩，写来思寄去，远如天。安排心事待明年，愁难待，泪滴满青毡。

自此流落东京。至秋深，仆人不肯守待，私奔回家去。赵旭孤身旅邸，又无盘缠⑤，每日上街，与人作文写字。争奈身上衣衫蓝缕，著一领黄草布⑥衫，被西风一吹，赵旭心中苦闷，作词一首，词名《鹧鸪天》，道：

黄草遮寒最不宜，况兼久敝色如灰。肩穿袖破花成缕，可奈金风早晚吹！　才挂体，泪沾衣，出门羞见旧相知。邻家女子低声问："觅与奴糊隔帛儿⑦？

时值秋雨纷纷，赵旭坐在店中。店小二道："秀才，你今如此穷窘，何不去街市上茶坊酒店中吹笛，觅讨些钱物，也可度日。"赵旭听了，心中焦躁，作诗一首，诗曰：

旅店萧萧形影孤，时挑野菜作羹蔬。

村夫不识调羹手，问道能吹笛也无？

光阴荏苒，不觉一载有余。忽一日，仁宗皇帝在宫中，夜至三更时分，

---

① 宋玉徒悲——宋玉，战国时代楚国的辞赋家，他的《九辩》中有"悲哉秋之为气也"的话。

② 江淹是恨——江淹，梁代文学家，他写有一篇《恨赋》，描摹恨的感情。

③ 韩愈投荒——唐宪宗迎佛骨入禁中，韩愈上表谏止，触怒宪宗，被贬流放到荒远的潮州任刺史。

④ 苏秦守困——苏秦，战国时人，早年出游，潦倒归来，兄弟嫂妹妻妾都讥笑他。苏秦听见了，又惭愧又感伤，只得关起门来读书。

⑤ 盘缠——开销，生活费用，路费等。

⑥ 黄草布——以黄草心织成的布，色白而细，极薄。

⑦ 糊隔帛儿——把废布一层层裱起来，供做书衣或鞋衬之用。

梦一金甲神人,坐驾太平车①一辆,上载着九轮红日,直至内廷。猛然惊觉,乃是南柯一梦。至来日早朝升殿,臣僚拜舞已毕,文武散班。仁宗宣问司天台②苗太监曰:"寡人夜来得一梦,梦见一金甲神人,坐驾太平车一辆,上载九轮红日。此梦主何吉凶?"苗太监奏曰:"此九日者,乃是个'旭'字,或是人名,或是州郡。"仁宗曰:"若是人名,朕今要见此人,如何得见?卿与寡人占一课。"原来苗太监曾遇异人,传授诸葛马前课③,占问最灵。当下奉课,奏道:"陛下要见此人,只在今日。陛下须与臣扮作白衣秀士,私行街市,方可遇之。"仁宗依奏,卸龙衣,解玉带,扮作白衣秀才,与苗太监一般打扮,出了朝门之外,径往御街④并各处巷陌游行。

将及半晌,见座酒楼,好不高峻!乃是有名的樊楼⑤。有《鹧鸪天》词为证:

> 城中酒楼高入天,烹龙煮凤味肥鲜。公孙下马闻香醉,一饮不惜费万钱。　招贵客,引高贤,楼上笙歌列管弦。百般美物珍羞味,四面栏杆彩画檐。

仁宗皇帝与苗太监上楼饮酒,君臣二人,各分尊卑而坐。王正盛夏,天道炎热。仁宗手执一把月样白梨玉柄扇,倚着栏杆看街,将扇柄敲楹,不觉失手,坠扇楼下。急下去寻时,无有。仁宗教苗太监更占一课,苗太监领旨,发课罢,详道:"此扇也只在今日重见。"二人饮酒毕,算还酒钱,下楼出街。

行到状元坊,有座茶肆。仁宗道:"可吃杯茶去。"二人入茶肆坐下,忽见白壁之上,有词二只,句语清佳,字画精壮,后写:"锦里⑥秀才赵旭作。"仁宗失惊道:"莫非此人便是?"苗太监便唤茶博士问道:"壁上之词是何人写的?"茶博士答道:"告官人,这个作词的,他是一个不得第的秀才,羞归故里,流落在此。"苗太监又问道:"他是何处人氏?今在何处安

---

① 太平车——一种民间搬载用的大车。
② 司天台——官名,专管观察天文、历数、灾祥等。唐称司天台,宋称司天监。
③ 马前课——一种占法,因为简便,立刻可成,所以称为马前课。
④ 御街——京城内的大街。
⑤ 樊楼——即白矾楼,北宋东京城中最大的一座酒楼,高三层,五座楼相对,飞桥相通,极其奢华。
⑥ 锦里——地名,在成都南。后人也称成都为锦里。

歇？”茶博士道：“他是西川成都府人氏，见在对过状元坊店内安歇，专与人作文度日，等候下科开选。”仁宗想起前因，私对苗太监说道：“此人原是上科试官取中的榜首，文才尽好，只因一字差误，朕怪他不肯认错，遂黜而不用，不期流落于此。”便教茶博士：“去寻他来，我要求他文章。你若寻得他来，我自赏你。”茶博士走了一回，寻他不着，叹道：“这个秀才，真个没福，不知何处去了。”茶博士回覆道：“二位官人，寻他不见。”仁宗道：“且再坐一会，再点茶①来。”一边吃茶，又教茶博士去寻这个秀才来。茶博士又去店中并各处酒店寻问，不见，道：“真乃穷秀才！若遇着这二位官人，也得他些资助，好无福分！”茶博士又回覆道：“寻他不见。”

二人还了茶钱，正欲起身，只见茶博士指道：“兀那②赵秀才来了！”苗太监道：“在那里？”茶博士指街上穿破蓝衫的来者便是，苗太监教请他来。茶博士出街，接着道：“赵秀才，我茶肆中有二位官人等着你，教我寻你两次不见。”赵旭慌忙走入茶坊，相见礼毕，坐于苗太监肩下，三人吃茶。问道：“壁上文词，可是秀才所作？”赵旭答道：“学生不才，信口胡诌，甚是笑话。”仁宗问道：“秀才是成都人，却缘何在此？”赵旭答道：“因命薄下第，羞归故里。”正说之间，赵旭于袖中捞摸。苗太监道：“秀才袖中有何物？”赵旭不答，即时袖中取出，乃是月样玉柄白梨扇子，双手捧与。苗太监看时，上有新诗一首，诗道：

屈曲交枝翠色苍，困龙未际土中藏。
他时若得风云会，必作擎天白玉梁。

苗太监道：“此扇从何而得？”赵旭答道：“学生从樊楼下走过，不知楼上何人坠下此扇，偶然插于学生破蓝衫袖上。就去王丞相家作松诗，起笔因书于扇上。”苗太监道：“此扇乃是此位赵大官人的，因饮酒坠于楼下。”赵旭道：“既是大官人的，即当奉还。”仁宗皇帝大喜，又问秀才，上科为何不第。赵旭答言：“学生三场文字俱成，不想圣天子御览，看得一字差写，因此不第，流落在此。”仁宗曰：“此是今上不明。”赵旭答曰：“今上至明。”仁宗曰：“何字差写？”赵旭曰：“是‘唯’字，学生写为‘厶’旁，天子高明，说是‘口’旁。学生奏说皆可通用。今上御书八字：‘单單、去吉、吴矣、吕

① 点茶——沏茶、冲茶。
② 兀那——那。

台。'——'卿言通用,与朕拆来。'学生无言抵对,因此黜落,至今淹滞。此乃学生考究不精,自取其咎,非圣天子之过也。"仁宗问道:"秀才家居锦里是西川了,可认得王制置①么?"赵旭答道:"学生认得王制置,王制置不认得学生。"仁宗道:"他是我外甥,我修封书,着人送你同去投他,讨了名分②,教你发迹③如何?"赵旭倒身便拜:"若得二位官人提携,不敢忘恩。"苗太监道:"秀才,你有缘遇着大官人抬举,你何不作诗谢之?"赵旭应诺,作诗一首,诗曰:

白玉隐于顽石里,黄金埋入污泥中。
今朝遇贵相提掇,如立天梯上九重。

仁宗皇帝见诗,大喜道:"何作此诗?也未见我荐得你否。我也回诗一首。"诗曰:

一字争差因失第,京师流落误佳期。
与君一柬投西蜀,胜似山呼拜凤墀。

赵旭得大官人诗,感恩不已。又有苗太监道:"秀才,大官人有诗与你,我岂可无一言乎?"乃赠诗一首,诗曰:

旭临帝阙应天文,本得名魁一字浑。
今日柬投王制置,锦衣光耀赵家门。

苗太监道:"秀才你回下处去,待来日早晨,我自催促大官人,着人将书并路费一同送你起程。"赵旭问道:"大官人第宅何处?学生好来拜谢。"苗太监道:"第宅离此甚远,秀才不劳访问。"赵旭就在茶坊中拜谢了,三人一同出门,作别而去。

到来日,赵旭早起等待,果然昨日那没须的白衣秀士,引着一个虞候,担着个衣箱包袱,只不见赵大官人来。赵旭出店来迎接,相见礼毕。苗太监道:"夜来赵大官人依着我,委此人送你起程。付一锭白银五十两,与你文书,赍到成都府去,文书都在此人处,着你路上小心径往。"赵旭再三称谢,问道:"官人高姓大名?"苗太监道:"在下姓苗名秀,就在赵大官人门下,做个馆宾。秀士见了王制置时,自然晓得。"赵旭道:"学生此去,倘

① 制置——官名,负责经营筹划边境的军事。
② 名分——官职、禄位。
③ 发迹——发达、兴起。变得有钱有势。

然得意,决不忘犬马之报。”遂吟诗一首,写于素笺,以寓谢别之意。诗曰:

旧年曾作登科客,今日还期暗点头①。
有意去寻丞相府,无心偶会酒家楼。
空中扇坠蓝衫插,袖里诗成黄阁②留。
多谢贵人修尺一③,西川制置径相投。

苗太监领了诗笺,作别自回。赵旭遂将此银凿碎,算还了房钱,整理衣服齐备,三日后起程。

于路饥餐渴饮,夜住晓行,不则一日,约莫到成都府地面百余里之外,听得人说,差人远接新制置,军民喧闹。赵旭闻信大惊,自想:“我特地来寻王制置,又离任去了,我直如此命薄!怎生是好?”遂吟诗一首,诗曰:

尺书手捧到川中,千里投人一旦空。
辜负高人相汲引,家乡虽近转忧冲。

虞候道:“不须愁烦,且前进打听的实④如何。”赵旭行一步,懒一步,再行二十五里,到了成都地面接官亭⑤上。官员人等喧哄,都说伺候新制置到任,接了三日,并无消息。虞候道:“秀才,我与你到接官亭上看一看。”赵旭道:“不可去,我是个无倚的人。”虞候不管他说,一直将着包袱,挑着衣箱,径到接官亭上歇下。虞候道:“众官在此等甚?何不接新制置?”众官失惊,问道:“不见新制置来?”虞候打开包袱,拆开文书,道:“这秀才便是新制置。”赵旭也吃了一惊。虞候又开了衣箱,取出紫袍金带,象简乌靴,

---

① 暗点头——宋代欧阳修为主考官,评阅试卷,常觉坐位后面,似乎有一个穿朱衣的人暗里不时在点头,每逢点头,则这篇文章必然合格。

② 黄阁——宰相官署。

③ 尺一——原指诏书,后指书信。

④ 的实——确实、实情。

⑤ 接官亭——宋元间州县城外十里或二十里处,置小亭,地方人员于此迎送往来官员。

戴上舒角幞头①,宣读了圣旨。赵旭谢恩,叩首拜敕,授西川五十四州都制置。众官相见,行礼已毕。赵旭着人去寻个好寺院去处暂歇,选日上任。自思前事:“我状元到手,只为一字黜落。谁知命中该发迹,在茶肆遭遇赵大官人,原来正是仁宗皇帝。”此乃是:

着意种花花不活,无心栽柳柳成阴。

赵旭问虞候道:“前者白衣人送我起程的,是何官宰?”虞候道:“此是司天台苗太监,旨意吩咐着我同来。”赵旭自道:“我有眼不识太山也。”

择日上任,骏马雕鞍,张三檐伞盖②,前面队伍摆列,后面官吏跟随,威仪整肃,气象轩昂。上任已毕,归家拜见父母。父母蓦然惊惧,合家迎接,门前车马喧天。赵旭下马入堂,紫袍金带,象简乌靴,上堂参拜父母。父母问道:“你科举不第,流落京师,如何便得此职?又如何除授本处为官?”赵旭具言前事,父母闻知,拱手加额,“感日月之光,愿孩儿忠心补报皇恩。”赵旭作诗一首,诗曰:

功名着意本抡魁③,一字争差不得归。
自恨禹门④风浪急,谁知平地一声雷?

父母心中不胜之喜,合家欢悦。亲友齐来庆贺,做了好几日筵席。旧时逃回之仆,不念旧恶,依还收用。思量仁宗天子恩德,自修表章一道,进谢皇恩。从此西川做官,兼管军民。父母俱迎在衙门中奉养,所谓“一子受皇恩,全家食天禄”。有诗为证:

---

① 舒角幞头——幞头,一名折上巾。宋初制度,用藤织成草胎,外面裹以纱,涂以漆,后来改变,只用漆纱,去掉藤里。旁有两脚(角),用铁制成。共分五等:直脚、局脚、交脚、朝天、顺风。舒角幞头,即直脚幞头,又名展脚幞头,两脚平直,宋时皇帝官僚都戴之。

② 三檐伞盖——官僚所用凉伞,有两层边三层边之分。

③ 抡魁——抡,选拔。抡魁,选中状元。

④ 禹门——即龙门山,相传为大禹所凿,所以又名禹门。

相如持节仍归蜀①,季子怀金又过周②。
衣锦还乡从古有,何如茶肆遇宸游③

# 第十二卷　众名姬春风吊柳七

北阙休上诗,南山归敝庐。
不才明主弃,多病故人疏。
白发催年老,青阳逼岁除。
永怀愁不寐,松月下窗虚。

这首诗,乃唐朝孟浩然所作。他是襄阳第一个有名的诗人,流寓东京,宰相张说甚重其才,与之交厚。一日,张说在中书省入直,草应制诗,苦思不就,遣堂吏密请孟浩然到来,商量一联诗句。正尔烹茶细论,忽然唐明皇驾到。孟浩然无处躲避,伏于床后。明皇早已瞧见,问张说道:"适才避朕者,何人也?"张说奏道:"此襄阳诗人孟浩然,臣之故友。偶然来此,因布衣,不敢唐突圣驾。"明皇道:"朕亦素闻此人之名,愿一见之。"孟浩然只得出来,拜伏于地,口称死罪。明皇道:"闻卿善诗,可将生平得意一首,诵与朕听。"孟浩然就诵了"北阙休上诗"这一首。明皇道:"卿非不才之流,朕亦未为明主;然卿自不来见朕,朕未尝弃卿也。"当下龙颜不悦,起驾去了。次日,张说入朝,见帝谢罪,因力荐浩然之才,可充馆职。明皇道:"前朕闻孟浩然有'流星澹河汉,疏雨滴梧桐'之句,何其清新!又闻有'气蒸云梦泽,波撼岳阳楼'之句,何其雄壮!昨在朕前,偏述枯槁之辞;又且中怀怨望,非用世之器也。宜听归南山,以成其志!"由是终身

① 相如持节仍归蜀——汉司马相如游梁反蜀,家中贫穷,曾与卓文君卖酒于临邛。后来汉武帝拜他为中郎将,命他持节出使西南夷,又到蜀中,其岳父卓王孙改变了从前对他的态度。

② 季子怀金又过周——苏秦,字季子,战国时洛阳人,洛阳是东周的都城。苏秦早年出外游历,穷困而归,他的兄弟嫂妹妻妾都耻笑他。后来苏秦发迹,佩六国相印,又经过洛阳,兄弟妻嫂侧目,不敢仰视。苏秦问他嫂嫂:"为何前倨后恭?"他嫂嫂回答说:"因为看见季子位高而且金多。"

③ 宸游——皇帝出游。

不用,至今人称为孟山人。后人有诗叹云:

新诗一首献当朝,欲望荣华转寂寥。
不是不才明主弃,从来贵贱命中招。

古人中有因一言拜相的,又有一篇赋上遇主的;那孟浩然只为错念了八句诗,失了君王之意,岂非命乎?如今我又说一桩故事,也是个有名才子,只为一首词上,误了功名,终身坎壈,后来颠到成了风流佳话。那人是谁?说起来,是宋神宗时人,姓柳名永,字耆卿。原是建宁府崇安县人氏,因随父亲作宦,流落东京。排行第七,人都称为柳七官人。年二十五岁,丰姿洒落,人才出众,琴棋书画,无所不通,至于吟诗作赋,尤其本等。还有一件,最其所长,乃是填词。怎么叫做填词?假如李太白有《忆秦娥》、《菩萨蛮》,王维有《郁轮袍》,这都是词名,又谓之诗余,唐时名妓多歌之。至宋时,大晟府①乐官博采词名,填腔进御。这个词,比切声调,分配十二律,其某律某调,句长句短,合用平上去入四声字眼,有个一定不移之格。作词者,按格填入,务要字与音协,一些杜撰不得,所以谓之填词。那柳七官人,于音律里面,第一精通,将大晟府乐词,加添至二百余调,真个是词家独步。他也自恃其才,没有一个人看得入眼,所以缙绅之门,绝不去走,文字之交,也没有人。终日只是穿花街,走柳巷,东京多少名妓,无不敬慕他,以得见为荣。若有不认得柳七者,众人都笑他为下品,不列姊妹之数。所以妓家传出几句口号,道是:

不愿穿绫罗,愿依柳七哥;不愿君王召,愿得柳七叫;
不愿千黄金,愿中柳七心;不愿神仙见,愿识柳七面。

那柳七官人,真个是朝朝楚馆,夜夜秦楼。内中有三个出名上等的行首②,往来尤密,一个唤做陈师师,一个唤做赵香香,一个唤做徐冬冬。这三个行首,赔着自己钱财,争养柳七官人。怎见得?有《戏题》一词,名《西江月》为证:

调笑师师最惯,香香暗地情多,冬冬与我煞脾和③;独自窝盘三

---

① 大晟府——宋代掌管音乐的衙署。
② 行(háng)首——妓女的领班。
③ 脾和——情投意合。

个。　　“管”字下边①无分，“闭”字加点②如何？权将“好”字自停那，“姦”字中间着我。

这柳七官人，诗词文采，压于朝士，因此近侍官员，虽闻他恃才高傲，却也多少敬慕他的。那时天下太平，凡一才一艺之士，无不录用。有司荐柳永才名，朝中又有人保奏，除授浙江管下余杭县宰。这县宰官儿，虽不满柳耆卿之意，把做个进身之阶，却也罢了；只是舍不得那三个行首。时值春暮，将欲起程，乃制《西江月》为词，以寓惜别之意：

凤额绣帘高卷，兽镮朱户频摇。两竿红日上花梢，春睡厌厌难觉。　　好梦狂随飞絮，闲愁浓胜香醪。不成雨暮与云朝，又是韶光过了。

三个行首，闻得柳七官人浙江赴任，都来饯别。众妓至者如云，耆卿口占《如梦令》云：

郊外绿阴千里，掩映红裙十队。惜别语方长，车马催人速去。偷泪，偷泪，那得分身应你！

柳七官人别了众名姬，携着琴剑书箱，扮作游学秀士，迤逦上路。一路观看风景，行至江州。访问本处名妓，有人说道：“此处只有谢玉英，才色第一。”耆卿问了住处，径来相访。玉英迎接了，见耆卿人物文雅，便邀入个小小书房。耆卿举目看时，果然摆投得精致。但见：

明窗净几，竹榻茶垆③。床间挂一张名琴，壁上悬一幅古画。香风不散，宝炉中常爇沉檀；清风逼人，花瓶内频添新水。万卷图书供玩览，一枰横局佐欢娱。

耆卿看他卓上，摆着一册书，题云：“柳七新词”。捡开看时，都是耆卿平日的乐府，蝇头细字，写得齐整。耆卿问道：“此词何处得来？”玉英道：“此乃东京才子柳七官人所作，妾平昔甚爱其词，每听人传诵，辄手录成帙。”耆卿又问道：“天下词人甚多，卿何以独爱此作？”玉英道：“他描情写景，字字逼真。如《秋思》一篇末云：‘黯相望，断鸿声里，立尽斜阳。’《秋别》一篇云：‘今宵酒醒何处？杨柳岸晓风残月。’此等语，人不能道。

---

① 管字下边——指官。

② 闭字加点——指闲。

③ 垆(lú)——墩、几。

妾每诵其词，不忍释手，恨不得见其人耳。”耆卿道：“卿要识柳七官人否？只小生就是。”玉英大惊，问其来历，耆卿将余杭赴任之事，说了一遍。玉英拜倒在地，道：“贱妾凡胎，不识神仙，望乞恕罪。”置酒款待，殷勤留宿。

耆卿深感其意，一连住了三五日；恐怕误了凭限，只得告别。玉英十分眷恋，设下山盟海誓，一心要相随柳七官人，侍奉箕帚。耆卿道：“赴任不便，若果有此心，俟任满回日，同到长安。”玉英道：“既蒙官人不弃贱妾，从今为始，即当杜门绝客以待，切勿遗弃。使妾有《白头》之叹。”耆卿索纸，写下一词，名《玉女摇仙佩》，词云：

飞琼①伴侣，偶别珠宫，未返神仙行缀②。取次③梳妆，寻常言语，有得几多姝丽？拟把名花比，恐旁人笑我谈何容易。细思算，奇葩艳卉，惟是深红浅白而已。争如这多情，占得人间千娇百媚。

须信画堂绣阁，皓月清风，忍把光阴轻弃。自古及今，佳人才子，少得当年双美。且恁相偎倚，未消得怜我多才多艺。愿奶奶兰心蕙性，枕前言下，表余深意。为盟誓，今生断不孳鸳被。

耆卿吟词罢，别了玉英上路。不一日，来到姑苏地方，看见山明水秀，到个路旁酒楼上，沽饮三杯。忽听得鼓声齐响，临窗而望，乃是一群儿童，掉了小船，在湖上戏水采莲。口中唱着吴歌云：

采莲阿姐斗梳妆，好似红莲搭个白莲争。红莲自道颜色好，白莲自道粉花香。　　粉花香，粉花香，贪花人一见便来抢。红个也忒贵，白个也弗强④。当面下手弗得，和你私下商量。好像荷叶遮身无人见，下头成藕带丝长。

柳七官人听罢，取出笔来，也做一只吴歌，题于壁上。歌云：

十里荷花九里红，中间一朵白松松。白莲则好摸藕吃，红莲则好结莲蓬。　　结莲蓬，结莲蓬，莲蓬生得忒玲珑。肚里一团清趣，外头包裹重重。有人吃着滋味，一时劈破难容。只图口甜，那得知我心里苦？开花结子一场空。

这首吴歌，流传吴下，至今有人唱之。

---

① 飞琼——许飞琼，神话中王母的侍女。

② 行缀——行列。

③ 取次——草草、随便。

④ 强——吴语，价钱低廉。

却说柳七官人过了姑苏，来到余杭县上任，端的为官清正，讼简词稀。听政之暇，便在大涤、天柱、由拳诸山，登临游玩，赋诗饮酒。这余杭县中，也有几家官妓，轮番承直。但是讼牒中犯着妓者名字，便不准行①。妓中有个周月仙，颇有姿色，更通文墨。一日，在县衙唱曲侑酒②，柳县宰见他似有不乐之色，问其缘故。月仙低头不语，两泪交流。县宰再三盘问，月仙只得告诉。

原来月仙与本地一个黄秀才，情意甚密。月仙一心只要嫁那秀才，奈秀才家贫，不能备办财礼。月仙守那秀才之节，誓不接客。老鸨再三逼迫，只是不从，因是亲生之女，无可奈何。黄秀才书馆，与月仙只隔一条大河，每夜月仙渡船而去，与秀才相聚，至晓又回。同县有个刘二员外，爱月仙丰姿，欲与欢会。月仙执意不肯，吟诗四句道：

不学路旁柳，甘同幽谷兰。
游蜂若相询，莫作野花看。

刘二员外心生一计，嘱咐舟人，教他乘月仙夜渡，移至无人之处，强奸了他，取个执证回话，自有重赏。舟人贪了赏赐，果然乘月仙下船，远远撑去。月仙见不是路，喝他住舡，那舟人那里肯依？直摇到芦花深处，僻静所在，将船泊了，走入船舱，把月仙抱住，逼着定要云雨。月仙自料难以脱身，不得已而从之。云收雨散，月仙惆怅，吟诗一首：

自恨身为妓，遭污不敢言。
羞归明月渡，懒上载花船。

是夜月仙仍到黄秀才馆中住宿，却不敢声告诉，至晓回家。其舟人记了这四句诗，回复刘二员外。员外将一锭银子，赏了舟人去了，便差人邀请月仙家中侑酒。酒到半酣，又去调戏月仙，月仙仍旧推阻。刘二员外取出一把扇子来，扇上有诗四句，教月仙诵之。月仙大惊，原来却是舟中所吟四句，当下顿口无言。刘二员外道："此处牙床锦被，强似芦花明月，小娘子勿再推托。"月仙满面羞惭，安身无地，只得从了刘二员外之命。以后刘二员外日逐在他家占住，不容黄秀才相处。

自古道："小娘爱俏，鸨儿爱钞。"黄秀才虽然儒雅，怎比得刘二员外

---

① 准行——准许、批准、受理。

② 侑(yòu)酒——劝人吃酒，伴酒。

有钱有钞？虽然中了鸨儿之意，月仙心下只想着黄秀才，以此闷闷不乐。今番被县宰盘问不过，只得将情诉与。柳耆卿是风流首领，听得此语，好生怜悯。当日就唤老鸨过来，将钱八十千付作身价，替月仙除了乐籍。一面请黄秀才相见，亲领月仙回去，成其夫妇。黄秀才与周月仙拜谢不尽。正是：

风月客怜风月客，有情人遇有情人。

柳耆卿在余杭三年，任满还京。想起谢玉英之约，便道再到江州。原来谢玉英初别耆卿，果然杜门绝客；过了一年之后，不见耆卿通问，未免风愁月恨。更兼日用之需，无从进益，日逐车马填门，回他不脱，想着五夜夫妻，未知所言真假，又有闲汉从中撺掇，不免又随风倒舵，依前接客。有个新安大贾孙员外，颇有文雅，与他相处年余，费过千金。耆卿到玉英家询问，正值孙员外邀玉英同往湖口看船去了。耆卿倒不遇，知玉英负约，怏怏不乐，乃取花笺一幅，制词名《击梧桐》，词云：

香靥深深，姿姿媚媚，雅格奇容天与。自识伊来便好看承①，会得妖娆心素。临岐再约同欢，定是都把平生相许。又恐恩情易破难成，未免千般思虑。

近日重来，空房而已，苦没叨叨言语。便认得听人教当②，拟把前言轻负。见说兰台宋玉，多才多艺善词赋。试与问朝朝暮暮，行云何处去？

后写："东京柳永访玉卿不遇漫题。"耆卿写毕，念了一遍，将词笺粘于壁上，拂袖而出。回到东京，屡有人举荐，升为屯田员外郎之职。东京这班名姬，依旧来往。耆卿所支俸钱，及一应求诗求词馈送下来的东西，都在妓家销化③。

一日，正在徐冬冬家积翠楼戏耍，宰相吕夷简差堂吏传命，直寻将来，说道："吕相公六十诞辰，家妓无新歌上寿，特求员外一阕，幸即挥毫，以便演习。蜀锦二端，吴绫四端，聊充润笔之敬，伏乞俯纳。"耆卿允了，留堂吏在楼下酒饭，问徐冬冬有好纸否，徐冬冬在箧中，取出两幅芙蓉笺纸，

① 看承——看待、照看。
② 教当——教唆。
③ 销化——用去、花掉。

放于案上。耆卿磨得墨浓,蘸得笔饱,拂开一幅笺纸,不打草儿,写下《千秋岁》一阕云:

泰阶①平了,又见三台②耀。烽火静,欃枪③扫。朝堂耆硕辅,樽俎英雄表。福无艾,山河带砺人难老。　渭水当年钓,晚应飞熊兆;同一吕,今偏早。乌纱头未白,笑把金樽倒。人争羡,二十四遍中书考④。

耆卿一笔写完,还剩下芙蓉笺一纸,余兴未尽,后写《西江月》一调云:

腹内胎生异锦,笔端舌喷长江。纵教疋绢字难偿,不屑与人称量。　我不求人富贵,人须求我文章。风流才子占词场,真是白衣卿相。

耆卿写毕,放在卓上。

恰好陈师师家差个侍儿来请,说道:"有下路新到一个美人,不言姓名,自述特慕员外,不远千里而来,今在寒家奉候,乞即降临。"耆卿忙把诗词装入封套,打发堂吏,动身去了,自己随后往陈师师家来。一见了那美人,吃了一惊。那美人是谁?正是:

着意寻不见,有时还自来。

那美人正是江州谢玉英。他从湖口看船回来,见了壁上这只《击梧桐》词,再三讽咏,想着耆卿果是有情之人,不负前约,自觉惭愧。瞒了孙员外,收拾家私,雇了船只,一径到东京来,问柳七官人。闻知他在陈师师家往来极厚,特拜望师师,求其引见耆卿。当时分明是断花再接,缺月重圆,不胜之喜。陈师师问其详细,便留谢玉英同住。玉英怕不稳便,商量割东边院子另住。自到东京,从不见客,只与耆卿相处,如夫妇一般。耆卿若往别妓家去,也不阻挡,甚有贤达之称。

话分两头。再说耆卿匆忙中,将所作寿词封付堂吏,谁知忙中多有错,一时失于点检,两幅词笺都封了去。吕丞相拆开封套,先读了《千秋岁》调,倒也欢喜。又见《西江月》调,少不得也念一遍,念到"纵教疋绢字难偿,不屑与人称量",笑道:"当初裴晋公修福光寺,求文于皇甫湜,湜每

① 泰阶——星名,即三台。依照古代术数家的说法,泰阶平,则天下太平。

② 三台——星名,包括上台、中台、下台,古人常用以象征三公。

③ 欃(chān)枪——彗星。

④ 二十四遍中书考——唐代郭子仪任中书令,历考二十四次。长久做中书令。

字索绢三匹。此子嫌吾酬仪太薄耳。”又念到“我不求人富贵,人须求我文章”,大怒道:“小子轻薄,我何求汝耶?”从此衔恨在心。柳耆卿却是疏散的人,写过词,丢在一边了,那里还放在心上。

又过了数日,正值翰林员缺,吏部开荐柳永名字,仁宗曾见他增定大晟乐府,亦慕其才,问宰相吕夷简道:“朕欲用柳永为翰林,卿可识此人否?”吕夷简奏道:“此人虽有词华,然恃才高傲,全不以功名为念。见任屯田员外,日夜留连妓馆,大失官箴。若重用之,恐士习由此而变。”遂把耆卿所作《西江月》词诵了一遍,仁宗皇帝点头。早有知谏院官打听得吕丞相衔恨柳永,欲得逢迎其意,连章参劾。仁宗御笔批着四句道:

柳永不求富贵,谁将富贵求之?
任作白衣卿相,风前月下填词。

柳耆卿见罢了官职,大笑道:“当今做官的,都是不识字之辈,怎容得我才子出头?”因改名柳三变,人都不会其意,柳七官人自解说道:“我少年读书,无所不窥,本求一举成名,与朝家出力;因屡次不第,牢骚失意,变为词人。以文采自见,使名留后世足矣;何期被荐,顶冠束带,变为官人。然浮沉下僚,终非所好;今奉旨放落,行且逍遥自在,变为仙人。”从此益放旷不检,以妓为家,将一个手板①上写道:“奉圣旨填词柳三变。”欲到某妓家,先将此手板送去,这一家便整备酒肴,伺候过宿。次日,再要到某家,亦复如此。凡所作小词,落款书名处,亦写“奉圣旨填词”五字,人无有不笑之者。

如此数年,一日在赵香香家,偶然昼寝,梦见一黄衣吏从天而下,道说:“奉玉帝敕旨,《霓裳羽衣曲》已旧,欲易新声,特借重仙笔,即刻便往。”柳七官人醒来,便讨香汤沐浴,对赵香香道:“适蒙上帝见召,我将去矣。各家姊妹可寄一信,不能候之相见也。”言毕,瞑目而坐。香香视之,已死矣。慌忙报知谢玉英,玉英一步一跌的哭将来。陈师师、徐冬冬两个行首,一时都到。又有几家曾往来的,闻知此信,也都来赵家。

原来柳七官人,虽做两任官职,毫无家计②。谢玉英虽说跟随他终身,到带着一家一伙前来,并不费他分毫之事。今日送终时节,谢玉英便

---

① 手板——官吏上朝或谒见上司时所拿的笏(hù)板。

② 家计——家当、财产。

是他亲妻一般;这几个行首,便是他亲人一般。当时陈师师为首,敛取众妓家财帛,制买衣衾棺椁,就在赵家殡殓。谢玉英衰绖①做个主丧,其他三个的行首,都聚在一处,带孝守幕。一面在乐游原上,买一块隙地起坟,择日安葬。坟上竖个小碑,照依他手板上写的,增添两字,刻云:"奉圣旨填词柳三变之墓。"出殡之日,官僚中也有相识的,前来送葬。只见一片缟素,满城妓家无一人不到,哀声震地。那送葬的官僚,自觉惭愧,掩面而返。

不逾两月,谢玉英过哀,得病亦死,附葬于柳墓之旁。亦见玉英贞节,妓家难得,不在话下。

自葬后,每年清明左右,春风骀荡,诸名姬不约而同,各备祭礼,往柳七官人坟上,挂纸钱拜扫,唤做"吊柳七",又唤做"上风流冢"。未曾"吊柳七""上风流冢"者,不敢到乐游原上踏青。后来成了个风俗,直到高宗南渡之后,此风方止。后人有诗题柳墓云:

乐游原上妓如云,尽上风流柳七坟。
可笑纷纷缙绅辈,怜才不及众红裙。

# 第十三卷　张道陵七试赵升

但闻白日升天去,不见青天走下来。
有朝一日天破了,人家都叫阿瘩瘩②。

这四句诗,乃国朝唐解元所作,是讥诮神仙之说,不足为信。此乃戏谑之语,从来混沌剖判,便立下了三教:太上老君立了道教,释迦祖师立了佛教,孔夫子立了儒教。儒教中出圣贤,佛教中出佛菩萨,道教中出神仙。那三教中,儒教忒平常,佛教忒清苦,只有道教学成长生不死,变化无端,最为洒落③。看官,我今日说一节故事,乃是张道陵七试赵升。那张道陵

① 衰绖——丧服。
② 阿瘩瘩——用力或痛楚时的呼声。
③ 洒落——洒脱。

便是龙虎山中历代住持道教的正一天师①第一代始祖，赵升乃其徒弟。有诗为证：

剖开顽石方知玉，淘尽泥沙始见金。

不是世人仙气少，仙人不似世人心。

话说张天师的始祖，讳道陵，字辅汉，沛国人氏，乃是张子房第八世孙。汉光武皇帝建武十年降生，其母梦见北斗第七星从天坠下，化为一人。身长丈余，手中托一丸仙药，如鸡卵大，香气袭人。其母取而吞之，醒来便觉满腹火热，异香满室，经月不散。从此怀孕，到十月满足，忽然夜半屋中光明如昼，遂生道陵。七岁时，便能解说《道德经》，及河图②谶纬③之书，无不通晓。年十六，博通五经。身长九尺二寸，庞眉广颡，朱项绿睛，隆准方颐，伏犀贯顶④，垂手过膝，龙蹲虎步，望之使人可畏。举贤良方正，入太学。一旦喟然叹曰："流光如电，百年瞬息耳，纵位极人臣，何益于年命之数乎？"遂专心修炼，欲求长生不死之术。同学有一人，姓王名长，闻道陵之言，深以为然，即拜道陵为师，愿相随名山访道。

行至豫章郡，遇一绣衣童子，问曰："日暮道远，二公将何之？"道陵大惊，知其非常人，乃自述访道之意。童子曰："世人论道，皆如捕风捉影，必得黄帝九鼎丹法，修炼成就，方可升天。"于是师徒二人拜求指示，童子口授二语，道是：

左龙并右虎，其中有天府。

说罢，忽然不见。道陵记此二语，但未解其意。

一日，行至龙虎山中，不觉心动，谓王长曰："'左龙右虎'，莫非此地乎？'府'者，藏也，或有秘书藏于此地。"乃登其绝顶，见一石洞，名曰壁鲁洞，洞中或明或暗，委曲⑤异常。走到尽处，有生成石门两扇。道陵想道："此必神仙之府。"乃与弟子王长端坐石门之外，凡七日，忽然石门洞

---

① 正一天师——元成宗铁穆耳封张道陵的后裔张兴材为"正一教主"，至明代，其子孙仍世袭"正一真人"。所以元明人称张天师为"正一天师"。

② 河图——传说伏羲氏时，有龙马出于河，伏羲氏依其文画八卦，称为河图。

③ 谶讳(chènwěi)——一种专讲术数占验的书。

④ 伏犀贯顶——星相家的迷信说法，头上有骨，从天庭(眉间)通至头顶，叫伏犀骨。伏犀骨贯顶，这是富贵之相。

⑤ 委曲——曲折。

开,其中石桌、石凳俱备,卓上无物,只有文书一卷。取而观之,题曰“黄帝九鼎太清丹经”。道陵举手加额,叫声惭愧①。师徒二人欢喜无限,取出丹经,昼夜观览,具知其法。但修炼合用药物炉火之费甚广,无从措办。道陵先年曾学得有治病符水,闻得蜀中风俗醇厚,乃同王长入蜀,结庐于鹤鸣山中,自称真人,专用符水救人疾病。投之辄验,来者渐广。又多有人拜于门下,求为弟子,学他符水之法。

真人见人心信服,乃立为条例:所居门前有水池,凡有疾病者,皆疏记生身以来所为不善之事,不许隐瞒,真人自书忏文,投池水中;与神明共盟约,不得再犯,若复犯,身当即死;设誓毕,方以符水饮之。病愈后,出米五斗为谢。弟子辈分路行法,所得米绢数目,悉开报于神明,一毫不敢私用。由是百姓有小疾病,便以为神明谴责,自来首过;病愈后,皆羞惭改行,不敢为非。如此数年,多得钱财,乃广市药物,与王长居密室中,共炼龙虎大丹。三年丹成,服之。真人年六十余,自服丹药,容颜转少,如三十岁后生模样。从此能分形散影,常乘小舟,在东西二溪往来游戏,堂上又有一真人诵经不辍。若宾客来访,迎送应对,或酒杯棋局,各各有一真人,不分真假,方知是仙家妙用。

一日,有道士来言:西城有白虎神,好饮人血,每岁其乡必杀人祭之。真人心中不忍,将到祭祀之期,真人亲往西城。果见乡中百姓绑缚一人,用鼓乐导引,送于白虎神庙。真人问其缘故,所言与道士相合:若一年缺祭,必然大兴风雨,毁苗杀稼,殃及六畜。所以一方惧怕,每年用重价购求一人,赤身绑缚,送至庙中。夜半,凭神吮血享用,以此为常,官府亦不能禁。真人曰:“汝放此人去,将我代之何如?”众乡民道:“此人因家贫无倚,情愿舍身充祭,得我们五十千钱,葬父嫁妹,花费已尽,今日之死,乃其分内,你何苦自伤性命?”真人曰:“我不信有神道吃人之事,若果有此事,我自愿承当,死而无怨。”众人商量道:“他自不信,不干我事,左右是一条性命。”便依了真人言语,把绑缚那人解放了。那人得了命,拜谢而去。众人便要来绑缚真人,真人曰:“我自情愿,决不逃走,何用绑缚?”众人依允。真人入得庙来,只见庙中香烟缭绕,灯烛炜煌,供养着土偶神像,狰狞可畏,案桌上摆列着许多祭品。众人叩头宣疏已毕,将真人闭于殿门之

---

① 惭愧——此为惊喜之词。侥幸,如同谢天谢地。

内，随将封锁。真人瞑目静坐以待。

约莫更深，忽听得一阵狂风，白虎神早到。一见真人，便来攫取。只见真人口耳眼鼻中，都放出红光，罩定了白虎神，此乃是仙丹之力。白虎神大惊，忙问："汝何人也？"真人曰："吾奉上帝之命，管摄四海五岳诸神，命我分形查勘，汝何方孽畜，敢在此虐害生灵？罪业深重，天诛难免！"白虎神方欲抗辨，只见前后左右都是一般真人，红光遍体，唬得白虎神眼缝也开不得，叩头求哀。原来白虎神是金神，自从五丁开道，凿破蜀山，金气发泄，变为白虎，每每出现，生灾作耗①。土人立庙，许以岁时祭享，方得安息。真人炼过金丹，养就真火，金怕火克，自然制伏。当下真人与他立誓，不许生事害民，白虎神受戒而去。

次日侵晨，众乡民到庙，看见真人端然不动，骇问其由。真人备言如此如此，今后更不妄害民命，有损无益。众乡人拜求名姓，真人曰："我乃鹤鸣山张道陵也。"说罢，飘然而去。众乡民在白虎庙前，另创前殿三间，供养张真人像，从此革了人祭之事。有诗为证：

积功累行始成仙，岂止区区服食缘。
白虎神藏人祭革，活人阴德在年年。

那时广汉青石山中，有大蛇为害，昼吐毒雾，行人中毒便死。真人又去剿除了那毒蛇，山中之人，方敢昼行。

顺帝汉安元年，正月十五夜，真人在鹤鸣山精舍②独坐，忽闻隐隐天乐之声，从东而来，銮佩珊珊渐近。真人出中庭瞻望，忽见东方一片紫云，云中有素车一乘，冉冉而下。车中端坐一神人，容若冰玉，神光照人，不可正视。车前站立一人，就是前番在豫章郡所遇的绣衣童子。童子谓真人曰："汝休惊怖，此乃太上老君也。"真人慌忙礼拜。老君曰："近蜀中有众鬼魔王，枉暴生民，深可痛惜。子其为我治之，以福生灵，则子之功德无量，而名录丹台③矣。"乃授以《正一盟威秘录》④、三清众经九百三十卷，符录丹灶秘诀七十二卷，雌雄剑二口，都功印一枚，又嘱道："与子刻期，

① 作耗——为祸、为害。
② 精舍——指佛道修行者所居的庐舍。
③ 丹台——神仙所居的地方。
④ 《正一盟威秘录》——即《太上正一盟威法箓》，为一部道家的符箓书。

千日之后,会于阆苑①。”真人叩头领讫,老君升云而去。

真人从此日味秘文,按法遵修。闻知益州有八部鬼帅,各领鬼兵,动亿万数,周行人间,暴杀万民,枉夭无数。真人奉老君诰命,佩《盟威秘录》,往青城山,置琉璃高座,左供大道元始天尊,右置三十六部真经,立十绝灵幡,周匝法席,鸣钟叩磬,布下龙虎神兵,欲擒鬼帅。鬼帅乃驱率众鬼,挟兵刃矢石,来害真人。真人将左手竖起一指,那指头变成一大朵莲花,千叶扶疏,兵矢皆不能入。众鬼又持火千余炬来,欲行烧害。真人把袖一拂,其火即返烧众鬼。众鬼乃遥谓真人曰:“吾师自住鹤鸣山中,何为来侵夺我居处?”真人曰:“汝等残害众生,罪通于天,吾奉太上老君之命,是以来伐汝。汝若知罪,速避西方不毛之地,勿复行病②人间,可保无事。如仍前作业,即行诛戮,不留余种。”鬼帅不服,次日复会六大魔王,率鬼兵百万,安营下寨,来攻真人。真人欲服其心,乃谓曰:“试与尔各尽法力,观其胜负。”六魔应诺。真人乃命王长积薪放火,火势正猛。真人投身入火,火中忽生青莲花,托真人两足而出。六魔笑曰:“有何难哉!”把手分开火头,扨身③便跳。两个魔王先跳下火的,须眉皆烧坏了,负痛奔回。那四个魔王,更不敢动弹。真人又投身入水,即乘黄龙而出,衣服毫不濡湿。六魔又笑道:“火其实利害,这水打甚紧?”扑通的一声,六魔齐跳入水,在水中连翻几个筋斗。忙忙爬起,已自吃了一肚子淡水。真人复以身投石,石忽开裂,真人从后而出。六魔又笑道:“论我等气力,便是山也穿得过,况于石乎?”硬挺着肩胛捱进石去。真人诵咒一遍,六个魔王半身陷于石中,展动不得,哀号欲绝。其时八部鬼帅大怒,化为八只吊睛老虎,张牙舞爪,来攫真人。真人摇身一变,变成狮子逐之。鬼帅再变八条大龙,欲擒狮子。真人又变成大鹏金翅鸟,张开巨喙,欲啄龙睛。鬼帅再变五色云雾,昏天暗地。真人变化一轮红日,升于九霄,光辉照曜,云雾即时流散。

鬼帅变化已穷,真人乃拈取片石,望空撇去,须臾化为巨石,如一座小山相似;空中一线系住,如藕丝之细,悬罩于鬼营之上;石上又有二鼠争啮

---

① 阆苑——神仙居住的地方。

② 行病——散布疾病。

③ 扨(sǒng)身——挺身、纵身。

那一线,岌岌欲堕。魔王和鬼帅在高处看见,恐怕灭绝了营中鬼子鬼孙,乃同声哀告饶命,愿往西方娑罗国居住,再不敢侵扰中土。真人遂判令六大魔王归于北酆,八部鬼帅窜于西域。

其时魔王身离石中,和鬼帅合成一党,兀自踌躇不去。真人知众鬼不可善遣,乃口敕神符一道,飞上层霄。须臾之间,只见风伯招风,雨师降雨,雷公兴雷,电母闪电,天将神兵各持刃兵,一时齐集,杀得群鬼形消影绝。真人方才收了法力,谓王长曰:"蜀人今始得安寝矣。"有《西江月》为证:

鬼帅空施伎俩,魔王枉逞英雄,谁知大道有神通,一片精神运动。

水火不加寒热,腾身陷石如空;一场风雨众妖空,才识仙家妙用。

真人复谓王长曰:"吾上升之期已近,壁鲁洞乃吾得道之地,不可忘本。"于是再至豫章,结庐于龙虎山中,师徒二人潜修九还七返①之功。

忽一日,复聆銮佩天乐之音,与鹤鸣山所闻无二。真人急忙整身,叩伏阶前。见千乘万骑,簇拥着老君,在云端徘徊不下。真人再拜,老君乃命使者告曰:"子之功业,合得九真上仙。吾昔使子入蜀,但区别人鬼,以布清净之化;子杀鬼过多,又擅兴风雨,役使鬼神,阴景翳昼,杀气秽空,殊非天道好生之意。上帝正责子过,所以吾今日不得近子也。子且退居,勤行修道。同时飞举者,数合三人。俟数到之日,吾待子于上清八景宫中。"言讫,圣驾复去。真人乃精心忏悔,再与王长回鹤鸣山去。

山中诸弟子晓得真人法力广大,只有王长一人私得其传,纷纷议论,尽疑真人偏向,有吝法之心。真人曰:"尔辈俗气未除,安能遗世?止可得吾导引房中之术,或服食草木以延寿命耳。明年正月七日午时,有一人从东方来,方面短身,貂裘锦袄,此乃真正道中之人,不弱于王长也。"诸弟子闻言,半疑不信。

到来年正月初七日,当正午,真人乃谓王长曰:"汝师弟至矣,可使人……"如此如此。王长领了法旨,步出山门,望东而看,果见一人来至,衣服状貌,一如真人所言,诸弟子暗暗称奇。王长私谓诸弟子曰:"吾师

① 九还七返——道家烧炼丹药,有九还七返的说法。还和返都是循环变化的意思,据说烧炼时间愈久,还返次数愈多,则药力愈大。七返灵砂,可以起死回生;九还金丹,服之三日成仙。

将传法于此人,若来时切莫与通信,更加辱骂,不容入门,彼必去矣。"诸弟子相顾,以为得计。那人到门,自称姓赵名升,吴郡人氏,慕真人道法高妙,特来拜谒。诸弟子回言:"吾师出游去了,不敢擅留。"赵升拱立伺候,众人四散走开了。到晚,径自闭门不纳。赵升乃露宿于门外。

次日,诸弟子开门看时,赵升依前拱立,求见师长。诸弟子曰:"吾师甚是私刻①,我等伏侍数十年,尚无丝毫秘诀传授,想你来之何益?"赵升曰:"传与不传,惟凭师长。但某远跻而来,只愿一见,以慰平生仰慕耳。"诸弟子又曰:"要见亦由你,只吾师实不在此,知他何日还山?足下休得痴等,有误前程。"赵升曰:"某之此来,出于积诚。若真人十日不归,愿等十日;百日不来,愿等百日。"

众人见赵升连住数日,并不转身,愈加厌恶,渐渐出言侮慢,以后竟把作乞儿看待,恶言辱骂。赵升愈加和悦,全然不校②。每日只于午前往村中买一餐,吃罢便来门前伺候。晚间众人不容进门,只就阶前露宿。如此四十余日,诸弟子私相议论道:"虽然辞他不去,且喜得瞒过师父,许久尚不知觉。"只见真人在法堂鸣钟集众曰:"赵家弟子到此四十余日,受辱已足了,今日可召入相见。"众弟子大惊,才晓得师父有前知之灵也。王长受师命,去唤赵升进见。赵升一见真人,涕泣交下,叩头,求为弟子。真人已知他真心求道,再欲试之,过了数日,差往田舍中看守黍苗。

赵升奉命,来到田边,只有小小茅屋一间,四围无倚,野兽往来极多。赵升朝暮伺候赶逐,全不懈怠。忽一夜,月明如昼。赵升独坐茅屋中,只见一女子,美貌非常。走进屋来,深深道个万福,说道:"妾乃西村农家之女,随伴出来玩月。因往田中小解,失了伴侣,追寻不着,迷路至此。两足走得疼痛,寸步难移,乞善士可怜容妾一宿,感恩非浅。"赵升正待推阻,那女子径往他床铺上,倒身睡下,口内娇啼宛转,只称脚痛。赵升认是真情,没奈何,只得容他睡了。自己另铺些乱草,和衣倒地,睡了一夜。次日,那女子又推脚痛,故意不肯行走,撒娇撒痴的要茶要饭,赵升只得管顾他。那女子倒说些风话③,引诱赵升。到晚来,先自脱衣上铺,央赵升与

① 私刻——藏私、吝啬。
② 不校——不加计较。
③ 风话——此指风情话,不正经的话。

他扯被加衣。赵升心如铁石,见女子着邪,连茅屋也不进了,只在田塍边露坐到晓。至第四日,那女子已不见了,只见土墙上题诗四句,道是:

美色人皆好,如君铁石心。
少年不作乐,辜负好光阴。

字画柔媚,墨迹如新。赵升看罢,大笑道:"少年作乐,能有几时?"便脱下鞋底,将字迹挞没了。正是:

落花有意随流水,流水无情恋落花。

光阴荏苒,不觉春去秋来。赵升奉真人之命,担了樵斧,去山后砍柴。偶然砍倒一株枯松,去得力大,喲喇一声,松根迸起。赵升将双手拔起松根看时,下面显出黄灿灿的一窖金子。忽听得空中有人云:"天赐赵升。"赵升想道:"我出家之人,要这黄金何用?况且无功,岂可贪天之赐?"便将山土掩覆。收拾了柴担,觉得身子困倦,靠石而坐,少憩片时。忽然狂风大作,山凹里跳出三只黄斑老虎。赵升安坐不动,那三只虎攒着①赵升,咬他的衣服,只不伤身。赵升全然不惧,颜色不变,谓虎曰:"我赵升生平不作昧心之事,今弃家入道,不远千里,来寻明师,求长生不死之路。若前世欠你宿债,今生合供你啖嚼,不敢畏避;如其不然,便可速去,休在此蒿恼人。"三虎闻言,皆弭耳低头而去。赵升曰:"此必山神遣来试我者,死生有命,吾何惧哉!"当日荷柴而归,也不对同辈说知见金逢虎之事。

又一日,真人吩咐赵升往市上买绢十匹。赵升还值②已毕,取绢而归。行至中途,忽闻背后有人叫喊云:"劫绢贼慢走!"赵升回头看时,乃是卖绢主人飞奔而来,一把扯住赵升,说道:"绢价一些未还,如何将我绢去?好好还我,万事全休!"赵升也不争辨,但念:"此绢乃吾师欲用之物,若还了他,如何回覆师父?"便脱下貂裘与绢主,准③其绢价。绢主尚嫌其少,又脱锦袄与之,绢主方去。赵升持绢献上真人,真人问道:"你身上衣服,何处去了?"赵升道:"偶然病热④,不曾穿得。"真人叹曰:"不吝己财,不谈人过,真难及也。"乃将布袍一件赐与赵升,赵升欣然穿之。

---

① 攒(cuán)着——攒,是簇聚的意思。攒着,就是围簇着。
② 还值——付钱。
③ 准——抵、折。
④ 病热——嫌热、怕热。

又一日，赵升和同辈在田间收谷，忽见路旁一人叩头乞食，衣裳破弊，面目尘垢，身体疮脓，臭秽可憎，两脚皆烂，不能行走。同辈人人掩鼻，叱喝他去。赵升心中独怀不忍，乃扶他坐于茅屋之内，问其疾苦，将自己饭食省与他吃。又烧下一桶热汤，替他洗涤臭秽。那人又说身上寒冷，欲求一衣。赵升解开布袍，卸下里衣一件，与之遮寒。夜间念他无倚，亲自作伴。到夜半，那人又叫呼要解，赵升闻呼，慌忙起身扶他解手，又扶进来。日间省饭食养他，常自半饥的过了，夜间用心照管，如此十余日，全无倦怠。那人疮患将息渐好，忽然不辞而去，赵升也无怨心。后人有诗赞云：

逢人患难要施仁，望报之时亦小人。

不吝施仁不望报，分明天地布阳春。

时值初夏，真人一日会集诸弟子，同登天柱峰绝顶。那天柱峰在鹤鸣山之左，三面悬绝，其状如城。真人引弟子于峰头下视，有一桃树，傍生石壁，如人舒出一臂相似，下临不测深渊。那桃树上结下许多桃子，红得可爱。真人谓诸弟子曰："有人能得此桃实，当告以至道之要。"那时诸弟子除了王长、赵升外，共二百三十四人。皆临崖窥瞰，莫不股战流汗，连脚头也站不定。略看一看，慌忙退步，惟恐坠下。只有一人挺然而出，乃赵升也。对众人曰："吾师命我取桃，必此桃有可得之理；且圣师在此，鬼神呵护，必不使我死于深谷之中。"乃看准了桃树之处，扨身望下便跳。有这等异事，那一跳不歪不斜，不上不下，两脚分开，刚刚的跨于桃树之上。将桃实姿意采摘，遥望石壁上面，悬绝二三丈，四旁又无攀缘，无从爬上，乃以所摘桃子，向上掷去，真人用手一一接之。掷了又摘，摘了又掷；下边掷，上边接，把一树桃子，摘个干净。真人接完桃子，自吃了一颗，王长吃了一颗，把一颗留与赵升，恰好余下二百三十四颗，分派诸弟子，每人一颗，不多不少。

真人问诸弟子中，那个有本事，引得赵升上来。诸弟子面面相觑，谁敢答应。真人自临岩上，舒出一臂，接引赵升。那臂膊忽长二三丈，直到赵升身边，赵升随臂而上。众弟子莫不大惊。真人将所留桃实一颗与赵升食毕，真人笑而言曰："赵升心正，能投树上，足不蹉跌。吾今欲自试投下，若心正时，当得大桃。"众弟子皆谏曰："吾师虽然广有道法，岂可自试于不测之崖乎？方才赵升幸赖吾师接引，若吾师坠下，更有何人接引吾师者？万万不可也。"有数人牵住衣裾苦劝，惟王长、赵升默然无言。真人不从众人之劝,遂向空自掷。众人急觑桃树上,不见真人踪迹;看着下面,茫茫无底,又无道路可通,眼见得真人坠于深谷,不知死活存亡。诸弟子人人惊叹,个个悲啼。赵升对王长说道:"师犹父也,吾师自投不测之崖,吾何以自安?不若同投下去,看其下落。"于是升、长二人各奋身投下,刚落在真人之前。只见真人端坐于磐石之上,见升、长坠下,大笑曰:"吾料定汝二人必来也。"这几桩故事,小说家①唤做"七试赵升"。那见得七试?

第一试:辱骂不去;第二试:美色不动心;

第三试:见金不取;第四试:见虎不惧;

第五试:偿绢不吝,被诬不辨;第六试:存心济物;

第七试:舍命从师。

原来这七试,都是真人的主意。那黄金、美女、大虫、乞丐,都是他役使精灵变化来的;卖绢主人,也是假的:这叫做将假试真。凡入道之人,先要断除七情,那七情?喜、怒、忧、惧、爱、恶、欲。真人先前对诸弟子说过的:"汝等俗气未除,安能遗世?"正谓此也。且说如今世俗之人,骄心傲气,见在的师长说话略重了些,兀自气愤愤地,况肯为求师上,受人辱骂?着甚要紧加添四十余日露宿之苦?只这一件,谁人肯做?至于"色"之一字,人都在这里头生,在这里头死,那个不着迷的?列位看官们,假如你在闲居独宿之际,偶遇个妇人,不消一分半分颜色,管请你失魂落意,求之不得;况且十分美貌,颠倒揑身就你,你却不动心,古人中除却柳下惠只怕没有第二个人了。又如今人为着几贯钱钞上,兄弟分颜②,朋友破口;在路上拾得一文钱,却也叫声吉利,眉花眼笑,眼见这一窖黄金无主之物,那个不起贪心?这件又不是难得的?今人见一只恶犬走来,心头也謊一跳;况三个大虫,全不怖畏,便是吕纯阳祖师舍身矮虎,也只好是这般了。再说买绢这一节,你看如今做买做卖的,讨得一分便宜,兀自欢喜;平日间冤枉他一言半字,便要赌神罚咒,那个肯重叠还价?随他天大冤枉加来,付之不理,脱去衣裳,绝无吝色,不是眼孔十二分大,怎容得人如此?又如父母

① 小说家——为说话四家之一,专门讲说烟粉、灵怪、传奇、公案、朴刀杆棒、发迹变泰等故事。

② 分颜——也叫分颜面,即翻脸。

生了恶疾，子孙在床前服事，若不是足色孝顺的，口中虽不说，心下未免憎嫌；何况路旁乞食之人，那解衣推食，又算做小事了？结末①来，两遍投崖，是信得师父十分真切，虽死不悔。这七件都试过，才见得赵升七情上一毫不曾粘带，俗气尽除，方可入道。正是：

道意坚时尘趣少，俗情断处法缘生。

闲话休提。真人见升、长二人道心坚固，乃将生平所得秘诀，细细指授。如此三日三夜，二人尽得其妙。真人乃飞身上崖，二人从之。重归旧舍，诸弟子相见，惊悼不已。真人一日闭目昼坐，既觉，谓王长、赵升曰："巴东有妖，当同往除之。"师弟三人，行至巴东，忽见十二神女，笑迎于山前。真人问曰："此地有咸泉，今在何处？"神女答曰："前面大湫②便是。近为毒龙所占，水已浊矣。"真人遂书符一道，向空掷去。那道符从空盘旋，忽化为大鹏金翅鸟，在湫上往来飞舞。毒龙大惊，舍湫而去，湫水遂清。十二神女各于怀中，探出一玉环来献，曰："妾等仰慕仙真，愿操箕帚。"真人受其环，将手缉之，十二环合而为一。真人将环投于井中，谓神女曰："能得此环者，应吾夙命，吾即纳之。"十二神女要取神环，争先解衣入井。真人遂书符投于井中，约曰："千秋万世，永作井神。"即时唤集居民，汲水煎煮，皆成食盐。嘱咐今后煮盐者，必祭十二神女。那十二神女都是妖精，在一方迷惑男子，降灾降祸；被真人将神符镇压，又安享祭祀，再不出现了。从此巴东居民，无神女之害，而有咸井之利。

真人除妖已毕，复归鹤鸣山中。一日午时，忽见一人，黑帻，绢衣，佩剑，捧一玉函，进曰："奉上清真符，召真人游阆苑。"须臾有黑龙驾一紫舆，玉女二人引真人登车，直至金阙。群仙毕集，谓真人曰："今日可朝太上元始天尊也。"俄有二青童，朱衣绛节，前行引导。至一殿，金阶玉砌，真人整衣趋进，拜舞已毕。殿上敕青童持玉册，授真人正一天师之号，使以《正一盟威》之法，世世宣布，为人间天师，劝度未悟之人；又密谕以飞升之期。

真人受命回山，将《盟威》、《都功》等诸品秘箓，及斩邪二剑，玉册、玉

① 结末——末了。
② 大湫（qiū）——大水池。

印等物,封置一函,谓诸弟子曰:"吾冲举①有日,弟子中有能举此函者,便为嗣法。"弟子争先来举,如万觔之重,休想移动得分毫。真人乃曰:"吾去后三日,自有嫡嗣至此,世为汝师也。"

至期,真人独召王长、赵升二人谓曰:"汝二人道力已深,数合冲举,尚有余丹,可分饵之,今日当随吾上升矣。"亭午②,群仙仪从毕至,天乐拥导,真人与王长、赵升在鹤鸣山中,白日升天。诸弟子仰视云中,良久而没。时桓帝永寿元年九月九日事,计真人年已一百二十三岁矣。

真人升天后三日,长子张衡从龙虎山适至,诸弟子方悟嫡嗣之语,指示封函,备述真人遗命。张衡轻轻举起,揭封开看,遂向空拜受玉册、玉印。于是将诸品秘箓,尽心参讨,斩妖缚邪,其应如响。至今子孙嗣法,世世为天师。后人论七试赵升之事,有诗为证:

世人开口说神仙,眼见何人上九天?
不是仙家尽虚妄,从来难得道心坚。

# 第十四卷 陈希夷四辞朝命

人人尽说清闲好,谁肯逢闲闲此身?
不是逢闲闲不得,清闲岂是等闲人?

则今且说个"闲"字,是"门"字中着个"月"字③,你看那一轮明月,只见他忙忙的穿窗入户,那天上清光不动,却是冷淡无心。人学得他,便是闹中取静,才算做真闲。有的说:人生在世,忙一半,闲一半。假如日里做事是忙,夜间睡去便是闲了。却不知日里忙忙做事的,精神散乱,昼之所思,夜之所梦,连睡去的魂魄,都是忙的,那得清闲自在?古时有个仙长,姓庄名周,睡去梦中化为蝴蝶,栩栩而飞,其意甚乐。醒将转来,还只认做蝴蝶化身。只为他胸中无事,逍遥洒落,故有此梦。世上多少渴睡汉④,怎不见第二个人梦为蝴蝶?可见梦睡中也分个闲忙在。且莫论闲忙,一

① 冲举——飞升成仙。
② 亭午——中午、正午。
③ "门"中着个"月"字——闲的繁体字为"閒"。
④ 渴睡汉——贪睡之徒。

入了名利关,连睡也讨不得个足意。所以古诗云:

朝臣待漏五更寒,铁甲将军夜度关。
山寺日高僧未起,算来名利不如闲。

《心相篇》①有云:"上床便睡,定是高人;支枕无眠,必非闲客。"如今人名利关心,上了床,千思万想,那得便睡?比及睡去,忽然又惊醒将来。尽有一般昏昏沉沉,以昼为夜,睡个没了歇的,多因酒色过度,四肢困倦,或因愁绪牵缠,心神浊乱所致,总来②不得睡趣,不是睡的乐境。

则今且说第一个睡中得趣的,无过陈抟先生。怎见得?有诗为证:

昏昏黑黑睡中天,无暑无寒也没年。
彭祖③寿经八百岁,不比陈抟一觉眠。

俗说陈抟一觉睡了八百年,按陈抟寿止一百十八岁,虽说是尸解为仙去了,也没有一睡八百年之理。此是诨话④,只是说他睡时多,醒时少。他曾两隐名山,四辞朝命,终身不近女色,不亲人事,所以步步清闲。则他这睡,也是仙家伏气⑤之法,非他人所能学也。说话的,你道他隐在那两处的名山?辞那四朝的君命?有诗为证:

纷纷五代战尘嚣,转眼唐周又宋朝。
多少彩禽投笼罩,云中仙鹤不能招。

话说陈抟先生,表字图南,别号扶摇子,亳州真源人氏。生长五六岁,还不会说话,人都叫他"哑孩儿"。一日,在水边游戏,遇一妇人,身穿青色之衣,自称毛女,将陈抟抱去山中,饮以琼浆,陈抟便会说话,自觉心窍开爽。毛女将书一册,投他怀内,又赠以诗云:

药苗不满笥,又更上危巅。
回指归去路,相将入翠烟。

陈抟回到家中,忽然念这四句诗出来。父母大惊,问道:"这四句诗,谁教你的?"陈抟说其缘故,就怀中取出书来看时,乃是一本《周易》。陈抟便能成诵,就晓得八卦的大意。自此无书不览,只这本《周易》,坐卧不

---

① 《心相篇》——书名,宋陈抟著。专论人的心术、品性和命运之间的联系。
② 总来——全都、总归。
③ 彭祖——传说为尧时人,名彭铿,善导引行气,年八百岁。
④ 诨话——玩笑话。
⑤ 伏气——同服气,道家的一种修养法,也叫吐纳。

离。又爱读《黄庭》、《老子》诸书，洒然有出世之志。十八岁上，父母双亡，便把家财抛散，分赠亲族乡党，自只携一石铛①，往本县隐山居住。梦见毛女授以炼形归气、炼气归神、炼神归虚之法，遂奉而行之，足迹不入城市。梁唐士大夫慕陈先生之名，如活神仙，求一见而不可得。有造谒者，先生辄侧卧不与交接。人见他鼾睡不起，叹息而去。

后唐明宗皇帝长兴年间，闻其高尚之名，御笔亲书丹诏，遣官招之，使者络绎不绝。先生违不得圣旨，只得随使者取路到洛阳帝都，谒见天子，长揖不拜。满朝文武失色，明宗全不嗔怪，御手相搀，锦墩②赐坐，说道："劳苦先生远来，朕今得睹清光，三生之幸。"陈抟答道："山野鄙夫，自比朽木，无用于世。过蒙陛下采录，有负圣意，乞赐放归，以全野性。"明宗道："既荷先生不弃而来，朕正欲侍教，岂可轻去?"陈抟不应，闭目睡去了。明宗叹道："此高士也，朕不可以常礼待之。"乃送至礼贤宾馆，饮食供帐甚设。先生一无所用，早晚只在个蒲团上打坐。明宗屡次驾幸礼贤馆，有时值他睡卧，不敢惊醒而去。明宗心知其为异人，愈加敬重，欲授以大官，陈抟那里肯就。

有丞相冯道奏道："臣闻七情莫甚于爱欲，六欲莫甚于男女；方今冬天雨雪之际，陈抟独坐蒲团，必然寒冷，陛下差一使命，将嘉酝一樽赐之，妙选③美女三人前去，与他侑酒暖足，他若饮其酒，留其女，何愁他不受官爵矣。"明宗从其言，于宫中选二八女子三人，美丽无比，装束华整，更自动人，又将尚方④美酝一樽，遣内侍宣赐。内侍口传皇命道："官家见天气奇冷，特赐美酝消遣，又赐美女与先生暖足，先生万勿推辞。"只见陈抟欣然对使开樽，一饮而尽，送来美人也不推辞。内侍入宫复命，明宗龙颜大悦。次日早朝已毕，明宗即差冯丞相亲诣礼贤馆，请陈抟入朝见驾。只等来时，加官授爵。冯丞相领了圣旨，上马前去。你道请得来，请不来?正是：

神龙不贪香饵，彩凤不入雕笼。

冯丞相到礼贤宾馆，看时，只见三个美女，闭在一间空室之中，已不见

---

① 石铛——三脚石釜。
② 锦墩——一种表面为丝织物的墩状坐具。
③ 妙选——精选。
④ 尚方——汉代官名，专管制造御用器物。

了陈抟。问那美女道："陈先生那里去了？"美女答道："陈先生自饮了御酒，便向蒲团睡去。妾等候至五更方醒，他说：'劳你们辛苦一夜，无物相赠。'乃题诗一首，教妾收留，回复天子。遂闭妾等于此室，飘然出门而去，不知何往。"冯丞相引着三个美人，回朝见驾。明宗取诗看之，诗曰：

雪为肌体玉为腮，多谢君王送得来。

处士不兴巫峡梦，空烦神女下阳台。

明宗读罢书，叹息不已。差人四下寻访陈抟踪迹，直到隐山旧居，并无影响，不在话下。

却说陈抟这一去，直走到均州武当山。原来这山初名太岳，又唤做太和山，有二十七峰，三十六岩，二十四涧，是真武①修道白日昇天之处。后人谓此山非真武不足以当之，更名武当山。陈抟至武当山，隐于九石岩。

忽一日，有五个白须老叟来问《周易》八卦之义。陈抟与之剖晰微理，因见其颜如红玉，亦问以导养之方。五老告之以蛰法。怎唤做蛰法？凡寒冬时令，天气伏藏，龟蛇之类，皆蛰而不食。当初有一人因床脚损坏，偶取一龟支之，后十年移床，其龟尚活，此乃服气所致。陈抟得此蛰法，遂能辟谷，或一睡数月不起；若没有这蛰法，睡梦中腹中饥饿，肠鸣起来，也要醒了。

陈抟在武当山住了二十余年，寿已七十余岁。忽一日，五老又来，对陈抟说道："吾等五人，乃日月池中五龙也。此地非先生所栖，吾等受先生讲诲之益，当送先生到一个好所在去。"令陈抟闭目休开，五老翼之而行。觉两足腾空，耳边惟闻风雨之声。顷刻间，脚跟着地，开眼看时，不见了五老，但见空中五条龙夭矫而逝。陈抟看那去处，乃西岳太华山石上，已不知来了多少路，此乃神龙变化之妙。

陈抟遂留居于此。太华山道士见其所居没有锅灶，心中甚异。悄地察之，更无他事，惟鼾睡而已。一日，陈抟下九石岩，数月不归。道士疑他往别处去了。后于柴房中，忽见一物。近前看之，乃先生也。正不知几时睡在那里的，搬柴的堆积在上，直待烧柴将尽，方才看见。又一日，有个樵

① 真武——传说为汉时净乐国王太子，渡东海，遇天神授以宝剑，入武当山修炼，后来白日飞升，奉上帝之命，镇守北方。本名玄武，宋真宗时改称"真武"。

夫在山下刈草①,见山凹里一个尸骸,尘埃起寸。樵夫心中怜悯,欲取而埋之。提起来看时,却认得是陈抟先生。樵夫道:“好个陈抟先生,不知如何死在这里。”只见先生把腰一伸,睁开双眼说道:“正睡得快活,何人搅醒我来?”樵夫大笑。

华阴令王睦亲到华山求见先生,至九石岩,见光光一片石头,绝无半间茅舍,乃问道:“先生寝止在于何所?”陈抟大笑,吟诗一首答之,诗曰:

蓬山高处是吾宫,出即凌风跨晓风。

台榭不将金锁闭,来时自有白云封。

王睦要与他伐木建庵,先生固辞不要。此周世宗显德年间事也。这四句诗直达帝听,世宗知其高士,召而见之,问以国祚长短。陈抟说出四句,道是:

好块木头,茂盛无赛。若要长久,添重宝盖。

世宗皇帝本姓柴名荣,木头茂盛,正合姓名,又有“长久”二字,只道是佳兆;却不知赵太祖代周为帝,国号宋,“木”字添盖乃是“宋”字。宋朝享国长久,先生已预知矣。

且说世宗要加陈抟以极品之爵,陈抟不愿,坚请还山。世宗采其“来时自有白云封”之句,赐号白云先生。后因陈桥兵变,赵太祖披了黄袍,即了帝位。先生适乘驴到华阴县,闻知此事,在驴背上拍掌大笑。有人问道:“先生笑甚么?”先生道:“你们众百姓造化造化,天下是今日定了。”

原来后唐末年间,契丹兵起,百姓纷纷避乱。先生在路上闲步,看见一妇人挑着一个竹篮而走,篮内两头坐两个孩子。先生口吟二句,道是:

莫言皇帝少,皇帝上担挑。

你道那两个孩子是谁?那大的便是宋太祖赵匡胤,那小的便是宋太宗赵匡义,这妇人便是杜太后。先生二十五六年前,便识透宋朝的真命天子了。

又一日,先生游长安市上,遇赵匡胤兄弟和赵普,共是三人,在酒肆饮酒。先生亦入肆沽饮,看见赵普坐于二赵之右,先生将赵普推下去道:“你不过是紫微垣边一个小小星儿,如何敢占在上位?”赵匡胤奇其言。有认得的指道:“这是白云先生陈抟。”匡胤就问前程之事,陈抟道:“你弟

① 刈草——割草。

兄两个的星，比他大得多哩。”匡胤自此自负，后来定了天下，屡次差官迎取陈抟入朝，陈抟不肯。后来赵太祖手诏促之，陈抟向使者说道：“创业之君，必须尊崇体貌以示天下。我等以山野废人，入见天子，若下拜，则违吾性；若不下拜，则亵其体。是以不敢奉诏。”乃于诏书之尾，写四句附奏云：

九重天诏，休教丹凤衔来；一片野心，已被白云留住。

使者复命，太祖笑而置之。

后太祖晏驾，太宗皇帝即位，念酒肆中之旧，召与相见，说过待以不臣之礼。又赐御诗云：

曾向前朝号白云，后来消息杳无闻。
如今若肯随征召，总把三峰乞与君。

先生见诗，乃服华阳巾①，布袍草履，来到东京，见太宗于便殿，只是长揖道：“山野废人，与世隔绝，不习跪拜，望陛下优容之。”太宗赐坐，问以修养之道。陈抟对道：“天子以天下为一身，假令白日升天，竟何益于百姓？今君明臣良，兴化勤政，功德被乎八荒，荣名流于万世，修炼之道，无出于此。”太宗点头称善，愈加敬重，问道：“先生心中有何所欲？可为朕言之。”陈抟答道：“臣无所欲，只愿求一静室。”乃赐居于建隆道观②。

其时太宗正用兵征伐河东，遣人问先生胜负消息。先生在使者掌中，写一“休”字。太宗见之不乐，因军马已发，不曾停止。再遣人问先生时，但见他闭目而睡，鼾鼾之声，直达户外。明日去看，仍复如此，一连睡了三个月，不曾起身。河东军将果然无功而返。太宗正当嗟叹，忽见陈抟道冠野服，逍遥而来，直上金銮宝殿。太宗见其不召自来，甚以为异。陈抟道：“老夫今日还山，特来辞驾。”太宗闻言，如有所失，欲加抟以帝师之号，筑宫奉事，时时请教。陈抟固辞求去，呈诗一首，诗云：

草泽吾皇诏，图南抟姓陈。
三峰千载客，四海一闲人。
世态从来薄，诗情自得真。

---

① 华阳巾——一种头巾名，以罗或漆纱制成，前后有两版，随风飞扬。

② 建隆道观——北宋东京道观名。在梁门外西北，周世宗所建，原名太清观；宋太祖建隆改元，更名为建隆观。后为金兵焚毁。

乞全獐鹿性，何处不称臣？

又道："二十年之后，老夫再来候见圣颜。"太宗知不可留，特赐御宴于都堂①，使宰相两禁官员俱侍坐。每人制送行诗一首，以宠其归。又将太华全山，御笔判与陈抟，为修真之所，他人不得侵渔。赐号为白云洞主希夷先生，听其还山。此太平兴国元年事也。

到端拱五年，太宗皇帝管二十年的乾坤，尚不曾立得太子。长子楚王元佐，因九月九日，不曾预得御宴，纵火烧宫。太宗大怒，废为庶人。心爱第三子襄王元侃，未知他福分如何。口中不言，心下思想："惟有希夷先生陈抟，最善相人，当初在酒肆中，就相定我兄弟二人当为皇帝，赵普为宰相。如今得他一来，决断其事便好。"转念犹未了，内侍报道："有太华山处士陈抟叩宫门求见。"太宗大惊，即时宣进问道："先生此来何意？"陈抟答道："老夫知陛下胸中有疑，特来决之。"太宗大笑道："朕固疑先生有前知之术，今果然也。朕东宫未定，有襄王元侃，宽仁慈爱，有帝王之度，但不知福分如何，烦先生到襄府一看。"陈抟领命，才到襄府门首便回。太宗问道："朕烦先生到襄府看襄王之相，如何不去而回？"陈抟道："老夫已看过了，襄府门前奉役奔走之人，都有将相之福，何必见襄王哉？"太宗之意遂决。即日宣诏，立襄王为太子，后来真宗皇帝就是。陈抟在京师，又住了一月，忽然辞去，仍归九石岩。

其时有门人穆伯长、种放等百余人，皆筑室于华山之下，朝夕听讲。惟有五龙蛰法，先生未尝授人。忽一日，遣门人辈于张超谷②口高岩之上，凿一石室，门人不敢违命，室既凿成，先生同门人往观之。其岩最高，望下云烟如翠，先生指道："此毛女所谓'相将入翠烟'也，吾其归于此乎？"言未毕，屈膝而坐，挥门人使去，右手支颐③，闭目而逝。年一百一十八岁。门人环守其尸，至七日，容色如生，肢体温软，异香扑鼻。乃制为石匣盛之，仍用石盖，束以铁锁数丈，置于石室。门人方去，其岩自崩，遂成陡绝之势，有五色云封住谷口，弥月不散。后人因名其处为希夷峡。

---

① 都堂——尚书省的大厅，为宋代宰相处理政事的地方。

② 张超谷——在华山毛女峰东北，因东汉张公超（楷）居此而得名。

③ 支颐——以手托颊。

到徽宗宣和年间，有闽中道士徐知常①，来游华山，见峡上有铁锁垂下。知常攀缘而上，至于石室，见匣盖敧②侧，启而观之，惟有仙骨一具，其色红润，香气逼人。知常再拜毕，为整其盖，复攀缘而下。其时徐知常得幸于徽宗，官拜左街道录③，将此事奏知天子。天子差知常赍御香一注，重到希夷峡，要取仙骨，供养在大内。来到峡边，已不见有铁锁。但见云雾重重，危岩壁立，叹息而返。至今希夷先生蜕骨在张超谷，无复有人见之者矣。有诗为证：

从来处士窃名浮，谁似希夷闲到头？
两隐名山供笑傲，四辞朝命肯淹留。
五龙蛰法前人少，八卦神机后学求。
片片白云迷峡锁，石床高卧足千秋。

# 第十五卷　史弘肇龙虎君臣会

倦压鳌头④请左符⑤，笑寻赪尾⑥为西湖。
二三贤守去非远，六一⑦清风今不孤。
四海共知霜鬓满，重阳曾插菊花无？

① 徐知常——宋代道士，字子平，建旭人。宣和中得宠于宋徽宗，任冲虚大夫、蕊珠殿侍晨、左街道录。

② 敧（qī）——倾侧不平。

③ 左街道录——道录，是掌道教的官。宋代设有左、右街道录，副道录。

④ 倦压鳌头——鳌头，是翰林院的隐喻。宋哲宗元祐四年，苏轼自翰林侍读出知杭州，所以说他倦压鳌头。

⑤ 左符——符契分左右两半，左符，就是符契的左半。汉代太守赴任，必带左符，与留在郡中的右符合契，以为凭信。

⑥ 赪（chēng）尾——赪，赤色。古人以为鱼劳则尾变赤，所以用赪尾比喻人之劳瘁。

⑦ 六一——宋欧阳修晚年自号“六一居士”。

聚星堂①上谁先到？欲傍金尊倒玉壶。

这一首诗，乃宋朝士大夫刘季孙②寄苏子瞻自翰苑出守杭州诗。原来东坡先生苏学士凡两次到杭州：先一次，神宗皇帝熙宁二年，通判杭州；第二次，元祐年中，知杭州军州事。所以临安府多有东坡古迹诗句。后来南渡过江，文章之士极多。惟有洪内翰③才名，可继东坡之作。洪内翰曾编了《夷坚》三十二志，有一代之史才。在孝宗朝，圣眷甚隆。因在禁林，乞守外郡，累次上章，圣上方允，得知越州绍兴府。是时淳熙年上，到任时遇春天，有首回文诗，做得极好，乃诗人熊元素所作。诗云：

融融日暖乍晴天，骏马雕鞍绣辔联。
风细落花红衬地，雨微垂柳绿拖烟。
茸铺草色春江曲，雪剪花梢玉砌前。
同恨此时良会罕，空飞巧燕舞翩翩。

若倒转念时，又是一首好诗：

翩翩舞燕巧飞空，罕会良时此恨同。
前砌玉梢花剪雪，曲江春色草铺茸。
烟拖绿柳垂微雨，地衬红花落细风。
联辔绣鞍雕马骏，天晴乍暖日融融。

这洪内翰遂安排筵席于镇越堂④上，请众官宴会。那四司六局⑤祇应⑥供过⑦的人，都在堂下，甚次第⑧。当日果献时新，食烹异味。酒至三杯，众

① 聚星堂——在颍州(今安徽阜阳)，宋仁宗皇祐年间，欧阳修知颍州时所建。苏轼于元祐四年出知杭州，六年召还为翰林承旨，此年八月，以龙图阁学士知颍州。

② 刘季孙——字景文，北宋时人，官至隰州知州。

③ 洪内翰——指洪迈。洪迈，字景庐，宋高宗绍兴末，曾假翰林学士衔使金，孝宗时拜翰林学士。内翰，是宋代人对翰林学士的称呼。

④ 镇越堂——宋宁宗嘉定年间汪纲所建，在今浙江绍兴。

⑤ 四司六局——宋时官府及富豪人家宴会，都置四司六局人供役。四司：帐设司、茶酒司、厨司、台盘司。六局：果子局、蜜饯局、菜蔬局、油烛局、香药局、排办局。

⑥ 祇应——侍候、承应。

⑦ 供过——当差、供役。

⑧ 甚次第——很有气派，非常整齐。

妓中有一妓，姓王名英。这王英以纤纤春笋柔荑①，捧着一管缠金丝龙笛②，当筵席品弄一曲。吹得清音嘹亮，美韵悠扬，众官听之大喜。这洪内翰令左右取文房四宝来，诸妓女供侍于面前，对众官乘兴，一时文不加点，扫一只词，唤做《虞美人》。词云：

忽闻碧玉楼头笛，声透晴空碧。宫、商、角、羽任西东，映我奇观惊起碧潭龙。　　数声呜咽青霄去，不舍《梁州序》③。穿云裂石响无踪，惊动梅花初谢玉玲珑。

洪内翰珠玑满腹，锦绣盈肠，一只曲儿，有甚难处？做了呈众官，众官看罢，皆喜道："语意清新，果是佳作。"

方才夸羡不已，只见一个官员，在众中呵呵大笑，言曰："学士作此龙笛词，虽然奇妙，此词八句，偷了古人作的杂诗词中各一句也。"洪内翰看那官人，乃孔通判讳德明。洪内翰大惊道："孔丈既知如此，可望见教否？"孔通判乃就筵上，从头一一解之。

第一句道："忽闻碧玉楼头笛。"偷了张紫微④作《道隐》诗中第四句。诗道：

试问清轩可[illegible]england⑤青，霜天孤月照蓬瀛。
广寒宫里琴三弄，碧玉楼头笛一声。
金井辘轳秋水冷，石床茅舍暮云清。
夜来忽作瑶池梦，十二阑干独步行。

第二句道："声透晴空碧。"偷了骆解元作《王娇姿唱词》中第三句。诗道：

谢氏筵⑥中闻雅唱，何人隔幕在帘帷？
一声点破晴空碧，遏住行云不敢飞。

---

① 柔荑（tí）——指白嫩柔滑。荑，荑草的嫩芽，柔软而色白。《诗经》有"手如柔荑"的话，所以古人常用柔荑比喻女子的手。

② 龙笛——一种笛的名称，一端制成龙头形。

③ 《梁州序》——《梁州》，大曲名。序，是大曲中的一遍。

④ 张紫微——指张嵲，字巨川，襄阳人。宣和三年登第，有《紫微集》。

⑤ 暞——同煞。

⑥ 谢氏筵——南朝宋王昙首，善唱歌，谢安很想听一听。别人把谢的意思告诉了王昙首。一天，谢安在东土山宴乐，王昙首骑马去土山下，作一曲歌唱，唱毕便去。

第三句道："宫、商、角、羽任西东。"偷了曹仙姑[①]作《风响》诗中第二句。诗道：

碾玉悬丝挂碧空，宫、商、角、羽任西东。
依稀似曲才堪听，又被风吹别调中。

第四句道："映我奇观惊起碧潭龙。"偷了东坡作《橹》诗中第三、第四句。诗道：

伊轧江心激箭冲，天涯无际去无踪。
遥遥映我奇观处，料应惊起碧潭龙。

过处[②]第五句道："数声呜咽青霄去。"偷了朱淑真[③]作《雁》诗中第四句。诗道：

伤怀遣我肠千缕，征雁南来无定据。
嘹嘹呖呖自孤飞，数声呜咽青霄去。

第六句道："不舍《梁州序》。"偷了秦少游作《歌舞》诗中第四句。诗道：

纤腰如舞态，歌韵如莺语。
似锦罩厅前，不舍《梁州序》。

第七句道："穿云裂石响无踪。"偷了刘两府[④]作《水底火炮》诗中第三句。诗道：

一激轰然如霹雳，万波鼓动鱼龙息。
穿云裂石响无踪，却虏驱邪归正直。

临了第八句道："惊动梅花初谢玉玲珑。"偷了士人刘改之[⑤]来谒见婺州陈侍郎[⑥]作《元宵望江南》词中第四句。词道：

元宵景，天气正融融。柳线正垂金落索，梅花初谢玉玲珑，明月映高空。　　贤太守，欢乐与民同。箫鼓聒残灯火市，轮蹄踏破广寒宫，良夜莫匆匆。

---

① 曹仙姑——宋代女道士，初名希蕴，后见知于宋徽宗，赐名道冲。
② 过处——从词的上片转入下片的地方。
③ 朱淑真——宋代女词人，钱塘人，号幽栖居士，有《断肠词》、《断肠集》。
④ 刘两府——此指南宋大将刘锜。
⑤ 刘改之——刘过，字改之，号龙洲道人，宋吉州人，著有《龙洲词》、《龙洲集》。
⑥ 婺州陈侍郎——当指陈岩肖，字子象，金华人。宋高宗时，官至兵部侍郎。

孔通判从头解说罢，洪内翰大喜。众官称叹道："奇哉！奇哉！"洪内翰教左右别办一劝，劝罢，与孔通判道："适间门下解说得甚妙，甚妙！欲求公作《龙笛》词一首，永为珍赐。"孔通判相谢罢，遂作一词，唤做《水调歌头》。词云：

玉人揎皓腕，纤手映朱唇。龙吟越调孤喷，清浊最堪听。欲度宁王一曲①，莫学桓伊三弄②，听答兀中丁。忆昔知音客，鉴别在柯亭③。　至更深，宜月朗，称疏星。天高气爽，霜重水绿与山青。幸遇良宵佳景，轰起一声蕲州④，耳畔觉泠泠。裂石穿云去，万鬼尽潜形。

兀的⑤正是：

高才得见高才客，不枉留传纪好音。

说话的，你因甚的，头回⑥说这"八难龙笛词"？自家⑦今日不说别的，说两个客人将一对龙笛蕲材，来东峰东岱岳烧献。只因烧这蕲材，却教郑州奉宁军⑧一个上厅行首⑨，有分做两国夫人，嫁一个好汉，后来为当朝四镇令公，名标青史，直到如今，做几回花锦似话说。这未发迹的好汉，却姓甚名谁？怎地发迹变泰⑩？直教：

纵横宇宙三千里，威镇华夷四百州。

有一诗单道五代兴亡，诗云：

自从唐季坠朝纲，天下生灵被扰攘。

---

① 宁王一曲——宁王，唐玄宗李隆基之兄，名宪，善吹横笛。

② 桓伊三弄——晋桓伊善吹笛。王微之泊舟于清溪畔，桓伊从岸上经过，王微之遣人去请桓伊吹笛。桓伊即下车，为作三调，弄毕登车而去，宾主不交一语。

③ 柯亭——东汉蔡邕有一次经过会稽柯亭，见屋上竹椽，知是良材，取以制笛，果有异声。其后桓伊得到此笛，常自己吹奏。

④ 蕲州——蕲州产竹，称为蕲竹，为制笛良材。

⑤ 兀的——这个。

⑥ 头回——说话(书)的引首。也叫得胜头回。

⑦ 自家——我。

⑧ 郑州奉宁军——宋代以郑州荥阳郡为奉宁军节度。

⑨ 上厅行(háng)首——对官妓的尊称。色技最佳的官妓。

⑩ 变泰——发迹亨通。

社稷安危悬卒伍，朝廷轻重系藩方。

深冬寒木固不脱，未旦小星犹有光。

五十三年更五姓，始知迅扫待真王。

却说是五代唐朝里，有两个客人：王一太，王二太；乃兄弟两人。获得一对蕲州出的龙笛材，不曾开成笛，天生奇异，根似龙头之状，世所无者。特地将来兖州奉符县东峰东岱岳殿下火池内烧献。烧罢，圣帝①赐与炳灵公②。炳灵公遂令康、张二圣③前去郑州奉宁军，唤开笛阎招亮来。康、张二圣领命，即时到郑州，变做两个凡人，径来见阎招亮。这阎招亮正在门前开笛，只见两个人来相揖。作揖罢，道："一个官员，有两管龙笛蕲材，欲请待诏④便去开则个。这官员急性，开毕重重酬谢，便等同去。"阎招亮即时收拾了作仗⑤，厮赶⑥二人来。顷刻间，到一个所在。阎招亮抬头看时，只见牌上写道："东峰东岱岳。"但见：

群山之祖，五岳为尊。上有三十八盘，中有七十二司。水帘映日，天柱插空。九间大殿，瑞光罩碧瓦凝烟。四面高峰，偃仰见金龙吐雾。竹林寺⑦有影无形，看日山⑧藏真隐圣。

阎招亮理会不下⑨，康、张二圣相引去，参拜了炳灵公。将至一阁子内，已安蕲材在卓上，教阎招亮就此开笛。吩咐道："此乃阴间，汝不可远去；倘行远失路，难以回归。"吩咐毕，二圣自去。招亮片时，开成龙笛，吹其声，清幽可爱。等半晌，不见康、张二圣来。招亮默思量起："既到此间，不去看些所在，也须可惜。"遂出阁子来，行不甚远，见一座殿宇。招亮走至廊

---

① 圣帝——指东岳神，宋真宗大中祥符四年加封为"天齐仁圣帝"。

② 炳灵公——东岳神的第三个儿子，后唐明宗长兴三年封为"威雄将军"，宋大中祥符元年，加封为"炳灵公"。

③ 康、张二圣——为东岳之佐神，即康元帅与张元帅。

④ 待诏——宋时对一般手艺人的尊称。此指制笛工匠。

⑤ 作仗——工具。

⑥ 厮赶——相赶、紧跟。

⑦ 竹林寺——在泰山北丈崖附近。每逢雨后，有云覆寺，日光折射，云中常现寺的倒影，好似蜃楼一般。

⑧ 看日山——指日观峰。

⑨ 理会不下——解决不了、不能明白。

下，听得静鞭①声急，遂去窗缝里偷眼看时，只见：

虾须帘卷，雉尾扇开。冕旒升殿，一人端拱坐中间；簪笏随朝，众圣趋跻②分左右。金钟响动，玉磬声频。悠扬天乐五云间，引领百神朝圣帝。

圣帝降辇升殿，众神起居毕，传圣旨，押过公事③来。只见一个汉，项戴长枷，臂连双杻④，推将来。阎招亮肚里道："这个汉，好面熟！"一时间急省不起他是兀谁。再传圣旨，令押去换铜胆铁心，却令回阳世，为四镇令公；告戒切勿妄杀人命。招亮听得，大惊。忽然一鬼吏喝道："凡夫怎得在此偷看公事？"当时阎招亮听得鬼吏叫，急慌走回来开笛处阁子里坐地。良久之间，康、张二圣来那阁子里来，见开笛了，同招亮将龙笛来呈。吹其笛，声清韵长。炳灵公大喜，道："教汝福上加福，寿上加寿。"招亮告曰："不愿加其福寿，招亮有一亲妹阎越英，见为娼妓。但求越英脱离风尘，早得从良，实所愿也。"炳灵公道："汝有此心，乃凡夫中贤人也，当令汝妹嫁一四镇令公。"招亮拜谢毕，康、张二圣送归。行至山半路高险之处，指招亮看一去处，正看里⑤，被康、张二圣用手打一推，攧⑥将下峭壁岩崖里去。阎待诏吃一惊，猛闪开眼，却在屋里床上，浑家和儿女都在身边。问那浑家道："做甚的你们都守着我眼泪出？"浑家道："你前日在门前正做生活里，蓦然倒地，便死去。摸你心头时，有些温，扛你在床上两日。你去下世⑦做甚的来？"招亮从康、张二圣来叫他去许多事，一一都说。屋里人见说，尽皆骇然。自后过了几时，没话说。

时遇冬间，雪降长空。石信道有一首《雪》诗，道得好：

六出飞花夜不收，朝来佳景有宸州⑧。
重重玉宇三千界，一一琼台十二楼。

---

① 静鞭——帝王仪仗的一种，鞭形。振动发声，叫人肃静。
② 趋跻——进退，趋前退后。
③ 公事——此指公事人，即犯人。
④ 杻——手梏。
⑤ 里——同哩。
⑥ 攧（diān）——跌。
⑦ 下世——地下、阴世。
⑧ 宸州——帝京。

庚岭①寒梅何处放？章台②飞絮几时休？

还思碧海银蟾畔，谁驾丹山碧凤游？

其雪转大。阎待诏见雪下，当日手冷，不做生活，在门前闲坐地③。只见街上一个大汉过去，阎待诏见了，大惊道："这个人便是在东岳换铜胆铁心未发迹的四镇令公，却打门前过去。今日不结识，更待何时？"不顾大雪，撩衣大步赶将来。不多几步，赶上这大汉。进一步，叫道："官人拜揖。"那大汉却认得阎招亮是开笛的，还个喏，道："待诏没甚事？"阎待诏道："今日雪下，天色寒冷，见你过去，特赶来相请，同饮数杯。"便拉入一个酒店里去。这个大汉，姓史双名弘肇，表字化元，小字憨儿。开道营长行军兵。按《五代史》本传上载道："郑州荥泽人也。为人跅勇，走及奔马。"酒罢，各自归家。

明日，阎待诏到妹子阎越英家，说道："我昨日见一个人来，今日特地来和你说。我多时曾死去两日，东岳开龙笛，见这个人换了铜胆铁心，当为四镇令公，道令你嫁这四镇令公。我日多时只省不起这个人，昨日忽然见他，我请他吃酒来。"阎越英问道："是兀谁？"阎招亮接口道："是那开道营有情的史大汉。"阎越英听得说是他，好场恶气："我元来合当嫁这般人？我不信！"

自后阎待诏见史弘肇，须买酒请他。史大汉数次吃阎待诏酒食，一日路上相撞见，史弘肇遂请阎招亮去酒店里，也吃了几多酒共食。阎待诏要还钱，史弘肇那里肯："相扰待诏多番，今日特地还席。"阎招亮相别了，先出酒店自去，史弘肇看着量酒④道："我不曾带钱来，你厮赶我去营里讨还你。"量酒只得随他去，到营门前，遂吩咐道："我今日没一文，你且去，我明日自送来还你主人。"量酒厮殢⑤道："归去吃骂，主人定是不肯。"史大

---

① 庚岭——即大庾岭，岭上多梅树，也叫梅岭。在今江西大庾县南。

② 章台——本是战国时秦宫中台名，汉代长安有章台街。唐时韩翃寄词给留在长安的妾说："章台柳，章台柳，昔日青青今在否？"所以后来常把章台当作杨柳的故事。

③ 坐地——坐着。

④ 量酒——酒店里卖酒的伙计、酒保。

⑤ 厮殢（tì）——踌躇。

汉道："主人不肯后①，要如何？你会事时，便去；你若不去，敬你吃顿恶拳。"量酒没奈何，只得且回。

这史弘肇却走去营门前卖糕糜②王公处，说道："大伯，我欠了店上酒钱，没得还。你今夜留门，我来偷你锅子。"王公只当做要话，归去和那大姆子③说："世界上不曾见这般好笑，史憨儿今夜要来偷我锅子，先来说教我留门。"大姆子见说，也笑。当夜二更三点前后，史弘肇真个来推大门，力气大，推折了门闩，走入来。两口老的听得，大姆子道："且看他怎地。"史弘肇大惊小怪，走出灶前，掇那锅子在地上，道："若还破后，难折还他酒钱。"拿条棒敲得当当响。掇将起来，翻转覆在头上。不知那锅底里有些水，浇了一头一脸，和身上都湿了。史弘肇那里顾得干湿，戴着锅儿便走。王公大叫："有贼！"披了衣服，赶将来。地方听得，也赶将来。史弘肇吃赶得慌，撇下了锅子，走入一条巷去躲避。谁知筑底巷④，却走了死路。鬼慌⑤盘上去人家萧墙，吃一滑，攧将下去。地方也赶入巷来，见他攧将下去。地方叫道："阎妈妈，你后门有贼，跳入萧墙来。"阎行首听得，教妳子⑥点蜡烛去来看时，却不见那贼，只见一个雪白异兽：

> 光闪烁浑疑素练，貌狰狞恍似堆银。遍身毛抖擞九秋霜，一条尾摇动三尺雪。流星眼争闪电，巨海口露血盆。

阎行首见了，吃一惊。定睛再看时，却是史大汉弯跧⑦蹲在东司⑧边，见了阎行首，失张失志走起来，唱个喏。这阎行首先时见他异相，又曾听得哥哥阎招亮说道他有分发迹，又道我合当嫁他，当时不叫地方捉将去，倒教他入里面藏躲。地方等了一饷，不听得阎行首家里动静，想是不在了，各散去讫。阎行首开了前门，放史弘肇出去。

当夜过了。明日饭后，阎行首教人去请哥哥阎待诏来。阎行首道：

---

① 后——假设之词。主人不肯后，意思是：如果主人不肯，主人不肯的话。

② 糕糜(méi)——一种用糯米舂捣制成的点心。

③ 大姆子——对一般老妇人的通称。

④ 筑底巷——死胡同。

⑤ 鬼慌——着急、心慌。

⑥ 妳(nǎi)子——奶妈。

⑦ 弯跧(quán)——身体蜷缩着。

⑧ 东司——茅厕。

"哥哥,你前番说,史大汉有分发迹,做四镇令公,道我合当嫁他。我当时不信你说,昨夜后门叫有贼,跳入萧墙来。我和妳子点蜡烛去照,只见一只白大虫,蹲在地上。我定睛再看时,却是史大汉。我看见他这异相,必竟是个发迹的人。我如今情愿嫁他,哥哥,你怎地做个道理,与我说则个?"阎招亮道:"不妨,我只就今日便要说成这头亲。"阎待诏知道史弘肇是个发迹变泰底人,又见妹子又嫁他,肚里好欢喜,一径来营里寻他。史弘肇昨夜不合去偷王公锅子,日里先少了酒钱,不敢出门。阎待诏寻个恰好,遂请他出来,和他说道:"有头好亲,我特来与你说。"史弘肇道:"说甚么亲?"阎待诏道:"不是别人,是我妹子阎行首。他随身有若干房财,你意下如何?"史弘肇道:"好便好,只有三件事,未敢成这头亲。"阎招亮道:"有那三件事?但说不妨。"史弘肇道:"第一,他家财由吾使;第二,我入门后,不许再着①人客;第三,我有一个结拜的哥哥,并南来北往的好汉,若来寻我,由我留他饮食宿卧。如依得这三件事,可以成亲。"阎招亮道:"既是我妹子嫁你了,是事②都由你。"当日说成这头亲,回复了妹子。两相情愿了,料没甚下财纳礼,拣个吉日良时,倒做一身新衣服,与史弘肇穿着了,招他归来成亲。

约过了两个月,忽上司指挥差往孝义店,转递军期文字。史弘肇到那孝义店,过未得一个月,自押铺③已下,皆被他无礼过。只是他身边有这钱肯使,舍得买酒请人,因此人都让他。

忽一日,史弘肇去铺屋④里睡。押铺道:"我没兴添这厮来蒿恼人。"正埋怨哩,只见一个人面东背西而来,向前与押铺唱个喏,问道:"有个史弘肇可在这里?"押铺指着道:"见在那里睡。"只因这个人来寻他,有分教:史弘肇发迹变泰。这来底人姓甚名谁?正是:

　　两脚无凭寰海内,故人何处不相逢。

这个来寻史弘肇的人,姓郭名威,表字仲文,邢州尧山县人。排行第一,唤做郭大郎。怎生模样?

　　抬左脚,龙盘浅水;抬右脚,凤舞丹墀。红光罩顶,紫雾遮身。尧

---

① 着——接触、挨上。

② 是事——诸事、凡事。

③ 押铺——军巡铺的头目。

④ 铺屋——军巡铺的铺房。

眉舜目，禹背汤肩。除非天子可安排，以下诸侯压不得。

这郭大郎因在东京不如意，曾扑了潘八娘子钗子。潘八娘子看见他异相，认做兄弟，不教解去官司，倒养在家中。自好了，因去瓦里①看，杀了构栏②里的弟子，连夜逃走。走到郑州，来投奔他结拜兄弟史弘肇。到那开道营前问人时，教来孝义店相寻。当日史弘肇正在铺屋下睡着，押铺遂叫觉他来，道："有人寻你，等多时。"史弘肇焦躁，走将起来，问："兀谁来寻我？"郭大郎便向前道："吾弟久别，且喜安乐。"史弘肇认得是他结拜的哥哥，扑翻身便拜。拜毕，相问动静了。史弘肇道："哥哥，你莫向别处去，只在我这铺屋下，权且宿卧。要钱盘缠，我家里自讨来使。"众人不敢道他甚的，由他留这郭大郎在铺屋里宿卧。郭大郎那里住得几日，□□史弘肇无礼上下。兄弟两人在孝义店上，日逐趁赌，偷鸡盗狗，一味干颡③不美，蒿恼得一村疃④人过活不得，没一个人不嫌，没一个人不骂。

话分两头。却说后唐明宗归天，闵帝登位。应有内人⑤，尽令出外嫁人。数中有掌印柴夫人，理会得些个风云气候，看见旺气在郑州界上，遂将带房奁⑥，望旺气而来。来到孝义店王婆家安歇了，要寻个贵人。柴夫人住了几日，看街上往来之人，皆不入眼，看着王婆道："街上如何直恁地冷静？"王婆道："覆夫人，要热闹容易。夫人放买市⑦，这经纪人都来赶趁⑧，街上便热闹。"夫人道："婆婆也说得是。"便教王婆四下说教人知：来日柴夫人买市。

郭大郎兄弟两人听得说，商量道："我们何自撰⑨几钱买酒吃？明朝卖甚的好？"史弘肇道："只是卖狗肉。问人借个盘了，和架子、砧刀，那里

---

① 瓦里——宋元时对剧场、妓院、赌场等场所的总称。

② 构栏——宋元时说书、演戏、表演杂技的场所。

③ 干颡(sǎng)——无事生非、惹闲气。

④ 村疃(tuǎn)——村庄。

⑤ 内人——这里指后宫的女子。

⑥ 房奁(lián)——妆奁、嫁妆。

⑦ 买市——官方或豪门定期把商贩聚起来，组成集市，以买卖财物为名犒赏百姓。

⑧ 赶趁——赶买卖或赶活。

⑨ 撰——赚。

去偷只狗子，把来打杀了，煮熟去卖，却不须去上行①。”郭大郎道：“只是坊佐②人家，没这狗子；寻常被我们偷去煮吃尽了，近来都不养狗了。”史弘肇道：“村东王保正③家，有只好大狗子，我们便去对付休④。”两个径来王保正门首，一个引那狗子，一个把条棒，等他出来，要一棒捍杀打将去。王保正看见了，便把三百钱出来道：“且饶我这狗子，二位自去买碗酒吃。”史弘肇道：“王保正，你好不近道理⑤！偌大一只狗子，怎地只把三百钱出来？须亏我。”郭大郎道：“看老人家面上，胡乱拿去罢。”两个连夜又去别处偷得一只狗子，挦⑥剥干净了，煮得稀烂。

明日，史弘肇顶着盘子，郭大郎驼着架子，走来柴夫人幕次前，叫声：“卖肉。”放下架子，搁那盘子在上。夫人在帘子里看见郭大郎，肚里道：“何处不觅？甚处不寻？这贵人却在这里。”使人从把出盘子来，教簇一盘。郭大郎接了盘子，切那狗肉。王婆正在夫人身边，道：“覆夫人，这个是狗肉，贵人如何吃得？”夫人道：“买市为名，不成⑦要吃！”教管钱的，支一两银子与他。郭大郎兄弟二人接了银子，唱喏谢了自去。

少间，买市罢。柴夫人看着王婆道：“问婆婆，央你一件事。”王婆道：“甚的事？”夫人道：“先时卖狗肉的两个汉子，姓甚的？在那里住？”王婆道：“这两个最不近道理。切肉的姓郭，顶盘子姓史，都在孝义坊铺屋下睡卧。不知夫人问他两个做甚么？”夫人说：“奴要嫁这一个切肉姓郭的人，就央婆婆做媒，说这头亲则个。”王婆道：“夫人偌大个贵人，怕没好亲得说，如何要嫁这般人？”夫人道：“婆婆莫管，自看见他是个发迹变泰的贵人，婆婆便去说则个。”王婆既见夫人恁地说，即时便来孝义店铺屋里寻郭大郎，寻不见。押铺道：“在对门酒店里吃酒。”王婆径过来酒店门口，揭那青布帘，入来见了他弟兄两个，道：“大郎，你却吃得酒下！有场

---

① 上行(háng)——批发、进货。

② 坊佐——邻舍。

③ 保正——宋代行保甲法，十家为一保，设保长一人；五十家为一大保，设大保长一人；十大保为一都保，设都保正、副保正各一人。

④ 休——句尾词，相当于罢。

⑤ 不近道理——不近人情、不讲理。

⑥ 挦(xián)——取、撕。

⑦ 不成——难道、莫非。

天来大喜事来投奔你,刬地①坐得牢里!"郭大郎道:"你那婆子,你见我撰得些个银子,你便来要讨钱。我钱却没与你,要便请你吃碗酒。"王婆便道:"老媳妇不来讨酒吃。"郭大郎道:"你不来讨酒吃,要我一文钱也没。你会事②时吃碗了去。"史弘肇道:"你那婆子,忒不近道理!你知我们性也不好,好意请你吃碗酒,你却不吃。一似你先时破③我的肉是狗肉,几乎教我不撰一文;早是夫人教买了。你好羞人,兀自有那面颜来讨钱!你信道④我和⑤酒也没,索性请你吃一顿拳踢去了。"王婆道:"老媳妇不是来讨酒和钱。适来夫人问了大郎,直是欢喜,要嫁大郎,教老媳妇来说。"郭大郎听得说,心中大怒,用手打王婆一个漏掌风⑥。王婆倒在地上道:"苦也!我好意来说亲,你却打我!"郭大郎道:"兀谁调发⑦你来厮取笑!且饶你这婆子,你好好地便去,不打你。他偌大个贵人,却来嫁我?"王婆鬼慌,走起来,离了酒店,一径来见柴夫人。夫人道:"婆婆说亲不易。"王婆道:"教夫人知,因去说亲,吃他打来。道老媳妇去取笑他。"夫人道:"带累婆婆吃亏了,没奈何,再去走一遭。先与婆婆一只金钗子,事成了,重重谢你。"王婆道:"老媳妇不敢去,再去时,吃他打杀了也没人劝。"夫人道:"我理会得。你空手去说亲,只道你去取笑他;我教你把这件物事将去为定,他不道得⑧不肯。"王婆问道:"却是把甚么物事去?"夫人取出来,教那王婆看了一看,唬杀那王婆。这件物却是甚的物?

君不见张负有女妻陈平⑨,家居陋巷席为门?门外多逢长者辙,

---

① 刬(chǎn)地——反而,却。

② 会事——晓事、懂事。

③ 破——揭穿、泄露。

④ 信道——知道、料知。

⑤ 和——连。

⑥ 漏掌风——五指伸开的巴掌。

⑦ 调发——调唆、怂恿。

⑧ 不道得——不至于、不会。

⑨ 张负有女妻陈平——汉陈平年少时家贫,富人张负见了他,觉得他很不平凡,于是跟到陈平家里。陈平家在穷巷之中,以席为门,而门外有很多贵人留下的车轮印迹。张负便把自己的孙女嫁给了陈平。

丰姿不是寻常人。又不见单父吕公①善择婿，一事樊侯一刘季？风云际会十年间，樊作诸侯刘作帝。从此英名传万古，自然光采生门户。君看如今嫁女家，只择高楼与豪富。

夫人取出定物来，教王婆看，乃是一条二十五两金带，教王婆把去，定这郭大郎。王婆虽然适间吃了郭大郎的亏，凡事只是利动人心，得了夫人金钗子，又有金带为定，便忍脚不住。即时提了金带，再来酒店里来。王婆路上思量道："我先时不合空手去，吃他打来。如今须有这条金带，他不成又打我？"来到酒店门前，揭起青布帘，他兄弟两个兀自吃酒未了。走向前，看着郭大郎道："夫人教传语，恐怕大郎不信，先教老媳妇把这条二十五两金带来定大郎，却问大郎讨回定②。"郭大郎肚里道："我又没一文，你自要来说，是与不是，我且落得拿了这条金带，却又理会。"当时叫王婆且坐地，叫酒保添只盏来，一道吃酒，吃了三盏酒。郭大郎觑着王婆道："我那里来讨物事做回定？"王婆道："大郎身边胡乱有甚物，老媳妇将去，与夫人做回定。"郭大郎取下头巾，除了一条鏖糟臭油边子来，教王婆把去做回定。王婆接了边子，忍笑不住，道："你的好省事！"王婆转身回来，把这边子递与夫人。夫人也笑了一笑，收过了。

自当日定亲以后，免不得拣个吉日良时，就王婆家成这亲。遂请叔叔史弘肇，又教人去郑州请婶婶阎行首来相见了。柴夫人就孝义店嫁了郭大郎，却卷帐③回到家中，住了几时。

夫人忽一日看着丈夫郭大郎道："我夫若只在此相守，何时会得发迹？不若写一书，教我夫往西京河南府去见我母舅符令公，可求立身进步之计，若何？"郭大郎道："深感吾妻之意。"遂依其言，柴夫人修了书，安排行装，择日教这贵人上路。

行时红光罩体，坐后紫雾随身。朝登紫陌，一条捍棒④作朋俦；

---

① 单父吕公——吕公，即汉高祖吕后的父亲，单父人，封临泗侯。吕后的妹妹吕媭，嫁给舞阳侯樊哙。

② 回定——旧时定婚礼节，男家送定礼至女家，女家答礼叫"回定"。

③ 卷帐——新郎就婚于女家，三日之后，新夫妇携带所有嫁奁回男家，称为卷帐。

④ 捍棒——棍棒。

暮宿邮亭①，壁上孤灯为伴侣。他时变豹②贵非常，今日权为途路客。

这贵人路上离不得饥餐渴饮，夜住晓行，不则一日，到西京河南府，讨了个下处。这郭大郎当初来西京，指望投奔符令公，发迹变泰。怎知道却惹一场横祸，变得人命交加。正是：

未酬奋翼冲霄志，翻作连天大地囚。

郭大郎到西京河南府看时，但见：

州名豫郡，府号河南。人烟聚百万之多，形势尽一时之胜。城池广阔，六街③内士女骈阗；井邑繁华，九陌④上轮蹄来往。风传丝竹，谁家别院奏清音？香散绮罗，到处名门开丽景。东连巩县，西接渑池，南通洛口之饶，北控黄河之险。金城缭绕，依稀似偃月之形；雉堞巍峨，仿佛有参天之状。虎符龙节王侯镇，朱户红楼将相家。休言昔日皇都，端的今时胜地。正是：春如红锦堆中过，夏若青罗帐里行。

郭大郎在安歇处过了一夜，明早却待来将这书去见符令公。猛自思量道："大丈夫倚着一身本事，当自立功名；岂可用妇人女子之书，以图进身乎？"依旧收了书，空手径来衙门前招人牌下，等着部署⑤李霸遇来投见他。李霸遇问道："你曾带得来么？"贵人道："带得来。"李部署问："是甚的？"郭大郎言："是十八般武艺。"李霸遇所说，本是见面钱。见说十八般武艺，不是头了，口里答应道："候令公出厅，教你参谒。"比及令公出厅，却不教他进去。

自从当日起，日逐去俟候，担搁了两个来月，不曾得见令公。店都知⑥见贵人许多日不曾见得符令公，多口道："官人，你枉了日逐去俟候，李部署要钱，官人若不把与他，如何得见符令公？"贵人听得说，怒从心上起，恶向胆边生："原来这贼却是如此！"

---

① 邮亭——驿舍。

② 变豹——《易经》有"君子豹变"的话，所以后世称人发迹贵显为豹变。

③ 六街——唐代长安城中左右六街。此泛指京城中的街衢。

④ 九陌——此指都城中的街道。

⑤ 部署——此指军校。

⑥ 店都知——店小二。

当日不去衙前候候，闷闷不已，在客店前闲坐。只见一个扑鱼[1]的在门前叫扑鱼，郭大郎遂叫住扑，只一扑，扑过[2]了鱼。扑鱼的告那贵人道："昨夜迫划[3]得几文钱，买这鱼来扑，指望赢几个钱去养老娘。今日出来，不曾扑得一文，被官人一扑扑过了，如今没这钱归去养老娘。官人可以借这鱼去，前面扑赢得几个钱时，便把来还官人。"贵人见他说得孝顺，便借与他鱼去扑。吩咐他道："如有人扑过，却来说与我知。"扑鱼的借得那鱼去扑，行到酒店门前，只见一个人叫："扑鱼的在那里？"因是这个人在酒店里叫扑鱼，有分郭大郎拳手相交，就酒店门前变做一个小小战场。这叫扑鱼的是甚么人？

从前积恶欺天，今日上苍报应。

酒店里叫住扑鱼的，是西京河南府部署李霸遇，在酒店里吃酒，见扑鱼的，遂叫入酒店里去扑，扑不过，输了几文钱，径硬拿了鱼。扑鱼的不敢和他争，走回来，说向郭大郎道："前面酒店里，被人拿了鱼，却赢得他几文钱，男女纳钱还官人。"贵人听得说，道："是甚么人？好不谙事！既扑不过，如何拿了鱼？鱼是我的，我自去问他讨。"这贵人不去讨，万事俱休；到酒店里看那人时，

仇人厮见，分外眼睁。

不是别人，却是部署李霸遇。贵人一分焦躁，变做十分焦躁。在酒店门前看着李霸遇道："你如何拿了我的鱼？"李霸遇道："我自问扑鱼的要这鱼，如何却是你的？"贵人拍着手道："我西京投事，你要我钱，担搁我在这里两个来月，不教我见令公。你今日对我，有何理说？"李霸遇道："你明日来衙门，我周全你。"贵人大骂道："你这砍头贼，闭塞贤路，我不算你，我和你就这里比个大哥二哥！"郭大郎先脱膊[4]，众人喊一声。原来贵人幼时曾遇一道士，那道士是个异人，替他右项上刺着几个雀儿，左项上刺几根稻谷，说道："若要富贵足，直待雀衔谷。"从此人都唤他是郭雀儿。到

---

① 扑鱼——小贩以赌博的方式做买卖，宋元间称为扑卖，或叫关（一作拏）扑。即以铜钱数枚为头钱，就地（或在瓦盆中）掷之，看钱正面或背面的多少定输赢。扑鱼，即扑卖（买）鲜鱼。

② 扑过——扑到、扑赢。

③ 迫划——筹划。

④ 脱膊——赤膊，上身不穿衣服。

登极之日,雀与谷果然凑在一处。此是后话。这日郭大郎脱膊,露出花项①,众人喝采。正是:

近觑四川十样锦②,远观洛汭③一团花。

李霸遇道:"你真个要厮打?你只不要走!"贵人道:"你莫胡言乱语,要厮打快来!"李霸遇脱膊,露出一身䩺䩺䩬䩬的横肉,众人也喊一声。好似:

生铁铸在火池边,怪石镌来坟墓畔。

二人拳手厮打,四下人都观看。一肘二拳,三翻四合,打到分际④,众人齐喊一声,一个汉子在血泊里卧地。当下却是输了兀谁?

作恶欺天在世间,人人背后把眉攒。

只知自有安身术,岂畏灾来在目前?

郭大郎正打那李霸遇,直打到血流满地,听得前面头踏⑤指约,喝道令公来。符令公在马上,见这贵人红光罩定,紫雾遮身,和李霸遇厮打,李霸遇那里奈何得这贵人?符令公教手下人:"不要惊动,为我召来。"手下人得了钧旨,便来好好地道:"两人且莫厮打,令公钧旨,教来府内相见。"二人同至厅下,符令公看这人时,生得:

尧眉舜目,禹背汤肩。

令公钧旨,便问郭大郎道:"那里人氏?因甚行打李霸遇?"贵人覆道:"告令公,郭威是邢州尧山县人氏,远来贵府投事。李霸遇要郭威钱,不令郭威参见令公钧颜,担搁在旅店两月有余。今日撞见,因此行打。有犯台颜,小人死罪死罪。"符令公问道:"你既然远来投奔,会甚本事?"郭大郎覆道:"郭威十八般武艺尽都通晓。"令公钧旨,教李霸遇与郭威就当厅使棒。李霸遇先时已被这贵人打了一顿,奈何不得这贵人,覆令公道:"李霸遇使棒不得。适间被郭威暗算,打损身上。"令公钧旨,定要使棒。郭威看着李霸遇道:"你道我暗算你,这里比个大哥二哥!"二人把棒在手,

---

① 花项——刺花(雕青)的头颈。

② 四川十样锦——五代蜀时制成十种锦:长安竹锦、天下乐锦、雕团锦、宜男锦、宝界地锦、方胜锦、狮团锦、象眼锦、八答韵锦、铁梗襄荷锦。

③ 洛汭——水曲流,叫汭。洛汭,洛水流入黄河的地方,旧时在河南巩县。

④ 分际——中间、紧要处。

⑤ 头踏——官吏出行时,前边排列的仪仗队。

唱了喏，部者[①]喝教二人放对[②]。

山东大擂，河北夹枪。山东大擂，鳌鱼口内喷来；河北夹枪，昆仑山头泻出。三转身，两攧脚[③]。旋风响，卧乌鸣。遮拦架隔，有如素练眼前飞；打龊[④]支撑，不若耳边风雨过。

两人就在厅前使那棒，一上一下，一来一往，斗不得数合，令公符彦卿在厅上看见，喝采不迭。

羊祜病中推杜预[⑤]，叔牙囚里荐夷吾[⑥]。
堪嗟四海英雄辈，若个[⑦]男儿识丈夫？

两人就厅下使棒，李霸遇那里奈何得这贵人？被郭大郎一棒打翻。符令公大喜，即时收在帐前，遂差这贵人做大部署，倒在李霸遇之上。郭大郎拜谢了令公，在河南府当职役。过了几时，没话说。

忽一日，郭部署出衙门闲干事，行至市中，只见食店[⑧]前一个官人，坐在店前大惊小怪，呼左右教打碎这食店。贵人一见，遂问过卖[⑨]："这官人因甚的在此喧哄寻闹[⑩]？"过卖扯着部署在背后去告诉道："这官人乃是地方中有名的尚衙内[⑪]，半月前见主人有个女儿，十八岁，大有颜色。这官人见了一面，归去教人来传语道：'太夫人教请小娘子过来，说话则个。若是你家缺少钱物，但请见谕。'主人道：'我家岂肯卖女儿？只割舍得

① 部者——部属。
② 放对——打对手；对打。
③ 攧脚——顿脚。
④ 龊——搠、刺。
⑤ 羊祜病中推杜预——羊祜，字叔子；杜预，字元凯，晋代人。晋武帝时，羊祜都督荆州军事，镇守襄阳。后病重，推荐杜预代替自己。
⑥ 叔牙囚里荐夷吾——春秋时代鲍叔牙和管夷吾，他们两人是好朋友。起初鲍叔牙在齐公子小白手下做事，管夷吾则在公子纠手下做事；后来小白立为齐桓公，公子纠败死，管仲也被囚。由于鲍叔牙的竭力推荐，桓公终于任用了管仲。
⑦ 若个——哪个。
⑧ 食店——饭馆。
⑨ 过卖——店铺中的伙计。
⑩ 寻闹——寻衅、吵架。
⑪ 衙内——官僚的儿子。

死！’尚衙内见主人不肯，今日来此掀打。”贵人见说，

怒从心上起，恶向胆边生。雄威动凤眼圆睁，烈性发龙眉倒竖。两条忿气，从脚底板贯到顶门。心头一把无明火，高三千丈，按捺不下。

郭部署向前与尚衙内道：“凡人要存仁义，暗室欺心，神目如电，尊官不可以女色而失正道。郭威言轻，请尊官上马若何？”衙内焦躁道：“你是何人？”贵人道：“姓郭名威，乃是河南府符令公手下大部署。”衙内说：“各无所辖，焉能管我？左右，为我殴打这厮！”贵人大怒道：“我好意劝你，却教左右打我，你不识我性！”用左手捽住尚衙内，右手就身边拔出压衣刀①在手，手起刀落，尚衙内性命如何？

欲除天下不平事，方显人间大丈夫。

郭部署路见不平，杀了尚衙内。一行人从都走，贵人径来河南府内自首。符令公出厅，贵人覆道：“告令公，郭威杀了欺压良善之贼，特来请罪。”符令公问了起末②，喝左右取长枷枷了，押下司理院③问罪。怎见得司理院的利害？

古名“廷尉”④，亦号“推官”。果然是事不通风，端的底令人丧胆。庞眉节级⑤，执黄荆俨似牛头；努目押牢，持铁索浑如罗刹。枷分三等⑥，取勘情重情轻；牢眼四方，分别当生当死。风声紧急，乌鸦鸣噪勘官厅⑦；日影参差，绿柳遮笼萧相庙。转头逢五道⑧，开眼见阎王。

---

① 压衣刀——一种压衣服用的小佩刀。压，也写作押。

② 起末——前后经过、始末、根由。

③ 司理院——五代时各州都设马步院，宋太祖开宝六年改马步院为司理院，专掌刑法。

④ 廷尉——官名，掌管刑狱。

⑤ 节级——对小军吏或狱吏的称呼。

⑥ 枷分三等——宋制枷重分三等：死罪二十五斤，徒流二十斤，杖以下十五斤。

⑦ 勘官厅——勘问官的官厅。

⑧ 五道——即五道将军。传说中东岳的属神，掌管人的生死。

当日那承吏[①]王琇承了这件公事。罪人入狱,教狱子绑[②]在廊上,一面勘问。不多时,符令公钧旨,叫王琇来偏厅上。令公见王琇,遂吩咐几句,又把笔去那桌子面上写四字。王琇看时,乃是:"宽容郭威。"王琇道:"律有明条,领钧旨。"令公焦躁,遂转屏风入府堂去。王琇急慌,唱了喏,闷闷不已,径回来司房[③]伏案而睡,见一条小赤蛇儿,戏于案上。王琇道:"作怪!"遂赶这蛇,急赶急走,慢赶慢走;赶至东乙牢,这蛇入牢眼去,走上贵人枷上,入鼻内从七窍中穿过。王琇看这个贵人时,红光罩定,紫雾遮身。理会未下,就司房里飒然睡觉。原来人困后,多是肚中不好了,有那与决不下的事,或是手头窘迫,忧愁思虑。故困字着个贫字,谓之贫困;愁字,谓之愁困;忧字,谓之忧困;不成喜困、欢困?王琇得了这一梦,肚里道:"可知[④]符令公教我宽容他,果然好人识好人。"王琇思量半晌,只是未有个由头出脱他。不知这贵人直有许多攧扑[⑤]:自幼便没了亲爹,随母嫁潞州常家;后来因事离了河北,筑筑磕磕,受了万千不易;甫能得符令公周全做大部署,又去闲管事,惹这场横祸。至夜,居民遗漏[⑥],王琇眉头一纵,计从心上来。只就当夜,教这贵人出牢狱。当时王琇思量出甚计来?正是:

袖中伸出拿云手,提起天罗地网人。

当夜黄昏后,忽居民遗漏。王琇急去禀令公,要就热乱[⑦]里放了这贵人,只做因火狱中走了。令公大喜。原来令公日间已写下书,只要做道理[⑧]放他,遂付书与王琇。王琇接了书,来狱中疏了贵人戴的枷,拿顶头巾,教贵人裹了,把符令公的书与贵人,吩咐道:"令公教你去汴京见刘太尉,可便去,不宜迟。"贵人得放出,火尚未灭,趁那撩乱之际,急走去部署房里,收拾些钱物,当夜迤逦奔那汴京开封府路上来。

---

① 承吏——承办公事的吏员。
② 绑(bēng)——捆绑、缠缚。
③ 司房——司吏房,吏的办事房。
④ 可知——难怪、当然。
⑤ 攧扑——蹉跌、摔跌。
⑥ 遗漏——失火、火灾。
⑦ 热乱——闹乱、极其混乱。
⑧ 做道理——想办法、打主意。

不则一日，到开封府，讨了安歇处。明日早，径往殿司①衙门俟候下书。等候良久，刘太尉朝殿而回。只见：

青凉伞招飐如云，马颔下珠缨拂火。

乃是侍卫亲军左金吾卫上将军殿前都指挥使刘知远。贵人走向前应声喏，覆道："西京符令公有书拜呈，乞赐台览。"刘太尉教人接了书，随入衙。刘太尉拆开书看了，教下书人来厅前参拜了。刘太尉见郭威生得清秀，是个发迹的人，留在帐前作牙将②使唤，郭威拜谢讫。

自后过来得数日，刘太尉因操军回衙，打从桑维翰丞相府前过。是日桑维翰与夫人在看街③里，观着往来军民。刘知远头踏，约有三百余人，真是威严可畏。夫人看着桑维翰道："相公见否？"桑维翰道："此是刘太尉。"夫人说："此人威严若此，想官大似相公。"桑维翰笑曰："此一武夫耳，何足道哉？看我呼至帘前，使此人鞠躬听命。"夫人道："果如是，妾当奉劝；如不应其言，相公当劝妾一杯酒。"桑维翰即时令左右呼召刘太尉，又令人安靴在帘里，传钧旨赶上刘太尉，取覆④道："相公呼召太尉。"刘知远随即到府前下马，至堂下躬身应喏。正是：

直饶百万将军贵，也须堂下拜靴尖。

刘太尉在堂下俟候，担搁了半日，不闻钧旨。桑维翰与夫人饮酒，忘了发付⑤，又没人敢去禀覆。至晚，刘太尉只得且归，到衙内焦躁道："大丈夫功名，自以弓马得之，今反被腐儒相侮。"到明日五更，至朝见处，见桑维翰下马入阁子里去。刘知远心中大怒："昨日侮我，教我看靴尖唱喏，今日有何面目相见？"因此怀忿，在朝见处有犯桑维翰。晋帝遂令刘知远出镇太原府。那里是刘知远出镇太原府？则是那史弘肇合当出来，发迹变泰！正是：

特意种花栽不活，等闲携酒却成欢。

刘知远出镇太原府，为节度使，日下朝辞出国门，择了日进发赴任。刘太尉先同帐下官属带行亲随起发，前往太原府，留郭牙将在后管押钧

---

① 殿司——殿前司，管领禁军的衙门。

② 牙将——裨将、偏将。

③ 看街——临街大门两旁长方形槅子，可以在内观看街景。

④ 取覆——禀告、禀覆。

⑤ 发付——打发。

眷。行李担仗,当日起发。

朱旗飐飐,彩帜飘飘。带行军卒,人人腰跨剑和刀;将佐亲随,个个腕悬鞭与简。晨鸡啼后,束装晓别孤村;红日斜时,策马暮登高岭。经野市,过溪桥,歇邮亭,宿旅驿。早起看浮云陪晓翠,晚些见落日伴残霞。

指那万水千山,迤逦前进。刘知远方行得一程,见一所大林:

干耸千寻,根盘百里。掩映绿阴似障,槎牙怪木如龙。下长灵芝,上巢彩凤。柔条微动,生四野寒风;嫩叶初开,铺半天云影。阔遮十里地,高拂九霄云。

刘太尉方欲待过,只见前面走出一队人马,拦住路。刘太尉吃一惊,将为道①是强人,却待教手下将佐安排去抵敌。只见众人摆列在前,齐唱一声喏,为首一人禀覆道:"侍卫司②差军校史弘肇带领军兵接太尉节使上太原府。"刘知远见史弘肇生得英雄,遂留在手下为牙将。史弘肇不则一日,随太尉到太原府。后面钧眷到,史弘肇见了郭牙将,扑翻身体便拜。兄弟两人再厮见,又都遭际刘太尉,两人为左右牙将。后因契丹灭了石晋,刘太尉起兵入汴,史郭二人为先锋,驱除契丹,代晋家做了皇帝,国号后汉。史弘肇自此直发迹,做到单、滑、宋、汴四镇令公,富贵荣华,不可尽述。

碧油旛③拥,皂纛旗开。壮士携鞭,佳人捧扇。冬眠红锦帐,夏卧碧纱厨④。两行红袖引,一对美人扶。

这话本是京师老郎流传,若按欧阳文忠公所编的《五代史》正传上载道:梁末调民七户出一兵,弘肇为兵,隶开道指挥,选为禁军,汉高祖典禁军为军校。其后汉高祖镇太原,使将武节左右指挥,领雷州刺史。以功拜忠武军节度使,侍卫步军都指挥使。再迁侍卫亲军马步军都指挥使,领归德军节度使,同中书门下平章事。后拜中书令。周太祖郭威即位之日,弘肇已死,追封郑王。诗曰:

---

① 将为道——还以为、当做。

② 侍卫司——宋代有侍卫亲军马军、侍卫亲军步军两司,与殿前司合称三衙,总领禁军。

③ 碧油旛——张在车上的碧色油幕。

④ 碧纱厨——一种绿色的帏帐,夏天张着,以挡蚊蝇。

结交须结英与豪，劝君莫结儿女曹。
英豪际会皆有用，儿女柔脆空烦劳。

# 第十六卷　范巨卿鸡黍死生交

种树莫种垂杨枝，结交莫结轻薄儿：杨枝不耐秋风吹，轻薄易结还易离。君不见昨日书来两相忆，今日相逢不相识？不如杨枝犹可久，一度春风一回首。

这篇言语，是《结交行》，言结交最难。今日说一个秀才，乃汉明帝时人，姓张名劭，字元伯，是汝州南城人氏。家本农业，苦志读书。年三十五岁，不曾婚娶。其老母年近六旬，并弟张勤努力耕种，以供二膳。时汉帝求贤，劭辞老母，别兄弟，自负书囊，来到东都洛阳应举。在路非只一日，到洛阳不远，当日天晚，投店宿歇。是夜，常闻邻房有人声唤。劭至晚，问店小二间壁声唤的是谁，小二答道："是一个秀才，害时症①，在此将死。"劭曰："既是斯文，当以看视。"小二曰："瘟病过人，我们尚自不去看他，秀才你休去。"劭曰："死生有命，安有病能过人之理？吾须视之。"小二劝不住，劭乃推门而入。见一人仰面卧于土榻之上，面黄肌瘦，口内只叫救人。劭见房中书囊衣冠，都是应举的行动②，遂扣头边而言曰："君子勿忧，张劭亦是赴选之人，今见汝病至笃，吾竭力救之，药饵粥食，吾自供奉，且自宽心。"其人曰："若君子救得我病，容当厚报。"劭随即挽人请医用药调治，早晚汤水粥食，劭自供给。

数日之后，汗出病减，渐渐将息，能起行立。劭问之，乃是楚州山阳人氏，姓范名式，字巨卿，年四十岁。世本商贾，幼亡父母，有妻小。近弃商贾，来洛阳应举。比及范巨卿将息得无事了，误了试期。范曰："今因式病，有误足下功名，甚不自安。"劭曰："大丈夫以义气为重，功名富贵，乃微末耳。已有分定，何误之有？"范式自此与张劭情如骨肉，结为兄弟。式年长五岁，张劭拜范式为兄。

---

① 时症——时疫。季节性流行病。
② 行动——行头、衣服、工具之类物品。

结义后，朝暮相随，不觉半年。范式思归，张劭与计算房钱，还了店家，二人同行。数日，到分路之处，张劭欲送范式，范式曰："若如此，某又送回；不如就此一别，约再相会。"二人酒肆共饮，见黄花红叶，妆点秋光，以助别离之兴。酒座间杯泛茱萸，问酒家，方知是重阳佳节。范式曰："吾幼亡父母，屈在商贾。经书虽则留心，奈为妻子所累。幸贤弟有老母在堂，汝母即吾母也，来年今日，必到贤弟家中，登堂拜母，以表通家之谊。"张劭曰："但村落无可为款，倘蒙兄长不弃，当设鸡黍以待，幸勿失信。"范式曰："焉肯失信于贤弟耶？"二人饮了数杯，不忍相舍。张劭拜别范式，范式去后，劭凝望堕泪，式亦回顾泪下，两各怅怏而去。有诗为证：

手采黄花泛酒卮，殷勤先订隔年期。
临歧不忍轻分别，执手依依各泪垂。

且说张元伯到家，参见老母。母曰："吾儿一去，音信不闻，令我悬望，如饥似渴。"张劭曰："不孝男于途中遇山阳范巨卿，结为兄弟，以此逗留多时。"母曰："巨卿何人也？"张劭备述详细。母曰："功名事皆分定，既逢信义之人结交，甚快我心。"少刻弟归，亦以此事从头说知，各各欢喜。

自此张劭在家，再攻书史，以度岁月。光阴迅速，渐近重阳。劭乃预先畜养肥鸡一只，杜酝浊酒。是日早起，洒扫草堂，中设母座，旁列范巨卿位，遍插菊花于瓶中，焚信香于座上，呼弟宰鸡炊饭，以待巨卿。母曰："山阳至此，迢递千里，恐巨卿未必应期而至；待其来，杀鸡未迟。"劭曰："巨卿信士也，必然今日至矣，安肯误鸡黍之约？入门便见所许之物，足见我之待久。如候巨卿来而后宰之，不见我惓惓之意。"母曰："吾儿之友，必是端士。"遂烹炰以待。

是日天晴日朗，万里无云。劭整其衣冠，独立庄门而望。看看近午，不见到来。母恐误了农桑，令张勤自去田头收割。张劭听得前村犬吠，又往望之，如此六七遭。因看红日西沉，现出半轮新月。母出户，令弟唤劭曰："儿久立倦矣，今日莫非巨卿不来？且自晚膳。"劭谓弟曰："汝岂知巨卿不至耶？若范兄不至，吾誓不归。汝农劳矣，可自歇息。"母弟再三劝归，劭终不许。

候至更深，各自歇息。劭倚门如醉如痴，风吹草木之声，莫是范来，皆自惊讶。看见银河耿耿，玉宇澄澄，渐至三更时分，月光都没了，隐隐见黑影中一人随风而至。劭视之，乃巨卿也，再拜踊跃而大喜曰："小弟自早直候至今,知兄非爽信也,兄果至矣。旧岁所约鸡黍之物,备之已久。路远风尘,别不曾有人同来。便请至草堂,与老母相见。”范式并不答话,径入草堂。张劭指座榻曰:“特设此位,专待兄来,兄当高座。”张劭笑容满面,再拜于地曰:“兄既远来,路途劳困,且未可与老母相见。杜酿鸡黍,聊且充饥。”言讫又拜。范式僵立不语,但以衫袖反掩其面。劭乃自奔入厨下,取鸡黍并酒,列于面前,再拜以进曰:“酒殽虽微,劭之心也,幸兄勿责。”但见范于影中以手绰①其气而不食。劭曰:“兄意莫不怪老母并弟不曾远接,不肯食之?容请母出与同伏罪。”范摇手止之。劭曰:“唤舍弟拜兄,若何?”范亦摇手而止之。劭曰:“兄食鸡黍后进酒,若何?”范蹙其眉,似教张退后之意。劭曰:“鸡黍不足以奉长者,乃劭当日之约,幸勿见嫌。”范曰:“弟稍退后,吾当尽情诉之。吾非阳世之人,乃阴魂也。”劭大惊曰:“兄何故出此言?”范曰:“自与兄弟相别之后,回家为妻子口腹之累,溺身商贾中。尘世滚滚,岁月匆匆,不觉又是一年。向日鸡黍之约,非不挂心,近被蝇利所牵,忘其日期。今早邻右送茱萸②酒至,方知是重阳,忽记贤弟之约,此心如醉。山阳至此,千里之隔,非一日可到。若不如期,贤弟以我为何物?鸡黍之约,尚自爽信,何况大事乎?寻思无计,常闻古人有云:‘人不能行千里,魂能日行千里。’遂嘱咐妻子曰:‘吾死之后,且勿下葬,待吾弟张元伯至,方可入土。’嘱罢,自刎而死。魂驾阴风,特来赴鸡黍之约。万望贤弟怜悯愚兄,恕其轻忽之过,鉴其凶暴之诚,不以千里之程,肯为辞亲到山阳一见吾尸,死亦瞑目无憾矣。”言讫,泪如迸泉,急离坐榻,下阶砌。劭乃趋步逐之,不觉忽踏了苍苔,颠倒③于地。阴风拂面,不知巨卿所在。有诗为证:

风吹落月夜三更,千里幽魂叙旧盟。
只恨世人多负约,故将一死见平生。

张劭如梦如醉,放声大哭。那哭声惊动母亲并弟,急起视之,见堂上陈列鸡黍酒果,张元伯昏倒于地。用水救醒,扶到堂上,半晌不能言,又哭至死。母问曰:“汝兄巨卿不来,有甚利害?何苦自哭如此!”劭曰:“巨卿

---

① 绰——抓。按照迷信的说法,鬼不能吃东西,只能享其气。
② 茱萸(zhūyú)——落叶乔木。
③ 颠倒——跌倒、摔倒。

以鸡黍之约,已死于非命矣。”母曰:“何以知之?”劭曰:“适间亲见巨卿到来,邀迎入坐,具鸡黍以迎。但见其不食,再三恳之,巨卿曰:为商贾用心,失忘了日期。今早方醒,恐负所约,遂自刎而死。阴魂千里,特来一见。母可容儿亲到山阳,葬兄之尸,儿明早收拾行李便行。”母哭曰:“古人有云:‘囚人梦赦,渴人梦浆。’此是吾儿念念在心,故有此梦警耳。”劭曰:“非梦也,儿亲见来,酒食见在,逐之不得,忽然颠倒,岂是梦乎?巨卿乃诚信之士,岂妄报耶!”弟曰:“此未可信,如有人到山阳去,当问其虚实。”劭曰:“人禀天地而生,天地有五行,金、木、水、火、土,人则有五常,仁、义、礼、智、信以配之,惟信非同小可。仁所以配木,取其生意也;义所以配金,取其刚断也;礼所以配水,取其谦下也;智所以配火,取其明达也;信所以配土,取其重厚也。圣人云:‘大车无輗①,小车无軏②,其何以行之哉?’又云:‘自古皆有死,民无信不立。’巨卿既已为信而死,吾安可不信而不去哉?弟专务农业,足可以奉老母。吾去之后,倍加恭敬,晨昏甘旨,勿使有失。”遂拜辞其母曰:“不孝男张劭,今为义兄范巨卿为信义而亡,须当往吊。已再三叮咛张勤,令侍养老母。母须早晚勉强饮食,勿以忧愁,自当善保尊体。劭于国不能尽忠,于家不能尽孝,徒生于天地之间耳。今当辞去,以全大信。”母曰:“吾儿去山阳千里之遥,月余便回,何故出不利之语?”劭曰:“生如浮沤③,死生之事,旦夕难保。”恸哭而拜。弟曰:“勤与兄同去,若何?”元伯曰:“母亲无人侍奉,汝当尽力事母,勿令吾忧。”洒泪别弟,背一个小书囊,来早便行。有诗为证:

辞亲别弟到山阳,千里迢迢客梦长。
岂为友朋轻骨肉?只因信义迫中肠。

沿路上饥不择食,寒不思衣。夜宿店舍,虽梦中亦哭。每日早起赶程,恨不得身生两翼。行了数日,到了山阳。问巨卿何处住,径奔至其家门首,见门户锁着。问及邻人,邻人曰:“巨卿死已过二七,其妻扶灵柩往郭外去下葬,送葬之人,尚自未回。”劭问了去处,奔至郭外,望见山林前新筑一所土墙,墙外有数十人,面面相觑,各有惊异之状。劭汗流如雨,走

① 輗(ní)——大车辕端与横木相接的关键。
② 軏(yuè)——古代车辕与横木连接的关键。
③ 浮沤——水泡。

往观之,见一妇人,身披重孝,一子约有十七八岁,伏棺而哭。元伯大叫曰:“此处莫非范巨卿灵柩乎?”其妇曰:“来者莫非张元伯乎?”张曰:“张劭自来不曾到此,何以知名姓耶?”妇泣曰:“此夫主再三之遗言也。夫主范巨卿,自洛阳回,常谈贤叔盛德。前者重阳日,夫主忽举止失措,对妾曰:‘我失却元伯之大信,徒生何益?常闻人不能行千里,吾宁死,不敢有误鸡黍之约。死后且不可葬,待元伯来见我尸,方可入土。’今日已及二七,人劝云:元伯不知何日得来,先葬讫,后报知未晚。因此扶柩到此,众人拽棺入金井①,并不能动,因此停住坟前,众都惊怪。见叔叔远来,如此慌速,必然是也。”元伯乃哭倒于地,妇亦大恸。送殡之人,无不下泪。

元伯于囊中取钱,令买祭物,香烛纸帛,陈列于前,取出祭文,酹酒再拜,号泣而读,文曰:

> 维某年月日,契弟张劭,谨以炙鸡絮酒②,致祭于仁兄巨卿范君之灵曰:于维巨卿,气贯虹霓,义高云汉。幸倾盖③于穷途,缔盍簪④于荒店。黄花九日,肝膈相盟;青剑三秋,头颅可断。堪怜月下凄凉,恍似日间眷恋。弟今辞母,来寻碧水青松;兄亦嘱妻,伫望素车白练。故友那堪死别,谁将金石盟寒?丈夫自是生轻,欲把昆吾锷按。历千古而不磨,期一言之必践。倘灵爽⑤之犹存,料冥途之长伴。呜呼哀哉!尚飨。

元伯发棺视之,哭声动地,回顾嫂曰:“兄为弟亡,岂能独生耶?囊中已具棺椁之费,愿嫂垂怜,不弃鄙贱,将劭葬于兄侧,平生之大幸也。”嫂曰:“叔何故出此言也?”劭曰:“吾志已决,请勿惊疑。”言讫,掣佩刀自刎而死。众皆惊愕,为之设祭,具衣棺营葬于巨卿墓中。

本州太守闻知,将此事表奏。明帝怜其信义深重,两生虽不登第,亦可褒赠,以励后人。范巨卿赠山阳伯,张元伯赠汝南伯。墓前建庙,号“信义之祠”,墓号“信义之墓”。旌表门闾,官给衣粮,以膳其子。巨卿子

---

① 金井——这里指墓穴。

② 炙鸡絮酒——后汉徐稚每次吊丧,在家先炙鸡一只,用一两绵絮渍酒晒干,以裹鸡。来到墓外,用水浸绵,使有酒气,置鸡于前,酾酒毕即去,不见丧主。

③ 倾盖——邂逅结交。

④ 盍簪——聚会。

⑤ 灵爽——灵魂。

范纯绶,及第进士,官鸿胪寺卿①。至今山阳古迹犹存,题咏极多。惟有无名氏《踏莎行》一词最好,词云:

千里途遥,隔年期远,片言相许心无变。宁将信义托游魂,堂中鸡黍空劳动。　　月暗灯昏,泪痕如线,死生虽隔情何限。灵輀②若候故人来,黄泉一笑重相见。

# 第十七卷　单符郎全州佳偶

郑鄏③门开城倚天,周公拮构尚依然。

休言道德无关锁,一闭乾坤八百年。

这首诗,单说西京是帝王之都,左成皋,右渑池,前伊阙,后大河,真个形势无双,繁华第一,宋朝九代建都于此。今日说一桩故事,乃是西京人氏,一个是邢知县,一个是单推官,他两个都在孝感坊④下,并门而居。两家宅眷,又是嫡亲姊妹,姨丈相称。所以往来甚密,虽为各姓,无异一家。先前两家未做官时节,姊妹同时怀孕,私下相约道:“若生下一男一女,当为婚姻。”后来单家生男,小名符郎;邢家生女,小名春娘。姊妹各对丈夫说通了,从此亲家往来,非止一日。符郎和春娘幼时,常在一处游戏,两家都称他为小夫妇。以后渐渐长成,符郎改名飞英,字腾实,进馆读书;春娘深居绣阁,各不相见。

其时宋徽宗宣和七年,春三月,邢公选了邓州顺阳县知县,单公选了扬州府推官,各要挈家上任。相约任满之日,归家成亲。单推官带了夫人和儿子符郎,自往扬州去做官不提。却说邢知县到了邓州顺阳县,未及半载,值金鞑子分道入寇。金将斡离不攻破了顺阳,邢知县一门遇害。春娘年十二岁,为乱兵所掠,转卖在全州乐户⑤杨家,得钱十七千而去。春娘从小读过经书,及唐诗千首,颇通文墨,尤善应对。鸨母爱之如宝,改名杨

① 鸿胪寺卿——官名,专司朝贺庆吊的礼节。

② 灵輀(ér)——灵车。

③ 郏鄏(jiá rǔ)——古代地名,为周代的旧都,在今河南洛阳西。

④ 孝感坊——北宋时汴京城内街坊名。

⑤ 乐户——就是官妓。因为隶于乐籍,所以称为乐户。

玉,教以乐器及歌舞,无不精绝。正是:

三千粉黛输颜色,十二朱楼让舞歌。

只是一件,他终是宦家出身,举止端详。每诣公庭侍宴,呈艺毕,诸妓调笑谑浪,无所不至,杨玉嘿然①独立,不妄言笑,有良人风度。为这个上,前后官府,莫不爱之重之。

话分两头。却说单推官在任三年,时金虏陷了汴京,徽宗、钦宗两朝天子,都被他掳去。亏杀吕好问说下了伪帝张邦昌,迎康王嗣统。康王渡江而南,即位于应天府②,是为高宗。高宗惧怕金虏,不敢还西京,乃驾幸扬州。单推官率民兵护驾有功,累迁郎官之职,又随驾至杭州。高宗爱杭州风景,驻跸建都,改为临安府。有诗为证:

山外青山楼外楼,西湖歌舞几时休?

暖风熏得游人醉,却把杭州作汴州。

话说西北一路地方,被金虏残害,百姓从高宗南渡者,不计其数,皆散处吴下。闻临安建都,多有搬到杭州入籍安插。单公时在户部,阅看户籍册子,见有一邢祥名字,乃西京人。自思邢知县名祯,此人名祥,敢是同行兄弟?自从游宦以后,邢家全无音耗相通,正在悬念。乃遣人密访之,果邢知县之弟,号为"四承务"③者。急忙请来相见,问其消息。四承务答道:"自邓州破后,传闻家兄举家受祸,未知的否。"因流泪不止。单公亦愀然不乐。念儿子年齿已长,意欲别图亲事;犹恐传言未的,媳妇尚在,且待干戈宁息,再行探听。从此单公与四承务仍认做亲戚,往来不绝。

再说高宗皇帝初即位,改元建炎。过了四年,又改元绍兴。此时绍兴元年,朝廷追叙南渡之功,单飞英受父荫,得授全州司户④,谢恩过了,择日拜别父母起程,往全州到任。时年十八岁,一州官属,只有单司户年少,且是仪容俊秀,见者无不称羡。上任之日,州守设公堂酒会饮,大集声妓。原来宋朝有这个规矩,凡在籍娼户,谓之官妓,官府有公私筵宴,听凭点名唤来祗应。这一日,杨玉也在数内。单司户于众妓中,只看得他上眼,大

---

① 嘿然——同默然。

② 应天府——宋代以宋州(今河南商丘县)为应天府,建为南京。

③ 四承务——唐宋文官散阶,都有承务郎。承务,即承务郎的省称。宋代官僚的子弟,多荫叙承务郎。四承务,等于四舍人。

④ 司户——掌管地方上的户口、帐册等。

有眷爱之意。诗曰：

曾绾红绳到处随，佳人才子两相宜。
风流的是张京兆①，何日临窗试画眉？

司理姓郑名安，荥阳旧族，也是个少年才子，一见单司户，便意气相投，看他顾盼杨玉，已知其意。一日郑司理去拜单司户，问道："足下清年②名族，为何单车赴任，不携宅眷？"单司户答道："实不相瞒，幼时曾定下妻室，因遭虏乱，存亡未卜，至今中馈尚虚③。"司理笑道："离索④之感，人孰无之？此间歌妓杨玉，颇饶雅致，且作望梅止渴何如？"司户初时逊谢不敢，被司理言之再三，说到相知的分际，司户隐瞒不得，只得吐露心腹。司理道："既才子有意佳人，仆当为曲成之耳。"自此每遇宴会，司户见了杨玉，反觉有些避嫌，不敢注目，然心中思慕愈甚。司理有心要玉成其事，但惧怕太守严毅，做不得手脚。

如此二年，旧太守任满升去，新太守姓陈，为人忠厚至诚，且与郑司理是同乡故旧，所以郑司理屡次在太守面前，称荐单司户之才品，太守十分敬重。一日，郑司理置酒，专请单司户到私衙清话，只点杨玉一名祗候⑤。这一日，比公堂筵宴不同，只有宾主二人，单司户才得饱看杨玉，果然美丽。有词名《忆秦娥》，词云：

香馥馥，樽前有个人如玉。人如玉，翠翘金凤，内家妆束⑥。
娇羞惯把眉儿蹙，逢人只唱伤心曲。伤心曲，一声声是怨红愁绿。

郑司理开言道："今日之会，并无他客，勿拘礼法，当开怀畅饮，务取尽欢。"遂斟巨觥来劝单司户，杨玉清歌侑酒。酒至半酣，单司户看着杨玉，神魂飘荡，不能自持，假装醉态不饮。郑司理已知其意，便道："且请到书斋散步，再容奉劝。"那书斋是司理自家看书的所在，摆设着书画琴棋，也有些古玩之类。单司户那有心情去看，向竹榻上倒身便睡。郑司理道：

---

① 张京兆——汉代张敞，宣帝时任京兆尹，所以称为张京兆。张敞常给他的妻子画眉毛。
② 清年——盛年。
③ 中馈尚虚——尚未娶妻。
④ 离索——孤单、孤独。
⑤ 祗候——侍候、服事。
⑥ 内家妆束——宫中妃子妆束。

“既然仁兄困酒,暂请安息片时。”忙转身而出,却教杨玉斟下香茶一瓯送去。单司户素知司理有玉成之美,今番见杨玉独自一个送茶,情知是放松了,忙起身把门掩上,双手抱住杨玉求欢。杨玉佯推不允,单司户道:“相慕小娘子,已非一日。难得今番机会,司理公平昔见爱,就使知觉,必不嗔怪。”杨玉也识破三分关窍,不敢固却,只得顺情。有诗为证:

相慕相怜二载余,今朝且喜两情舒。

虽然未得通宵乐,犹胜阳台梦是虚。

单司户私问杨玉道:“你虽然才艺出色,偏觉雅致,不似青楼习气,必是一个名公苗裔,今日休要瞒我,可从实说与我知道,果是何人?”杨玉满面羞惭,答道:“实不相瞒,妾本宦族,流落在此,非杨妪所生也。”司户大惊,问道:“既系宦族,汝父何官何姓?”杨玉不觉双泪交流,答道:“妾本姓邢,在东京孝感坊居住,幼年曾许与母姨之子结婚。妾之父授邓州顺阳县知县,不幸胡寇猖獗,父母皆遭兵刃,妾被人掠卖至此。”司户又问道:“汝夫家姓甚?作何官职?所许嫁之子,又是何名?”杨玉道:“夫家姓单,那时为扬州推官。其子小名符郎,今亦不知存亡如何。”说罢,哭泣不止。司户心中已知其为春娘了,且不说破,只安慰道:“汝今日鲜衣美食,花朝月夕,够你受用。官府都另眼看觑,谁人轻贱你?况宗族远离,夫家存亡未卜,随缘快活,亦足了一生矣。何乃自生悲泣耶?”杨玉蹙颏答道:“妾闻‘女子生而愿为之有家’,虽不幸风尘,实出无奈。夫家宦族,即使无恙,妾亦不作团圆之望。若得嫁一小民,荆钗布裙,啜菽饮水,亦是良人家媳妇。比在此中迎新送旧,胜却千万倍矣。”司户点头道:“你所见亦是。果有此心,我当与汝作主。”杨玉叩头道:“恩官若能拔妾于苦海之中,真乃万代阴德也。”

说未毕,只见司理推门进来道:“阳台梦醒也未?如今无事,可饮酒矣。”司户道:“酒已过醉,不能复饮。”司理道:“一分酒醉,十分心醉。”司户道:“一分醉酒,十分醉德。”大家都笑起来。重来筵上,洗盏更酌,是日尽欢而散。

过了数日,单司户置酒,专请郑司理答席,也唤杨玉一名答应。杨玉先到,单司户不复与狎昵,遂正色问曰;“汝前日有言,为小民妇亦所甘心;我今丧偶,未有正室,汝肯相随我乎?”杨玉含泪答道:“枳棘岂堪凤凰所栖,若恩官可怜,得蒙收录,使得备巾栉之列,丰衣足食,不用送往迎来,固妾所愿也。但恐他日新孺人①性严,不能相容。然妾自当含忍,万一征色发声,妾情愿持斋佞佛,终身独宿,以报恩官之德耳。”司户闻言,不觉惨然,方知其厌恶风尘,出于至诚,非诳语也。

少停,郑司理到来,见杨玉泪痕未干,戏道:“古人云‘乐极生悲’,信有之乎?”杨玉敛容答道:“忧从中来,不可断绝耳。”单司户将杨玉立志从良说话,向郑司理说了。郑司理道:“足下若有此心,下官亦愿效一臂。”这一日饮酒无话。

席散后,单司户在灯下修成家书一封,书中备言岳丈邢知县全家受祸,春娘流落为娼,厌恶风尘,志向可悯。男情愿复联旧约,不以良贱为嫌。单公拆书亲看,大惊,随即请邢四承务到来,商议此事,两家各伤感不已。四承务要亲往全州,主张亲事,教单公致书于太守,求为春娘脱籍。单公写书,付与四承务收讫,四承务作别而行。不一日,来到全州,径入司户衙中相见,道其来历。单司户先与郑司理说知其事,司理一力撺掇,道:“谚云:‘贵易交,富易妻。’今足下甘娶风尘之女,不以存亡易心,虽古人高义,不是过也。”遂同司户到太守处,将情节告诉。单司户把父亲书札呈上,太守看了,道:“此美事也,敢不奉命。”次日,四承务具状告府,求为释贱归良,以续旧婚事,太守当面批准了。

候至日中,还不见发下文牒。单司户疑有他变,密使人打探消息,见厨司正在忙乱,安排筵席。司户猜道:“此酒为何而设?岂欲与杨玉举离别觞耶?事已至此,只索听之。”少顷,果召杨玉祗候,席间只请通判一人。酒至三巡,食供两套,太守唤杨玉近前,将司户愿续旧婚,及邢祥所告脱籍之事,一一说了。杨玉拜谢道:“妾一身生死荣辱,全赖恩官提拔。”太守道:“汝今日尚在乐籍,明日即为县君②,将何以报我之德?”杨玉答道:“恩官拔人于火宅③之中,阴德如山,妾惟有日夕吁天,愿恩官子孙富贵而已。”太守叹道:“丽色佳音,不可复得。”不觉前起抱持杨玉,说道:“汝必有以报我。”那通判是个正直之人。见太守发狂,便离席起立,正色发作道:“既司户有宿约,便是孺人,我等俱有同僚叔嫂之谊。君子进退

① 孺人——指普通官员的妻子。

② 县君——宋代官员妻子的一种封号。

③ 火宅——佛家比喻烦恼的世界,火海,苦海。

当以礼,不可苟且,以伤雅道。”太守踧踖,谢道:“老夫不能忘情,非判府之言,不知其为过也。今得罪于司户,当谢过以质耳。”乃令杨玉入内宅,与自己女眷相见。却教人召司理、司户二人到后堂同席,直吃到天明方散。

太守也不进衙,径坐早堂,便下文书与杨家翁媪,教除去杨玉名字。杨翁、杨媪出其不意,号哭而来,拜着太守,诉道:“养女十余年,费尽心力。今既蒙明判,不敢抗拒。但愿一见而别,亦所甘心。”太守遣人传语杨玉,杨玉立在后堂,隔屏对翁妪说道:“我夫妻重会,也是好事,我虽承汝十年抚养之恩,然所得金帛已多,亦足为汝养老之计。从此永诀,休得相念。”妪兀自号哭不止。太守喝退了杨翁、杨妪,当时差州司人从,自宅堂中抬出杨玉,径送至司户衙中,取出私财十万钱,权佐资奁之费。司户再三推辞,太守定教受了。是日郑司理为媒,四承务为主婚,如法成亲,做起洞房花烛。有诗为证:

风流司户心如渴,文雅娇娘意似狂。

今夜官衙寻旧约,不教人话负心郎。

次日,太守同一府官员都来庆贺,司户置酒相待,四承务自归临安,回复单公去讫。司户夫妻相爱,自不必说。

光阴似箭,不觉三年任满。春娘对司户说道:“妾失身风尘,亦荷翁妪爱育,其他姊妹中相处,也有情分契厚的。今将远去,终身不复相见。欲具少酒食,与之话别,不识官人肯容否?”司户道:“汝之事,合州莫不闻之,何可隐讳?便治酒话别,何碍大体。”春娘乃设筵于会胜寺中,教人请杨翁、杨妪,及旧时同行姊妹相厚者十余人,都来会饮。至期,司户先差人在会胜寺等候众人到齐,方才来禀。杨翁、杨妪先到,以后众妓陆续而来,从人点客已齐,方敢禀知司户,请孺人登舆,仆从如云,前呼后拥,到会胜寺中,与众人相见,略叙寒暄,便上了筵席。饮至数巡,春娘自出席送酒。内中一妓姓李名英,原与杨妪家连居,其音乐技艺,皆是春娘教导,常呼春娘为姊,情似同胞,极相敬爱。自从春娘脱籍,李英好生思想,常有郁郁之意。是日,春娘送酒到他面前。李英忽然执春娘之手,说道:“姊今超脱污泥之中,高翔青云之上,似妹子沉沦粪土,无有出期,相去不啻天堂地狱之隔,姊今何以救我?”说罢,遂放声大哭。春娘不胜凄惨,流泪不止。原来李英有一件出色的本事,第一手好针线,能于暗中缝纫,分际不差。正是：

织发夫人①昔擅奇，神针娘子古来稀。

谁人乞得天孙②巧？十二楼中一李姬。

春娘道："我司户正少一针线人，吾妹肯来与我作伴否？"李英道："若得阿姊为我方便，得脱此门路，是一段大阴德事。若司户左右要觅针线人，得我为之，素知阿姊心性，强似寻生分人也。"春娘道："虽然如此，但吾妹平日与我同行同辈，今日岂能居我之下乎？"李英道："我在风尘中每自退姊一步，况今日云泥迥隔，又有嫡庶之异，即使朝夕奉侍阿姊，比于侍婢，亦所甘心，况敢与阿姊比肩耶？"春娘道："妹既有此心，奴当与司户商之。"

当晚席散，春娘回衙，将李英之事对司户说了。司户笑道："一之为甚，岂可再乎！"春娘再三撺掇，司户只是不允。春娘闷闷不悦，一连几日。李英遣人以问安奶奶为名，就催促那事。春娘对司户说道："李家妹情性温雅，针线又是第一，内助得如此人，诚所罕有。且官人能终身不纳姬侍则已，若纳他人，不如纳李家妹，与我少小相处，两不见笑。官人何不向守公求之，万一不从，不过拼一没趣而已，妾亦有词以回绝李氏。倘侥幸相从，岂非全美？"司户被孺人强逼数次，不得已，先去与郑司理说知了，捉了他同去见太守，委曲道其缘故。太守笑道："君欲一箭射双雕乎？敬当奉命，以赎前此通判所责之罪。"当下太守再下文牒，与李英脱籍，送归司户。司户将太守所赠十万钱一半给与李妪，以为赎身之费，一半给与杨妪，以酬其养育之劳。自此春娘与李英姊妹相称，极其和睦。当初单飞英只身上任，今日一妻一妾，又都是才色双全，意外良缘，欢喜无限。后人有诗云：

官舍孤居思黯然，今朝采线喜双牵。

符郎不念当时旧，邢氏徒怀再世缘。

空手忽擎双块玉，污泥挺出并头莲。

姻缘不论良和贱，婚牒书来五百年。

单司户选吉起程，别了一府官僚，挈带妻妾，还归临安宅院。单飞英率春娘拜见舅姑，彼此不觉伤感，痛哭了一场。哭罢，飞英又率李英拜见。

---

① 织发夫人——古代传说，吴王赵夫人用胶粘联丝发，织成轻幔。

② 天孙——即织女星。

单公问是何人，飞英述其来历。单公大怒，说道："吾至亲骨肉流落失所，理当收拾，此乃万不得已之事。又旁及外人，是何道理？"飞英皇恐谢罪，单公怒气不息。老夫人从中劝解，遂引去李英于自己房中，要将改嫁。李英那里肯依允，只是苦苦哀求。老夫人见其至诚，且留作伴。过了数日，看见李氏小心婉顺，又爱他一手针线，遂劝单公收留与儿子为妾。单飞英迁授令丞，上司官每闻飞英娶娼之事，皆以为有义气，互相传说，无不加意钦敬，累荐至太常卿①。春娘无子，李英生一子，春娘抱之爱如己出。后读书登第，遂为临安名族，至今青楼传为佳话。有诗为证：

山盟海誓忽更迁，谁向青楼认旧缘？
仁义还收仁义报，宦途无梗子孙贤。

# 第十八卷　杨八老越国奇逢

君不见平阳公主马前奴②，一朝富贵嫁为夫？又不见咸阳东门种瓜者③，昔日封侯何在也？荣枯贵贱如转丸，风云变幻诚多端。达人知命总度外，傀儡场中一例看。

这篇古风，是说人穷通有命，或先富后贫，先贱后贵，如云踪无定，瞬息改观，不由人意想测度。且如宋朝吕蒙正秀才未遇之时，家道艰难。三日不曾饱餐，天津桥④上赊得一瓜，在桥柱上磕之，失手落于桥下。那瓜顺水流去，不得到口。后来状元及第，做到宰相地位，起造落瓜亭，以识穷时失意之事。你说做状元宰相的人，命运未至，一瓜也无福消受。假如落瓜之时，向人说道："此人后来荣贵。"被人做一万个鬼脸，啐干了一千担吐沫，也不为过，那个信他？所以说："前程如黑漆，暗中摸不出。"又如宋

① 太常卿——官名，掌宗庙礼仪。

② 平阳公主马前奴——指汉卫青。卫青本是平阳侯曹寿家的奴仆，曹寿娶汉武帝姊阳信长公主。后来卫青征匈奴有功，拜大将军，平阳公主嫁给了卫青。

③ 咸阳东门种瓜者——秦东陵侯召平，秦亡以后，种瓜于长安东青门外。

④ 天津桥——在洛阳西洛水上，始建于隋炀帝时，宋初重修。

朝军卒杨仁杲为丞相丁晋公①治第，夏天负土运石，汗流不止，怨叹道："同是一般父母所生，那住房子的，何等安乐？我们替他做工的，何等吃苦？正是：'有福之人人伏侍，无福之人伏侍人。'"这里杨仁杲口出怨声，却被管工官听得了，一顿皮鞭，打得负痛吞声。不隔数年，丁丞相得罪，贬做崖州司户。那杨仁杲从外戚起家，官至太尉，号为皇亲，朝廷就将丁丞相府第，赐与杨仁杲居住。丁丞相起夫治第，分明是替杨仁杲做个工头。正是：

桑田变沧海，沧海变桑田。
穷通无定准，变换总由天。

闲话休提。则今说一节故事，叫做"杨八老越国奇逢"。那故事，远不出汉、唐，近不出二宋，乃出自胡元之世，陕西西安府地方。这西安府乃《禹贡》②雍州之域，周曰王畿，秦曰关中，汉曰渭南，唐曰关内，宋曰永兴，元曰安西。话说元朝至大年间，一人姓杨名复，八月中秋节生日，小名八老，乃西安府盩厔县人氏。妻李氏，生子才七岁，头角秀异，天资聪敏，取名世道。夫妻两口儿爱惜，自不必说。一日，杨八老对李氏商议道："我年近三旬，读书不就，家事日渐消乏。祖上原在闽、广为商，我欲凑些赀本，买办货物，往漳州商贩，图几分利息，以为赡家之资，不知娘子意下如何？"李氏道："妾闻治家以勤俭为本，守株待兔，岂是良图？乘此壮年，正堪跋踄，速整行李，不必迟疑也。"八老道："虽然如此，只是子幼妻娇，放心不下。"李氏道："孩儿幸喜长成，妾自能教训，但愿你早去早回。"当日商量已定，择个吉日出行，与妻子分别。带个小厮，叫做随童，出门搭了船只，往东南一路进发。昔人有古风一篇，单道为商的苦处：

人生最苦为行商，抛妻弃子离家乡；
餐风宿水多劳役，披星戴月时奔忙；
水路风波殊未稳，陆程鸡犬惊安寝；
平生豪气顿消磨，歌不发声酒不饮；
少赀利薄多赀累，匹夫怀璧将为罪；

---

① 丁晋公——丁谓封晋国公，所以称丁晋公。

② 《禹贡》——《尚书》篇名。禹定九州贡法而记其山川、物产，所以名为《禹贡》。

偶然小恙卧床帏，乡关万里书谁寄？
一年三载不回程，梦魂颠倒妻孥惊；
灯花忽报行人至，阖门相庆如更生；
男儿远游虽得意，不如骨肉长相聚。
请看江上信天翁①，拙守何曾阙生计？

话说杨八老行至漳浦，下在檗妈妈家，专待收买番禺货物。原来檗妈妈无子，只有一女，年二十三岁，曾赘个女婿，相帮过活。那女婿也死了，已经周年之外，女儿守寡在家。檗妈妈看见杨八老本钱丰厚，且是志诚老实，待人一团和气，十分欢喜，意欲将寡女招赘，以靠终身。八老初时不肯，被檗妈妈再三劝道："杨官人，你千乡万里，出外为客，若没有切己的亲戚，那个知疼着热？如今我女儿年纪又小，正好相配官人，做个'两头大'。你归家去有娘子在家，在漳州来时，有我女儿。两边来往，都不寂寞，做生意也是方便顺溜的。老身又不费你大钱大钞，只是单生一女，要他嫁个好人，日后生男育女，连老身门户都有依靠。就是你家中娘子知道时，料也不嗔怪。多少做客的，娼楼妓馆，使钱撒漫②，这还是本分之事。官人须从长计较，休得推阻。"八老见他说得近理，只得允了，择日成亲，入赘于檗家。夫妻和顺，自此无话。不上二月，檗氏怀孕。期年之后，生下一个孩儿，合家欢喜。三朝满月，亲戚庆贺，不在话下。

却说杨八老思想故乡妻娇子幼，初意成亲后，一年半载，便要回乡看觑；因是怀了身孕，放心不下，以后生下孩儿，檗氏又不放他动身。光阴似箭，不觉住了三年，孩儿也两周岁了，取名世德，虽然与世道排行，却冒了檗氏的姓，叫做檗世德。杨八老一日对檗氏说，暂回关中，看看妻子便来。檗氏苦留不住，只得听从。八老收拾货物，打点起身。也有放下人头帐目，与随童分头并日催讨。

八老为讨欠帐，行至州前。只见挂下榜文，上写道："近奉上司明文。倭寇生发，沿海抢劫，各州县地方，须用心巡警，以防冲犯。一应出入，俱要盘诘。城门晚开早闭……"等语。八老读罢，吃了一惊，想道："我方欲动身，不想有此寇警。倘或倭寇早晚来时，闭了城门，知道何日平静？不

① 信天翁——一种水鸟，常凝立水际，守食经过的游鱼，终日不换地方。
② 撒漫——挥霍、浪费金钱。

如趁早走路为上。”也不去讨帐，径回身转来。只说拖欠帐目，急切难取，待再来催讨未迟。闻得路上贼寇生发，货物且不带去；只收拾些细软行装，来日便要起程。檗氏不忍割舍，抱着三岁的孩儿，对丈夫说道：“我母亲只为终身无靠，将奴家嫁你。幸喜有这点骨血。你不看奴家面上，须牵挂着小孩子，千万早去早回，勿使我母子悬望。”言讫，不觉双眼流泪。杨八老也命好道：“娘子不须挂怀，三载夫妻，恩情不浅，此去也是万不得已，一年半载，便得相逢也。”当晚檗妈妈治杯送行。

次日清晨，杨八老起身梳洗，别了岳母和浑家，带了随童上路。未及两日，在路吃了一惊。但见：

舟车挤压，男女奔忙。人人胆丧，尽愁海寇恁猖狂；个个心惊，只恨官兵无备御。扶幼携老，难禁两脚奔波；弃子抛妻，单为一身逃命。不辨贫穷富贵，急难中总则①一般；那管城市山林，藏身处只求片地。正是：宁为太平犬，莫作乱离人。

杨八老看见乡村百姓，纷纷攘攘，都来城中逃难，传说倭寇一路放火杀人，官军不能禁御，声息至近，唬得八老魂不附体。进退两难，思量无计，只得随众奔走。且到汀州城里，再作区处。

又走了两个时辰，约离城三里之地，忽听得喊声震地，后面百姓们都号哭起来，却是倭寇杀来了。众人先唬得脚软，奔跑不动。杨八老望见旁边一座林子，向刺斜里便走，也有许多人随他去林丛中躲避。谁知倭寇有智，惯是四散埋伏。林子内先是一个倭子跳将出来，众人欺他单身，正待一齐奋勇敌他。只见那倭子，把海叵罗②吹了一声，吹得呜呜的响。四围许多倭贼，一个个舞着长刀，跳跃而来，正不知那里来的。有几个粗莽汉子，平昔间有些手脚的，拼着性命，将手中器械，上前迎敌。犹如火中投雪，风里扬尘，被倭贼一刀一个，分明砍瓜切菜一般。唬得众人一齐下跪，口中只叫饶命。

原来倭寇逢着中国之人，也不尽数杀戮。掳得妇女，恣意奸淫，弄得不耐烦了，活活的放了他去。也有有情的倭子，一般私有所赠。只是这妇女虽得了性命，一世被人笑话了。其男子但是老弱，便加杀害；若是强壮

---

① 总则——总归、总是。

② 海叵罗——海螺号。

的，就把来剃了头发，抹上油漆，假充倭子。每遇厮杀，便推他去当头阵。官军只要杀得一颗首级，便好领赏，平昔百姓中秃发鬎鬁①，尚然被他割头请功，况且见在战阵上拿住，那管真假，定然不饶的。这些剃头的假倭子，自知左右是死，索性靠着倭势，还有捱过几日之理，所以一般行凶出力。那些真倭子，只等假倭挡过头阵，自己都尾其后而出，所以官军屡堕其计，不能取胜。昔人有诗单道着倭寇行兵之法，诗云：

倭阵不喧哗，纷纷正带斜。
螺声飞蛱蝶，鱼贯走长蛇。
扇散全无影，刀来一片花。
更兼真伪混，驾祸扰中华。

杨八老和一群百姓们，都被倭奴擒了，好似瓮中之鳖，釜中之鱼，没处躲闪，只得随顺，以图苟活。随童已不见了，正不知他生死如何。到此地位，自身管不得，何暇顾他人。莫说八老心中愁闷，且说众倭奴在乡村劫掠得许多金宝，心满意足。闻得元朝大军将到，抢了许多船只，驱了所掳人口下船。一齐开洋，欢欢喜喜，径回日本国去了。

原来倭奴入寇，国王多有不知者，乃是各岛穷民，合伙泛海，如中国贼盗之类，彼处只如做买卖一般，其出掠亦各分部统，自称大王之号。到回去，仍复隐讳了。劫掠得金帛，均分受用，亦有将十分中一二分，献与本岛头目，互相容隐。如被中国人杀了，只作做买卖折本一般。所掳得壮健男子，留作奴仆使唤，剃了头，赤了两脚，与本国一般模样，给与刀仗，教他跳战之法。中国人惧怕，不敢不从。过了一年半载，水土习服，学起倭话来，竟与真倭无异了。

光阴似箭，这杨八老在日本国，不觉住了一十九年。每夜私自对天拜祷："愿神明护佑我杨复再转家乡，重会妻子。"如此寒暑无间。有诗为证：

异国飘零十九年，乡关魂梦已茫然。
苏卿困虏旄俱脱，洪皓留金②雪满颠。
彼为中朝甘守节，我成俘虏获何愆？

① 鬎(là)鬁——同瘌痢。指黄癣病。

② 洪皓留金——宋洪皓，建炎三年假礼部尚书使金，被金人拘留，十五年始归。

首丘①无计伤心切，夜夜虔诚祷上天。

话说元泰定年间，日本国年岁荒歉，众倭纠伙，又来入寇，也带杨八老同行。八老心中一则以喜，一则以忧。所喜者，乘此机会，到得中国；陕西、福建二处，俱有亲属，皇天护佑，万一有骨肉重逢之日，再得团圆，也未可知。所忧者，此身全是倭奴形象，便是自家照着镜子，也吃一惊，他人如何认得？况且刀枪无情，此去多凶少吉，枉送了性命。只是一说，宁作故乡之鬼，不愿为夷国之人。天天可怜，这番飘洋，只愿在陕、闽两处便好；若在他方也是枉然。

原来倭寇飘洋，也有个天数，听凭风势：若是北风，便犯广东一路；若是东风，便犯福建一路；若是东北风，便犯温州一路；若是东南风，便犯淮扬一路。此时二月天气，众倭登船离岸，正值东北风大盛，一连数日，吹个不住，径飘向温州一路而来。那时元朝承平日久，沿海备御俱疏，就有几只船，几百老弱军士，都不堪拒战，望风逃走。众倭公然登岸，少不得放火杀人。杨八老虽然心中不愿，也不免随行逐队。这一番自二月至八月，官军连败了数阵，抢了几个市镇，转掠宁绍，又到余杭，其凶暴不可尽述。各府州县写了告急表章，申奏朝廷。旨下兵部，差平江路普花元帅领兵征剿。这普花元帅足智多谋，又手下多有精兵良将，奉命克日兴师，大刀阔斧，杀奔浙江路上来。前哨②打探倭寇占住清水闸③为穴，普花元帅约会浙中兵马，水陆并进。那倭寇平素轻视官军，不以为意。谁知普花元帅手下有十个统军，都有万夫不挡之勇，军中多带火器，四面埋伏，一等倭贼战酣之际，埋伏都起，火器一齐发作，杀得他走头没路，大败亏输。斩首千余级，活捉二百余人，其抢船逃命者，又被水路官兵截杀，也多有落水死者。普花元帅得胜，赏了三军。犹恐余倭未尽，遣兵四下搜获。真个是：

饶伊凶暴如狼虎，恶贯盈时定受殃。

话分两头。却说清水闸上有顺济庙，其神姓冯名俊，钱塘人氏。年十六岁时，梦见玉帝遣天神传命割开其腹，换去五脏六腑，醒来犹觉腹痛。从幼失学，未曾知书，自此忽然开悟，无书不晓，下笔成文，又能预知将来

① 首丘——古代有“狐死首丘”的谚语，意思说狐狸虽死，也仍然向往着自己洞窟所在的土丘。所以后人常称归葬故乡为正首丘。

② 前哨——前军、前队。

③ 清水闸——在浙江上虞县，宋嘉泰元年县尉钱绩修建。

祸福之事。忽一日,卧于家中,叫唤不起,良久方醒。自言适在东海龙王处赴宴,被他劝酒过醉。家人不信,及呕吐出来都是海错异味,目所未睹,方知真实。到三十六岁,忽对人说:“玉帝命我为江涛之神,三日后,必当赴任。”至期无疾而终。是日,江中波涛大作,行舟将覆,忽见朱旛皂盖,白马红缨,簇拥一神,现形云端间,口中叱咤之声。俄顷,波恬浪息。问之土人,其形貌乃冯俊也。于是就其所居,立庙祠之,赐名顺济庙。绍定年间,累封英烈王之号。其神大有灵应。倭寇占住清水闸时,杨八老私向庙中祈祷,问筶①得个大吉之兆,心中暗喜。与先年一般向被掳去的,共十三人约会,大兵到时,出首投降;又怕官军不分真假,拿去请功,狐疑不决。

到这八月二十八日,倭寇大败,杨八老与十二个人,俱潜躲在顺济庙中,不敢出头。正在两难,急听得庙外喊声大举,乃是老王千户,名唤王国雄,引着官军入来搜庙。一十三人尽被活捉,捆缚做一团儿,吊在廊下。众人口称冤枉,都说不是真倭,那里睬他。此时天色已晚,老王千户权就庙中歇宿,打点明早解官请功。事有凑巧,老王千户带个贴身伏侍的家人,叫做王兴,夜间起来出恭,闻得廊下哀号之声,其中有一个像关中声音,好生奇异。悄地点个灯去,打一看,看到杨八老面貌,有些疑惑,问道:“你们既说不是真倭,是那里人氏？如何入了倭贼伙内,又是一般形貌？”杨八老诉道:“众人都是闽中百姓,只我是安西府盩厔县人。十九年前在漳浦做客,被倭寇掳去,髡头跣足,受了万般辛苦。众人是同时被难的。今番来到此地,便想要自行出首。其奈形状怪异,不遇个相识之人,恐不相信,因此狐疑不决。幸天兵得胜,倭贼败亡,我等指望重见天日,不期老将军不行细审,一概捆吊;明日解到军门②,性命不保。”说罢,众人都哭起来。王兴忙摇手道:“不可高声啼哭,恐惊醒了老将军,反为不美。则你这安西府汉子,姓甚名谁？”杨八老道:“我姓杨,名复,小名八老。长官也带些关中语音,莫非同郡人么？”王兴听说,吃了一惊:“原来你就是我旧主人！可记得随童么？小人就是。”杨八老道:“怎不记得！只是须眉非旧,端的对面不相认了。自当初在闽中分散,如何却在此处？”王兴道:

① 问筶——筶,即杯珓。珓,也作筊、毛簸、校,没有一定。杯珓,以两蚌壳制成,也有用玉、竹或木雕成的,在神前投掷,观其俯仰,以卜凶吉。问筶,即掷杯珓。

② 军门——营门、衙署。

"且莫细谈,明早老将军起身发解①时,我站在旁边,你只看着我,唤我名字起来,小人自来与你分解②。"说罢,提了灯自去了。众人都向八老问其缘故,八老略说一二,莫不欢喜。正是:

死中得活因灾退,绝处逢生遇救来。

原来随童跟着杨八老之时,才一十九岁,如今又加十九年,是三十八岁人了,急切如何认得?当先与主人分散,躲在茅厕中,侥幸不曾被倭贼所掠。那时老王千户还是百户之职,在彼领兵,偶然遇见,见他伶俐,问其来历,收在身边伏侍,就便许他访问主人消息,谁知杳无音信。后来老王百户有功,升了千户,改调浙中地方做官。随童改名王兴,做了身边一个得力的家人。也是杨八老命不当尽,禄不当终,否极泰来,天教他主仆相逢。

闲话休提。却说老王千户次早点齐人众,解下一十三名倭犯,要解往军门请功。正待起身,忽见倭犯中一人,看定王兴,高声叫道:"随童,我是你旧主人,可来救我!"王兴假意认了一认,两下抱头而哭。因事体年远,老王千户也忘其所以了,忙唤王兴,问其缘故。王兴一一诉说:"此乃小人十九年前失散之主人也。彼时寻觅不见,不意被倭贼掳去。小人看他面貌有些相似,正在疑惑,谁想他到认得小人,唤起小人的旧名。望恩主辨其冤情,释放我旧主人,小人便死在阶前,瞑目无怨。"说罢,放声大哭。众倭犯都一齐声冤起来,各道家乡姓氏,情节相似。老王千户道:"既有此冤情,我也不敢自专,解在帅府,教他自行分辨。"王兴道:"求恩主将小人一齐解去,好做对证。"老王千户起初不允,被王兴哀求不过,只得允了。

当日将一十三名倭犯,连王兴解到帅府。普花元帅道:"既是倭犯,便行斩首。"那一十三名倭犯,一个个高声叫冤起来,内中王兴也叫冤枉。王国雄便跪下去,将王兴所言事情,禀了一遍。普花元帅准信,就教王国雄押着一干倭犯,并王兴发到绍兴郡丞杨世道处,审明回报。

故元时节,郡丞即如今通判之职,却只下太守一肩,与太守同理府事,最有权柄。那日,郡丞杨公升厅理事,甚是齐整。怎见得?有诗为证:

---

① 发解——起解。

② 分解——解释清楚。

吏书站立如泥塑，军卒分开似木雕。

随你凶人奸似鬼，公庭刑法不相饶。

老王千户奉帅府之命，亲押一十三名倭犯到杨郡丞厅前，相见已毕，备言来历。杨公送出厅门，复归公座。先是王兴开口诉冤，那一班倭犯哀声动地。杨公问了王兴口词，先唤杨八老来审，杨八老将姓名家乡备细说了。杨郡丞问道："既是盩厔县人，你妻族何姓？有子无子？"杨八老道："妻族东村李氏，止生一子，取名世道。小人到漳浦为商之时，孩儿年方七岁。在漳浦住了三年，就陷身倭国，经今又十九年。自从离家之后，音耗不通，妻子不知死亡。若是孩儿抚养得长大，算来该二十九岁了。老爷不信时，移文到盩厔县中，将三党亲族姓名，一一对验，小人之冤可白矣。"再问王兴，所言皆同。众人又齐声叫冤。杨公一一细审，都是闽中百姓，同时被掳的。杨公沉吟半晌，喝道："权且收监，待行文本处查明来历，方好释放。"

当下散堂，回衙见了母亲杨老夫人，口称怪事不绝。老夫人问道："孩儿今日问何公事？口称怪异，何也？"杨公道："有王千户解到倭犯一十三名，说起来都是我中国百姓，被倭奴掳去的，是个假倭，不是真倭。内中一人，姓杨名复，乃关中盩厔县人氏。他说二十一年前，别妻李氏，往漳浦经商。三年之后，遭倭寇作乱，掳他到倭国去了。与妻临别之时，有儿年方七岁，到今算该二十九岁了。母亲常说孩儿七岁时，父亲往漳州为商，一去不回。他家乡姓名正与父亲相同，其妻子姓名，又分毫不异，孩儿今年正二十九岁，世上不信，有此相合之事。况且王千户有个家人王兴，一口认定是他旧主。那王兴说旧名随童，在漳浦乱军分散，又与我爷旧仆同名。所以称怪。"老夫人也不觉称道："怪事，怪事！世上相同的事也颇有，不信件件皆合。事有可疑，你明日再行吊审①，我在屏后窃听，是非顷刻可决。"

杨世道领命，次日重唤取一十三名倭犯，再行细鞫，其言与昨无二。老夫人在屏后大叫道："杨世道我儿！不须再问，则这个盩厔县人，正是你父亲！那王兴端的是随童了。"惊得郡丞杨世道手脚不迭，一跌跌下公座来，抱了杨八老放声大哭。请归后堂，王兴也随进来。当下母子夫妻三

① 吊审——吊，提取。吊审，就是提审。

口,抱头而哭,分明是梦里相逢一般。则这随童也哭做一堆。哭了一个不耐烦,方才拜见父亲。随童也来磕头,认旧时主人、主母。杨八老对儿子道:"我在倭国,夜夜对天祷告,只愿再转家乡,重会妻子。今日皇天可怜,果遂所愿。且喜孩儿荣贵,万千之喜。只是那一十二人,都是闽中百姓,与我同时被掳的,实出无奈。吾儿速与昭雪,不可偏枯,使他怨望。"杨世道领了父亲言语,便把一十二人尽行开放,又各赠回乡路费三两,众人谢恩不尽。一面吩咐书吏写下文书,申覆帅府,一面安排做庆贺筵席。衙内整备香汤,伏侍八老沐浴过了,通身换了新衣,顶冠束带。杨世道娶得夫人张氏,出来拜见公公。一门骨肉团圆,欢喜无限。

这一事闹遍了绍兴府前,本府檗太守听说杨郡丞认了父亲,备下羊酒,特往称贺,定要请杨太公相见。杨复只得出来,见了檗公,叙礼已毕,分宾而坐。檗太守欣羡不已。杨郡丞置酒留款,饮酒中间,檗太守问杨太公何由久客闽中,以致此祸。杨八老答道:"初意一年半载便欲还乡,何期下在檗家,他家适有寡女,年二十三岁,正欲招夫帮家过活,老夫入赘彼家,以此淹留三载。"檗公问道:"在彼三年,曾有生育否?"八老答道:"因是檗家怀孕,生下一儿,两不相舍;不然,也回去久矣。"檗公又问道:"所生令郎可曾取名?"八老不知太守姓名,便随口应道:"因是本县小儿取名世道,那檗氏所生就取名檗世德,要见两姓兄弟之意。算来檗氏所生之子,今年也该二十二岁了,不知他母子存亡下落。"说罢,下泪如雨。檗太守也不尽欢,又饮了数杯,作别回去,与母亲檗老夫人说知如此如此,"他说在漳浦所娶檗家,与母亲同姓,年庚不差。莫非此人就是我父亲?"檗老夫人道:"你明日备个筵席,请他赴宴,待我屏后窥之,便见端的。"

次日,杨八老具个通家名帖,来答拜檗公,檗公也置酒留款。檗老夫人在屏后偷看,那时八老衣冠济楚①,又不似先前倭贼样子,一发容易认了。檗老夫人听不多几句言语,便大叫道:"我儿檗世德,快请你父亲进衙相见!"杨八老出自意外,倒吃了一惊。檗太守慌忙跪下道:"孩儿不识亲颜,乞恕不孝之罪。"请到私衙,与檗老夫人相见,抱头而哭,与杨郡丞衙中无异。

正叙话间,杨郡丞遣随童到太守衙中,迎接父亲。听说太守也认了父

---

① 济楚——整齐、体面。

亲，随童大惊，撞入私衙，见了檗老夫人，磕头相见。檗老夫人问起，方知就是随童。此时随童才叙出失散之后，遇了王百户始末根由。阖门欢喜无限，檗太守娶妻蒋氏，也来拜见公公。檗公命重整筵席，请杨郡丞到来，备细说明。一守一丞，到此方认做的亲兄弟。当日连杨衙小夫人张氏都请过来，做个合家欢筵席，这一场欢喜非小。分明是：

苦尽生甘，否极遇泰。丰城之剑再合，合浦之珠复回。高年学究①，忽然及第连科；乞食贫儿，蓦地发财掘藏。寡妇得夫花发蕊，孤儿遇父草行根。喜胜他乡遇故知，欢如久旱逢甘雨。两叶浮萍归大海，人生何处不相逢？

杨八老在日本国受了一十九年辛苦，谁知前妻李氏所生孩儿杨世道，后妻檗氏所生孩儿檗世德，长大成人，中同年进士，又同选在绍兴一郡为官。今日天遣相逢，在枷锁中脱出性命，就认了两位夫人，两个贵子，真是古今罕有。第三日阖郡官员尽知奇事，都来贺喜。老王千户也来称贺，已知王兴是杨家旧仆，不相争执。王兴已娶有老婆，在老王千户家，老王千户奉承檗太守、杨郡丞，急忙差人送王兴妻子到于府中完聚。檗太守和杨郡丞一齐备个文书，到普花元帅处，述其认父始末。普花元帅奏表朝廷，一门封赠。檗世德复姓归宗，仍叫杨世德。八老在任上安享荣华，寿登耆②耋而终。此乃是死生有命，富贵在天，荣枯得失，尽是八字安排，不可强求。有诗为证：

才离地狱忽登天，二子双妻富贵全。
命里有时终自有，人生何必苦埋怨？

# 第十九卷　杨谦之客舫遇侠僧

宝剑长琴四海游，浩歌自是恣风流。
丈夫莫道无知己，明月豪僧遇客舟。

---

① 学究——本是唐、宋时代考试科目的名称，凡应试学究科的士子，就称为学究。后渐用作对于一般念书人的通称。

② 耆（qí）——老。

杨益,字谦之,浙江永嘉人也。自幼倜傥有大节,不拘细行。博学雄文,授贵州安庄县令。安庄县地接岭表,南通巴蜀,蛮獠错杂,人好蛊毒战斗,不知礼义文字,事鬼信神,俗尚妖法,产多金银珠翠珍宝。原来宋朝制度,外官辞朝,皇帝临轩亲问,臣工各献诗章,以此卜为政能否。建炎二年丁卯三月,杨益承旨辞朝,高宗皇帝问杨益曰:“卿为何官?”杨益奏曰:“臣授贵州安庄县知县。”帝曰:“卿亦询访安庄风景乎?”杨益有诗一首献上,诗云:

蛮烟寥落在东风,万里天涯迢递中。
人语殊方相识少,鸟声睍睆①听来同。
桄榔连碧迷征路,象郡南天绝便鸿。
自愧年来无寸补,还将礼乐俟元功。

高宗听奏是诗,首肯久之,恻然心动,曰:“卿处殊方,诚为可悯。暂去摄理,不久取卿回用也。”

杨益挥泪拜辞,出到朝外,遇见镇抚使郭仲威。二人揖毕,仲威曰:“闻君荣任安庄,如何是好?”杨益道:“蛮烟瘴疫,九死一生,欲待不去,奈日暮途穷,去时必陷死地,烦乞赐教。”仲威答道:“要知端的,除是与你去问恩主周镇抚,方知备细。恩主见谪连州,即今也要起身。”二人同来见镇抚周望,杨益叩首再拜曰:“杨某近任安庄边县,烦望指示。”周望慌忙答礼,说道:“安庄蛮獠出没之处,家户都有妖法,蛊毒魅人。若能降伏得他,财宝尽你得了;若不能处置得他,须要仔细。尊正夫人亦不可带去,恐土官②无礼。”杨益见说了,双泪交流,道言:“怎生是好?”周望怜杨益苦切,说道:“我见谪遣连州,与公同路,直到广东界上,与你分别。一路盘缠,足下不须计念。”杨益二人拜辞出来,等了半月有余,跟着周望一同起身。郭仲威治酒送别过,自去了。

二人来到镇江,雇只大船。周望、杨益用了中间几个大舱口,其余舱口,俱是水手搭人觅钱,搭有三四十人。内有一个游方僧人,上湖广武当去烧香的,也搭在众人舱里。这僧人说是伏牛山③来的,且是粗鲁,不肯

① 睍睆(xiàn huǎn)——形容鸟鸣宛转悦耳。
② 土官——由本地少数民族世袭的社、州、县军官统称为土官。
③ 伏牛山——在河南嵩县西南。

小心。共舱有十二三个人,都不喜他,他倒要人煮茶做饭与他吃。这共舱的人说道:"出家人慈悲小心,不贪欲,那里反倒要讨我们的便宜?"这和尚听得说,回话道:"你这一起是小人,我要你伏侍,不嫌你也就够了。"口里千小人,万小人,骂众人。众人都气起来,也有骂这和尚的,也有打这和尚的。这僧人不慌不忙,随手指着骂他的说道:"不要骂!"那骂的人就出声不得,闭了口。又指着打他的说道:"不要打!"那打的人就动手不得,瘫了手。这几个木呆了,一堆儿坐在舱里,只白着眼看。有一辈不曾打骂和尚的人,看见如此模样,都惊张起来,叫道:"不好了,有妖怪在这里!"喊天叫地,各舱人听得,都走来看。也惊动了官舱里周、杨二公,两个走到舱口来看,果见此事,也吃惊起来。正要问和尚,这和尚见周、杨二人是个官府,便起身朝着两个打个问讯①,说道:"小僧是伏牛山来的僧人,要去武当随喜②的。偶然搭在宝舟上,被众人欺负,望二位大人做主。"周镇抚说道:"打骂你,虽是他们不是;你如此,也不是出家人慈悲的道理。"和尚见说,回话道:"既是二位大人替他讨饶,我并不计较了。"把手去摸这哑的嘴,道:"你自说!"这哑的人便说得话起来。又把手去扯这瘫的手,道:"你自动!"这瘫的人便抬得手起来。就如耍场戏子一般,满船人都一齐笑起来。周镇抚悄悄的与杨益说道:"这和尚必是有法的,我们正要寻这样人,何不留他去你舱里问他。"杨益道:"说得是,我舱里没家眷,可以住得。"就与和尚说道:"你既与众人打伙不便,就到我舱里权住罢。随茶粥饭,不要计较。"和尚说道:"取扰不该。"和尚就到杨益舱里住下。

一住过了三四日,早晚说些经典或世务话,和尚都晓得。杨益时常说些路上切要话,打动和尚,又与他说道要去安庄县做知县。和尚说道:"去安庄做官,要打点停当,方才可去。"杨益把贫难之事,备说与和尚。和尚说道:"小僧姓李,原籍是四川雅州人,有几房移在威清县住,我家也有弟兄姊妹。我回去,替你寻个有法术手段得的人,相伴你去,才无事;若寻不得人,不可轻易去。我且不上武当去了,陪你去广里去。"杨益再三致谢,把心腹事备细与和尚说知。这和尚见杨益开心见诚,为人平易本分,和尚愈加敬重杨公;又知道杨公甚贫,去自已搭连内取十来两好赤金

① 打个问讯——僧人合掌行礼。

② 随喜——此指游览,参观寺院。

子,五六十两碎银子,送与杨公做盘缠。杨公再三推辞不肯受,和尚定要送,杨公方才受了。

不觉在船中半个月余,来到广东琼州地方。周镇抚与杨公说:"我往东去是连州,本该在这里相陪足下,如今有这个好善心的长老在这里,可托付他,不须得我了,我只就此作别,后日天幸再会。"又再三嘱咐长老说道:"凡事全仗。"长老说:"不须吩咐,小僧自理会得。"周镇抚又安排些酒食,与杨公、和尚作别。饮了半日酒,周望另讨个小船自去了。

且说杨公与长老在船中,又行了几日,来到偏桥县地方。长老来对杨公说道:"这是我家的地方了,把船泊在马头去处,我先上去寻人,端的就来下船,只在此等。"和尚自驼上搭连禅杖,别了自去。一连去了七八日,并无信息,等得杨公肚里好焦。虽然如此,却也谅得过①这和尚是个有信行②的好汉,决无诳言之事,每日只悬悬而望。到第九日上,只见这长老领着七八个人,挑着两担箱笼,若干吃食东西;又抬着一乘有人的轿子,来到船边。掀起轿帘儿,看着船舱口,扶出一个美貌佳人,年近二十四五岁的模样。看这妇人生得如何?诗云:

独占阳台万点春,石榴裙染碧湘云。
眼前秋水浑无底,绝胜襄王紫玉君。

又诗云:

海棠枝上月三更,醉里杨妃自出群。
马上琵琶催去急,阿蛮③空恨艳阳春。

说这长老与这妇人与杨公相见已毕,又叫过有媳妇的一房老小,一个义女,两个小厮,都来叩头。长老指着这妇人说道:"他是我的嫡堂侄女儿,因寡居在家里,我特地把他来伏侍大人。他自幼学得些法术,大人前路,凡百事都依着他,自然无事。"就把箱笼东西,叫人着落④停当。天色已晚,长老一行人权在船上歇了。这媳妇、丫鬟去火舱⑤里安排些茶饭,与各人吃了,李氏又自赏了五钱银子与船家。杨公见不费一文东西,白得了

① 谅得过——信得过。
② 信行——信用,守诺言。
③ 阿蛮——指唐玄宗时女伶谢阿蛮,善舞。
④ 着落——安顿、置放。
⑤ 火舱——船上充当厨房的舱。

一个佳人并若干箱笼人口，拜谢长老，说道："荷蒙大恩，犬马难报。"长老道："都是缘法，谅非人为。"饮酒罢，长老与众人自去别舱里歇了。杨公自与李氏到官舱里同寝，一夜绸缪，言不能尽。

次日，长老起来，与众人吃了早饭，就与杨公、李氏作别，又吩咐李氏道："我前日已吩咐了，你务要小心在意，不可托大①。荣迁之日再会。"长老直看得开船去了，方才转身。

且说这李氏，非但生得妖娆美貌，又兼禀性温柔，百能百俐，也是天生的聪明，与杨公彼此相爱，就如结发一般。又行过十数日，来到牂牁江②了。说这个牂牁江，东通巴蜀川江，西通滇池夜郎，诸江会合，水最湍急利害，无风亦浪，舟楫难济。船到江口，水手待要吃饭饱了，才好开船过江。开了船时，风水大，住手不得；况兼江中都是尖锋石插③，要随着河道放去，若遇着时，这船就罢了。船上人打点端正，才要发号开船，只见李氏慌对杨公说："不可开船，还要躲风三日，才好放过去。"杨公说道："如今没风，怎的倒不要开船？"李氏说道："这大风只在顷刻间来了，依我说，把船快放入浦④里去躲这大风。"杨公正要试李氏的本事，就叫水手问道："这里有个浦子么？"水手禀道："前面有个石圯浦，浦西北角上有个罗市，人家也多，诸般皆有，正好歇船。"杨公说："恁的把船快放入去。"水手一齐把船撑动，刚刚才要撑入浦子口，只见那风从西北角上吹将来，初时扬尘，次后拔木，一江绿水都乌黑了。那浪掀天括地，鬼哭神号，惊怕杀人。这阵大风不知坏了多少船只，直颠狂到日落时方息。李氏叫过丫鬟媳妇，做茶饭吃了，收拾宿了。

次日，仍又发起风来。到午后风定了，有几只小船儿，载着市上土物来卖。杨公见李氏非但晓得法术，又晓得天文，心中欢喜，就叫船上人买些新鲜果品土物，奉承李氏。又有一只船上叫卖蒟酱⑤，这蒟酱滋味如何？有诗为证：

　　白玉盘中簇绛茵，光明金鼎露丰神。

---

① 托大——大意、马虎。

② 牂牁（zāng gē）江——古水名。

③ 石插——礁石。

④ 浦——小港。

⑤ 蒟（jǔ）酱——一种用胡椒科植物做的酱，味辛而香。

湛精八月枝头熟,酿就人间琥珀新。

杨公说道:"我只闻得说,蒟酱是滇蜀美味,也不曾得吃,何不买些与奶奶吃?"叫水手去问那卖蒟酱的,这一罐子要卖多少钱,卖蒟酱的说:"要五百贯足钱。"杨公说:"恁的,叫小厮进舱里问奶奶讨钱数与他。"小厮进到舱里,问奶奶取钱买酱。李氏说:"这酱不要买他的,买了有口舌。"小厮出来回复杨公,杨公说:"买一罐酱值得甚的,便有口舌!奶奶只是见贵了,不舍得钱,故如此说。"自把些银子与这蛮人,买了这罐酱,拿进舱里去。揭开罐子看时,这酱端的香气就喷出来,颜色就如红玛瑙一般可爱;吃些在口里,且是甜美得好。李氏慌忙讨这罐子酱盖了,说道:"老爹①不可吃他的,口舌就来了。这蒟酱我这里没有的,出在南越国。其木似穀树,其叶如桑椹,长二三寸,又不肯多生。九月后,霜里方熟。土人采之,酿酝成酱。先进王家,诚为珍味。这个是盗出来卖的,事已露了。"

原来这蒟酱是都堂着县官差富户去南越国用重价购求来的,都堂也不敢自用,要进朝廷的奇味。富户吃了千辛万苦,费了若干财物,破了家,才设法得一罐子,正要换个银罐子盛了,送县官转送都堂,被这蛮子盗出来。富户因失了酱,举家慌张,四散缉获,就如死了人的一般。有人知风,报与富户。富户押着正牌②,驾起一只快船,二三十人,各执刀枪,鸣锣击鼓,杀奔杨知县船上来,要取这酱。那兵船离不远,只有半箭之地。

杨知县听得这风色③慌了,躲在舱里说道:"奶奶,如何是好?"李氏说道:"我教老爹不要买他的,如今惹出这场大事来。蛮子去处,动不动便杀起来,那顾礼法!"李氏又道:"老爹不要慌。"连忙叫小厮拿一盆水进舱来,念个咒,望着水里一画,只见那只兵船就如钉钉在水里的一般,随他撑也撑不动,上前也上前不得,落后也落后不得,只钉住在水中间。兵船上人都慌起来,说道:"官船上必然有妖法,快去请人来斗法。"这里李氏已叫水手过去,打着乡谈说道:"列位不要发恼!官船偶然在贵地躲风,歇船在此;因有人拿蒟酱来卖,不知就里,一时间买了这酱,并不曾动。送还原物便罢,这价钱也不要了。"兵船上人见说得好,又知道酱不曾吃他的,

① 老爹——老爷。

② 正牌——正军。

③ 风色——风声、消息。

说道："只要还了原物，这原银也送还。"水手回来复杨知县，拿这罐酱送过去，兵船上还了原银，两边都不动刀兵。李氏把手在水盆里连画几画，那兵船便轻轻撑了去，把这偷酱的贼送去县里问罪。杨知县说道："亏杀奶奶，救得这场祸。"李氏说道："今后只依着我，管你没事。"次日，风也不发了。正是：

金波不动鱼龙寂，玉树无声鸟雀栖。

众人吃了早饭，便把船放过江。

一路上要行便行，要止便止，渐渐近安庄地方。本县吏书门皂①人役接着，都来参拜。原来安庄县只有一知一典，有个徐典史②，也来迎接相见了，先回县里去。到得本次③，人夫接着，把行李扛抬起来，把乘四人轿抬了奶奶，又有二乘小轿，几匹马，与从人使女，各乘骑了，先送到县里去。杨知县随后起身，路上打着些蛮中鼓乐，远近人听得新知县到任，都来看。杨知县到得县里，径进后堂衙里，安稳了奶奶家小，才出到后堂，与典史拜见。礼毕，就吃公堂酒席。

饮酒之间，杨知县与徐典史说："我初到这里，不知土俗民情，烦乞指教。"徐典史回话道："不才还要长官扶持，怎敢当此。"因说道："这里地方与马龙连接，马龙有个薛宣尉司④，他是唐朝薛仁贵之后，其富敌国。獠蛮犵狫，只服薛尉司约束。本县虽与宣尉司表里，衙门常规，长官行香⑤后，先去看望他，他才答礼，彼此酒礼往来。烦望长官在意。"杨知县说道："我都知得。"又问道："这里与马龙多远？"徐典史回话道："离本县四十余里。"又说些县里事务。

饮酒已毕，彼此都散入衙去。杨知县对奶奶说这宣尉司的缘故，李氏说："薛宣尉年纪小，极是作聪的。若是小心与他相好，钱财也得了他的。我们回去，还在他手里。不可托大，说他是土官，不可怠慢他。"又说道："这三日内，有一个穿红的妖人无礼，来见你时，切不可被他哄起身来，不

---

① 吏书门皂——吏员、书手、门子、皂隶之总称。

② 典史——知县之属官，掌管公文出纳。

③ 本次——本人所辖地区。

④ 宣尉司——尉应作慰。土官中的最高一级，由本地人世袭。

⑤ 行香——作佛事时主斋者持香炉绕行道场，叫作行香。凡统治者或官僚进庙烧香，一般也都称为行香。

要采他。”杨知县都记在心里了。

等待三日,城隍庙行香到任,就坐堂,所属都来参见,发放已毕。只见阶下有个穿红布员领戴顶方头巾的土人,走到杨知县面前,也不下跪,口里说道:“请起来,老人作揖。”知县相公问道:“你是那县的老人?与我这衙门有相干也无相干?”老人也不回报甚么,口里又说道:“请起来,老人作揖。”知县相公虽不采他,被他三番两次在面前如此侮弄,又见两边看的人多了,亵威损重,又恐人耻笑,只记得奶奶说不要立起身来,那时气发了,那里顾得甚么,就叫皂隶:“拿这老人下去,与我着实打!”只见跑过两个皂隶来,要拿下去打时,那老人硬着腰,两个人那里拿得倒,口里又说道:“打不得!”知县相公定要打,众皂隶们一齐上,把这老人拿下,打了十板。众吏典都来讨饶,杨公叱道:“赶出去!”这老人一头走,一头说道:“不要慌!”

知县相公坐堂是个好日子,指望发头①顺利,撞出这个歹人来,恼这一场,只得勉强发落些事,投文画卯②了,闷闷的就散了堂,退入衙里来。李奶奶接着,说道:“我吩咐老爹不要采这个穿红的人,你又与他计较。”杨公说道:“依奶奶言语,并不曾起身,端端的坐着,只打得他十板。”奶奶又说道:“他正是来斗法的人,你若起身时,他便夜来变妖作怪,百般惊吓你;你却怕死讨饶,这县官只当是他做了。那门皂吏书,都是他一路,那里有你我做主?如今被打了,他却不来弄神通惊你,只等夜里来害你性命。”杨公道:“怎生是好?”奶奶说道:“不妨事,老爹且宽心,晚间自有道理。”杨公又说道:“全仗奶奶。”

待到晚,吃了饭,收拾停当。李奶奶先把白粉灰按着四方,画四个符;中间空处,也画个符。就教老爹坐在中间符上,吩咐道:“夜里有怪物来惊吓你,你切不可动身,只端端坐在符上,也不要怕他。”李奶奶也结束,箱里取出一个三四寸长的大金针来,把香烛硃符,供养在神前,贴贴的坐在白粉圈子外等候。

约莫着到二更时分,耳边听得风雨之声,渐渐响近;来到房檐口,就如

① 发头——开始、起头。

② 画卯——官府每晨于卯时升厅理事,吏员皂役都要前去参谒签到,叫作画卯。

裂帛一声响，飞到房里来。这个恶物，如茶盘大，看不甚明白，望着杨公扑将来。扑到白圈子外，就做住①，绕着白圈子飞，只扑不进来。杨公惊得捉身不住②。李奶奶念动咒，把这道符望空烧了。却也有灵，这恶物就不似发头飞得急捷了。说时迟，那时快，李奶奶打起精神，双眼定睛，看着这恶物，喝声："住！"急忙拿起右手来，一把去抢这恶物，那恶物就望着地扑将下来。这李奶奶随着势，就低身把手按住在地上，双手拿这恶物起来看时，就如一个大蝙蝠模样，浑身黑白花纹，一个鲜红长嘴，看了怕杀人。杨公惊得呆了半晌，才起得身来，李氏对老爹说："这恶物是老人化身来的，若把这恶物打死在这里，那老人也就死了，恐不好解手③，他的子孙也多了，必来报仇；我且留着他。"把两片翼翅双叠做一处，拿过金针钉在白圈子里符上，这恶物动也动不得。拿个蓝儿盖好了，恐猫鼠之类害他。李氏与老爹自来房里睡了。

次日，起来升堂，只见有二十来个老人，衣服齐整，都来跪在知县相公面前，说道："小人都是庞老人的亲邻，庞某不知高低，夜来冲激④老爹，被老爹拿了，烦望开恩，只饶恕这一遭，小人与他自来孝顺老爹。"知县相公说道："你们既然晓得，我若没本事，也不敢来这里做官。我也不杀他，看他怎生脱身。"众老人们说道："实不敢瞒老爹，这县里自来是他与几个把持，不由官府做主。如今晓得老爹的法了，再也不敢冒犯老爹。饶放庞老人一个，满县人自然归顺。"知县相公又说道："你众人且起来，我自有处。"众人喏喏连声而退。知县散了堂，来衙里见李奶奶，备说讨饶一事。李氏道："待明日这干人再来讨饶，才可放他。"

又过了一夜，次日知县相公坐堂，众老人又来跪着讨饶，此时哀告苦切，知县说："看你众人面上，且姑恕他这一次。下次再无礼，决不饶了。"众老人拜谢而去。知县退入衙里来，李氏说："如今可放他了。"到夜来，李氏走进白圈子里，拔起金针，那个恶物就飞去了。这恶物飞到家里，那庞老人就在床上爬起来，作谢众老人，说道："几乎不得与列位见了。这知县相公犹可，这奶奶利害。他的法术，不知那里学来的，比我们的不同。

---

① 做住——停止。

② 捉身不住——站不稳。

③ 解手——解决、处理。

④ 冲激——冲撞、冒犯。

过日同列位备礼去叩头,再不要去惹他了。"请众老人吃些酒食,各人相别,说道:"改日约齐了,同去参拜。"

且说杨公退入衙里来,向李氏称谢。李氏道:"老爹,今日就可去看薛宣尉了。"杨公道:"容备礼方好去得。"李氏道:"礼已备下了:金花金缎,两匹文葛,一个名人手卷,一个古砚。"预备的,取出来就是,不要杨公费一些心。杨公出来,拨些人夫轿马,连夜去。天明时分,到马龙地方。这宣尉司,偌大一个衙门,周围都是高砖城裹着;城里又筑个圃子,方圆二十余里;圃子里厅堂池榭,就如王者。知县相公到得宣尉司府门首,着人通报入去。一会间,有人出来请入去。薛宣尉自也来接,到大门上,二人相见,各逊揖同进。到堂上行礼毕,就请杨知县去后堂坐下吃茶。彼此通道寒温已毕,请到花园里厅上赴宴。薛宣尉见杨知县人品虽是瘦小,却有学问,又善谈吐,能诗能饮。饮酒间,薛宣尉要试杨知县才思,叫人拿出一面紫金古镜来,薛宣尉说道:"这镜是紫金铸的,冲莹光洁,悉照秋毫。镜背有四卦,按卦扣之,各应四位之声,中则应黄钟之声。汉成帝尝持镜为飞燕画眉,因用不断胶,临镜呢呢而崩。"杨公持看古镜,果然奇古,就作一铭,铭云:

猗与①兹器,肇制②轩辕。大冶③范金,炎帝秉虔;凿开混沌,大明中天。伏氏画卦,四象乃全。因时制律,师旷④审焉。高下清浊,宫徵周旋。形色既具,效用不愆。君子视则,冠裳俨然;淑婉临之,朗然而天。妍媸毕见,不为少迁;喜怒在彼,我何与焉?

杨公写毕,文不加点,送与薛宣尉看。薛宣尉把这文章反复细看,又见写得好,不住口称赞,说是汉文晋字,天下奇才,王、杨、卢、骆⑤之流。又取出一面小古镜来,比前更加奇古,再要求一铭。杨公又作一铭,铭云:

察见渊鱼,实惟不祥;靡聪靡明,顺帝之光。全神返照,内外两忘。

薛宣尉看了这铭,说道:"辞旨精拔,愈出愈奇。"更加敬服杨公。一连留

---

① 猗与——叹美之辞。
② 肇制——创制。
③ 大冶——冶铁工。
④ 师旷——春秋时晋国乐师。
⑤ 王、杨、卢、骆——唐初文学家王勃、杨炯、卢照邻、骆宾王。

住五日，每日好筵席款洽杨公。薛宣尉问起庞老人之事，杨公备说这来历，二人都笑起来。杨公苦死告辞要回县来，薛宣尉再三不忍抛别，问杨公道："足下尊庚？"杨公道："不才虚度三十六岁。"薛宣尉道："在下今年二十六岁，公长弟十岁。"就拜杨公为兄。二人结义了，彼此欢喜。又摆酒席送行，赠杨公二千余两金银酒器。杨公再三推辞，薛宣尉说道："我与公既为兄弟，不须计较。弟颇得过，兄乃初任，又在不足中，时常要送东西与兄，以后再不必推却。"

杨公拜谢，别了薛宣尉，回到县里来。只见庞老人与一干老人，备羊酒缎匹，每人一百两银子，共有二千余两，送入县里来。杨知县看见许多东西，说道："生受①你们，恐不好受么。"众老人都说道："小人们些须薄意，老爹不比往常来的知县相公。这地方虽是夷人难治，人最老实一性的，小人们归顺，概县人谁敢梗化？时常还有孝顺老爹。"杨公见如此殷勤，就留这一干人在吏舍里吃些酒饭，众老人拜谢去了。

旧例：夷人告一纸状子，不管准不准，先纳三钱纸价。每限状子多，自有若干银子。如遇人命，若愿讲和，里邻干证估凶身家事厚薄，请知县相公把家私分作三股，一股送与知县，一股给与苦主，留一股与凶身，如此就说好官府。蛮夷中另是一种风俗，如遇时节，远近人都来馈送。杨知县在安庄三年有余，得了好些财物。凡有所得，就送到薛宣尉寄顿，这知县相公宦囊也颇盛了。一日，对薛宣尉说道："'知足不辱'。杨益在此，蒙兄顾爱，尝叨厚赐，况俸资也可过得日子了，杨益已告致仕。只是有这些俸资，如何得到家里？烦望兄长救济。"薛宣尉说道："兄既告致仕，我也留你不得了。这里积下的财物，我自着人送去下船，不须兄费心。"杨公就此相别，薛宣尉又摆酒席送行，又送千金赆②礼，俱预先送在船里。杨公回到县里来，叫众老人们都到县里来，说道："我在此三年，生受你们多了。我已致仕，今日与你们相别。我也分些东西与你众人，这是我的意思。我来时这几个箱笼，如今去也只是这几个箱笼，当堂上你们自看。"众老人又禀道："没甚孝顺老爹，怎敢倒要老爹的东西？"各人些小受了些，都欢喜拜谢了自去。起身之日，百姓都摆列香花灯烛送行。县里人只

---

① 生受——道谢语。麻烦、辛苦。

② 赆(jìn)——临别时赠给人的财物。

见杨公没甚行李，那晓得都是薛宣尉预先送在船里停当了，杨公只像个没东西的一般。杨公与李氏下了船，照依旧路回来。

一路平安，行了一月有余，来到旧日泊船之处，近着李氏家了。泊到岸边，只见那个长老并几个人伴，都在那里等，都上船来，与杨公相见，彼此欢天喜地。李氏也来拜见长老。杨公就教摆酒来，聊叙久别之情。杨公把在县的事都说与长老，长老回话道："我都晓得了，不必说。今日小僧来此，别无甚话，专为舍侄女一事。他原有丈夫，我因见足下去不得，以此不顾廉耻，使侄女相伴足下，到那县里。谢天地，无事故回来，十分好了。侄女其实不得去了，还要送归前夫，财物恁凭你处。"杨公听得说，两泪交流，大哭起来，拜倒在奶奶、长老面前，说道："丢得我好苦！我只是死了罢。"拔出一把小解手刀①来，望着咽喉便刎。李氏慌忙抱住，夺了刀，也就啼哭起来。长老来劝，说道："不要苦了，终须一别。我原许还他丈夫，出家人不说谎。"杨知县带着眼泪，说道："财物恁凭长老、奶奶取去，只是痛苦不得过。"长老见这杨公如此情真，说道："我自有处。且在船里宿了，明日作别。"

杨公与李氏一夜不曾合眼，泪不曾干，说了一夜。到明日早起来，梳洗饭毕，长老主张把宦资作十分。说："杨大人取了六分，侄女取了三分，我也取了一分。"各人都无话说。李氏与杨公两个抱住，那里肯舍，真个是生离死别。李氏只得自上岸去了，杨公也开了船。那个长老又说道："这条水路最是难走，我直送你到临安才回来。我们不打劫别人的东西也好了，终不成倒被别人打劫了去。"这和尚直送杨知县到临安，杨知县苦死留这僧人在家住了两月。杨公又厚赠这长老，又修书致意李氏，自此信使不绝。有诗为证：

蛮邦薄宦一孤身，全赖高僧觅好音。
随地相逢休傲慢，世间何处没奇人？

① 解手刀——随身携带的小佩刀。临阵用以割取首级，故也称解首刀。

# 第二十卷　陈从善梅岭失浑家

君骑白马连云栈，我驾孤舟乱石滩。

扬鞭举棹①休相笑，烟波名利大家难。

话说大宋徽宗宣和三年上春间，黄榜招贤，大开选场②。去这东京汴梁城内虎异营③中，一秀才姓陈名辛，字从善，年二十岁，故父是殿前太尉。这官人不幸父母早亡，只单身独自。自小好学，学得文武双全。正是文欺孔孟，武赛孙吴；五经三史，六韬三略，无所不晓。新娶得一个浑家，乃东京金梁桥④下张待诏之女，小字如春，年方二八，生得如花似玉。比花花解语，比玉玉生香。夫妻二人，如鱼似水，且是说得着，不愿同日生，只愿同日死。这陈辛一心向善，常好斋供僧道，一日与妻言说："今黄榜招贤，我欲赴选，求得一官半职，改换门闾，多少是好！"如春答曰："只恐你命运不通，不得中举。"陈辛曰："我正是'学成文武艺，货与帝王家'。"不数日，去赴选场，偕众伺候挂榜。旬日之间，金榜题名，已登三甲进士。琼林宴罢，谢恩，御笔除授广东南雄沙角镇巡检司巡检。回家说与妻如春道："今我蒙圣恩，除做南雄巡检之职，就要走马上任。我闻广东一路，千层峻岭，万叠高山，路途难行，盗贼烟瘴极多。如今便要收拾前去，如之奈何？"如春曰："奴一身嫁与官人，只得同受甘苦；如今去做官，便是路途险难，只得前去。何必忧心？"陈辛见妻如此说，心下稍宽。正是：

青龙与白虎同行，吉凶事全然未保。

当日陈巡检唤当直王吉吩咐曰："我今得授广东南雄巡检之职，争奈路途险峻，好生艰难，你与我寻一个使唤的，一同前去。"王吉领命，往街市寻觅，不在话下。

却说陈巡检吩咐厨下使唤的："明日是四月初三日，设斋多备斋供。不问云游全真道人，都要斋他，不得有缺。"

---

① 棹(zhào)——桨。

② 选场——试场、考场。

③ 虎异营——异，应写作翼。在北宋汴京新郑门外，为禁兵虎翼水军屯驻地。

④ 金梁桥——北宋汴京城中桥名，跨汴河。

不说这里斋主备办，且说大罗仙界有一真人，号曰紫阳真君①，于仙界观见陈辛奉真斋道，好生志诚。今投南雄巡检，争奈他妻有千日之灾。吩咐大慧真人："化作道童，听吾法旨：你可假名罗童，权与陈辛作伴当②，护送夫妻二人。他妻若遇妖精，你可护送。"道童听旨，同真君到陈辛宅中，与陈巡检相见礼毕，斋罢。真君问陈辛曰："何故往日设斋欢喜，今日如何烦恼？"陈辛叉手③告曰："听小生诉禀：今蒙圣恩，除南雄巡检，争奈路远难行，又无兄弟，因此忧闷也。"真人曰："我有这个道童，唤做罗童，年纪虽小，有些能处。今日权借与斋官，送到南雄沙角镇，便着他回来。"夫妻二人拜谢曰："感蒙尊师降临，又赐道童相伴，此恩难报。"真君曰："贫道物外之人，不思荣辱，岂图报答？"拂袖而去了。陈辛曰："且喜添得罗童做伴。"收拾琴剑书箱，辞了亲戚邻里，封锁门户，离了东京。十里长亭，五里短亭，迤逦而进。一路上，但见：

村前茅舍，庄后竹篱。村醪香透磁缸，浊酒满盛瓦瓮。架上麻衣，昨日芒郎④留下当；酒帘大字，乡中学究醉时书。沽酒客暂解担囊，趱路⑤人不停车马。

陈巡检骑着马，如春乘着轿，王吉、罗童挑着书箱行李，在路少不得饥餐渴饮，夜住晓行。罗童心中自忖："我是大罗仙中大慧真人，今奉紫阳真君法旨，教我跟陈巡检往南雄沙角镇去。吾故意妆风做痴，教他不识咱真相。"遂乃行走不动，上前退后。如春见罗童如此嫌迟，好生心恼，再三要赶回去，陈巡检不肯，恐背了真人重恩。罗童正行在路，打火造饭，哭哭啼啼不肯吃，连陈巡检也厌烦了，如春孺人执性定要赶罗童回去。罗童越要风，叫："走不动！"王吉搀扶着行，不五里叫："腰疼！"大哭不止。如春说与陈巡检："当初指望得罗童用，今日不曾得他半分之力，不如教他回去。"陈巡检不合听了孺人言语，打发罗童回去，有分教如春争些个做了失乡之鬼。正是：

---

① 紫阳真君——指宋张紫阳，台州人。

② 伴当——同伴、伙伴。

③ 叉手——一种敬礼。两手交叉胸前，俯首至手。

④ 芒郎——村民的通称。

⑤ 趱路——赶路。

鹿迷郑相①应难辨，蝶梦周公②未可知。

当日打发罗童回去，且得耳根清净。陈巡检夫妻和王吉三人前行。

且说梅岭之北，有一洞，名曰申阳洞。洞中有一怪，号曰申阳公，乃猢狲精也。弟兄三人：一个是通天大圣，一个是弥天大圣，一个是齐天大圣。小妹便是泗州圣母。这齐天大圣神通广大，变化多端，能降各洞山魈，管领诸山猛兽。兴妖作法，摄偷可意佳人；啸月吟风，醉饮非凡美酒。与天地齐休，日月同长。这齐天大圣在洞中，观见岭下轿中，抬着一个佳人，娇嫩如花似玉，意欲取他。乃唤山神吩咐："听吾号令：便化客店，你做小二哥，我做店主人。他必到此店投宿，更深夜静，摄此妇人入洞中。"山神听令化作一店，申阳公变作店主坐在店中。却好至黄昏时分，陈巡检与孺人如春并王吉至梅岭下，见天色黄昏，路逢一店，唤招商客店。王吉向前去敲门。店小二问曰："客长③有何勾当？"王吉答道："我主人乃南雄沙角巡检之任，到此赶不着馆驿，欲借店中一宿，来早便行。"申阳公迎接陈巡检夫妻二人入店，头房④安下。申阳公说与陈巡检曰："老夫今年八十余岁，今晚多口，劝官人一句：前面梅岭好生僻静，虎狼劫盗极多；不如就老夫这里安下孺人，官人自先去到任，多差弓兵⑤人等来取却好。"陈巡检答曰："小官三代将门之子，通晓武艺，常怀报国之心，岂怕虎狼盗贼？"申公情知难劝，便不敢言，自退去了。

且说陈巡检夫妻二人到店房中，吃了些晚饭，却好一更，看看二更。陈巡检先上床脱衣而卧，只见就中起一阵风。正是：

吹折地狱门前树，刮起酆都顶上尘。

那阵风过处，吹得灯半灭而复明。陈巡检大惊，急穿衣起来看时，就房中不见了孺人。开房门叫得王吉，那王吉睡中叫将起来，不知头由，慌张失

---

① 鹿迷郑相——古代寓言，郑国有樵者击死一鹿，自己忘记了藏所，便以为只是做梦。旁人闻知，取鹿回家，其妻也说他是做梦。后来两人讼于官，争夺死鹿，郑君问国相，国相说："梦与不梦，我也不能分辨。"

② 蝶梦周公——古代寓言，庄周有一次梦为蝴蝶，一会儿醒来，则又是庄周，也分不清究是庄周梦为蝴蝶，还是蝴蝶梦为庄周。

③ 客长——对出门在外者的尊称，如客官。

④ 头房——客店中前面的房间，即上房。

⑤ 弓兵——宋元间州县专管捕盗的官兵。

势。陈巡检说与王吉："房中起一阵狂风，不见了孺人。"主仆二人急叫店主人时，叫不应了。仔细看时，和店房都不见了，连王吉也吃一惊。看时，二人立在荒郊野地上，止有书箱行李并马在面前，并无灯火，客店、店主人皆无踪迹。只因此夜，直教陈巡检三年不见孺人之面。未知久后如何？正是：

雨里烟村雾里都，不分南北路程途。
多疑看罢僧繇画①，收起丹青一轴图。

陈巡检与王吉听谯楼②更鼓，正打四更。当夜月明星光之下，主仆二人，前无客店，后无人家，惊得魂飞天外，魄散九霄。只得教王吉挑了行李，自跳上马，月光之下，依路径而行。在路陈巡检寻思："不知是何妖法，化作客店，摄了我妻去？从古至今，不见闻此异事。"巡检一头行，一头哭："我妻不知着落。"迤逦而行，却好天明。王吉劝官人："且休烦恼，理会正事。前面梅岭，望着好生崄峻崎岖，凹凸难行，只得捱过此岭，且去沙角镇上了任，却来打听，寻取孺人不迟。"陈巡检听了王吉之言，只得勉强而行。

且说申阳公摄了张如春，归于洞中，惊得魂飞魄散，半晌醒来，泪如雨下。原来洞中先有一娘子，名唤牡丹，亦被摄在洞中日久，向前来劝如春，不要烦恼。申公说与如春娘子："小圣与娘子前生有缘，今日得到洞中，别有一个世界。你吃了我仙桃、仙酒、胡麻饭，便是长生不死之人。你看我这洞中仙女，尽是凡间摄将来的。娘子休闷，且共你兰房同床云雨。"如春见说，哀哀痛哭，告申公曰："奴不愿洞中快乐，长生不死；只求早死。若说云雨，实然不愿。"申公见说如此，自思："我为他春心荡漾，他如今烦恼，未可归顺，其妇人性执，若逼令他，必定寻死，却不可惜了这等端妍少貌之人？"乃唤一妇人，名唤金莲，洞主也是日前摄来的，在洞中多年矣。申公吩咐："好好劝如春，早晚好待他，将好言语诱他，等他回心。"金莲引如春到房中，将酒食管待。如春酒也不吃，食也不吃，只是烦恼。金莲、牡丹二妇人再三劝他："你既被摄到此间，只得无奈何，自古道：'在他矮檐下，怎敢不低头？'"如春告金莲云："姐姐，你岂知我今生夫妻分离，被这老妖半夜摄将到此，强要奴家云雨，决不依随，只求快死，以表我贞洁。古

① 僧繇画——南朝梁时画家张僧繇，善画山水、佛像。
② 谯楼——筑在城门上的楼，用以瞭望、报时。

云:'烈女不更二夫。'奴今宁死而不受辱。"金莲说:"'要知山下事,请问过来人。'这事我也曾经来。我家在南雄府住,丈夫富贵,也被申公摄来洞中五年。你见他貌恶,当初我亦如此,后来惯熟,方才好过。你既到此,只得没奈何,随顺了他罢。"如春大怒,骂云:"我不似你这等淫贱,贪生受辱,枉为人在世,泼贱之女!"金莲云:"好言不听,祸必临身。"遂自回报申公,说新来佳人,不肯随顺,恶言诽谤,劝他不从。申公大怒而言:"这个贱人,如此无礼!本待将铜锤打死,为他花容无比,不忍下手,可奈他执意不从。"交付牡丹娘子:"你管押着他,将这贱人剪发齐眉,蓬头赤脚,罚去山头挑水,浇灌花木,一日与他三顿淡饭。"牡丹依言,将张如春剪发齐眉,赤了双脚,把一副水桶与他。如春自思,欲投岩涧中而死,"万一天可怜见,苦尽甘来,还有再见丈夫之日"。不免含泪而挑水。正是:

宁为困苦全贞妇,不作贪淫下贱人。

不说张氏如春在洞中受苦,且说陈巡检与同王吉自离东京,在路两月余,至梅岭之北,被申阳公摄了孺人去,千方无计寻觅。王吉劝官人且去上任,巡检只得弃舍而行。乃望面前一村酒店,巡检到店门前下马,与王吉入店买酒饭吃了,算还酒饭钱,再上马而去。见一个草舍,乃是卖卦的,在梅岭下,招牌上写:"杨殿干请仙下笔,吉凶有准,祸福无差。"陈巡检到门前,下马离鞍,入门与杨殿干相见已毕。殿干问:"尊官何来?"陈巡检将昨夜失妻之事,从头至尾,说了一遍。杨殿干焚香请圣,陈巡检跪拜祷祝。只见杨殿干请仙至,降笔判断四句,诗曰:

千日逢灾厄,佳人意自坚。
紫阳来到日,镜破再团圆。

杨殿干断曰:"官人且省烦恼,孺人有千日之灾。三年之后,再遇紫阳,夫妇团圆。"陈巡检自思:"东京曾遇紫阳真人,借罗童为伴;因罗童呕气,打发他回去。此间相隔数千里路,如何得紫阳到此?"遂乃心中少宽,还了卦钱,谢了杨殿干,上马同王吉并众人上梅岭来。陈巡检看那岭时,真个险峻:

欲问世间烟障路,大庾梅岭苦心酸。
磨牙猛虎成群走,吐气巴蛇满地攒。

陈巡检并一行人过了梅岭,岭南二十里,有一小亭,名唤做接官亭。巡检下马,入亭中暂歇。忽见王吉报说:"有南雄沙角镇巡检衙门弓兵人等,远来迎接。"陈巡检唤入,参拜毕。过了一夜,次日同弓兵吏卒走马上任。至于衙中升厅,众人参贺已毕。陈巡检在沙角镇做官,且是清正严谨。光阴似箭,正是:

窗外日光弹指过,席前花影坐间移。

倏忽在任,不觉一载有余,差人打听孺人消息,并无踪迹。端的:

好似石沉东海底,犹如线断纸风筝。

陈巡检为因孺人无有消息,心中好闷,思忆浑家,终日下泪。正思念张如春之际,忽弓兵上报:"相公,祸事!今有南雄府府尹札付来报军情:有一强人,姓杨名广,绰号'镇山虎',聚集五七百小喽啰,占据南林村,打家劫舍,杀人放火,百姓遭殃。札付巡检,火速带领所管一千人马,关领军器,前去收捕,毋得迟误。"陈巡检听知,火速收拾军器鞍马,披挂已了,引着一千人马,径奔南林村来。

却说那南林村镇山虎正在寨中饮酒,小喽啰报说:"官军到来。"急上马持刀,一声锣响,引了五百小喽啰,前来迎敌。陈巡检与镇山虎并不打话,两马相交,那草寇怎敌得陈巡检过?斗无十合,一矛刺镇山虎于马下,枭其首级,杀散小喽啰。将首级回南雄府,当厅呈献,府尹大喜,重赏了当。自回巡检衙,办酒庆贺已毕。只因斩了镇山虎,真个是:

威名大振南雄府,武艺高强众所钦。

这陈巡检在任,倏忽却早三年官满,新官交替。陈巡检收拾行装,与王吉离了沙角镇,两程并作一程行,相望庾岭之下,红日西沉,天色已晚。陈巡检一行人,望见远远松林间,有一座寺。王吉告官人:"前面有一座寺,我们去投宿则个。"陈巡检勒马向前,看那寺时,额上有"红莲寺"三个大金字。巡检下马,同一行人入寺。原来这寺中长老,名号旃大惠禅师,佛法广大,德行清高,是个古佛出世。当时行者报与长老:"有一过往官人投宿。"长老教行者相请。巡检入方丈参见长老。礼毕,长老问:"官人何来?"陈巡检备说前事,"万望长老慈悲,指点陈辛,寻得孺人回乡,不忘重恩。"长老曰:"官人听禀:此怪是白猿精,千年成器,变化难测。你孺人性贞烈,不肯依随,被他剪发赤脚,挑水浇花,受其苦楚。此人号曰申阳公,常到寺中,听说禅机,讲其佛法。官人若要见孺人,可在我寺中住几时。等申阳公来时,我劝化他回心,放还你妻如何?"陈巡检见长老如此说,心中喜欢,且在寺中歇下。正是:

五里亭亭一小峰，上分南北与西东。

世间多少迷途客，一指还归大道中。

陈巡检在红莲寺中，一住十余日。忽一日，行者报与长老："申阳公到寺来也。"巡检闻之，躲于方丈中屏风后面。只见长老相迎，申阳公入方丈叙礼毕，分位而坐，行者献茶。茶罢，申阳公告长老曰："小圣无能断除爱欲，只为色心迷恋本性，谁能虎项解金铃？"长老答曰："尊圣要解虎项金铃，可解色心本性，色即是空，空即是色，一尘不染，万法皆明。莫怪老僧多言相劝，闻知你洞中有一如春娘子，在洞三年。他是贞节之妇，可放他一命还乡，此便是断却欲心也。"申阳公听罢，回言："长老，小圣心中正恨此人，罚他挑水三年，不肯回心。这等愚顽，决不轻放！"陈巡检在屏风后听得说，正是：

提起心头火，咬碎口中牙。

陈巡检大怒，拔出所佩宝剑，劈头便砍。申阳公用手一指，其剑反着自身。申阳公曰："吾不看长老之面，将你粉骨碎身，此冤必报。"道罢，申阳公别了长老回去了。自洞中叫张如春在面前，欲要剖腹取心，害其性命。得牡丹、金莲二人救解，依旧挑水浇花，不在话下。

且说陈巡检不知妻子下落，到也罢了；既晓得在申阳洞中，心下倍加烦恼。在红莲寺方丈中拜告长老："怎生得见我妻之面？"长老曰："要见不难，老僧指一条径路，上山去寻。"长老叫行者引巡检去山间寻访，行者自回寺。只说陈辛去寻妻，未知寻得见寻不见？正是：

风定始知蝉在树，灯残方见月临窗。

当日陈巡检带了王吉，一同行者到梅岭山头，不顾崎岖峻崄，走到山岩潭畔，见个赤脚挑水妇人。慌忙向前看时，正是如春。夫妻二人抱头而哭，各诉前情，莫非梦中相见，一一告诉。如春说："昨日申公回洞，几乎一命不存。"巡检乃言："谢红莲寺长老指路来寻，不想却好遇你，不如共你逃走了罢。"如春道："走不得。申公妖法广大，神通莫测。他若知我走，赶上时，和官人性命不留。我闻申公平日只怕紫阳真君，除非求得他来，方解其难。官人可急回寺去，莫待申公知之，其祸不小。"陈巡检只得弃了如春，归寺中拜谢长老，说已见娇妻，言："申公只怕紫阳真君，他在东京曾与陈辛相会,今此间窎①远,如何得他来救?"长老见他如此哀告,乃言:"等我与你入定去看,便见分晓。"长老教行者焚香,入定去了一晌。出定回来,说与陈巡检曰:"当初紫阳真人与你一个道童,你到半路赶了他回去。你如今便可往,急走三日,必有报应。"陈巡检见说,依其言,急急步行出寺,迤逦行了两日,并无踪迹。

且说紫阳真人在大罗仙境与罗童曰:"吾三年前,那陈巡检去上任时,他妻合有千日之灾,今已将满。吾怜他养道修真,好生虔心,吾今与汝同下凡间,去梅岭救取其妻回乡。"罗童听旨,一同下凡,往广东路上行来。这日却好陈巡检撞见真君同罗童远远而来,乃急急向前跪拜,哀告曰:"真君,望救度!弟子妻张如春被申阳公妖法摄在洞中三年,受其苦楚,望真君救难则个!"真君笑曰:"陈辛,你可先去红莲寺中等,我便到也。"陈辛拜别,先回寺中,备办香案,迎接真君救难。正是:

法箓持身不等闲,立身起业有多般。
千年铁树开花易,一日酆都出世难。

陈巡检在寺中等了一日,只见紫阳真君行至寺中,端的道貌非凡。长老直出寺门迎接,入方丈叙礼毕,分宾主坐定。长老看紫阳真君,端的有神仪八极之表,道貌堂堂,威仪凛凛。陈巡检拜在真君面前,告曰:"望真君慈悲,早救陈辛妻张如春性命还乡,自当重重拜答深恩。"真君乃于香案前,口中不知说了几句言语,只见就方丈里起一阵风。但见:

无形无影透人怀,二月桃花被绰②开。
就地撮将黄叶去,入山推出白云来。

那风过处,只见两个红巾天将出现,甚是勇猛。这两员神将朝着真君声喏道:"吾师有何法旨?"紫阳真君曰:"快与我去申阳洞中,擒拿齐天大圣前来,不可有失。"两员天将去不多时,将申公一条铁索锁着,押到真君面前。申公跪下,紫阳真君判断,喝令天将将申公押入酆都天牢问罪。教罗童入申阳洞中,将众多妇女各各救出洞来,各令发付回家去讫。张如春与陈辛夫妻再得团圆,向前拜谢紫阳真人。真人别了长老、陈辛,与罗童冉冉腾空而去了。这陈巡检将礼物拜谢了长老,与一寺僧行别了,收拾行李

① 窎(diào)——深远。窎远,即距离遥远。
② 绰——拂。

轿马,王吉并一行从人离了红莲寺。迤逦在路,不则一日,回到东京故乡。夫妻团圆,尽老百年而终。有诗为证:

三年辛苦在申阳,恩爱夫妻痛断肠。
终是妖邪难胜正,贞名落得至今扬。

# 第二十一卷　临安里钱婆留发迹

贵逼身来不自由,几年辛苦踏山丘。
满堂花醉三千客,一剑霜寒十四州。
莱子①衣裳宫锦窄,谢公②篇咏绮霞羞。
他年名上凌云阁③,岂羡当时万户侯?

这八句诗,乃是晚唐时贯休所作。那贯休是个有名的诗僧,因避黄巢之乱,来于越地,将此诗献与钱王④求见。钱王一见此诗,大加叹赏,但嫌其"一剑霜寒十四州"之句,殊无恢廓之意,遣人对他说,教和尚改"十四州"为"四十州",方许相见。贯休应声,吟诗四句。诗曰:

不羡荣华不惧威,添州改字总难依。
闲云野鹤无常住,何处江天不可飞?

吟罢,飘然而入蜀。钱王懊悔,追之不及。真高僧也。后人有诗讥诮钱王,云:

文人自古傲王侯,沧海何曾择细流?
一个诗僧容不得,如何安□望添州?

此诗是说钱王度量窄狭,所以不能恢廓霸图,止于一十四州之主。虽如此说,像钱王生于乱世,独霸一方,做了一十四州之王,称孤道寡,非通小可。你道钱王是谁?他怎生样出身?有诗为证:

项氏宗衰刘氏穷,一朝龙战定关中。

---

① 莱子——春秋时楚国人,年七十岁,常穿着五色衣裳,作婴儿戏,娱乐他的父母。
② 谢公——南朝宋诗人谢灵运。
③ 凌云阁——指唐代长安的凌烟阁,唐太宗画功臣二十四人于阁上。
④ 钱王——五代吴越王钱镠。

纷纷肉眼看成败，谁向尘埃识骏雄？

话说钱王，名镠，表字具美，小名婆留，乃杭州府临安县人氏。其母怀孕之时，家中时常火发，及至救之，又复不见，举家怪异。忽一日，黄昏时候，钱公自外而来，遥见一条大蜥蜴，在自家屋上蜿蜒而下，头垂及地，约长丈余，两目熠熠有光。钱公大惊，正欲声张，忽然不见。只见前后火光亘天，钱公以为失火，急呼邻里求救。众人也有已睡的未睡的，听说钱家火起，都爬起来，收拾挠钩水桶来救火时，那里有什么火！但闻房中呱呱之声，钱妈妈已产下一个孩儿。钱公因自己错呼救火，蒿恼了邻里，十分惭愧，正不过意，又见了这条大蜥蜴，都是怪事，想所产孩儿，必然是妖物，留之无益，不如溺死，以绝后患。也是这小孩儿命不该绝，东邻有个王婆，平生念佛好善，与钱妈妈往来最厚。这一晚，因钱公呼唤救火，也跑来看。闻说钱妈妈生产，进房帮助，见养下孩儿，欢天喜地，抱去盆中洗浴。被钱公劈手夺过孩儿，按在浴盆里面，要将溺死。慌得王婆叫起屈来，倒身护住，定不容他下手，连声道："罪过，罪过！这孩子一难一度，投得个男身，作何罪业，要将他溺死！自古道：'虎狼也有父子之情。'你老人家是何意故①？"钱妈妈也在床褥上嚷将起来。钱公道："这孩子临产时，家中有许多怪异，只恐不是好物，留之为害。"王婆道："一点点血块，那里便定得好歹。况且贵人生产，多有奇异之兆，反为祥瑞，也未可知。你老人家若不肯留这孩子时，待老身领去，过继与没孩儿的人家养育，也是一条性命，与你老人家也免了些罪业。"钱公被王婆苦劝不过，只得留了，取个小名，就唤做婆留。有诗为证：

五月佳儿说孟尝②，又因光怪误钱王。
试看斗文并后稷，君相从来岂殀亡？

古时姜嫄③感巨人迹而生子，惧而弃之于野，百鸟皆舒翼覆之，三日不死。重复收养，因名曰弃。比及长大，天生圣德，能播种五谷。帝尧任为后稷之官，使主稼穑，是为周朝始祖。到武王之世，开了周家八百年基业。又

① 意故——用意、缘故。

② 五月佳儿说孟尝——战国时孟尝君田文，生于五月五日。当时流行一种迷信的说法：五月生的孩子，长大了会不利其父母。他的父母田婴叮嘱不要养育他，但田文的母亲却偷偷地抚养了他。

③ 姜嫄（yuán）——传说是周朝祖先后稷的母亲。

春秋时楚国大夫斗伯比与郧①子之女偷情,生下一儿。其母郧夫人以为不雅,私弃于梦泽之中。郧子出猎,到于梦泽,见一虎跪下,将乳喂一小儿,心中怪异。那虎乳罢孩儿,自去了。郧子教人抱此儿回来,对夫人夸奖此儿,必是异儿。夫人认得已女所生,遂将实情说出。郧子就将女配与斗伯比为妻,教他抚养此儿。楚国土语唤"乳"做"谷",唤"虎"做"于菟",因有虎乳之异,取名曰谷于菟。后来长大为楚国令尹,则今传说的楚令尹子文就是。所以说:"贵人无死法。"又说:"大难不死,必有后禄。"今日说钱公满意要溺死孩儿,又被王婆留住,岂非天命?

话休絮烦。再说钱婆留长成五六岁,便头角渐异,相貌雄伟,膂力非常,与里中众小儿游戏厮打,随你十多岁的孩儿,也弄他不过,只索让他为尊。这临安里中有座山,名石镜山。山有圆石,其光如镜,照见人形。钱婆留每日同众小儿在山边游戏,石镜中照见钱婆留头带冕旒②,身穿蟒衣玉带。众小儿都吃一惊,齐说神道出现。偏是婆留全不骇惧,对小儿说道:"这镜中神道就是我,你们见我都该下拜。"众小儿罗拜于前,婆留安然受之,以此为常。一日回去,向父亲钱公说知其事。钱公不信,同他到石镜边照验,果然如此。钱公吃了一惊,对镜暗暗祷告道:"我儿婆留果有富贵之日,昌大钱宗,愿神灵隐蔽镜中之形,莫被人见,恐惹大祸。"祷告方毕,教婆留再照时,只见小孩儿的模样,并无王者衣冠。钱公故意骂道:"孩子家眼花说谎,下次不可如此!"

次日婆留再到石镜边游戏,众小儿不见了神道,不肯下拜了。婆留心生一计。那石镜旁边,有一株大树,其大百围,枝叶扶疏,可荫数亩;树下有大石一块,有七八尺之高。婆留道:"这大树权做个宝殿,这大石权做个龙案,那个先爬上龙案坐下的,便是登宝殿了,众人都要拜贺他。"众小儿齐声道好,一齐来爬时,那石高又高,峭又峭,滑又滑,怎生爬得上?天生婆留身材矫捷,又且有智,他想着大树本子上,有几个𩋾𩍇③,好借脚力,相在肚里了,跳上树根,一步步攀缘而上。约莫离地丈许,看得这块大石亲切,放手望下只一跳,端端正正坐于石上。众小儿发一声喊,都拜倒

---

① 郧(yún)。

② 冕旒(liú)——古代帝王、诸侯及卿大夫的礼冠。

③ 𩋾𩍇——疙瘩。

在地。婆留道:“今日你们服也不服?”众小儿都应道:“服了。”婆留道:“既然服我,便要听我号令。”当下折些树枝,假做旗幡,双双成对,摆个队伍,不许混乱。自此为始,每早排衙①行礼。或剪纸为青红旗,分作两军交战。婆留坐石上指挥,一进一退,都有法度;如违了他便打,众小儿打他不过,只得依他,无不惧怕。正是:

天挺英豪志量开,休教轻觑小儿孩。

未施济世安民手,先见惊天动地才。

再说婆留到十七八岁时,顶冠束发,长成一表人材;生得身长力大,腰阔膀开,十八般武艺,不学自高。虽曾进学堂读书,粗晓文义,便抛开了,不肯专心,又不肯做农商经纪。在里中不干好事,惯一偷鸡打狗,吃酒赌钱。家中也有些小家私,都被他赌博,消费得七八了。爹娘若说他不是,他就别着气,三两日出去不归。因是管辖他不下,只得由他。此时里中都唤他做“钱大郎”,不敢叫他小名了。一日,婆留因没钱使用,忽然想起:“顾三郎一伙,尝来打合②我去贩卖私盐;我今日身闲无事,何不去寻他?”行到释迦院前,打从戚汉老门首经过。那戚汉老是钱塘县第一个开赌场的。家中养下几个娼妓,招引赌客。婆留闲时,也常在他家赌钱住宿。这一日,忽见戚汉老左手上横着一把行秤,右手提了一只大公鸡、一个猪头回来,看了婆留便道:“大郎,连日少会。”婆留问道:“有甚好赌客在家?”汉老道:“不瞒大郎说:本县录事③老爷有两位郎君,好的是赌博,也肯使花酒钱,有多嘴的对他说了,引到我家坐地,要寻人赌双陆④。人听说是见在官府的儿,没人敢来上桩⑤。大郎有采⑥时,进去赌对⑦一局。他们

① 排衙——官员升堂,吏役排班参见的仪式。

② 打合——纠合、拉拢。

③ 录事——官名。掌管庶务,纠弹稽违。

④ 双陆——一种赌具或游戏用具。双陆盘,如半个棋盘,盘上刻画两门二十四路(称为梁)。双陆马子,形状如捣衣杵,黑白各十五个。打双陆时,照一定格式将黑白马布置梁上,按骰子点色行走,白马自右归左,黑马自左归右,马先出尽者为胜。

⑤ 上桩——相凑成局、凑合。

⑥ 采——此指赌注。

⑦ 赌对——赌博、赌赛。

都是见采①,分文不欠的。”婆留口中不语,心下思量道:“两日正没生意,且去淘摸②几贯钱钞使用。”便向戚汉老道:“别人弱他官府,我却不弱他。便对一局,打甚紧?只怕采头短少,须吃他财主笑话。少停赌对时,我只说有在你处,你与我招架一声,得采时平分便了。若还输去,我自赔你。”汉老素知婆留平日赌性最直,便应道:“使得。”当下汉老同婆留进门,与二钟相见。这二钟一个叫做钟明,一个叫做钟亮,他父亲是钟起,见为本县录事之职。汉老开口道:“此间钱大郎,年纪虽少,最好拳棒,兼善博戏。闻知二位公子在小人家里,特来进见。”原来二钟也喜拳棒,正投其机;又见婆留一表人材,不胜欢喜。当下叙礼毕,闲讲了几路拳法。钟明就讨双陆盘摆下,身边取出十两重一锭大银,放在卓上,说道:“今日与钱兄初次相识,且只赌这锭银子。”婆留假意向袖中一摸,说道:“在下偶然出来拜一个朋友,遇戚老说公子在此,特来相会,不曾带得什么采来。”回头看着汉老道:“左右有在你处,你替我答应则个。”汉老一时应承了,只得也取出十两银子,做一堆儿放着。便道:“小人今日不方便在此,只有这十两银子,做两局赌么?”自古道:“稍③粗胆壮。”婆留自己没一分钱钞,却教汉老应出银子,胆已自不壮了,着了急,一连两局都输。钟明收起银子,便道:“得罪,得罪。”教小厮另取一两银子,送与汉老,作为头钱④。汉老虽然还有银子在家,只怕钱大郎又输去了,只得认着晦气,收了一两银子,将双陆盘掇过一边,摆出酒肴留款。婆留那里有心饮酒,便道:“公子宽坐,容在下回家去,再取稍来决赌何如?”钟明道:“最好。”钟亮道:“既钱兄有兴,明日早些到此,竟日取乐;今日知己相逢,且共饮酒。”婆留只得坐了,两个妓女唱曲侑酒。正是:

赌场逢妓女,银子当砖块。
牡丹花下死,还却风流债。

当日正在欢饮之际,忽闻叩门声。开看时,却是录事衙中当直的,说道:“老爷请公子议事。教小的们那处不寻到,却在这里!”钟明、钟亮便起身道:“老父呼唤,不得不去。钱兄,明日须早来顽耍。”嘱罢,向汉老说

---

① 见采——现金的赌注。
② 淘摸——同掏摸。索取、偷窃。
③ 稍——指赌本。
④ 头钱——宋时主持赌场的人,在赌客所赢钱中抽取的钱。

声相扰,同当直的一齐去了。婆留也要出门,被汉老双手拉住道:“我应的十两银子,几时还我?”婆留一手劈开便走,口里答道:“来日送还。”出得门来,自言自语的道:“今日手里无钱,却赌得不爽利。还去寻顾三郎,借几贯钞,明日来翻本。”带着三分酒兴,迳往南门街上而来。

向一个僻静巷口撒溺,背后一人将他脑后一拍,叫道:“大郎,甚风吹到此?”婆留回头看时,正是贩卖私盐的头儿顾三郎。婆留道:“三郎,今日相访,有句话说。”顾三郎道:“甚话?”婆留道:“不瞒你说,两日赌得没兴,与你告借百十贯钱去翻本。”顾三郎道:“百十贯钱却易,只今夜随我去便有。”婆留道:“那里去?”顾三郎道:“莫问莫问,同到城外便知。”

两个步出城门,恰好日落西山,天色渐暝。约行二里之程,到个水港口,黑影里见缆个小船,离岸数尺,船上芦席满满冒住,密不通风,并无一人。顾三郎捻起泥块,向芦席上一撒,撒得声响。忽然芦席开处,船舱里钻出两个人来,咳嗽一声。顾三郎也咳嗽相应。那边两个人,即便撑船拢来,顾三郎同婆留下了船舱。船舱还藏得有四个人,这里两个人下舱,便问道:“三郎,你与谁人同来?”顾三郎道:“请得主将在此。休得多言,快些开船去。”说罢,众人拿橹动篙,把这船儿弄得梭子般去了。婆留道:“你们今夜又走什么道路?”顾三郎道:“不瞒你说,两日不曾做得生意,手头艰难。闻知有个王节使的家小船,今夜泊在天目山下,明早要进香。此人巨富,船中必然广有金帛,弟兄们欲待借他些使用。只是他手下有两个苍头,叫做张龙、赵虎,大有本事,没人对付得他。正思想大郎了得,天幸适才相遇,此乃天使其便,大胆相邀至此。”婆留道:“做官的贪赃枉法得来的钱钞,此乃不义之财,取之无碍。”

正说话间,听得船头前荡桨响,又有一个小撵船①来到。船上共有五条好汉在上,两船上一般咳嗽相应。婆留已知是同伙,更不问他。只见两船帮近,顾三郎悄悄问道:“那话儿歇在那里?”撵船上人应道:“只在前面一里之地,我们已是着眼了。”当下众人将船摇入芦苇中歇下,敲石取火。众好汉都来与婆留相见。船中已备得有酒肉,各人大碗酒大块肉吃了一顿。分拨了器械,两只船,十三筹②好汉,一齐上前进发。

---

① 撵船——撵,同划。此处指小船。

② 筹——古代用算筹计数。十三筹好汉,就是十三个好汉。

遥见大船上灯光未灭。众人摇船拢去,发声喊,都跳上船头。婆留手执铁棱棒打头,正遇着张龙,早被婆留一棒打落水去。赵虎望后艄便跑。满船人都唬得魂飞魄散,那个再敢挺敌。一个个跪倒船舱,连声饶命。婆留道:"众兄弟听我吩咐:只许收拾金帛,休杀害他性命。"众人依言,将舟中辎重恣意搬取。唿哨一声,众人仍分作两队,下了小船,飞也是摇去了。

原来王节使另是一个座船①,他家小先到一日。次日,王节使方到,已知家小船被盗。细开失单,往杭州府告状。杭州刺史董昌准了,行文各县,访拿真赃真盗。文书行到临安县来,知县差县尉②协同缉捕使臣③,限时限日的擒拿,不在话下。

再说顾三郎一伙,重泊船于芦苇丛中,将所得利物,众人十三分均分。因婆留出力,议定多分一分与他。婆留共得了三大锭元宝,百来两碎银,及金银酒器首饰又十余件。此时天色渐明,城门已开。婆留怀了许多东西,跳上船头,对顾三郎道:"多谢作成,下次再当效力。"说罢,进城迳到戚汉老家。汉老兀自床上翻身,被婆留叫唤起来,双手将两眼揩抹,问道:"大郎何事来得恁早?"婆留道:"钟家兄弟如何还不来?我寻他翻本则个。"便将元宝碎银及酒器首饰,一顿④交付与戚汉老,说道:"恐怕又烦累你应采⑤,这些东西都留你处,慢慢的支销。昨日借你的十两头,你就在里头除了罢。今日二钟来,你替我将几两碎银做个东道,就算我请他一席。"戚汉老见了许多财物,心中欢喜,连声应道:"这小事,但凭大郎吩咐。"婆留道:"今日起早些,既二钟未来,我要寻个静办处打个盹。"戚汉老引他到一个小小阁儿中白木床上,叫道:"大郎任意安乐,小人去梳洗则个。"

却说钟明、钟亮在衙中早饭过了,袖了几锭银子,再到戚汉老家来。汉老正在门首买东买西,见了二钟,便道:"钱大郎今日做东道相请,在此专候久了,在小阁中打盹。二位先请进去,小人就来陪奉。"钟明、钟亮两个私下称赞道:"难得这般有信义之人。"走进堂中,只听得打齁之声,如

---

① 座船——官船。

② 县尉——专管教练弓手、缉捕盗贼的官。

③ 缉捕使臣——专管缉捕的武官。

④ 一顿——一次、一下子、一并。

⑤ 应采——承担赌金。

霹雳一般的响。二钟吃一惊，寻到小阁中，猛见个丈余长一条大蜥蜴，据于床上，头生两角，五色云雾罩定。钟明、钟亮一齐叫道："作怪！"只这声"作怪"，便把云雾冲散，不见了蜥蜴。定睛看时，乃是钱大郎直挺挺的睡着。弟兄两个心下想道："常闻说异人多有变相，明明是个蜥蜴，如何却是钱大郎？此人后来必然有些好处，我们趁此未遇之先，与他结交，有何不美？"两下商量定，等待婆留醒来，二人更不言其故，只说："我弟兄相慕信义，情愿结桃园之义，不知大郎允否？"婆留也爱二钟为人爽慨，当下就在小阁内，八拜定交。因婆留年最小，做了三弟。这日也不赌钱，大家畅饮而别。临别时，钟明把昨日赌赢的十两银子，送还婆留。婆留那里肯收，便道："戚汉老处小弟自己还过了，这银，大哥权且留下，且待小弟手中乏时，相借未迟。"钟明只得收去了。

自此日为始，三个人时常相聚。因是吃酒打人，饮博场中出了个大名，号为"钱塘三虎"。这句话，吹在钟起耳朵里来，好生不乐。将两个儿子禁约①在衙中，不许他出外游荡。婆留连日不见二钟，在录事衙前探听，已知了这个消息。害了一怕，好几日不敢去寻二钟相会。正是：

取友必须端，休将戏谑看。
家严儿学好，子孝父心宽。

再说钱婆留与二钟疏了，少不得又与顾三郎这伙亲密，时常同去贩盐为盗，此等不法之事，也不知做下几十遭。原来走私商道路②的，第一次胆小，第二次胆大，第三第四次浑身都是胆了。他不犯本钱，大锭银大贯钞的使用，侥幸其事不发，落得快活受用，且到事发再处，他也拼得做得。自古道："若要不知，除非莫为。"只因顾三郎伙内陈小乙，将一对赤金莲花杯，在银匠家倒唤③银子，被银匠认出是李十九员外库中之物，对做公的说了。做公的报知县尉，访着了这一伙姓名，尚未挨拿④。

忽一日，县尉请钟录事父子在衙中饮酒。因钟明写得一手好字，县尉邀至书房，求他写一幅单条。钟明写了李太白《少年行》一篇，县尉展看称美。钟明偶然一眼觑见大端石砚下，露出些纸脚，推开看时，写得有多

① 禁约——拘禁、约束、禁止。
② 走私商道路——做违法的生意，做黑买卖。
③ 倒唤——同倒换，即兑换。
④ 挨拿——访捉、搜捕。

人姓名。钟明有心，捉个冷眼①，取来藏于袖中。背地偷看，却是所访盐盗的单儿，内中有钱婆留名字。钟明吃了一惊，上席后不多几杯酒，便推腹痛先回。县尉只道真病，由他去了，谁知却是钟明的诡计。

当下钟明也不回去，急急跑到戚汉老家，教他转寻婆留说话，恰好婆留正在他场中铺牌赌色②。钟明见了也无暇作揖，一只臂膊牵出门外，到个僻静处，说道如此如此，"幸我看见，偷得访单③在此。兄弟快些藏躲，恐怕不久要来缉捕，我须救你不得。一面我自着人替你在县尉处上下使钱，若三个月内不发作时，方可出头。兄弟千万珍重。"婆留道："单上许多人，都是我心腹至友，哥哥若营为④时，须一例与他解宽。若放一人到官，众人都是不干净的。"钟明道："我自有道理。"说罢，钟明自去了。这一个信息急得婆留脚也不停，径跑到南门寻见顾三郎，说知其事，也教他一伙作速移开，休得招风揽火。顾三郎道："我们只下了盐船，各镇市四散撑开，没人知觉。只你守着爹娘，没处去得，怎么好？"婆留道："我自不妨事，珍重珍重。"说罢别去。从此婆留装病在家，准准住了三个月。早晚只演习枪棒，并不敢出门。连自己爹娘也道是个异事，却不知其中缘故。有诗为证：

钟明欲救婆留难，又见婆留转报人。

同乐同忧真义气，英雄必不负交亲。

却说县尉次日正要勾摄公事⑤，寻砚底下这幅访单，已不见了，一时乱将起来。将书房中小厮吊打，再不肯招承。一连乱了三日，没些影响，县尉没做道理处⑥。此时钟明、钟亮拼却私财，上下使用，缉捕使臣都得了贿赂；又将白银二百两，央使臣转送县尉，教他搁起这宗公事。幸得县尉性贪，又听得使臣说道，录事衙里替他打点，只疑道那边先到了录事之手，我也落得放松，做个人情。收受了银子，假意立限与使臣缉访。过了一月两月，把这事都放慢了。正是"官无三日紧"，又道是"有钱使得鬼推

---

① 捉个冷眼——乘人没看见。

② 赌色——同掷色，即掷骰子。

③ 访单——缉捕名单。

④ 营为——营救。

⑤ 勾摄公事——拘捕犯人。

⑥ 没做道理处——想不出办法、没了主意。

磨”,不在话下。

话分两头。再表江西洪州有个术士:

此人善识天文,精通相术。白虹贯日①,便知易水奸谋;宝气腾空,预辨丰城神物。决班超封侯之贵,刻邓通饿死之期。殃祥有准②半神仙,占候无差高术士。

这术士唤做廖生,预知唐季将乱,隐于松门山中。忽一日夜坐,望见斗牛之墟,隐隐有龙文五采,知是王气。算来该是钱塘分野③。特地收拾行囊来游钱塘。再占云气,却又在临安地面,乃装做相士,隐于临安市上。每日市中人求相者甚多,都是等闲之辈,并无异人在内。忽然想起:“录事钟起,是我故友,何不去见他?”即忙到录事衙中通名。钟起知是故人廖生到此,倒屣而迎。相见礼毕,各叙寒温。钟起叩其来意,廖生摒去从人,私向钟起耳边说道:“不肖夜来望气,知有异人在于贵县。求之市中数日,杳不可得。看足下尊相,虽然贵显,未足以当此也。”钟起乃召明、亮二子,求他一看。廖生道:“骨法皆贵,然不过人臣之位。所谓异人,上应着斗牛间王气,惟天子足以当之,最下亦得五霸诸侯,方应其兆耳。”钟起乃留廖生在衙中过宿。

次日,钟起只说县中有疑难事,欲共商议,备下酒席在英山寺中,悉召本县有名目的豪杰来会,令廖生背地里一个个看过。其中贵贱不一,皆不足以当大贵之兆。当日席散,钟起再邀廖生到衙,欲待来日,更搜寻乡村豪杰,教他饱看。此时天色将晚,二人并马而回。

却说钱婆留在家,已守过三个月无事,欢喜无限。想起二钟救命之恩,大着胆,来到县前,闻得钟起在英山寺宴会,悄地到他衙中,要寻二钟兄弟拜谢。钟明、钟亮知是婆留相访,乘着父亲不在,慌忙出来,相迎聚话。忽听得马铃声响,钟起回来了。婆留望见了钟起,唬得心头乱跳,低着头,望外只顾跑。钟起问是甚人,喝教拿下。廖生急忙向钟起说道:“奇哉,怪哉!所言异人,乃应在此人身上,不可慢之。”钟起素信廖生之术,便改口教人好好请来相见。婆留只得转来,钟起问其姓名,婆留好像

① 白虹贯日——战国时,燕太子丹厚养荆轲,使刺秦王。据说荆轲的精诚感动了上天,白虹为之贯日。

② 有准——有验、灵验。

③ 分野——古代人称与天上星宿相当的区域为分野。

泥塑木雕的，那里敢说。钟起焦燥，乃唤两个儿子问："此人何姓何名？住居何处？缘何你与他相识？"钟明料瞒不过，只得说道："此人姓钱，小名婆留，乃临安里人。"钟起大笑一声，扯着廖生背地说道："先生错矣！此乃里中无赖子，目下幸逃法网，安望富贵乎？"廖生道："我已决定不差，足下父子之贵，皆因此人而得。"乃向婆留说道："你骨法非常，必当大贵，光前耀后，愿好生自爱。"又向钟起说道："我所以访求异人者，非贪图日后挈带富贵，正欲验我术法之神耳。从此更十年，吾言必验，足下识之。只今日相别，后会未可知也。"说罢，飘然而去。钟起才信道婆留是个异人。钟明、钟亮又将戚汉老家所见蜥蜴生角之事，对父亲述之，愈加骇然。当晚钟起便教儿子留款婆留，劝他："勤学枪棒，不可务外为非，致损声名。家中乏钱使用，我当相助。"自此钟明、钟亮仍旧与婆留往来不绝，比前更加亲密。有诗为证：

　　堪嗟豪杰混风尘，谁向贫穷识异人？
　　只为廖生能具眼，顿令录事款嘉宾。

话说唐僖宗乾符二年，黄巢兵起，攻掠浙东地方。杭州刺史董昌，出下募兵榜文。钟起闻知此信，对儿子说道："即今黄寇猖獗，兵锋至近，刺史募乡勇杀贼，此乃壮士立功之秋，何不劝钱婆留一去？"钟明、钟亮道："儿辈皆愿同他立功。"钟起欢喜，当下请到婆留，将此情对他说了。婆留磨拳撑掌，踊跃愿行。一应衣甲器仗，都是钟起支持；又将银二十两，助婆留为安家之费，改名钱镠，表字具美，取"留""镠"二音相同故也。三人辞家上路，直到杭州，见了刺史董昌。董昌见他器岸魁梧，试其武艺，果然熟闲，不胜之喜，皆署为裨将，军前听用。

不一日，探子报道："黄巢兵数万将犯临安，望相公策应。"董昌就假钱镠以兵马使之职，使领兵往救。问道："此行用兵几何？"钱镠答道："将在谋不在勇，兵贵精不贵多。愿得二钟为助，兵三百人足矣。"董昌即命钱镠于本州军伍，自行挑选三百人，同钟明、钟亮率领，望临安进发。

到石鉴镇，探听贼兵离镇止十五里。钱镠与二钟商议道："我兵少，贼兵多，只可智取，不可力敌，宜出奇兵应之。"乃选弓弩手二十名，自家率领，多带良箭，伏山谷险要之处；先差炮手二人，伏于贼兵来路。一等贼兵过险，放炮为号，二十张强弓，一齐射之。钟明、钟亮各引一百人左右埋伏，准备策应。余兵散布山谷，扬旗呐喊，以助兵势。

分拨已定，黄巢兵早到。原来石鉴镇山路险隘，止容一人一骑。贼先锋率前队兵度险，皆单骑鱼贯而过。忽听得一声炮响，二十张劲弩齐发。贼人大惊，正不知多少人马。贼先锋身穿红锦袍，手执方天画戟，领插令字旗，跨一匹瓜黄战马，正扬威耀武而来，却被弩箭中了颈项，倒身颠下马来，贼兵大乱。钟明、钟亮引着二百人，呼风喝势，两头杀出。贼兵着忙，又听得四围呐喊不绝，正不知多少军马，自相蹂踏。斩首五百余级，余贼溃散。

钱镠全胜了一阵，想道："此乃侥幸之计，可一用不可再也。若贼兵大至，三百人皆为齑粉矣。"此去三十里外，有一村，名八百里。引兵屯于彼处，乃对道旁一老媪说道："若有人问你临安兵的消息，但言屯八百里就是。"

却说黄巢听得前队在石鉴镇失利，统领大军，弥天蔽野而来。到得镇上，不见一个官军，遣人四下搜寻居民问信。少停，拿得老媪到来，问道："临安军在那里？"老媪答道："屯八百里。"再三问时，只是说"屯八百里"。黄巢不知"八百里"是地名，只道官军四集，屯了八百里路之远，乃叹道："向者二十弓弩手，尚然敌他不过，况八百里屯兵乎？杭州不可得也。"于是贼兵不敢停石鉴镇上，径望越州一路而去，临安赖以保全。有诗为证：

能将少卒胜多人，良将机谋妙若神。
三百兵屯八百里，贼军骇散息烽尘。

再说越州观察使刘汉宏，听得黄巢兵到，一时不曾做得准备，乃遣人打话，情愿多将金帛犒军，求免攻掠。黄巢受其金帛，亦径过越州而去。原来刘汉宏先为杭州刺史，董昌在他手下做裨将，充募兵使。因平了叛贼王郢之乱，董昌有功，就升做杭州刺史，刘汉宏却升做越州观察使。汉宏因董昌在他手下出身，屡屡欺侮。董昌不能堪，渐生嫌隙。今日巢贼经过越州，虽然不曾杀掠，却费了许多金帛；访知杭州倒被董昌得胜报功，心中愈加不平。有门下宾客沈苛献计道："临安退贼之功，皆赖兵马使钱镠用谋取胜。闻得钱镠智勇足备，明公若驰咫尺之书，厚具礼币，只说越州贼寇未平，向董昌借钱镠来此征剿。哄得钱镠到此，或优待以结其心，或寻事以斩其首。董昌割去右臂，无能为矣。方今朝政颠倒，宦官弄权，官家威令不行，天下英雄皆有割据一方之意。若吞并董昌，奄有杭越，此霸王之业也。”刘汉宏为人志广才疏，这一席话，正投其机，以手抚沈苛之背，连声赞道：“吾心腹人所见极明，妙哉，妙哉！”即忙修书一封：

汉宏再拜，奉书于故人董公麾下：顷者巢贼猖獗，越州兵微将寡，难以备御。闻麾下有兵马使钱镠，谋能料敌，勇称冠军。今贵州已平，乞念唇齿之义，遣镠前来，协力拒贼。事定之后，功归麾下。聊具金甲一副，名马二匹，权表微忱，伏乞笑纳。

原来董昌也有心疑忌刘汉宏，先期差人打听越州事情，已知黄巢兵退，如今书上反说巢寇猖獗，其中必有缘故，即请钱镠来商议。钱镠道：“明公与刘观察隙嫌已构，此不两立之势也。闻刘观察自托帝王之胄，欲图非望；巢贼在境，不发兵相拒，乃以金帛买和，其意不测。明公若假精兵二千付镠，声言相助。汉宏无谋，必欣然见纳。乘便图之，越州可一举而定。于是表奏朝廷，坐汉宏以和贼谋叛之罪。朝廷方事姑息，必重奖明公之功。明公勋垂于竹帛，身安于泰山，岂非万全之策乎？”董昌欣然从之，即打发回书，着来使先去。随后发精兵二千，付与钱镠，临行嘱道：“此去见几而作，小心在意。”

却说刘汉宏接了回书，知道董昌已遣钱镠到来，不胜之喜，便与宾客沈苛商议。沈苛道：“钱镠所领二千人，皆胜兵也，若纵之入城，实为难制。今俟其未来，预令人迎之，使屯兵于城外，独召钱镠相见。彼既无羽翼，惟吾所制。然后遣将代领其兵，厚加恩劳，使倒戈以袭杭州。疾雷不及掩耳，董昌可克矣。”刘汉宏又赞道：“吾心腹人所见极明，妙哉，妙哉！”即命沈苛出城迎候钱镠，不在话下。

再说钱镠领了二千军马，来到越州城外，沈苛迎住，相见礼毕。沈苛道：“奉观察之命；城中狭小，不能容客兵，权于城外屯扎，单请将军入城相会。”钱镠已知刘汉宏掇赚①之计，便将计就计，假意发怒道：“钱某本一介匹夫，荷察使不嫌愚贱，厚币相招，某感察使知己之恩，愿以肝脑相报。董刺史与察使外亲内忌，不欲某来；又只肯发兵五百人，某再三勉强，方许二千之数。某挑选精壮，一可挡百，特来辅助察使，成百世之功业。察使不念某勤劳，亲行犒劳，乃安坐城中，呼某相见，如呼下隶，此非敬贤之道。某便引兵而回，不愿见察使矣。”说罢，仰面叹云：“钱某一片壮心，可惜，

① 掇赚——诱骗、诈哄。

可惜!"沈苛只认是真心,慌忙收科道:"将军休要错怪,观察实不知将军心事。容某进城对观察说知,必当亲自劳军,与将军相见。"说罢,飞马入城去了。钱镠吩咐手下心腹将校,如此如此,各人暗做准备。

且说刘汉宏听沈苛回话,信以为然,乃杀牛宰马,大发刍粮,为犒军之礼。旌旗鼓乐前导,直到北门外馆驿中坐下,等待钱镠入见,指望他行偏裨见主将之礼。谁知钱镠领着心腹二十余人,昂然而入,对着刘汉宏拱手道:"小将甲胄在身,恕不下拜了。"气得刘汉宏面如土色。沈苛自觉失信,满脸通红,上前发怒道:"将军差矣,常言:'军有头,将有主。'尊卑上下,古之常礼。董刺史命将军来与观察助力,将军便是观察麾下之人;况董刺史出身观察门下,尚然不敢与观察敌体,将军如此倨傲,岂小觑我越州无军马乎?"说声未绝,只见钱镠大喝道:"无名小子,敢来饶舌。"将头巾望上一抻①,二十余人,一齐发作。说时迟,那时快,钱镠拔出佩剑,沈苛不曾防备,一刀剁下头来。刘汉宏望馆驿后便跑,手下跟随的,约有百余人,一齐上前,来拿钱镠。怎当钱镠神威雄猛,如砍瓜切菜,杀散众人,径往馆驿后园来寻刘汉宏,并无踪迹。只见土墙上缺了一角,已知爬墙去了。钱镠懊悔不迭,率领二千军众,便想攻打越州,看见城中已有准备,自己后军无继,孤掌难鸣,只得拨转旗头,重回旧路。城中刘汉宏闻知钱镠回军,即忙点精兵五千,差骁将陆萃为先锋,自引大军随后追袭。

却说钱镠也料定越州军马,必来追赶,昼夜兼行,来到白龙山下。忽听得一棒锣声,山中拥出二百余人,一字儿拨开。为头一个好汉,生得如何?怎生打扮?

> 头裹金线唐巾②,身穿绿锦衲袄。腰拴搭膊③,脚套皮靴。挂一副弓箭袋,拿一柄泼风刀④。生得浓眉大眼,紫面拳须。私商船上有名人,厮杀场中无敌手。

钱镠出马上前观看,那好汉见了钱镠,撇下刀,纳头便拜。钱镠认得是贩盐为盗的顾三郎,名唤顾全武,乃滚鞍下马,扶起道:"三郎久别,如何却在此处?"顾全武道:"自蒙大郎活命之恩,无门可补报,闻得黄巢兵到,欲

---

① 抻——顶、拨。

② 唐巾——一种头巾,形如幞头,但两角(脚)椭圆,上曲作云头。

③ 搭膊——一般用绢或布或皮制成的缠腰袋。

④ 泼风刀——利刀。

待倡率义兵,保护地方,就便与大郎相会。后闻大郎破贼成功,为朝廷命官,又闻得往越州刘观察处效用。不才聚起盐徒二百余人,正要到彼相寻帮助,何期此地相会。不知大郎回兵,为何如此之速?”钱镠把刘汉宏事情,备细说了一遍,便道:“今日天幸得遇三郎,正有相烦之处。小弟算定刘汉宏必来追赶,因此连夜而行。他自恃先达,不以董刺史为意,又杭州是他旧治,追赶不着,必然直趋杭州,与董家索斗。三郎率领二百人,暂住白龙山下,待他兵过,可行诈降之计。若兵临杭州,只看小弟出兵迎敌,三郎从中而起,汉宏可斩也。若斩了汉宏,便是你进身之阶。小弟在董刺史前一力保荐,前程万里,不可有误。”顾全武道:“大郎吩咐,无有不依。”两人相别,各自去了。正是:

太平处处皆生意,衰乱时时尽杀机。

我正算人人算我,战场能得几人归?

却说刘汉宏引兵追到越州界口,先锋陆萃探知钱镠星夜走回,来禀汉宏回军。汉宏大怒道:“钱镠小卒,吾为所侮,有何面目回见本州百姓!杭州吾旧时管辖之地,董昌吾所荐拔;吾今亲自引兵到彼,务要董昌杀了钱镠,输情服罪,方可恕饶。不然,誓不为人!”当下喝退陆萃,传令起程,向杭州进发。行至富阳白龙山下,忽然一棒锣声,涌出二百余人,一字儿摆开。为头一个好汉,手执大刀,甚是凶勇。汉宏吃了一惊,正欲迎敌,只见那汉约住①刀头,厉声问道:“来将可是越州刘察使么?”汉宏回言:“正是。”那好汉慌忙撇刀在地,拜伏马前,道:“小人等候久矣。”刘汉宏问其来意。那汉道:“小人姓顾,名全武,乃临安县人氏,因贩卖私盐,被州县访名擒捉,小人一向在江湖上逃命。近闻同伙兄弟钱镠出头做官,小人特往投奔,何期他妒贤嫉能,贵而忘贱,不相容纳,只得借白龙山权住落草。昨日钱镠到此经过,小人便欲杀之;争奈手下众寡不敌,怕不了事。闻此人得罪于察使,小人愿为前部,少效犬马之劳。”刘汉宏大喜,便教顾全武代了陆萃之职,分兵一千前行,陆萃改作后哨。

不一日,来到杭州城下。此时钱镠已见过董昌,预作准备。闻越州兵已到,董昌亲到城楼上,叫道:“下官与察使同为朝廷命官,各守一方,下官并不敢得罪,察使不知到此何事?”刘汉宏大骂道:“你这背恩忘义之

① 约住——停住。约住刀头,即收住了刀。

贼,若早识时务,斩了钱镠,献出首级,免动干戈。”董昌道:“察使休怒,钱镠自来告罪了。”只见城门开处,一军飞奔出来,来将正是钱镠,左有钟明,右有钟亮,径冲入敌阵,要拿刘汉宏。汉宏着了忙,急叫:“先锋何在?”旁边一将应声道:“先锋在此!”手起刀落,斩汉宏于马下。把刀一招,钱镠直杀入阵来,大呼:“降者免死!”五千人不战而降,陆萃自刎而亡。斩汉宏者,乃顾全武也。正是:

有谋无勇堪资画,有勇无谋易丧生;
必竟有谋兼有勇,伫看百战百成功。

董昌看见斩了刘汉宏,大开城门收军。钱镠引顾全武见了董昌,董昌大喜。即将汉宏罪状,申奏朝廷,并列钱镠以下诸将功次。那时朝廷多事,不暇究问,乃升董昌为越州观察使,就代刘汉宏之位;钱镠为杭州刺史,就代董昌之位;钟明、钟亮及顾全武俱有官爵。钟起将亲女嫁与钱镠为夫人。董昌移镇越州,将杭州让与钱镠。钱公、钱母都来杭州居住,一门荣贵,自不必说。

却说临安县有个农民,在天目山下锄田,锄起一片小小石碑,镌得有字几行。农民不识,把与村中学究罗平看之。罗学究拭土辨认,乃是四句谶语。道是:

天目山垂两乳长,龙飞凤舞到钱塘。
海门①一点巽峰②起,五百年间出帝王。

后面又镌“晋郭璞记”四字。罗学究以为奇货,留在家中。次日怀了石碑,走到杭州府,献与钱镠刺史,密陈天命。钱镠看了大怒道:“匹夫,造言欺我,合当斩首!”罗学究再三苦求方免,喝教乱棒打出,其碑就庭中毁碎。原来钱镠已知此是吉谶,合应在自己身上,只恐声扬于外,故意不信,乃见他心机周密处。

再说罗学究被打,深恨刺史无礼,好意反成恶意。心生一计,不若将此碑献与越州董观察,定有好处。想此碑虽然毁碎,尚可凑看,乃私赂守门吏卒,在庭中拾将出来。原来只破作三块,将字迹凑合,一毫不损。罗

---

① 海门——浙江萧山县东北有龛山,与海宁的赭山对峙,中间为浙江入海之处,称为海门。

② 巽(xùn)峰——即指龛、赭两山。

平心中大喜，依旧包裹石碑，取路到越州去。

行了二日，路上忽逢一簇人，攒拥着一个十二三岁的孩儿。那孩子手中提着一个竹笼，笼外覆着布幕，内中养着一只小小翠鸟。罗平挨身上前，问其缘故。众人道："这小鸟儿，又非鹦哥，又非鸜鹆①，却会说话。我们要问这孩子买他顽耍，还了他一贯足钱，还不肯。"话声未绝，只见那小鸟儿，将头颠两颠，连声道："皇帝董！皇帝董！"罗平问道："这小鸟儿还是天生会话？还是教成的？"孩子道："我爹在乡里砍柴，听得树上说话，却是这畜生。将栖竿②栖得来，是天生会话的。"罗平道："我与你两贯足钱，卖与我罢。"孩子得了两贯钱，欢欢喜喜的去了。罗平捉了鸟笼，急急赶路。

不一日，来到越州，口称有机密事要见察使。董昌唤进，屏开从人，正要问时，那小鸟儿又在笼中叫道："皇帝董！皇帝董！"董昌大惊，问道："此何鸟也？"罗平道："此鸟不知名色，天生会话，宜呼曰'灵鸟'。"因于怀中取出石碑，备陈来历，"自晋初至今，正合五百之数。方今天子微弱，唐运将终，梁晋二王，互相争杀，天下英雄，皆有割据一方之意。钱塘原是察使创业之地，灵碑之出，非无因也。况灵鸟吉祥，明示天命。察使先破黄巢，再斩汉宏，威名方盛，远近震悚，若乘此机会，用越杭之众，兼并两浙，上可以窥中原，下亦不失为孙仲谋矣。"原来董昌见天下纷乱，久有图霸之意，听了这一席话，大喜道："足下远来，殆天赐我立功也。事成之日，即以本州观察相酬。"于是拜罗平为军师，招集兵马，又于民间科敛，以充粮饷。命巧匠制就金丝笼子，安放"灵鸟"，外用蜀锦为衣罩之。又写密书一封，差人送到杭州钱镠，教他募兵听用。

钱镠见书，大惊道："董昌反矣。"乃密表奏朝廷，朝廷即拜钱镠为苏、杭等州观察。于是钱镠更造杭城，自秦望山至于范浦，周围七十里。再奉表闻，加镇海军节度使，封开国公。董昌闻知朝廷累加钱镠官爵，心中大怒，骂道："贼狗奴，敢卖吾得官耶？吾先取杭州，以泄吾恨。"罗平谏道："钱镠异志未彰，且新膺宠命，讨之无名。不若诈称朝命，先正王位，然后以尊临卑，平定睦州，广其兵势，假道于杭，以临湖州。待钱镠不从，乘间

① 鸜鹆(qú yù)——鸟名。

② 栖(qī)竿——捕虫鸟的粘竿。

图之;若出兵相助,是明公不战而得杭州矣,又何求乎?"董昌依其言,乃假装朝廷诏命,封董昌为越王之职,使专制两浙诸路军马,旗帜上都换了越王字号。又将灵碑及"灵鸟"宣示州中百姓,使知天意。民间三丁抽一,得兵五万,号称十万,浩浩荡荡,杀奔睦州来。睦州无备,被董昌攻破了。停兵月余,改换官吏。又选得精兵三万人,军威甚盛,自谓天下无敌,谋称越帝。征兵杭州,欲攻湖州。钱镠道:"越兵正锐,不可挡也,不如迎之。待其兵屯湖州,遂乘其弊,无不胜矣。"于是先遣钟明卑词犒师,续后亲领五千军马,愿为前部自效,董昌大喜。行了数日,钱镠伪称有疾,暂留途中养病。董昌更不疑惑,催兵先进。有诗为证:

勾践当年欲豢吴,卑辞厚礼破姑苏。
董昌不识钱镠意,犹恃兵威下太湖。

却说钱镠打听越州兵去远,乃引兵而归,挑选精兵千人,假做越州军旗号,遣顾全武为先锋,来袭越州。又吩咐钟明、钟亮,各引精兵五百,潜屯余杭之境。吩咐不可妄动,直待董昌还救越州时节,兵从此过,然后自后掩袭。他无心恋战,必获全胜。分拨已定,乃对宾客钟起道:"守城之事,专以相委。越州乃董贼巢穴,吾当亲往观变。若巢穴既破,董昌必然授首无疑矣。"乃自引精兵二千,接应顾全武军马。

却说顾全武打了越州兵旗号,一路并无阻碍,直到越州城下。只说催趱①攻城火器,赚开城门,顾全武大喝道:"董昌僭号,背叛朝廷,钱节使奉诏来讨,大军十万已在城外矣。"越州城中军将,都被董昌带去,留的都是老弱,谁敢拒敌?顾全武径入府中,将伪世子董荣及一门老幼三百余人,拘于一室,分兵守之。恰好杭州大军已到,闻知顾全武得了城池,整军而入,秋毫无犯。顾全武迎钱镠入府,出榜安民已定,写书一封,遣人往董昌军中投递。书曰:

镠闻天无二日,土无二王。今唐运虽衰,天命未改。而足下妄自矜大,僭号称兵,凡为唐臣,谁不愤疾?镠迫于公义,辄遣副将顾全武率兵讨逆。兵声所至,越人倒戈。足下全家,尽已就缚。若能见机伏罪,尚可全活,乞早自裁,以救一家之命。

却说董昌攻打湖州不下,正在帐中纳闷,又听得"灵鸟"叫声:"皇帝

---

① 催趱——催促。

董,皇帝董!”董昌揭起锦罩看时,一个眼花,不见“灵鸟”,只见一个血淋淋的人头,在金丝笼内挂着。认得是刘汉宏的面庞,唬得魂不附体,大叫一声,蓦然倒地。众将急来救醒,定睛半晌,再看笼子内,都是点点血迹,果然没了“灵鸟”。董昌心中大恶,急召罗军师商议,告知其事,问道:“主何吉凶?”罗平心知不祥之兆,不敢直言,乃说道:“大越帝业,因斩刘汉宏而起,今汉宏头现,此乃克敌之征也。”说犹未了,报道杭州差人下书。董昌拆开看时,知道越州已破,这一惊非小。罗平道:“兵家虚虚实实,未可尽信。钱镠托病回兵,必有异谋,故造言以煽惑军心,明公休得自失主张。”董昌道:“虽则真伪未定,亦当回军,还顾根本。”罗平叫将来使斩讫,恐泄漏消息,再教传令,并力攻城,使城中不疑,夜间好办走路。是日攻打湖州,至晚方歇。捱到二更时分,拔寨都起。骁将薛明、徐福各引一万人马先行,董昌中军随后进发,却将睦州带来的三万军马,与罗平断后。湖州城中见军马已退,恐有诡计,不敢追袭。

且说徐、薛二将引兵昼夜兼行,早到余杭山下。正欲埋锅造饭,忽听得山凹里连珠炮响,鼓角齐鸣,钟明、钟亮两枝人马,左右杀将出来。薛明接住钟明厮杀,徐福接住钟亮厮杀。徐、薛二将,虽然英勇,争奈军心惶惑,都无心恋战,且昼夜奔走,俱已疲倦,怎当虎狼般这两枝生力军?自古道:“兵离将败。”薛明看见军伍散乱,心中着忙,措手不迭,被钟明斩于马下,拍马来夹攻徐福,徐福敌不得二将,亦被钟亮斩之,众军都弃甲投降。二钟商议道:“越兵前部虽败,董昌大军随后即至,众寡不敌。不若分兵埋伏,待其兵已过去,从后击之。彼知前部有失,必然心忙思窜,然后可获全胜矣。”当下商量已定,将投降军众纵去,使报董昌消息。

却说董昌大军正行之际,只见败军纷纷而至,报道:“徐、薛二将,俱已阵亡。”董昌心胆俱裂,只得抖擞精神,麾兵而进。过了余杭山下,不见敌军。正在疑虑,只听后面连珠炮响,两路伏兵齐起,正不知多少人马。越州兵争先逃命,自相蹂踏,死者不计其数。直奔了五十余里,方才得脱。收拾败军,三停①又折一停,只等罗平后军消息。谁知睦州兵虽然跟随董昌,心中不顺。今日见他回军,几个裨将商议,杀了罗平,将首级向二钟处

① 停——总数分成几份,其中一份叫一停儿。

纳降，并力来追董昌。董昌闻了此信，不敢走杭州大路，打宽转①打从临安、桐庐一路而行。

这里钱镠早已算定，预先取钟起来守越州，自起兵回杭州，等候董昌。却教顾全武领一千人马，在临安山险处埋伏，以防窜逸。董昌行到临安，军无队伍，正当爬山过险，却不提防顾全武一枝军冲出。当先顾全武一骑马，一把刀，横行直撞，逢人便杀，大喝："降者免死！"军士都拜伏于地，那个不要性命的敢来交锋！董昌见时势不好，脱去金盔金甲，逃往村农家逃难，被村中绑缚献出。顾全武想到："越兵虽降，其势甚众，怕有不测。"一刀割了董昌首级，以绝越兵之意。重赏村农。

正欲下寨歇息，忽听得山凹中鼓角震天，尘头起处，军马无数而来。顾全武道："此必越州军后队也。"绰刀上马，准备迎敌。马头近处，那边拥出二员大将，不是别人，正是钟明、钟亮，为追赶董昌到此。三人下马相见，各叙功勋。是晚同下寨于临安地方。次日，拔寨都起。行了二日，正迎着钱镠军马。原来钱镠哨探得董昌打从临安远转，怕顾全武不能了事，自起大军来接应。已知两路人马，都已成功，合兵回杭州城来。真个是：

喜孜孜鞭敲金镫响，笑吟吟齐唱凯歌回。

顾全武献董昌首级，二钟献薛明、徐福、罗平首级。钱镠传令，向越州监中取董昌家属三百口，尽行诛戮，写表报捷。此乃唐昭宗皇帝乾宁四年也。

那时中原多事，吴越地远，朝廷力不能及，闻钱镠讨叛成功，上表申奏，大加叹赏，锡以铁券诰命，封为上柱国彭城郡王，加中书令。未几，进封越王，又改封吴王，润、越等十四州得专封拜。此时钱镠志得意满，在杭州起造王府宫殿，极其壮丽。父亲钱公已故，钱母尚存，奉养宫中，锦衣玉食，自不必说。钟氏册封王妃，钟起为国相，同理政事。钟明、钟亮及顾全武俱为各州观察使之职。

其年大水，江潮涨溢，城垣都被冲击。乃大起人夫，筑捍海塘，累月不就。钱镠亲往督工，见江涛汹涌，难以施功。钱镠大怒，喝道："何物江神，敢逆吾意！"命强弩数百，一齐对潮头射去，波浪顿然敛息。不够数日，捍海塘筑完，命其门曰候潮门。

钱镠叹道："闻古人有云：'富贵不归故乡，如衣锦夜行耳。'"乃择日

① 打宽转——绕远道。

往临安，展拜祖父坟茔，用太牢①祭享，旌旗鼓吹，振耀山谷。改临安县为衣锦军，石鉴山名为衣锦山，用锦绣为被，蒙覆石镜。设兵看守，不许人私看。初时所坐大石，封为衣锦石，大树封为衣锦将军，亦用锦绣遮缠。风雨毁坏，更换新锦。旧时所居之地，号为衣锦里，建造牌坊。贩盐的担儿，也裁个锦囊韬之，供养在旧居堂屋之内，以示不忘本之意。杀牛宰马，大排筵席，遍召里中故旧，不拘男妇，都来宴会。其时有一邻妪，年九十余岁，手提一壶白酒、一盘角黍，迎着钱镠，呵呵大笑说道："钱婆留今日直恁长进②，可喜，可喜！"左右正欲吆喝，钱镠道："休得惊动了他。"慌忙拜倒在地，谢道："当初若非王婆相救，留此一命，怎有今日？"王婆扶起钱镠，将白酒满斟一瓯送到，钱镠一饮而尽；又将角黍供去，镠亦啖之。说道："钱婆留今日有得吃，不劳王婆费心，老人家好去自在。"命县令拨里中肥田百亩，为王婆养终之资，王婆称谢而去。只见里中男妇毕集，见了钱镠蟒衣玉带，天人般妆束，一齐下跪。钱镠扶起，都教坐了，亲自执觞送酒。八十岁以上者饮金杯，百岁者饮玉杯，那时饮玉杯者也有十余人。钱镠送酒毕，自起歌曰：

三节③还乡挂锦衣，吴越一王驷马归。
天明明兮爱日④挥，百岁荏兮会时稀。

父老皆是村民，不解其意，面面相觑，都不做声。钱镠觉他意不欢畅，乃改为吴音再歌，歌曰：

你辈见侬底欢喜？别是一般滋味子。
长在我侬心子里，我侬断不忘记你。

歌罢，举座欢笑，都拍手齐和。是日尽欢而罢，明日又会，如此三日，各各有绢帛赏赐。开赌场的戚汉老已故，召其家，厚赐之。仍归杭州。

后唐王禅位于梁，梁王朱全忠改元开平，封钱镠为吴越王，寻授天下兵马都元帅。钱镠虽受王封，其实与皇帝行动不殊，一般出警入跸⑤，山呼万岁。据欧阳公《五代史》叙说，吴越亦曾称帝改元，至今杭州各寺院

---

① 太牢——古代帝王、诸侯祭祀社稷时，牛、羊、猪三牲全备，叫作太牢。

② 长进——有出息。

③ 三节——古代制度，皇帝召臣下，用三节。唐、宋间仪卫随从，都分为三节。

④ 爱日——奉养父母的时日。

⑤ 跸(bì)——泛指与帝王行止有关的事情。

有天宝、宝大、宝正等年号,皆吴越所称也。自钱镠王吴越,终身无邻国侵扰,享年八十有一而终,谥曰武肃。传子元瓘①,元瓘传子佐,佐传弟俶。宋太祖陈桥受禅之后,钱俶来朝。到宋太宗嗣位,钱俶纳土归朝,改封邓王。钱氏独霸吴越凡九十八年,天目山石碑之谶,应于此矣。后人有诗赞云:

将相本无种,帝王自有真。
昔年盐盗辈,今日锦衣人。
石鉴呈形异,廖生决相神。
笑他"皇帝董",碑谶枉残身。

# 第二十二卷　木绵庵郑虎臣报冤

荷花桂子不胜悲,江介②年华忆昔时。
天目山③来孤凤歇,海门潮去六龙移。
贾充④误世终无策,庾信⑤哀时尚有词。
莫向中原夸绝景,西湖遗恨是西施。

这一首诗,是张志远⑥所作。只为宋朝南渡以后,绍兴、淳熙年间,息兵罢战,君相自谓太平,纵情佚乐,士大夫赏玩湖山,无复恢复中原之志,所以末一联诗说道:"莫向中原夸绝景,西湖遗恨是西施。"那时西湖有三

---

① 瓘(guàn)。
② 江介——江畔。
③ 天目山两句——相传郭璞《地记》云:"天目山前两乳长,龙飞凤舞到钱唐。"南宋度宗时,天目山忽然山崩。临安将陷,钱唐江潮汐三日不至。迷信者指为宋亡之兆。当时有"天目崩,地脉绝;潮不应,水脉绝"的说法。
④ 贾充——晋贾充,武帝时,官至尚书令。伐吴之役,武帝命他统领六军。贾充本无南伐之谋,害怕不能胜利,竭力谏止。后来出师,吴被打平,贾充惭惧请罪。
⑤ 庾信——南北朝诗人。梁元帝时出使西魏,被留不返。后仕于北周,常思念家乡,因而写了一篇《哀江南赋》。
⑥ 张志远——明嘉兴人,字叔明,著有《竹屿吟稿》。

秋桂子，十里荷香，青山四围，中涵绿水，金碧楼台相间，说不尽许多景致。苏东坡学士有诗云："若把西湖比西子，淡妆浓抹两相宜。"因此君臣耽山水之乐，忘社稷之忧，恰如吴宫被西施迷惑一般。当初吴王夫差宠幸一个妃子，名曰西施，日逐在百花洲①、锦帆泾②、姑苏台③，流连玩赏。其时有个佞臣伯嚭，逢君之恶，劝他穷奢极欲，诛戮忠臣。以致越兵来袭，国破身亡。今日宋朝南渡之后，虽然夷势猖獗，中原人心不忘赵氏，尚可乘机恢复。也只为听用了几个奸臣，盘荒④懈惰，以致于亡。那几个奸臣？秦桧，韩侂胄，史弥远，贾似道。秦桧居相位一十九年，力主和议，杀害岳飞，解散张、韩、刘⑤诸将兵柄。韩侂胄居相位一十四年，陷害了赵汝愚丞相，罢黜道学诸臣，轻开边衅，辱国殃民。史弥远在相位二十六年，谋害了济王竑⑥，专任憸壬⑦以居台谏，一时正人君子，贬斥殆尽。那时蒙古盛强，天变屡见，宋朝事势已去了七八了。也是天数当尽，又生出个贾似道来。他在相位一十五年，专一蒙蔽朝廷，偷安肆乐；后来虽贬官黜爵，死于木绵庵，不救亡国之祸。有诗为证：

　　奸邪自古误人多，无奈君王轻信何。
　　朝论若分忠佞字，太平玉烛⑧永调和。

话说南宋宁宗皇帝嘉定年间，浙江台州一个官人，姓贾名涉，因往临安府听选⑨，一主一仆，行至钱塘，地名叫做凤口里。行路饥渴，偶来一个村家歇脚，打个中火⑩。那人家竹篱茅舍，甚是荒凉。贾涉叫声："有人么？"只见芦帘开处，走个妇人出来。那妇人生得何如？

---

① 百花洲——在苏州西城下胥、盘二门之间。
② 锦帆泾——河名，在苏州盘门内，相传吴王夫差乘锦帆船出游于此河。
③ 姑苏台——春秋时吴王夫差（一作阖庐）所造台名，故址在苏州西南姑苏山上。
④ 盘荒——游乐无度。
⑤ 张、韩、刘——指南宋大将张俊、韩世忠、刘锜。
⑥ 济王竑（hóng）——赵竑，宋宗室赵希瞿子，宋宁宗立为皇子。史弥远拥立理宗，封竑为济王，旋遣门客逼他自缢而死。
⑦ 憸壬（xiān rén）——奸佞。
⑧ 玉烛——四时调和，叫做玉烛。
⑨ 听选——等候铨选。
⑩ 打中火——旅途中吃午饭。

面如满月，发若乌云。薄施脂粉，尽有容颜。不学妖娆，自然丰韵。鲜眸玉腕，生成福相端严；裙布钗荆，任是村妆希罕。分明美玉藏顽石，一似明珠坠堑渊。随他呆子也消魂，况是客边情易动。

那妇人见了贾涉，不慌不忙，深深道个万福。贾涉看那妇人是个福相，心下踌躇道："吾今壮年无子，若得此妇为妾，心满意足矣。"便对妇人说道："下官往京候选，顺路过此，欲求一饭，未审小娘子肯为炊爨①否？自当奉谢。"那妇人答道："奴家职在中馈，炊爨当然；况是尊官荣顾，敢不遵命。但丈夫不在，休嫌怠慢。"贾涉见他应对敏捷，愈加欢喜。那妇人进去不多时，捧两碗熟豆汤出来，说道："村中乏茶，将就救渴。"少停，又摆出主仆两个的饭来。贾涉自带得有牛脯、干菜之类，取出嗄饭。那妇人又将大磁壶盛着滚汤，放在桌上，道："尊官净口。"贾涉见他殷勤，便问道："小娘子尊姓，为何独居在此？"那妇人道："奴家胡氏，丈夫叫做王小四，因连年种田折本，家贫无奈，要同奴家去投靠一个财主过活。奴家立誓不从，丈夫拗奴不过，只得在左近人家趁工②度日，奴家独自守屋。"贾涉道："下官有句不识进退的言语，未知可否？"那妇人道："但说不妨。"贾涉道："下官颇通相术，似小娘子这般才貌，决不是下贱之妇。你今屈身随着个村农，岂不耽误终身？况你丈夫家道艰难，顾不得小娘子体面。下官壮年无子，正欲觅一侧室。小娘子若肯相从，情愿多将金帛，赠与贤夫，别谋婚娶，可不两便？"那妇人道："丈夫也曾几番要卖妾身，是妾不肯。既尊官有意见怜，待丈夫归时，尊官自与他说，妾不敢擅许。"

说犹未了，只见那妇人指着门外道："丈夫回也。"只见王小四戴一顶破头巾，披一件旧白布衫，吃得半醉，闯进门来。贾涉便起身道："下官是往京听选的，偶借此中火，甚是搅扰。"王小四答道："不妨事。"便对胡氏说道："主人家少个针线娘，我见你平日好手针线，对他说了，他要你去教导他女娘生活，先送我两贯足钱。这遍要你依我去去。"胡氏半倚着芦帘内外，答道："后生家脸皮，羞答答地，怎到人家去趁饭③？不去，不去。"王小四发个猴急，便道："你不去时，我没处寻饭养你。"贾涉见他说话凑巧，

---

① 炊爨(cuàn)——烧火煮饭。

② 趁工——打短工。

③ 趁饭——混饭吃。

便诈推解手,却吩咐家童将言语勾搭他道:"大伯,你花枝般娘子,怎舍得他往别人家去?"王小四道:"小哥,你不晓得我穷汉家事体:一日不识羞,三日不忍饿。却比不得大户人家,吃安闲茶饭。似此乔模乔样①,委的②我家住不了。"家童道:"假如有个大户人家,肯出钱钞,讨你这位小娘子去,你舍得么?"王小四道:"有甚舍不得!"家童道:"只我家相公要讨一房侧室,你若情愿时,我撺掇多把几贯钱钞与你。"王小四应允。家童将言语回复了贾涉,贾涉便教家童与王小四讲就四十两银子身价。王小四在村中央个教授③来,写了卖妻文契,落了十字花押。一面将银子兑过,王小四收了银子,贾涉收了契书。王小四还只怕婆娘不肯,甜言劝谕,谁知那妇人与贾涉先有意了。也是天配姻缘,自然情投意合。

当晚,贾涉主仆二人就在王小四家歇了。王小四也打铺在外间相伴,妇人自在里面铺上独宿。明早贾涉起身,催妇人梳洗完了,吃了早饭,央王小四在村中另雇个牲口,驮那妇人一路往临安去。有诗为证:

夫妻配偶是前缘,千里红绳暗自牵。

况是荣华封两国④,村农岂得伴终年?

贾涉领了胡氏住在临安寓所,约有半年,谒选得九江万年县丞,迎接了孺人唐氏,一同到任。原来唐氏为人妒悍,贾涉平昔有个惧内的毛病;今日唐氏见丈夫娶了小老婆,不胜之怒,日逐在家淘气。又闻胡氏有了三个月身孕,思想道:"丈夫向来无子,若小贱人生子,必然宠用,那时我就争他不过了。我就是养得出孩儿,也让他做哥哥,日后要被他欺侮。不如及早除了祸根方妙。"乃寻个事故,将胡氏毒打一顿,剥去衣衫,贬他在使婢队里,一般烧茶煮饭,扫地揩台,铺床叠被。又禁住丈夫不许与他睡。每日寻事打骂,要想堕落他的身孕。贾涉满肚子恶气,无可奈何。

一日,县宰陈履常请贾涉饮酒。贾涉与陈履常是同府人,平素通家往来,相处得极好的。陈履常请得贾涉到衙,饮酒中间,见他容颜不悦,叩其缘故。贾涉抵讳不得,将家中妻子妒妾事情,细细告诉了一遍。又道:

① 乔模乔样——装模做样。

② 委的——实在、委实。

③ 教授——本来是教官的名称,宋代各王府及各路、府学都设教授。后来也用为对一般教书先生的敬称。

④ 两国——两国王或两国夫人。此指两国夫人。

“贾门宗嗣,全赖此妇。不知堂尊有何妙策,可以保全此妾?倘日后育得一男,实为万幸,贾氏祖宗也当衔恩于地下。”陈履常想了一会,便道:“要保全却也容易,只怕足下舍不得他离身。”贾涉道:“左右如今也不容相近,咫尺天涯一般,有甚舍不得处?”陈履常附耳低言:“若要保全身孕,只除如此如此……”乃取红帛花一朵,悄悄递与贾涉,教他把与胡氏为暗记。这个计策,就在这朵花上,后来便见。有诗为证:

吃醋捻酸从古有,覆宗绝嗣甘出丑。
红花定计有堂尊,巧妇怎出男子手?

忽一日,陈县宰打听得丞厅①请医,云是唐孺人有微恙。待其病痊,乃备了四盒茶果之类,教奶奶到丞厅问安。唐孺人留之宽坐,整备小饭相款,诸婢罗侍在侧。说话中间,奶奶道:“贵厅有许多女使伏侍,且是伶俐。寒舍苦于无人,要一个会答应的也没有,甚不方便。急切没寻得,若借得一个小娘子与寒舍相帮几时,等讨得个替力的来,即便送还何如?”唐氏道:“通家怎说个‘借’字?只怕粗婢不中用;奶奶看得如意,但凭选择,即当奉赠。”奶奶称谢了,看那诸婢中间,有一个生得齐整,鬓边正插着这朵红帛花。心知是胡氏,便指定了他,说道:“借得此位小娘子甚好。”唐氏正在吃醋,巴不得送他远远离身。却得此句言语,正合其意,加添县宰之势,丞厅怎敢不从?料道丈夫也难埋怨。连声答应道:“这小婢姓胡,在我家也不多时。奶奶既中意时,即今便教他跟随奶奶去。”当时席散,奶奶告别。胡氏拜了唐氏四拜,收拾随身衣服,跟了奶奶轿子,到县衙去讫。唐氏方才对贾涉说知,贾涉故意叹惜。正是:

算得通时做得凶,将他瞒在鼓当中。
县衙此去方安稳,绝胜存孤赵氏宫②。

胡氏到了县衙,奶奶将情节细说,另打扫个房铺与他安息。光阴似箭,不觉十月满足,到八月初八日,胡氏腹痛,产下一个孩儿。奶奶只说他婢所生,不使丞厅知道。那时贾涉适在他郡去检校③一件公事,到九月方归,与县宰陈履常相见。陈公悄悄的报个喜信与他,贾涉感激不尽,对陈

① 丞厅——县丞衙门。

② 存孤赵氏宫——春秋晋景公时,屠岸贾杀赵朔,灭赵氏全族。赵朔的妻子逃匿宫中,生子赵武。孤儿赖公孙杵臼和程婴的救助,得免于难。

③ 检校——查核。

公说,要见新生的孩儿一面。陈公教丫鬟去请胡氏立于帘内,丫鬟抱出小孩子,递与贾涉。贾涉抱了孩儿,心中虽然欢喜,觑着帘内,不觉堕下泪来。两下隔帘说了几句心腹话儿。胡氏教丫鬟接了孩子进去,贾涉自回。自此背地里不时送些钱钞与胡氏买东买西,阖家通知,只瞒过唐氏一人。

光阴荏苒,不觉二载有余。那县宰任满升迁,要赴临安。贾涉只得将情告知唐氏,要领他母子回家。唐氏听说,一时乱将起来,啯噪个不住。连县宰的奶奶,也被他"奉承"①了几句。乱到后面,定要丈夫将胡氏嫁出,方许把小孩儿领回。贾涉听说嫁出胡氏一件,倒也罢了;单只怕领回儿子,被唐氏故意谋害,或是绝其乳食,心下怀疑不决。

正在两难之际,忽然门上报道:"台州有人相访。"贾涉忙去迎时,原来是亲兄贾濡。他为朝廷妙择②良家女子,养育宫中,以备东宫嫔嫱之选;女儿贾氏玉华,已选入数内。贾濡思量要打刘八太尉的关节③,扶持女儿上去,因此特到兄弟任所,与他商议。贾涉在临安听选时,赁的正是刘八太尉的房子,所以有旧。贾涉见了哥哥,心下想道:"此来十分凑巧。"便将娶妾生子,并唐氏嫉妒事情,细细与贾濡说了。"如今陈公将次离任,把这小孩子没送一头处④。哥哥若念贾门宗嗣,领他去养育成人,感恩非浅。"贾濡道:"我今尚无子息,同气连枝,不是我领去,教谁看管?"贾涉大喜,私下雇了奶娘,问宰衙要了孩子,交付奶娘。嘱咐哥哥:好生抚养。就写了刘八太尉书信一封,赍发⑤些路费送哥哥贾濡起身。胡氏托与陈公领去,任从改嫁。

那贾涉、胡氏虽然两不相舍,也是无可奈何。唐孺人听见丈夫说子母都发开⑥,十分像意了。只是苦了胡氏,又去了小孩子,又离了丈夫,跟随陈县宰的上路,好生凄惨,一路只是悲哭。奶奶也劝解他不住,陈履常也厌烦起来。行至维扬,吩咐水手,就地方唤个媒婆,教他寻个主儿,把胡氏嫁去。只要对头老实忠厚,一分财礼也不要。你说白送人老婆,那一个不

---

① 奉承——这里是反话,奉承几句,即骂几句。

② 妙择——挑选。

③ 关节——贿赂请托。打关节,就是行贿、走门路。

④ 没送一头处——即没有一个地方送去。

⑤ 赍发——资助。

⑥ 发开——打发。

肯上桩？不多时，媒婆领一个汉子到来，说是个细工石匠，夸他许多志诚老实。你说偌大一个维扬，难道寻不出个好对头？偏只有这石匠？是有个缘故。常言道："三姑六婆，嫌少争多。"那媒婆最是爱钱的，多许了他几贯谢礼，就玉成其事了。石匠见了陈县宰，磕了四个头，站在一边。陈履常看他衣衫济楚，年少力壮，又是从不曾婚娶的，且有手艺，养得老婆过活，便将胡氏许他。石匠真个不费一钱，白白里领了胡氏去，成其夫妇。不在话下。

再说贾涉自从胡氏母子两头分散，终日闷闷不乐。忽一日，唐孺人染病上床，服药不痊，呜呼哀哉死了。贾涉买棺入殓已毕，弃官扶柩而回。到了故乡，一喜一悲：喜者是见那小孩子比前长大，悲者是胡氏嫁与他人，不得一见。正是：

花开遭雨打，雨止又花残。
世间无全美，看花几个欢？

却说贾家小孩子长成七岁，聪明过人，读书过目成诵。父亲取名似道，表字师宪。贾似道到十五岁，无书不读，下笔成文。不幸父亲贾涉，伯伯贾濡，相继得病而亡，殡葬已过。自此无人拘管，恣意旷荡，呼卢①六博②，斗鸡走马，饮酒宿娼，无所不至。不够四五年，把两份家私荡尽。初时听得家中说道：嫡母胡氏嫁在维扬，为石匠之妻。姐姐贾玉华，选入宫中。思量："维扬路远，又且石匠手艺没甚出产。闻得姐姐选入沂王③府中，今沂王做了皇帝，宠一个妃子姓贾。不知是姐姐不是？且到京师，观其动静。"此时理宗端平初年，也是贾似道时运将至，合当发迹。将家中剩下家火，变卖几贯钱钞，收拾行李，径往临安。

那临安是天子建都之地，人山人海；况贾似道初到，并无半个相识，没处讨个消息。整日只在湖上游荡，闲时未免又在赌博场中顽耍，也不免平康巷④中走走。不够几日，行囊一空，衣衫蓝缕，只在西湖帮闲趁食。

一日醉倦，小憩于栖霞岭⑤下，遇一个道人，布袍羽扇，从岭下经过。

---

① 呼卢——卢：赌具上的一种颜色。呼卢：赌博。

② 六博——一种古代的博戏，共有十二棋子，六白六黑，两个人对博。

③ 沂王——宋理宗赵昀，在未做皇帝时，曾嗣封沂王。

④ 平康巷——唐代长安城坊名，在朱雀门街东第三街，为娼妓聚居之所。

⑤ 栖霞岭——在西湖西北，葛岭之西。

见了贾似道,站定脚头,瞪目看了半晌,说道:“官人可自爱重,将来功名不在韩魏公之下。”那个韩魏公是韩蕲王讳世忠的,他位兼将相,夷夏钦仰,是何等样功名,古今有几个人及得他?贾似道闻此言,只道是戏侮之谈,全不准信。那道人自去了。过了数日,贾似道在平康巷赵二妈家,酒后与人赌博相争,失足跌于阶下,磕损其额,血流满面。虽然没事,额上结下一个瘢痕。一日在酒肆中,又遇了前日的道人,顿足而叹,说道:“可惜,可惜!天堂破损,虽然功名盖世,不得善终矣。”贾似道扯住道人衣服,问道;“我果有功名之分,若得一日称心满意,就死何恨。但目今流落无依,怎得个遭际?富贵从何而来?”道人又看了气色,便道:“滞色已开,只在三日内自有奇遇,平步登天。但官人得意之日,休与秀才作对,切记切记。”说罢,道人自去了。贾似道半信不信。

看看捱到第三日,只见赌博场中的陈二郎来寻贾似道,对他说道:“朝廷近日册立了贾贵妃,十分宠爱,言无不从。贾贵妃自言家住台州,特差刘八太尉往台州访问亲族。你时常说有个姐姐在宫中,莫非正是贵妃?特此报知,果有瓜葛,可去投刘八太尉,定有好处。”贾似道闻言,如梦初觉 ,想道:“我父亲存日,常说曾在刘八太尉家作寓,往来甚厚。姐姐入宫近御,也亏刘八太尉扶持。一到临安,就该投奔他才是。却闲荡过许多日子,岂不好笑!虽然如此,我身上蓝缕,怎好去见刘八太尉?”心生一计:在典铺里赁件新鲜衣服穿了,折一顶新头巾;大模大样,摇摆在刘八太尉府中去。自称故人之子台州姓贾的,有话求见。

刘八太尉正待打点动身,往台州访问贾贵妃亲族。闻知此言,又只怕是冒名而来的。唤个心腹亲随,先叩来历分明,方准相见。不一时,亲随回话道:“是贾涉之子贾似道。”刘八太尉道:“快请进。”原来内相衙门,规矩最大。寻常只是呼唤而已,那个“请”字,也不容易说的。此乃是贵妃面上。当时贾似道见了刘八太尉,慌忙下拜。太尉虽然答礼,心下尚然怀疑。细细盘问,方知是实。留了茶饭,送在书馆中安宿。

次早入宫,报与贾贵妃知道。贵妃向理宗皇帝说了,宣似道入宫,与贵妃相见。说起家常,姊弟二人,抱头而哭。贵妃引贾似道就在宫中见驾,哭道:“妾只有这个兄弟,无家无室,伏乞圣恩重瞳①看觑。”理宗御笔,

---

① 重瞳——原指眼中有两个瞳子。此指垂青、厚待。

除授籍田令①。即命刘八太尉在临安城中,拨置甲第一区;又选宫中美女十人,赐为妻妾;黄金三千两,白金十万两,以备家资。似道谢恩已毕,同刘八太尉出宫去了。似道叮嘱刘八太尉道:“蒙圣恩赐我住宅,必须近西湖一带,方称下怀。”此时刘八太尉在贵妃面上,巴不得奉承贾似道。只拣湖上大宅院,自赔钱钞,倍价买来,与他做第宅。奴仆器用,色色皆备。次日,宫中发出美女十名,贵妃又私赠金银宝玩器皿,共十余车。似道一朝富贵,将百金赏了陈二郎,谢了报信之故。又将百金赏赐典铺中,偿其赁衣。典铺中那里敢受?反备盛礼来贺喜。自此贾贵妃不时宣召似道入宫相会,圣驾游湖,也时常幸其私第。或同饮博游戏,相待如家人一般,恩幸无比。似道恃着椒房之宠,全然不惜体面,每日或轿或马,出入诸名妓家。遇着中意时,不拘一五一十,总拉到西湖上与宾客乘舟游玩。若宾客众多,分船并进。另有小艇往来,载酒肴不绝。你说贾似道起自寒微,有甚宾客?有句古诗说得好,道是:“贫贱亲戚离,富贵他人合。”贾似道做了国戚,朝廷恩宠日隆,那一个不趋奉他?只要一人进身,转相荐引,自然其门如市了。文人如廖莹中、翁应龙、赵分如等,武臣如夏贵、孙虎臣等,这都是门客中出色有名的,其余不可尽述也。

一日,理宗皇帝游苑,登凤皇山,至夜望见西湖内灯火辉煌,一片光明。向左右说道:“此必贾似道也。”命飞骑探听,果然是似道游湖。天子对贵妃说了,又将金帛一车,赠为酒资。以此似道愈加肆恣,全无忌惮。诗曰:

天子偷安无远猷,纵容贵戚恣遨游。
问他无赛②西湖景,可是安边第一筹?

那时宋朝仗蒙古兵力,灭了金人。又听了赵范、赵葵之计,与蒙古构难,要守河据关,收复三京。蒙古引兵入寇,责我败盟,淮汉骚动,天子忧惶。贾似道自思无功受宠,怎能够超官进爵?又恐被人弹议;要立个盖世功名,以取大位,除非是安边荡寇,方是目前第一个大题目。乃自荐素谙韬略,愿往淮扬招兵破贼,为天子保障东南。理宗大喜,遂封为两淮制置

① 籍田令——官名,属太常寺,专管皇帝“亲耕”的田地,乃出纳五谷蔬果,藏冰以待用。

② 无赛——无可比拟。

大使,建节淮扬。贾似道谢恩辞朝,携了妻妾宾客,来淮扬赴任。

三日后,密差门下心腹访问生母胡氏,果然跟个石匠,在广陵驿东首住居。访得亲切,回复了似道,似道即差轿马人夫摆着仪从去迎接。本衙门听事官率领人夫,向胡氏磕头,到把胡氏险些唬倒。听事官致了制使之命,方才心下安稳。胡氏道:“身既从夫,不可自专。”急教人去寻石匠回家,对他说了。石匠也要跟去,胡氏不能阻挡,只得同行。胡氏乘轿在前,石匠骑马在后,前呼后拥,来到制使府。似道请母亲进私衙相见,抱头而哭。算来母子分散时,似道止三岁,胡氏二十余岁,到今又三十多年了,方才会面相识,岂不伤感?似道闻得石匠也跟随到来,不好相见。即将白金三百两,差个心腹人伴他往江上兴贩。暗地授计,半途中将石匠灌醉,推坠江中,只将病死回报。胡氏也感伤了一场。自此母子团圆,永无牵带。

似道镇守淮扬六年,侥幸东南无事。天子因贵妃思想兄弟,乃钦取似道还朝,加同枢密院事。此时丁大全罢相,吴潜代之。那吴潜号履斋,为人豪隽自喜,引进兄弟,俱为显职。贾似道忌他位居己上,乃造成飞谣,教宫中小内侍于天子面前歌之。谣云:

　　大蜈公,小蜈公,尽是人间业毒虫。
　　夤缘攀附百虫丛,若使飞天便食龙。

天子闻得,乃问似道云:“闻街坊小儿尽歌此谣,主何凶吉?”似道奏道:“谣言皆荧惑星①化为小儿,教人间童子歌之。此乃天意,不可不察。‘蜈’与‘吴’同,以臣愚见推之,‘大蜈公,小蜈公’,乃指吴潜兄弟,专权乱国。若使养成其志,必为朝廷之害。陛下飞龙在天,故天意以食龙示警。为今之计,不若罢其相位,另择贤者居之,可以免咎。”天子听信了,即命翰林草制②,贬吴潜循州安置③,弟兄都削去官职。似道即代吴潜为右丞相,又差心腹人命循州知州刘宗申,日夜拾摭其短。吴潜被逼不过,服毒而死。此乃似道狠毒处。

却说蒙古主蒙哥屯合州城下,遣太弟忽必烈,分兵围鄂州、襄阳一带,人情汹惧。枢密院一日间连接了三道告急文书,朝廷大惊,乃以贾似道兼

---

① 荧惑星——火星。

② 草制——即起草圣旨。

③ 安置——宋代大臣贬谪,或称某州居住,或称某州安置。安置的责罚,比居住重。

枢密使京湖宣抚大使①,进师汉阳,以救鄂州之围。似道不敢推辞,只得拜命。闻得大学生②郑隆文武兼全,遣人招致于门下。郑隆素知似道奸邪,怕他难与共事,乃具名刺,先献一诗云:

收拾乾坤一担担,上肩容易下肩难。

劝君高着擎天手,多少旁人冷眼看。

这首诗明说似道位高望重,要他虚己下贤,小心做事。他若见了诗欣然听纳,不枉在他门下走动一番。谁知似道见诗中有规谏之意,骂为狂生,把诗扯得粉碎。不在话下。

再说贾似道同了门下宾客,文有廖莹中、赵分如等,武有夏贵、孙虎臣等,精选羽林军二十万,器仗铠甲,任意取办,择日辞朝出师。真个是威风凛凛,杀气腾腾。不一日,来到汉阳驻扎。此时蒙古攻城甚急,鄂州将破,似道心胆俱裂,那敢上前?乃与廖莹中诸人商议,修书一封,密遣心腹人宋京诣蒙古营中,求其退师,情愿称臣纳币。忽必烈不许,似道遣人往复三四次。适值蒙古主蒙哥死于合州钓鱼山下,太弟忽必烈一心要篡大位,无心恋战,遂从似道请和,每年纳币称臣奉贡。两下约誓已定,遂拔寨北去,奔丧即位。贾似道打听得蒙古有事北归,鄂州围解,遂将议和称臣纳币之事瞒过不提,上表夸张己功。只说蒙古惧己威名,闻风远遁,使廖莹中撰为露布③,又撰《福华编》,以记鄂州之功。蒙古差使人来议岁币,似道怕他破坏己事,命软监于真州地方。只要蒙蔽朝廷,那顾失信夷虏?理宗皇帝谓似道有再造之功,下诏褒美,加似道少师,赐予金帛无算;又赐葛岭周围田地,以广其居;母胡氏封两国夫人。

似道偃然以中兴功臣自任,居之不疑。日夕引歌姬舞妾,于湖上取乐。四方贡献,络绎不绝。凡门客都布置显要,或为大郡,掌握兵权。真个是:一人之下,万人之上。每年八月八日,似道生辰,作词颂美者,以数千计。似道一一亲览,第其高下。一时传诵誊写,为之纸贵。时陆景思《八声甘州》一词,称为绝唱。词云:

满清平世界,庆秋成,看斗米三钱。论从来,活国抡功第一,无过

---

① 宣抚大使——宋代随事而设的官。执政大臣率师征讨,称宣抚大使。

② 大学生——大,同太。太学,即国子监。大学生,即国子监生。

③ 露布——用帛写成的报捷文书。

丰年。办得民间安饱，余事笑谈间。若问平戎策，微妙难传。　玉帝要留公住，把西湖一曲，分开入林园。有茶炉丹灶，更有钓鱼船。觉秋风未曾吹着，但砌兰长倚北堂萱。千千岁，上天将相，平地神仙。

其他谄谀之词，不可尽述。

一日，似道同诸姬在湖上倚楼闲玩，见有二书生，鲜衣羽扇，丰致翩翩，乘小舟游湖登岸。旁一姬低声赞道："美哉，二少年！"似道听得了，便道："汝愿嫁彼二人，当使彼聘汝。"此姬惶恐谢罪。不多时，似道唤集诸姬，令一婢捧盒至前。似道说道："适间某姬爱湖上书生，我已为彼受聘矣。"众姬不信，启盒视之，乃某姬之首也，众姬无不股栗。其待姬妾惨毒，悉如此类。

又常差人贩盐百般①，至临安发卖。太学生有诗云：

昨夜江头长碧波，满船都载相公鹾②。
虽然要作调羹③用，未必调羹用许多。

似道又欲行富国强兵之策，御史陈尧道献计，要措办军饷，便国便民，无如限田之法。怎叫做限田之法？如今大户田连阡陌，小民无立锥之地，有田者不耕，欲耕者无田；宜以官品大小，限其田数。某等官户止该田若干，其民户止该田若干。余在限外者，或回买，或派买，或官买。回买者：原系其人所卖，不拘年远，许其回赎。派买者：拣殷实人户，不满限者派去，要他用价买之。官买者：官出价买之，名为"公田"，雇人耕种，收租以为军饷之费。先行之浙右，候有端绪，然后各路照式举行。大率回买、派买的都是下等之田，又要照价抽税入官；其上等好田，官府自买，又未免亏损原价。浙中大扰，无不破家者，其时怨声载道。太学生又诗云：

胡尘暗日鼓鼙鸣，高卧湖山不出征。
不识咽喉形势地，公田枉自害苍生。

贾似道恐其法不行，先将自己浙田万余亩入官为公田。朝中官员要奉承宰相，人人闻风献产。翰林院学士徐经孙条具公田之害，似道讽御史舒有开劾奏罢官。又有著作郎陈著亦上疏论似道欺君瘠民之罪，似道亦寻事

---

① 百般——般，疑是"船"字之讹。

② 鹾(cuó)——盐。

③ 调羹——古人常用调羹比喻宰相治理国家，这里的调羹，是双关的意思。

黜之于外。公田官陈茂濂目击其非,弃官而去。又有钱塘人叶李者,字太白,素与似道相知,上书切谏。似道大怒,黥其面流之于漳州。自此满朝箝口,谁敢道个不字?

似道又立推排打量之法。何为推排打量之法?假如一人有田若干,要他契书查勘买卖来历,及质对四址明白。若对不来时,即系欺诳,没入其田。这便是推排。又去丈量尺寸,若是有余,即名隐匿田数,也要没入,这便是打量。行了这法,白白的没入人产,不知其数。太学生又有诗云:

三分天下二分亡,犹把山河寸寸量。

纵使一坵①添一亩,也应不似旧封疆。

又有人作《沁园春》词云:

道过江南,泥墙粉壁②,右具在前。述何县何乡里,住何人地,佃何人田。气象萧条,生灵憔悴,经界从来未必然。惟何甚?为官为己,不把人怜。　　思量几许山川,况土地分张又百年。西蜀巉岩,云迷鸟道;两淮清野,日警狼烟。宰相弄权,奸人罔上,谁念干戈未息肩?掌大地,何须经理,万取千焉。

似道屡闻太学生讥讪,心中大怒,与御史陈伯大商议,奏立士籍。凡科场应举,及免举人,州县给历一道,亲书年貌世系,及所肄业于历首,执以赴举。过省参对笔迹异同,以防伪滥。乃密令人四下查访,凡有词华文采,能诗善词者,便疑心他造言生谤,就于参对时寻其过误,故意黜罢。由是谄谀进身,文人丧气。时人有诗云:

戎马掀天动地来,荆襄一路哭声哀。

平章③束手全无策,却把科场恼秀才。

又有人作《沁园春》词云:

士籍令行,条件分明,逐一排连。问子孙何习?父兄何业?明经词赋④?右具如前。最是中间,娶妻某氏,试问于妻何与焉?乡保举,那堪着押,开口论钱。　　祖宗立法于前,又何必更张万万千?

---

① 坵——即丘。

② 泥墙粉壁——官府在农村中所设置的供写告示用的红泥粉墙。

③ 平章——唐宋制度,同中书门下平章事为宰相,所以平章是对宰相的称呼。

④ 明经词赋——明经,科目名,专试经义。词赋,指进士科。

算行关改会①，限田放籴。生民凋瘁，膏血俱朘；只有士心，仅存一脉，今又艰难最可怜。谁作俑？陈伯大附势专权！

陈伯大收得此词，献与似道。似道密访其人不得，知是秀才辈所为，乘理宗皇帝晏驾，奏停是年科举。自此太学、武学②、宗学③三处秀才，恨入骨髓。其中又有一班无耻的，倡率众人，称功颂德，似道欲结好学校，一一厚酬，一般也有感激贾平章之恩，愿为之用的。此见秀才中人心不一，所以公论不伸，也不在话下。

却说理宗皇帝传位度宗，改元咸淳。那度宗在东宫时，似道曾为讲官，兼有援立之恩。及即位，加似道太师，封魏国公。每朝见，天子必答拜，称为师相而不名。又诏他十日一朝，赴都堂议事，其余听从自便。大小朝政，皆就私第取决。当时传下两句口号，道是：

朝中无宰相，湖上有平章。

一日，似道招右丞相马廷鸾，枢密使叶梦鼎，于湖中饮酒。似道行令，要举一物，送与一个古人，那人还诗一联。似道首令④云：

我有一局棋，送与古人弈秋⑤。弈秋得之，予我一联诗："自出洞来无敌手，得饶人处且饶人。"

马廷鸾云：

我有一竿竹，送与古人吕望。吕望得之，予我一联诗："夜静水寒鱼不食，满船空载月明归。"

叶梦鼎云：

我有一张犁，送与古人伊尹。伊尹得之，予我一联诗："但存方寸地，留与子孙耕。"

似道见二人所言，俱有讥讽之意，明日寻事，奏知天子，将二人罢官而去。

那时蒙古强盛，改国号曰元，遣兵围襄阳、樊城，已三年了，满朝尽知，

① 行关改会——关子和会子，都是宋代的纸币的名称。贾似道因当时纸币不值钱，另作银关，以一抵十八界会子之三，结果纸币益贱，物价也更加腾涨。

② 武学——国家所设立的武学校，创始于宋神宗时。选文武官中懂军事的人充教授，教学生学习诸家兵法。

③ 宗学——专门教育宗室的学校，始置于宋高宗时。

④ 首令——第一个人开头行令。

⑤ 弈秋——古代一个善下围棋的人，名叫秋。

只瞒着天子一人而已。似道心知国势将危,乃汲汲为行乐之计。尝于清明日游湖,作绝句云:

寒食家家插柳枝,留春春亦不多时。
人生有酒须当醉,青冢儿孙几个悲?

于葛岭起建楼台亭榭,穷工极巧。凡民间美色,不拘娼尼,都取来充实其中。闻得宫人叶氏色美,勾通了穿宫太监,径取出为妾,昼夜淫乐无度。又造多宝阁,凡珍奇宝玩,百方购求,充积如山。每日登阁一遍,任意取玩,以此为常。有人言及边事者,即加罪责。忽一日,度宗天子问道:"闻得襄阳久困,奈何?"似道对云:"北兵久已退去,陛下安得此语?"天子道:"适有女嫔言及,料师相必知其实。"似道奏云:"此讹言,陛下不必信之。万一有事,臣当亲率大军,为陛下诛尽此虏耳。"说罢退朝。似道乃令穿宫太监,密查女嫔名姓,将他事诬陷他,赐死宫中。正是:

是非只为多开口,烦恼皆因强出头。
堪笑当时众台谏,不如女嫔肯分忧。

自宫嫔死后,内外相戒,无言及边事者。养成虏患,非一朝一夕之故也。

似道又造半闲堂,命巧匠塑己像于其中。旁室数百间,招致方术之士及云水道人①,在内停宿②。似道暇日,到中堂打坐,与术士道人谈讲。门客中献词,颂那半闲堂的极多。只有一篇名《糖多令》,最为似道所称赏,词云:

天上摘星班,青牛度关③。幻出蓬莱新院宇,花外竹,竹边山。轩冕倘来间,人生闲最难,算真闲不到人间。一半神仙先占取,留一半,与公闲。

有一术士,号富春子,善风角鸟占④,贾似道招之,欲试其术,问以来日之事。富春子乃密写一纸,封固嘱道:"至晚方开。"次日,似道宴客湖山,晚间于船头送客,偶见明月当头,口中歌曹孟德"月明星稀,乌鹊南飞"二句,时廖莹中在旁说道:"此际可拆书观之矣。"纸中更无他事,惟写

---

① 云水道人——游方道士。
② 停宿——长时间的住宿。
③ 青牛度关——老子西游,乘青牛过函谷关(一作散关)。
④ 风角鸟占——古代的占卜术。风角,以风声来占验凶吉;鸟占,也叫鸟情占,以鸟的飞鸣卜休咎。

"月明星稀，乌鹊南飞"八个字。似道大惊，方知其术神验，遂叩以终身祸福。富春子道："师相富贵，古今莫及，但与姓郑人不相宜，当远避之。"原来似道少时，曾梦自己乘龙上天，却被一勇士打落，堕于坑堑之中，那勇士背心上绣成"荥阳"二字。"荥阳"却是姓郑的郡名，与富春子所言相合，怎敢不信？似道自此检阅朝籍，凡姓郑之人，极力挤排，不容他在位，宦籍中竟无一姓郑者。有门客揣摩似道之意，说道："太学生郑隆惯作诗词，讥讪朝政，此人不可不除。"似道想起昔日献诗规谏之恨，吩咐太学博士，寻他没影的罪过，将他黥配恩州。郑隆在路上呕气而死。又有一人善能拆字，决断如神。似道富贵已极，渐蓄不臣之志，又恐虏信渐迫，瞒不到头，朝廷必须见责，于是欲行董卓、曹操之事。召拆字者，以杖画地，作"奇"字，使决休咎。拆字的相了一回，说道："相公之事不谐矣；道是'立'，又不'可'；道是'可'，又不'立'。"似道默然无语，厚赠金帛而遣之；恐他泄漏机关，使人于中途谋害。自此反谋遂沮。富春子见似道举动非常，惧祸而逃，可谓见机而作者矣。

却说两国夫人胡氏，受似道奉养，将四十年，直到咸淳十年三月某日，寿八十余方死。衣衾棺椁，穷极华侈，斋醮追荐，自不必说。过了七七四十九日，扶柩到台州，与贾涉合葬。举襄之日，朝廷以卤簿送之。自皇太后以下，凡贵戚朝臣，一路摆设祭馔，争高竞胜。有累高至数丈者，装祭之次，至攧死数人。百官俱戴孝，追送百里之外，天子为之罢朝。那时天降大雨，平地水深三尺。送丧者，都冒雨踏水而行，水没及腰膝，泥淖满面，无一人敢退后者。葬毕，又饭僧三万口，以资冥福。有一僧饭罢，将钵盂覆地而去。众人揭不起来，报与似道。似道不信，亲自来看，将手轻轻揭起，见钵盂内覆着两行细字，乃白土写成，字画端楷。似道大惊，看时却是两句诗，道是：

得好休时便好休，开花结子在绵州。

正惊讶间，字迹忽然灭没不见。似道遍召门客，问其诗意，都不能解。直到后来，死于木绵庵，方应其语。大凡大富贵的人，前世来历必奇，非比等闲之辈。今日圣僧来点化似道，要他回头免祸；谁知他富贵薰心，迷而不悟。从来有权有势的，多不得善终，都是如此。

闲话休提。再说似道葬母事毕，写表谢恩。天子下诏，起复似道入朝。似道假意乞许终丧，却又讽御史们上疏，虚相位以待己。诏书连连下来，催促起程。七月初，似道应命，入朝面君，复居旧职。其月下旬，度宗晏驾，皇太子显即位，是为恭宗。此时元左丞相史天泽，右丞相伯颜，分兵南下，襄、邓、淮、扬，处处告急。贾似道料定恭宗年少胆怯，故意将元兵消息，张惶其事，奏闻天子，自请统军行边。却又私下吩咐御史们上疏留己，说道："今日所恃，只师臣一人。若统军行边，顾了襄汉一路，顾不得淮扬；若顾了淮扬一路，顾不得襄汉。不如居中以运天下，运筹帷幄之中，方能决胜于千里之外。倘师臣出外，陛下有事商量，与何人议之？"恭宗准奏道："师相岂可一日离吾左右耶？"

不隔几月，樊城陷了，鄂州破了。吕文焕死守襄阳五年，声援不通，城中粮尽，力不能支，只得以城降元。元师乘胜南下，贾似道遮瞒不过，只得奏闻。恭宗闻报，大惊，对似道说道："元兵如此逼近，非师相亲行不可。"似道奏道："臣始初便请行边，陛下不许；若早听臣言，岂容胡人得志若此？"恭宗于是下诏，以贾似道都督诸路军马。似道荐吕师夔参赞都督府军事。其明年为恭宗皇帝德祐元年，似道上表出师，旌旗蔽天，舳舻①千里，水陆并进。领着两个儿子，并妻妾辎重，凡百余舟。门客俱带家小而行。参赞吕师夔先到江州以城降元，元兵乘势破了池州。似道闻此信，不敢进前，遂次于鲁港。步军招讨使孙虎臣，水军招讨使夏贵，都是贾似道门客，平昔间谈天说地，似道倚之为重，其实原没有张、韩、刘、岳的本事；今日遇了大战阵，如何侥幸得去？

却说孙虎臣屯兵于丁家洲，元将阿术来攻，孙虎臣抵敌不过，先自跨马逃命，步军都四散奔溃。阿术遣人绕宋舟大呼道："宋家步军已败，你水军不降，更待何时？"水军见说，人人丧胆，个个心惊，不想厮杀，只想逃命。一时乱将起来，舳舻簸荡，乍分乍合，溺死者不可胜数。似道禁押不住，急召夏贵议事，夏贵道："诸军已溃，战守俱难。为师相计，宜入扬州，招溃兵，迎驾海上。贵不才，当为师相死守淮西一路。"说罢自去。少顷，孙虎臣下船，抚膺恸哭道："吾非不欲血战，奈手下无一人用命者，奈何？"似道尚未及对，哨船②来报道："夏招讨舟已解缆先行，不知去向。"时军中更鼓正打四更，似道茫然无策，又见哨船报道："元兵四围杀将来也。"急

① 舳舻（zhúlú）——首尾相接的船只。
② 哨船——水军中巡哨的船只。

得似道面如土色，慌忙击锣退师，诸军大溃。孙虎臣扶着似道，乘单舸奔扬州。堂吏翁应龙抢得都督府印信，奔还临安。到次日，溃兵蔽江而下。似道使孙虎臣登岸，扬旗招之，无人肯应者。只听得骂声嘈杂，都道："贾似道奸贼，欺蔽朝廷，养成贼势，误国蠹民，害得我们今日好苦！"又听得说道："今日先杀了那伙奸贼，与万民出气。"说声未绝，船上乱箭射来，孙虎臣中箭而倒。似道看见人心已变，急催船躲避，走入扬州城中，托病不出。

话分两头。却说右丞相陈宜中，平昔谄事似道，无所不至，似道扶持他做到相位。宜中见翁应龙奔还，问道："师相何在？"应龙回言不知。宜中只道已死于乱军之中，首上疏论似道丧师误国之罪，乞族诛以谢天下。于是御史们又趋奉宜中，交章劾奏。恭宗天子方悟似道奸邪误国，乃下诏暴其罪，略云：

> 大臣具四海之瞻，罪莫大于误国；都督专阃外之寄①，律尤重于丧师。具官贾似道，小才无取，大道未闻。历相两朝，曾无一善：变田制以伤国本，立士籍以阻人才，匿边信而不闻，旷战功而不举。至于寇逼，方议师征，谓当缨冠②而疾趋，何为抱头而鼠窜？遂致三军解体，百将离心，社稷之势缀旒③，臣民之言切齿。姑示薄罚，俾尔奉祠④。呜呼！膺狄惩荆⑤，无复周公之望；放兜殛鲧⑥，尚宽《虞典》⑦之诛。可罢平章军马重事⑧及都督诸路军马。

廖莹中举家亦在扬州，闻似道褫职，特造府中问慰。相见时一言不能

---

① 阃（kǔn）外之寄——阃，国都的城门。阃外之寄，是委以军职的意思。

② 缨冠——这里指戴上帽子，系好帽带。

③ 缀旒——比喻大权旁落。

④ 奉祠——官员无职事，只领奉禄。

⑤ 膺狄惩荆——膺，伐击的意思；惩，惩责的意思。狄，指北狄；荆，也是古代国名。《诗经》有"戎狄是膺，荆舒是惩"的话，本是歌颂鲁僖公的武功，《孟子》引作周公，这里是根据《孟子》的说法。

⑥ 放兜殛鲧——兜，指欢兜；鲧，是禹的父亲。舜放欢兜于崇山，殛（诛）鲧于羽山。

⑦ 《虞典》——指《尚书》《虞书》的《舜典》。

⑧ 平章军马重事——官名，宋哲宗元祐年间置，授予有重望的老臣，表示宠命。

发,但索酒与似道相对痛饮,悲歌雨泣,直到五鼓方罢。莹中回至寓所,遂不复寝,命爱姬煎茶,茶到,又遣爱姬取酒去,私服冰脑①一握。那冰脑是最毒之物,服之无不死者。药力未行,莹中只怕不死,急催热酒到来,袖中取出冰脑,连进数握,爱姬方知吃的是毒药,向前夺救,已不及了,乃抱莹中而哭。莹中含着双泪,说道:"休哭,休哭!我从丞相二十年,安享富贵,今日事败,得死于家中,也算做善终了。"说犹未毕,九窍流血而死。可怜廖莹中聪明才学,诗字皆精,做了权门犬马,今日死于非命。诗云:

不作无求蚓,甘为逐臭蝇。

试看风树倒,谁复有荣藤?

再说贾似道罢相,朝中议论纷纷,谓其罪不止此。台臣复交章劾奏,请加斧钺之诛。天子念他是三朝元老,不忍加刑,谪为高州团练副使②,仍命于循州安置。其田产园宅,尽数籍没,以充军饷。谪命下日,正是八月初八日,值似道生辰建醮,乃自撰青词③祈祐,略云:

老臣无罪,何众议之不容?上帝好生,奈死期之已迫。适当悬弧④之旦,预陈易箦⑤之词。窃念臣似道际遇三朝,始终一节,为国任怨,遭世多艰。属丑虏之不恭,驱孱兵而往御。士不用命,功竟无成。众口皆诋其非,百喙难明此谤。四十年劳悴,悔不效留侯之保身⑥;三千里流离,犹恐置霍光于赤族⑦。仰惭覆载⑧,俯愧劬劳。伏望皇天后土之鉴临,理考⑨度宗之昭格。三宫霁怒,收瘴骨于江边;九庙阐灵,扫妖氛于境外。

---

① 冰脑——冰片。

② 团练副使——官名。

③ 青词——道教中祭神的祷词,用朱笔写在青藤纸上。

④ 悬弧——古代风俗,家生了男孩,在门外挂弓。

⑤ 易箦(zé)——春秋时,曾参将死,叫人易其床箦。所以后世称人将死为易箦。

⑥ 留侯保身——汉代张良,封留侯,晚年弃绝世事,学神仙辟谷导引之术,全身远害,得以善终。

⑦ 霍光赤族——汉代霍光,历辅昭帝、宣帝,为大司马大将军,亲党满朝,权倾中外。霍光死后,霍氏以谋反灭族。

⑧ 覆载——指天地。

⑨ 理考——宋理宗。

故宋时立法,凡大臣安置远州,定有个监押官,名为护送,实则看守,如押送犯人相似。今日似道安置循州,朝议斟酌个监押官,须得有力量的,有手段的,又要平日有怨隙的,方才用得。只因循州路远,人人怕去。独有一位官员,慨然请行,那官员是谁?姓郑名虎臣,官为会稽尉,任满到京。此人乃是太学生郑隆之子,郑隆被似道黥配而死,虎臣衔恨在心,无门可报,所以今日愿去。朝中察知其情,遂用为监押官。似道虽然不知虎臣是郑隆之子,却记得幼年之梦,和那富春子的说话,今日正遇了姓郑的人,如何不慌。临行时,备下盛筵,款待虎臣。虎臣巍然上坐,似道称他是天使,自称为罪人,将上等宝玩,约值数万金献上,为进见之礼,含着两眼珠泪,凄凄惶惶的哀诉,述其幼时所梦,"愿天使大发菩萨之心,保全蝼蚁之命,生生世世,不敢忘报。"说罢,屈膝跪下。郑虎臣微微冷笑,答应道:"团练且起,这宝玩是殃身之物,下官如何好受?有话途中再讲。"似道再三哀求,虎臣只是微笑,似道心中愈加恐惧。

次日,虎臣催促似道起程。金银财宝,尚十余车,婢妾童仆,约近百人。虎臣初时并不阻挡,行了数日,嫌他行李太重,担误行期,将他童仆辈日渐赶逐,其金宝之类,一路遇着寺院,逼他布施。似道不敢不依。约行半月,止剩下三个车子,老年童仆数人,又被虎臣终日打骂,不敢亲近。似道所坐车子,插个竹竿,扯帛为旗,上写着十五个大字,道是"奉旨监押安置循州误国奸臣贾似道"。似道羞愧,每日以袖掩面而行。一路受郑虎臣凌辱,不可尽言。

又行了多日,到泉州洛阳桥①上,只见对面一个客官,匆匆而至,见了旗上题字,大呼:"平章久违了。一别二十余年,何期在此相会。"似道只道是个相厚的故人,放下衣袖看时,却是谁来?那客官姓叶,名李,字太白,钱唐人氏,因为上书切谏似道,被他黥面流于漳州。似道事败,凡被其贬窜者,都赦回原籍。叶李得赦还乡,路从泉州经过,正与似道相遇,故意叫他。似道羞惭满面,下车施礼,口称得罪。叶李问郑虎臣,讨纸笔来,作词一首相赠,词云:

君来路,吾归路,来来去去何曾住?公田关子竟何如?国事当时

---

① 洛阳桥——在泉州(今福建晋江)东洛阳江上,本名万安桥,宋蔡襄重修,改名洛阳桥。

谁与误？　　雷州户，厓州户，人生会有相逢处。客中颇恨乏蒸羊，聊赠一篇长短句。

当初北宋仁宗皇帝时节，宰相寇准有澶渊退虏①之功，却被奸臣丁谓所谮，贬为雷州司户。未几，丁谓奸谋败露，亦贬于厓州。路从雷州经过，寇准遣人送蒸羊一只，聊表地主之礼。丁谓惭愧，连夜偷行过去，不敢停留。今日叶李词中，正用这个故事，以见天道反覆，冤家不可做尽也。似道得词，惭愧无地，手捧金珠一包，赠与叶李，聊助路资，叶李不受而去。郑虎臣喝道："这不义之财，犬豕不顾，谁人要你的！"就似道手中夺来，抛散于地，喝教车仗快走，口内骂声不绝。似道流泪不止。

郑虎臣的主意，只教贾似道受辱不过，自寻死路，其如似道贪恋余生。比及到得漳州，童仆逃走俱尽，单单似道父子三人，真个是身无鲜衣，口无甘味，贱如奴隶，穷比乞儿，苦楚不可尽说。漳州太守赵分如，正是贾似道旧时门客，闻得似道到来，出城迎接，看见光景凄凉，好生伤感。又见郑虎臣颜色不善，不敢十分殷勤。是日，赵分如设宴馆驿，管待郑虎臣，意欲请似道同坐。虎臣不许，似道也谦让道："天使在此，罪人安敢与席？"到教赵分如过意不去，只得另设一席于别室，使通判陪侍似道，自己陪虎臣。饮酒中间，分如察虎臣口气，衔恨颇深，乃假意问道："天使今日押团练至此，想无生理，何不教他速死，免受蒿恼，却不干净？"虎臣笑道："便是这恶物事，偏受得许多苦恼，要他好死却不肯死。"赵分如不敢再言。次日五鼓，不等太守来送，便催趱起程。

离城五里，天尚未大明，到个庵院。虎臣教歇脚，且进庵梳洗早膳。似道看这庵中扁额写着"木绵庵"三字，大惊道："二年前，神僧钵盂中赠诗，有'开花结子在绵州'句，莫非应在今日？我死必矣！"进庵，急呼二子吩咐说话，已被虎臣拘囚于别室。似道自分必死，身边藏有冰脑一包，因洗脸，就掬水吞之。觉腹中痛极，讨个虎子②坐下，看看命绝。虎臣料他服毒，乃骂道："奸贼，奸贼！百万生灵死于汝手，汝延捱许多路程，却要自死，到今日老爷偏不容你！"将大槌连头连脑打下二三十，打得稀烂，呜

---

① 澶渊退虏——宋真宗景德元年，辽兵南侵，寇准请真宗亲征，北进至澶州（河南濮阳），杀辽大将挞览。但在投降派的活动下，终于议和，历史上称为"澶渊之盟"。

② 虎子——类似马桶的便器。

呼死了。却教人报他两个儿子说道:“你父亲中恶,快来看视。”儿子见老子身死,放声大哭。虎臣奋怒,一槌一个,都打死了。却教手下人拖去一边,只说逃走去了。虎臣投槌于地,叹道:“吾今日上报父仇,下为万民除害,虽死不恨矣。”就用随身衣服,将草荐卷之,埋于木绵庵之侧。埋得定当,方将病状关白①太守赵分如。赵分如明知是虎臣手脚,见他凶狠,那敢盘问?只得依他开病状,申报各司去讫。直待虎臣动身去后,方才备下棺木,掘起似道尸骸,重新殡殓,埋葬成坟,为文祭之,辞曰:

　　鸣呼!履斋死蜀,死于宗申;先生死闽,死于虎臣。哀哉,尚飨!

那履斋是谁?姓吴名潜,是理宗朝的丞相。因贾似道谋代其位,造下谣言,诬之以罪,害他循州安置,却教循州知州刘宗申逼他服毒而死。今日似道下贬循州,未及到彼,先死于木绵庵,比吴潜之祸更惨。这四句祭文,隐隐说天理报应。赵分如虽然出于似道门下,也见他良心不泯处。

闲话休提。再说似道既贬之后,家私田产,虽说入官,那葛岭大宅,谁人管业?高台曲池,日就荒落,墙颓壁倒,游人来观者,无不感叹。多有人题诗于门壁,今录得二首,诗云:

　　深院无人草已荒,漆屏金字尚辉煌。
　　底知事去身宜去?岂料人亡国亦亡?
　　理考发身端有自,郑人应梦果何祥?
　　卧龙不肯留渠住,空使晴光满画墙。

又诗云:

　　事到穷时计亦穷,此行难倚鄂州功。
　　木绵庵里千年恨,秋壑亭②中一梦空。
　　石砌苔稠猿步月,松亭叶落鸟呼风。
　　客来不用多惆怅,试向吴山望故宫。

---

① 关白——报告、告知。

② 秋壑亭——宋贾似道所建亭名,在临安葛岭集芳园中。

# 第二十三卷　张舜美灯宵得丽女

太平时节元宵夜，千里灯毬①映月轮。
多少王孙并仕女，绮罗丛里尽怀春。

话说东京汴梁，宋天子徽宗放灯买市，十分富盛。且说在京一个贵官公子，姓张名生，年方十八，生得十分聪俊，未娶妻室。因元宵到乾明寺②看灯，忽于殿上拾得一红绡帕子，帕角系一个香囊。细看帕上，有诗一首云：

囊里真香心事封，鲛绡一幅泪流红。
殷勤聊作江妃佩③，赠与多情置袖中。

诗尾后又有细字一行云："有情者拾得此帕，不可相忘。请待来年正月十五夜，于相蓝④后门一会，车前有鸳鸯灯是也。"张生吟讽数次，叹赏久之，乃和其诗曰：

浓麝因知玉手封，轻绡料比杏腮红。
虽然未近来春约，已胜襄王魂梦中。

自此之后，张生以时挨日，以日挨月，以月挨年。倏忽间乌飞电走，又换新正。将近元宵，思赴去年之约，乃于十四日晚，候于相蓝后门。果见车一辆，灯挂双鸳鸯，呵卫⑤甚众。张生惊喜无措，无因问答，乃诵诗一首，或先或后，近车吟咏，云：

何人遗下一红绡？暗遣吟怀意气饶。
料想佳人初失去，几回纤手摸裙腰。

车中女子闻生吟讽，默念昔日遗香囊之事谐矣，遂启帘窥生，见生容貌皎洁，仪度闲雅，愈觉动情。遂令侍女金花者，通达情款，生亦会意。须臾，

---

① 灯毬——圆灯笼。
② 乾明寺——北宋寺院名，在汴京东城安业坊席箔巷西，后被金兵焚毁。
③ 江妃佩——江妃，江水的女神。古代传说，江妃二女游于江边，逢郑交甫，解佩相赠。郑交甫受佩而去，行数十步，佩与二女都不见。
④ 相蓝——即大相国寺，为北宋汴京著名大寺。
⑤ 呵卫——喝导护卫。

香车远去,已失所在。

次夜,生复伺于旧处。俄有青盖旧车,迤逦而来,更无人从,车前挂双鸳鸯灯。生睹车中,非昨夜相遇之女,乃一尼耳。车夫连称:"送师归院去。"生迟疑间,见尼转手而招生。生潜随之,至乾明寺,老尼迎门谓曰:"何归迟也?"尼入院,生随入小轩,轩中已张灯列宴。尼乃卸去道装,忽见绿鬓堆云,红裳映月。生女联坐,老尼侍旁。酒行之后,女曰:"愿见去年相约之媒。"生取香囊红绡,付女视之。女方笑曰:"京都往来人众,偏落君手,岂非天赐尔我姻缘耶?"生曰:"当时得之,亦曾奉和。"因举其诗。女喜曰:"真我夫也。"于是与生就枕,极尽欢娱。顷刻鸡声四起,谓生曰:"妾乃霍员外家第八房之妾。员外老病,经年不到妾房。妾每夜焚香祝天,愿遇一良人,成其夫妇。幸得见君子,足慰平生。妾今用计脱身,不可复入。此身已属之君,情愿生死相随;不然,将置妾于何地也?"生曰:"我非木石,岂忍分离?但寻思无计。若事发相连,不若与你悬梁同死,双双做风流之鬼耳。"说罢,相抱悲泣。老尼从外来,曰:"你等要成夫妇,但恨无心耳,何必做没下梢事!"生女双双跪拜求计。老尼曰:"汝能远涉江湖,变更姓名于千里之外,可得尽终世之情也。"女与生俯首受计。老尼遂取出黄白一包,付生曰:"此乃小娘子平日所寄,今送还官人,以为路资。"生亦回家,收拾细软,打做一包。是夜,拜别了老尼,双双出门,走到通津邸①中借宿。次早雇舟,自汴涉淮,直至苏州平江,创第而居。两情好合,谐老百年。正是:

意似鸳鸯飞比翼,情同鸾凤舞和鸣。

今日为甚说这段话?却有个波俏②的女子,也因灯夜游玩,撞着个狂荡的小秀才,惹出一场奇奇怪怪的事来。未知久后成得夫妇也否?且听下回分解。正是:

灯初放夜人初会,梅正开时月正圆。

且道那女子遇着甚人?那人是越州人氏,姓张,双名舜美,年方弱冠,是一个轻俊标致的秀士,风流未遇的才人。偶因乡试来杭,不能中选,遂淹留邸舍中,半年有余。正逢着上元佳节,舜美不免关闭房门,游玩则个。

---

① 通津邸——即通津门的客店。

② 波俏——漂亮、风姿优美。

况杭州是个热闹去处，怎见得杭州好景？柳耆卿有首《望海潮》词，单道杭州好处，词云：

东南形胜，三吴都会，钱塘自古繁华。烟柳画桥，风帘翠幕，参差十万人家。云树绕堤沙，怒涛卷霜雪，天堑无涯。市列珠玑，户盈罗绮，竞奢华。　　重湖叠巘清佳，有三秋桂子、十里荷花。弦管弄晴，菱歌泛夜，嬉嬉的钓叟莲娃。千骑拥高牙①，乘时听箫鼓，吟赏烟霞。异日图将好景，归到凤池②赊。

舜美观看之际，勃然兴发，遂口占《如梦令》一词以解怀，云：

明月娟娟筛柳，春色溶溶如酒。今夕试华灯，约伴六桥③行走。回首，回首，楼上玉人知否？

且诵且行之次④，遥见灯影中，一个丫鬟，肩上斜挑一盏彩鸾灯，后面一女子，冉冉而来。那女子生得凤髻铺云，峨眉扫月，生成媚态，出色娇姿。舜美一见了那女子，沉醉顿醒，竦然整冠，汤瓶⑤样摇摆过来。为甚的做如此模样？原来调光⑥的人，只在初见之时，就便使个手段。凡萍水相逢，有几般讨探⑦之法。做子弟⑧的，听我把调光经表白几句：

雅容卖俏，鲜服夸豪。远觑近观，只在双眸传递；捱肩擦背，全凭健足跟随。我既有意，自当送情；他肯留心，必然答笑。点头须会⑨，咳嗽便知。紧处不可放迟，闲中偏宜着闹。讪语⑩时，口要紧；刮涎处，脸须皮。冷面撇清，还察其中真假；回头揽事，定知就里应承。说不尽百计讨探，凑成来十分机巧。假饶心似铁，弄得意如糖。

① 高牙——牙，是牙旗。高牙，军中高大的旗帜。
② 凤池——中书省，称为凤凰池。
③ 六桥——临安西湖苏堤上的六座桥，宋苏轼所建。六座桥的名称是：映波、锁澜、望山、压堤、东浦、跨虹。
④ 次——这里的意思是中间、当儿。
⑤ 汤瓶——一种煮茶水用的水瓶，以铁或瓷制成，富豪人家也有用金银制成的。
⑥ 调光——调情。
⑦ 讨探——引诱、试探、勾引。
⑧ 子弟——嫖客、浪子。
⑨ 会——明白、懂得。
⑩ 讪语——调笑、搭讪。

说那女子被舜美撩弄，禁持①不住，眼也花了，心也乱了，腿也苏了，脚也麻了。痴呆了半晌，四目相睃，面面有情。那女子走得紧，舜美也跟得紧；走得慢，也跟得慢；但不能交接一语。不觉又到众安桥②，桥上做卖做买，东来西去的，挨挤不过。过得众安桥，失却了女子所在，只得闷闷而回。开了房门，风儿又吹，灯儿又暗，枕儿又寒，被儿又冷，怎生睡得？心里丢不下那个女子，思量再得与他一会也好。你看世间有这等的痴心汉子，实是好笑。正是：

半窗花影模糊月，一段春愁着摸③人。

舜美甫能④够捱到天明，起来梳裹了，三餐已毕，只见街市上人，又早收拾看灯。舜美身心按捺不下，急忙关闭房门，径往夜来相遇之处。立了一会，转了一会，寻了一会，靠了一会，呆了一会，只是等不见那女子来。遂调《如梦令》一词消遣，云：

燕赏良宵无寐，笑倚东风残醉。未审那人儿，今夕玩游何地？留意，留意，几度欲归还滞。

吟毕，又等了多时，正尔要回，忽见小鬟挑着彩鸾灯，同那女子从人丛中挨将出来。那女子瞥见舜美，笑容可掬，况舜美也约摸着有五六分上手⑤。那女子径往盐桥⑥，进广福庙⑦中拈香。礼拜已毕，转入后殿。舜美随于后，那女子偶尔回头，不觉失笑一声。舜美呆着老脸，赔笑起来。他两个挨挨擦擦，前前后后，不复顾忌。那女子回身捽⑧袖中，遗下一个同心方胜儿⑨。舜美会意，俯而拾之，就于灯下拆开一看，乃是一幅花笺纸。不

① 禁持——忍受、熬不住。
② 众安桥——南宋临安桥名，为临安城中热闹的地区。
③ 着摸——撩惹、沾惹。
④ 甫能——刚刚。
⑤ 上手——此指得手。
⑥ 盐桥——即惠济桥，在临安东青门内大河上。宋时盐船停泊于此，故名盐桥。
⑦ 广福庙——即蒋相公祠，在盐桥上。
⑧ 捽——揪、扯。
⑨ 同心方胜儿——两个菱形压角相叠组成的图案，比喻双方相互爱慕，结为一心。

看万事全休,只因看了,直教一个秀才,害了一二年鬼病相思,险些送了一条性命。你道花笺上写的甚么文字?原来也是个《如梦令》,词云:

邂逅相逢如故,引起春心追慕。高挂彩鸾灯,正是儿家庭户。那步①,那步,千万来宵垂顾。

词后复书云:"女之敝居,十官子巷②中,朝南第八家。明日父母兄嫂赶江干舅家灯会,十七日方归,止妾与侍儿小英在家。敢邀仙郎惠然枉驾,少慰鄙怀,妾当焚香扫门迎候翘望。妾刘素香拜柬。"舜美看了多时,喜出望外。那女子已去了,舜美步归邸舍,一夜无眠。

次早又是十五日。舜美捱至天晚,便至其处,不敢造次突入。乃成《如梦令》一词,来往歌云:

漏滴铜壶声唱咽,风送金猊③香烈。一见彩鸾灯,顿使狂心烦热。应说,应说,昨夜相逢时节。

女子听得歌声,掀帘而出,果是灯前相见可意人儿。遂迎迓到于房中,吹灭银灯,解衣就枕。他两个正是旷夫怨女,相见如饿虎逢羊,苍蝇见血,那有工夫问名叙礼?且做一班半点儿事。

两个讲欢已罢,舜美曰:"仆乃途路之人,荷承垂眄,以凡遇仙。自思白面书生,愧无纤毫奉报。"素香抚舜美背曰:"我因爱子胸中锦绣,非图你囊里金珠。"舜美称谢不已。素香忽然长叹,流泪而言曰:"今日已过,明日父母回家,不能复相聚矣,如之奈何?"两个沉吟半晌,计上心来,素香曰:"你我莫若私奔他所,免使两地永抱相思之苦,未知郎意何如?"舜美大喜曰:"我有远族,见在镇江五条街④开个招商客店,可往依焉。"素香应允。

是夜素香收拾了一包金珠,也妆做一个男儿打扮,与舜美携手迤逦而行。将及二鼓,方才行到北关门⑤下。你道因何三四里路,走了许多时光?只为那女子小小一双脚儿,只好在屧廊⑥缓步,芳径轻移,擎抬绣阁

---

① 那步——移步。
② 十官子巷——临安巷名,在城北众安桥南,御街之西。
③ 金猊——上面铸有狻猊的香炉。
④ 五条街——镇江府城内一条大街的名称。
⑤ 北关门——临安城北余杭门。
⑥ 屧(xiè)廊——春秋时代吴王宫中一条走廊的名称。

之中，出没湘裙之下，脚又穿着一双大靴，教他跋长途，登远道，心中又慌，怎地的拖得动？且又城中人要出城，城外人要入城，两下不免撒手。前后随行，出得第二重门，被人一涌，各不相顾。那女子径出城门，从半塘横①去了。舜美虑他是妇人，身体柔弱，挨挤不出去，还在城里，也不见得，急回身寻问把门军士。军士说道："适间有个少年秀才，寻问同辈，回未半里多地。"舜美自思：一条路往钱塘门，一条路往师姑桥②，一条路往褚家堂③，三四条叉路，往那一条好？踌躇半晌，只得依旧路赶去。至十官子巷，那女子家中，门已闭了，悄无人声。急急回至北关门，门又闭了。整整寻了一夜。

巴到天明，挨门而出。至新马头④，见一伙人围得紧紧的，看一只绣鞋儿。舜美认得是女子脱下之鞋，不敢开声。众人说："不知何人家女孩儿，为何事来，溺水而死，遗鞋在此？"舜美听罢，惊得浑身冷汗。复到城中探信，满城人喧嚷，皆说十官子巷内刘家女儿，被人拐去，又说投水死了，随处做公的缉访。这舜美自因受了一昼夜辛苦，不曾吃些饭食，况又痛伤那女子死于非命，回至店中，一卧不起，寒热交作，病势沉重将危。正是：

相思相见知何日？多病多愁损少年。

且不说舜美卧病在床，却说刘素香自北关门失散了舜美，从二更直走到五更，方至新马头。自念舜美寻我不见，必然先往镇江一路去了，遂暗暗地脱下一只绣花鞋在地。为甚的？他惟恐家中有人追赶，故托此相示，以绝父母之念。素香乘天未明，赁舟沿流而去。数日之间，虽水火⑤之事，亦自谨慎，梢人⑥亦不知其为女人也。比至镇江，打发舟钱登岸，随路物色，访张舜美亲族。又忘其姓名居止，问来问去，看看日落山腰，又无宿处。偶至江亭，少憩之次，此时乃是正月二十二日，况是月出较迟，是夜夜色苍然，渔灯隐映，不能辨认咫尺。素香自思，为他抛离乡井父母兄弟，又

---

① 半塘横——地名，在临安北关门外。

② 师姑桥——临安桥名。

③ 褚家堂——地名，为唐褚遂良故里。

④ 新马头——地名，在临安北关门外湖墅。

⑤ 水火——解溲、大小便。

⑥ 梢人——船家。

无消息,不若从浣纱女①游于江中。哭了多时,只恨那人不知妾之死所。不觉半夜光景,亭隙中射下月光来。遂移步凭栏,四顾澄江,渺茫千里。正是:

一江流水三更月,两岸青山六代都。

素香呜呜咽咽,自言自语,自悲自叹,不觉亭角暗中,走出一个尼师,向前问曰:"人耶?鬼耶?何自苦如此?"素香听罢,答曰:"荷承垂问,敢不实告。妾乃浙江人也,因随良人之任,前往新丰。却不思慢藏诲盗,梢子因瞰良人囊金、贱妾容貌,辄起不仁之心。良人、婢仆皆被杀害,独留妾一身。梢子欲淫污妾,妾誓死不从。次日梢子饮酒大醉,妾遂着先夫衣冠,脱身奔逃,偶然至此。"素香难以私奔相告,假托此一段说话。尼师闻之,愀然曰:"老身在施主家,渡江归迟,天遣到此亭中与娘子相遇,真是前缘。娘子肯从我否?"素香曰:"妾身回视家乡,千山万水,得蒙提挈,乃再生之赐。"尼师曰:"出家人以慈悲方便为本,此分内事,不必虑也。"素香拜谢。

天明,随至大慈庵。摒去俗衣,束发簪冠,独处一室。诸品经咒,目过辄能成诵。旦夕参礼神佛,拜告白衣大士,并持大士经文,哀求再会。尼师见其贞顺,自谓得人,不在话下。

再说舜美在那店中,延医调治,日渐平复。不肯回乡,只在邸舍中温习经史。光阴荏苒,又逢着上元灯夕。舜美追思去年之事,仍往十官子巷中一看,可怜景物依然,只是少个人在目前。闷闷归房,因诵秦少游②学士所作《生查子》词云:

去年元夜时,花市灯如昼。月在柳梢头,人约黄昏后。　　今年元夜时,月与灯依旧;不见去年人,泪湿春衫袖。

舜美无情无绪,洒泪而归。惭愧物是人非,怅然绝望,立誓终身不娶,以答素香之情。

---

① 浣纱女——春秋时楚国伍子胥逃奔到吴国去,路上逢一浣纱(一作绵)女子,伍向她求食,临去请她不要泄露,浣纱女便自投于水中而死。

② 秦少游——宋秦观,字少游,善诗文,著有《淮海集》、《淮海词》。

在杭州倏忽三年，又逢大比，舜美得中首选解元①。赴鹿鸣宴②罢，驰书归报父母，亲友贺者填门。数日后，将带琴剑书箱，上京会试。一路风行露宿，舟次镇江江口，将欲渡江，忽狂风大作。移舟傍岸，少待风息。其风数日不止，只得停泊在彼。

且说刘素香在大慈庵中，荏苒首尾三载。是夜，忽梦白衣大士报云："尔夫明日来也。"恍然惊觉，汗流如雨。自思：平素未尝如此，真是奇怪！不言与师知道。

舜美等了一日又是一日，心中好生不快，遂散步独行，沿江闲看。行至一松竹林中，中有小庵，题曰"大慈之庵"，清雅可爱。趋身入内，庵主出迎，拉至中堂供茶。也是天使其然，刘素香向窗楞中一看，谎得目睁口呆，宛如酒醒梦觉。尼师忽入换茶，素香乃具道其由。尼师出问曰："相公莫非越州张秀才乎？"舜美骇然曰："仆与吾师素昧平生，何缘垂识？"尼师又问曰："曾娶妻否？"舜美簌簌泪下，乃应曰："曾有妻刘氏素香，因三载前元宵夜观灯失去，未知存亡下落。今仆虽不才，得中解元，便到京得进士，终身亦誓不再娶也。"师遂呼女子出见，两个抱头恸哭，多时，收泪而言曰："不意今生再得相见！"悲喜交集，拜谢老尼。乃沐浴更衣，诣大士前，焚香百拜。次以白金百两，段绢二端，奉尼师为寿。两下相别，双双下舟。真个似缺月重圆，断弦再续，大喜不胜。

一路至京，连科进士，除授福建兴化府莆田县尹。谢恩回乡，路经镇江，二人复访大慈庵，赠尼师金一笏③。回至杭州，径到十官子巷，投帖拜望。刘公看见车马临门，大红帖子上写着"小婿张舜美"，只道误投了。正待推辞，只见少年夫妇，都穿着朝廷命服，双双拜于庭下。父母兄嫂见之大惊，悲喜交集。丈母道："因元宵失却我儿，闻知投水身死，我们苦得死而复生。不意今日再得相会，况得此佳婿，刘门之幸。"乃大排筵会，作贺数日，令小英随去。二人别了丈人、丈母，到家见了父母。舜美告知前事，令妻出拜公姑。张公、张母大喜过望，作宴庆贺。不数日，同妻别父

---

① 解元——乡试第一名。

② 鹿鸣宴——乡试发榜后，州县长官为新举子举行庆祝宴会。因会上要歌《鹿鸣》诗，故称。

③ 一笏（hù）——银五十两为一笏。

母,上任去讫。久后,舜美官至天官侍郎①,子孙贵盛。有诗为证:

间别三年死复生,润州②城下念多情。
今宵然烛频频照,笑眼相看分外明。

# 第二十四卷 杨思温燕山逢故人

一夜东风,不见柳梢残雪。御楼烟暖,对鳌山彩结。箫鼓向晚,凤辇初回宫阙。千门灯火,九衢风月。　　绣阁人人,乍嬉游困又歇。艳妆初试,把珠帘半揭。娇羞向人,手捻玉梅③低说。相逢长是,上元时节。

这一首词,名《传言玉女》。乃胡浩然④先生所作。道君⑤皇帝朝宣和年间,元宵最盛。每年上元:正月十四日,车驾幸五岳观凝祥池⑥,每常驾出,有红纱贴金烛笼二百对;元夕加以琉璃玉柱掌扇,快行客⑦各执红纱珠珞灯笼。至晚还内,驾入灯山⑧。御辇院⑨人员,辇前唱《随竿媚》来。御辇旋转一遭,倒行观灯山,谓之"鹁鸽旋",又谓"踏五花儿",则辇官有赏赐矣。驾登宣德楼⑩,游人奔赴露台⑪下。十五日,驾幸上清宫⑫,至晚还内。上元后一日,进早膳讫,车驾登门卷帘,御座临轩,宣百姓,先

---

① 天官侍郎——唐代曾改吏部为天官。天官侍郎,即吏部侍郎。
② 润州——今江苏镇江市。
③ 玉梅——一种用绢、纸制的假花。
④ 胡浩然——宋代词人。
⑤ 道君——宋徽宗赵佶,自号"教主道君皇帝"。
⑥ 五岳观凝祥地——五岳观,在宋汴京南薰门(外城正南门)内东北;凝祥池,在五岳观后面,普济水门之西。
⑦ 快行客——快行家、御前急足使。
⑧ 灯山——北宋东京,每逢元宵节,开封府于宣德楼前扎缚灯棚,绘画结彩,作各种神仙故事及瀑布、飞龙之状,号为彩山,也叫鳌山或灯山。
⑨ 御辇院——即车辂院,掌管统治者的车舆。
⑩ 宣德楼——北宋东京宫城的正门。
⑪ 露台——这里是指用木材搭在空地上的戏台。
⑫ 上清宫——道观名,在北宋东京外城里。

到门下者，得瞻天表。小帽红袍独坐，左右侍近，帘外金扇执事之人。须臾下帘，则乐作，纵万姓游赏。华灯宝烛，月色光辉，霏霏融融，照耀远迩。至三鼓，楼上以小红纱灯缘索而至半，都人皆知车驾还内。当时御制《夹钟宫·小重山》词，道：

罗绮生香娇艳呈，金莲开陆海，绕都城。宝舆四望翠峰青。东风急，吹下半天星。　　万井贺升平。行歌花满路，月随人，纱笼一点御灯明。箫韶远，高宴在蓬瀛。

今日说一个官人，从来只在东京看这元宵；谁知时移事变，流寓在燕山看元宵。那燕山①元宵却如何？

虽居北地，也重元宵。未闻鼓乐喧天，只听胡笳聒耳。家家点起，应无陆地金莲；处处安排，那得玉梅雪柳②？小番③鬓边挑大蒜，岐婆④头上带生葱。汉儿谁负一张琴，女们尽敲三棒鼓。

每年燕山市井，如东京制造，到己酉岁⑤方成次第。当年那燕山装那鳌山，也赏元宵，士大夫百姓皆得观看。这个官人，本身是肃王⑥府使臣，在贵妃位⑦掌笺奏，姓杨，双名思温，排行第五，呼为杨五官人。因靖康年间，流寓在燕山；犹幸相逢姨夫张二官人，在燕山开客店，遂寓居焉。杨思温无可活计，每日肆前与人写文字，得些胡乱度日。忽值元宵，见街上的人皆去看灯，姨夫也来邀思温看灯，同去消遣旅况。思温情绪索然，辞姨夫道："看了东京的元宵，如何看得此间元宵？姨夫自稳便先去，思温少刻追陪。"张二官人先去了。

杨思温挨到黄昏，听得街上喧闹，静坐不过，只得也出门来看燕山元宵。但见：

莲灯灿烂，只疑吹下半天星；士女骈阗，便是列成王母队。一轮明月婵娟照，半是京华流寓人。

---

① 燕山——今北京。

② 雪柳——一种绢或纸制的花草。

③ 小番——番兵。

④ 岐婆——番婆。宋时常称女真妇女为岐婆。

⑤ 己酉岁——即南宋高宗建炎三年，金太宗天会七年。

⑥ 肃王——即宋徽宗赵佶第五子赵枢。

⑦ 贵妃位——即贵妃属下。

见街上往来游人无数。思温行至昊天寺①前,只见真金身铸五十三参②;铜打成幡竿十丈,上有金书"敕赐昊天悯忠禅寺"。思温入寺看时,佛殿两廊,尽皆点照。信步行到罗汉堂,乃浑金铸成五百尊阿罗汉。入这罗汉堂,有一行者,立在佛座前化香油钱,道:"诸位看灯檀越,布施灯油之资,祝延福寿。"思温听其语音,类东京人,问行者道:"参头③,仙乡何处?"行者答言:"某乃大相国寺河沙院行者,今在此间复为行者,请官人坐于凳上,闲话则个。"思温坐凳上,正看来往游人,睹一簇妇人,前遮后拥,入罗汉堂来。内中一个妇人与思温四目相盼,思温睹这妇人打扮,好似东京人。但见:

轻盈体态,秋水精神。四珠环胜内家妆④,一字冠成宫里样。未改宣和妆束,犹存帝里风流。

思温认得是故乡之人,感慨情怀,闷闷不已,因而困倦,假寐片时。那行者叫得醒来,开眼看时,不见那妇人。杨思温嗟呀道:"我却待等他出来,恐有亲戚在其间,相认则个,又挫过了。"对行者道:"适来⑤入院妇女何在?"行者道:"妇女们施些钱去了,临行道:'今夜且归,明日再来做些功德⑥,追荐亲戚则个。'官人莫闷,明日却来相候不妨。"思温见说,也施些油钱,与行者相辞了,离罗汉院。绕寺寻遍,忽见僧堂壁上,留题小词一首,名《浪淘沙》:

尽日倚危栏,触目凄然,乘高望处是居延。忍听楼头吹画角,雪满长川。　　荏苒又经年,暗想南园,与民同乐午门前。僧院犹存宣政字,不见鳌山。

杨思温看罢留题,情绪不乐。归来店中,一夜睡不着。巴到天明起来,当日无话得说。

至晚,吩咐姨夫,欲往昊天寺,寻昨夜的妇人。走到大街上,人稠物攘,正是热闹。正行之间,忽然起一阵雷声,思温恐下雨,惊而欲回。抬头

---

① 昊天寺——金代燕京著名大寺。故址在今北京西便门大街之西。

② 五十三参——指文殊、佛母、比丘等五十三尊菩萨。

③ 参头——寺院中一种僧职的名称。

④ 内家妆——宫中妆束。

⑤ 适来——适才、刚才。

⑥ 功德——凡为死者做佛事,道士打醮,都称为功德。

看时，只见：

银汉现一轮明月，天街点万盏华灯。宝烛烧空，香风拂地。

仔细看时，却见四围人从，拥着一轮大车，从西而来。车声动地，跟随番官，有数十人。但见：

呵殿①喧天，仪仗塞路。前面列十五对红纱照道，烛焰争辉；两下摆二十柄画杆金枪，宝光交际。香车似箭，侍从如云。

车后有侍女数人，其中有一妇女穿紫者，腰佩银鱼，手持净巾，以帛拥项。思温于月光之下，仔细看时，好似哥哥国信所掌仪②韩思厚妻，嫂嫂郑夫人意娘。这郑夫人，原是乔贵妃③养女，嫁得韩掌仪，与思温都是同里人，遂结拜为表兄弟，思温呼意娘为嫂嫂。自后睽离，不复相问。著紫的妇人见思温，四目相睹，不敢公然招呼。思温随从车子到燕市秦楼住下，车尽入其中。贵人上楼去，番官人从楼下坐。原来秦楼最广大，便似东京白樊楼一般；楼上有六十个阁儿④，下面散铺七八十副卓凳。当夜卖酒，合堂热闹。

杨思温等那贵家入酒肆，去秦楼里面坐地，叫过卖至前。那人见了思温便拜，思温扶起道："休拜。"打一认⑤时，却是东京白樊楼过卖陈三儿。思温甚喜，就教三儿坐，三儿再三不敢，思温道："彼此都是京师人，就是他乡遇故知，同坐不妨。"唱喏了方坐。思温取出五两银子与过卖，吩咐收了银子，好好供奉数品荤素酒菜上来，与三儿一面吃酒说话。三儿道："自丁未年⑥至此，拘在金吾宅作奴仆。后来鼎建秦楼，为思旧日樊楼过卖，乃日纳买工钱八十，故在此做过卖。幸与官人会面。"正说话间，忽听得一派乐声。思温道："何处动乐？"三儿道："便是适来贵人上楼饮酒的韩国夫人宅眷。"思温问韩国夫人事体，三儿道："这夫人极是照顾人，常常夜间将带宅眷来此饮酒，和养娘各坐。三儿常上楼供过伏侍，常得夫人

---

① 呵殿——随从人喝道殿后。

② 国信所掌仪——往来国信所，为宋代鸿胪寺属官，专管辽国使者来往交聘的事务。南渡后，国信所专主对金外交。掌仪，官名，主管礼仪。

③ 乔贵妃——宋徽宗妃，靖康之役，被金人所掳，北去不还。

④ 阁儿——即酒阁子，酒店中设有客座的小房间。

⑤ 打一认——认一认。

⑥ 丁未年——即宋钦宗靖康二年。

赏赐钱钞使用。”思温又问三儿:“适间路边遇韩国夫人,车后宅眷丛里,有一妇人,似我嫂嫂郑夫人,不知是否?”三儿道:“即要复官人,三儿每上楼,供过众宅眷时,常见夫人,又恐不是,不敢厮认。”思温遂告三儿道:“我有件事相烦你,你如今上楼供过韩国夫人宅眷时,就寻郑夫人。做我传语道:‘我在楼下专候夫人下来,问哥哥详细。’”三儿应命上楼去,思温就座上等。一时,只见三儿下楼,以指住下唇,思温晓得京师人市语①,恁地乃了事也。思温问:“事如何?”三儿道:“上楼得见郑夫人,说道:‘五官人在下面等夫人下来,问哥哥消息。’夫人听得,便垂泪道:‘叔叔原来也在这里。传与五官人,少刻便下楼,自与叔叔说话。’”思温谢了三儿,打发酒钱,乃出秦楼门前,伫立悬望。不多时,只见祗候人从入去,少刻番官人从簇拥一辆车子出来。思温候车子过,后面宅眷也出来,见紫衣佩银鱼、项缠罗帕妇女,便是嫂嫂。思温进前,共嫂嫂叙礼毕,遂问道:“嫂嫂因何与哥哥相别在此?”郑夫人揾泪道:“妾自靖康之冬,与兄赁舟下淮楚,将至盱眙,不幸箭穿驾手,刀中梢公,妾有乐昌破镜②之忧,汝兄被缧绁缠身之苦,为虏所掠,其酋撒八太尉相逼,我义不受辱,为其执虏至燕山。撒八太尉恨妾不从,见妾骨瘦如柴,遂鬻妾身于祖氏之家。后知是娼户。自思是品官妻,命官女,生如苏小卿③何荣?死如孟姜女何辱?暗抽裙带自缢梁间。被人得知,将妾救了。撒八太尉妻韩夫人闻而怜我,亟令救命,留我随侍。项上疮痕,至今未愈,是故项缠罗帕。仓皇别良人,不知安往?新得良人音耗:当时更衣遁走,今在金陵,复还旧职,至今四载,未忍重婚。妾燃香炼顶④,问卜求神,望金陵之有路,脱生计以无门。今从韩国夫人至此游宴,既为奴仆之躯,不敢久语。叔叔叮咛,蓦遇江南人,倩教传个音信。”杨思温欲待再问其详,俄有番官手持八棱抽攮,向思温道:“我家奴婢,更夜之间,怎敢引诱?”拏起抽攮,迎脸便打。思温一见来打,

---

① 市语——隐语、行话、暗号。

② 乐昌破镜——陈后主妹乐昌公主,嫁给徐德言。陈将亡,两人把一面镜子分成两半,各执其一。陈亡,夫妇分散。后来靠着破镜,终于重新会合。

③ 苏小卿——宋代庐州妓女。

④ 燃香炼顶——古代迷信的佛教徒,常在自己的身上燃灯焚香表示虔诚。在头顶心燃香。烧灼,称为炼顶。

连忙急走。那番官脚𨇤①行迟,赶不上。走得脱,一身冷汗。慌忙归到姨夫客店。张二官见思温走回喘吁吁地,问道:"做甚么直恁慌张?"思温将前事一一告诉。张二官见说,嗟呀不已。安排三杯与思温嚯索②。思温想起哥哥韩忠翊③嫂嫂郑夫人,那里吃得酒下。

愁闷中过了元宵,又是三月,张二官向思温道:"我出去两三日即归,你与我照管店里则个。"思温问:"出去何干?"张二官人道:"今两国通和,奉使至维扬,买些货物便回。"杨思温见姨夫张二官出去,独自无聊,昼长春困,散步大街至秦楼。入楼闲望一晌,乃见一过卖至前唱喏,便叫:"杨五官!"思温看时,好生面熟,却又不是陈三,是谁?过卖道:"男女东京寓仙酒楼④过卖小王。前时陈三儿被左金吾叫去,不令出来。"思温不见三儿在秦楼,心下越闷,胡乱买些点心吃,便问小王道:"前次上元夜韩国夫人来此饮酒,不知你识韩国夫人住处么?"小王道:"男女也曾问他府中来,道是天王寺后。"说犹未了,思温抬头一看,壁上留题墨迹未干。仔细读之,题道:"昌黎韩思厚舟发金陵,过黄天荡,因感亡妻郑氏,船中作相吊之词",名《御阶行》:

合和朱粉千余两,捻一个,观音样。大都却似两三分,少付玲珑五脏。等待黄昏,寻好梦底,终夜空劳攘。　　香魂媚魄知何往?料只在,船儿上。无言倚定小门儿,独对滔滔雪浪。若将愁泪,还做水算,几个黄天荡。

杨思温读罢,骇然魂不附体。"题笔正是哥哥韩思厚,恁地是嫂嫂没了。我正月十五日秦楼亲见,共我说话,道在韩国夫人宅为侍妾,今却没了。这事难明。"惊疑未决,遂问小王道:"墨迹未干,题笔人何在?"小王道:"不知。如今两国通和,奉使至此,在本道馆驿安歇。适来四五人来此饮酒,遂写于此。"说话的,错说了!使命入国,岂有出来闲走买酒吃之理?按《夷坚志》⑤载:那时法禁未立,奉使官听从与外人往来。当日是三月十

---

① 𨇤(kuàng)——距离远。

② 嚯(huò)索——作乐、消遣。

③ 忠翊——即忠翊郎,宋代武官散阶,正九品。

④ 寓仙酒楼——北宋东京的一座大酒楼。

⑤ 《夷坚志》——宋洪迈所著志怪小说集,本篇即根据"夷坚丁志"卷九"太原意娘"一则改编而成。

五日，杨思温问本道馆在何处，小王道：“在城南。”思温还了酒钱下楼，急去本道馆，寻韩思厚。到得馆道，只见苏许二掌仪在馆门前闲看。二人都是旧日相识，认得思温，近前唱喏，还礼毕。问道：“杨兄何来？”思温道：“特来寻哥哥韩掌仪。”二人道：“在里面会文字①，容入去唤他出来。”二人遂入去，叫韩掌仪出到馆前。思温一见韩掌仪，连忙下拜，一悲一喜，便是他乡遇契友，燕山逢故人。思温问思厚：“嫂嫂安乐？”思厚听得说，两行泪下，告诉道：“自靖康之冬，与汝嫂顾船，将下淮楚，路至盱眙，不幸篙穿篙手，刀中梢公，尔嫂嫂有乐昌破镜之忧，兄被缧绁②缠身之苦。我被虏执于野寨，夜至三鼓，以苦告得脱，然亦不知尔嫂嫂存亡。后有仆人周义，伏在草中，见尔嫂被虏撒八太尉所逼，尔嫂义不受辱，以刀自刎而死。我后奔走行在，复还旧职。”思温问道：“此事还是哥哥目击否？”思厚道：“此事周义亲自报我。”思温道：“只恐不死。今岁元宵，我亲见嫂嫂同韩国夫人出游，宴于秦楼。思温使陈三儿上楼寄信，下楼与思温相见。所说事体，前面与哥哥一同，也说道：哥哥复还旧职，到今四载，未忍重婚。”思厚听得说，理会不下。思温道：“容易决其死生。何不同往天王寺后韩国夫人宅前打听，问个明白？”思厚道：“也说得是。”乃入馆中，吩咐同事，带当直③随后，二人同行。

倏忽之间，走至天王寺后。一路上悄无人迹，只见一所空宅，门生蛛网，户积尘埃，荒草盈阶，绿苔满地，锁着大门。杨思温道：“多是后门。”沿墙且行数十步，墙边只有一家，见一个老儿在里面打丝线，向前唱喏道：“老丈，借问韩国夫人宅那里进去？”老儿禀性躁暴，举止粗疏，全不睬人。二人再四问他，只推不知。顷间，忽有一老妪提着饭篮，口中喃喃埋怨，怨畅那大伯。二人遂与婆婆唱喏，婆子还个万福，语音类东京人。二人问韩国夫人宅在那里，婆子正待说，大伯又埋怨多口。婆子不管大伯，向二人道：“媳妇是东京人，大伯是山东拗蛮④，老媳妇没兴嫁得此畜生，全不晓事；逐日送些茶饭，嫌好道歹，且是得人憎。便做到⑤官人问句话，就说何

① 会文字——几个人会聚一起，讨论文章或文书。

② 缧绁(léixiè)——捆绑犯人的绳索。

③ 当直——本来是值班的意思，这里指值班的仆役。

④ 拗蛮——固执、粗野。

⑤ 便做到——即便、就使。

妨？"那大伯口中又哓哓的不住，婆子不管他，向二人道："韩国夫人宅前面锁着空宅便是。"二人吃一惊，问："韩夫人何在？"婆子道："韩夫人前年化去了，他家搬移别处，韩夫人埋在花园内。官人不信时，媳妇同去看一看，好么？"大伯又说："莫得入去，官府知道，引惹事端带累我。"婆子不采，同二人便行。路上就问："韩国夫人宅内有郑义娘，今在否？"婆子便道："官人不是国信所韩掌仪，名思厚？这官人不是杨五官，名思温么？"二人大惊，问："婆婆如何得知？"婆子道："媳妇见郑夫人说。"思厚又问："婆婆如何认得？拙妻今在甚处？"婆婆道："二年前时，有撒八太尉，曾于此宅安下。其妻韩国夫人崔氏，仁慈恤物，极不可得。常唤媳妇入宅，见夫人说：撒八太尉自盱眙掠得一妇人，姓郑，小字义娘，甚为太尉所喜。义娘誓不受辱，自刎而死。夫人悯其贞节，与火化，收骨盛匣。以后韩夫人死，因随葬在此园内。虽死者与活人无异，媳妇入园内去，常见郑夫人出来。初时也有些怕，夫人道：'婆婆莫怕，不来损害婆婆，有些衷曲间告诉则个。'夫人说道是京师人，姓郑，名义娘。幼年进入乔贵妃位做养女，后出嫁忠翊郎韩思厚。有结义叔叔杨五官，名思温，一一与老媳妇说。又说盱眙事迹，'丈夫见在金陵为官，我为他守节而亡。'寻常阴雨时，我多入园中，与夫人相见闲话。官人要问仔细，见了自知。"

三人走到适来锁着的大宅，婆婆逾墙而入；二人随后，也入里面去，只见打鬼净净的一座败落花园。三人行步间，满地残英芳草；寻访妇人，全没踪迹。正面三间大堂，堂上有个屏风，上面山水，乃郭熙①所作。思厚正看之间，忽然见壁上有数行字。思厚细看字体柔弱，全似郑义娘夫人所作。看了大喜道："五弟，嫂嫂只在此间。"思温问："如何见得？"思厚打一看，看其笔迹，乃一词，词名《好事近》：

往事与谁论？无语暗弹泪血。何处最堪怜？肠断黄昏时节。

倚楼凝望又徘徊，谁解此情切？何计可同归雁？趁江南春色。

后写道："季春望后一日作。"二人读罢道："嫂嫂只今日写来，可煞惊人。"行至侧首，有一座楼，二人共婆婆扶着栏杆登楼。至楼上，又有巨屏一座，字体如前，写着《忆良人》一篇，歌曰：

---

① 郭熙——宋代著名山水画家。

孤云落日春云低，良人窅窅①羁天涯。东风蝴蝶相交飞，对景令人益惨凄。尽日望郎郎不至，素质香肌转憔悴。满眼韶华似酒浓，花落庭前鸟声碎。孤帏悄悄夜迢迢，漏尽灯残香已销。秋千院落久停戏，双悬彩索空摇摇。眉兮眉兮春黛蹙，泪兮泪兮常满掬。无言独步上危楼，倚遍栏杆十二曲。荏苒流光疾似梭，滔滔逝水无回波；良人一去不复返，红颜欲老将如何？

韩思厚读罢，以手拊壁而言："我妻不幸为人驱虏。"正看之间，忽听杨思温急道："嫂嫂来也！"思厚回头看时，见一妇人，项拥香罗而来。思温仔细认时，正是秦楼见的嫂嫂。那婆婆也道："夫人来了！"三人大惊，急走下楼来寻，早转身入后堂左廊下，趋入一阁子内去。二人惊惧，婆婆道："既已到此，可同去阁子里看一看。"婆子引二人到阁前，只见关着阁子门，门上有牌面写道："韩国夫人影堂②。"婆子推开槅子③，三人入阁子中看时，却是安排供养着一个牌位，上写着："亡室韩国夫人之位。"侧边有一轴画，是义娘也；牌位上写着："侍妾郑义娘之位。"面前供卓，尘埃尺满。韩思厚看见影神④上衣服容貌，与思温元夜所见的无二，韩思厚泪下如雨。婆子道："夫人骨匣，只在卓下，夫人常提起，教媳妇看，是个黑漆匣，有两个鍮石⑤环儿。每遍提起，夫人须哭一番，和我道：'我与丈夫守节丧身，死而无怨。'"思厚听得说，乃恳婆子同揭起砖，取骨匣归葬金陵，当得厚谢。婆婆道："不妨。"三人同掇起供卓，揭起花砖，去掇匣子。用力掇之，不能得起，越掇越牢。思温急止二人："莫掇，莫掇！哥哥须晓得嫂嫂通灵，今既取去，也要成礼。且出此间，备些祭仪，作文以白嫂嫂，取之方可。"韩思厚道："也说得是。"三人再逾墙而去，到打线婆婆家，令仆人张谨买下酒脯、香烛之物，就婆婆家做祭文。等至天明，一同婆婆、仆人搬挈祭物，逾墙而入。在韩国夫人影堂内，铺排供养讫。

等至三更前后，香残烛尽，杯盘零落，星宿渡河汉之候，酌酒奠飨，三奠已毕。思厚当灵筵下披读祭文，读罢流泪如倾；把祭文同纸钱烧化，忽

---

① 窅（yǎo）——形容深远。

② 影堂——悬挂遗像的灵堂。

③ 槅子——即槅子门，上半部装有槅眼的落地长窗。

④ 影神——遗像。

⑤ 鍮（tōu）石——即黄铜。

然起一阵狂风。这风吹得烛有光以无光，灯欲灭而不灭，三人浑身汗颤。风过处，听得一阵哭声，风定烛明，三人看时，烛光之下，见一妇女，媚脸如花，香肌似玉，项缠罗帕，步蹙金莲，敛袂向前，道声："叔叔万福。"二人大惊，叙礼。韩思厚执手向前，哽咽流泪。哭罢，郑夫人向着思厚道："昨者盱眙之事，我夫今已明矣。只今元夜秦楼，与叔叔相逢，不得尽诉衷曲。当时妾若贪生，必须玷辱我夫。幸而全君清德若瑾瑜，弃妾性命如土芥；致有今日，生死之隔，终天之恨。"说罢，又哭一次。婆婆劝道："休哭，且理会迁骨之事。"郑夫人收哭而坐，三人进些饮馔，夫人略飧些气味。思温问："元夜秦楼下相逢，嫂嫂为韩国夫人宅眷，车后许多人，是人是鬼？"郑夫人道："太平之世，人鬼相分；今日之世，人鬼相杂。当时随车，皆非人也。"思厚道："贤妻为吾守节而亡，我当终身不娶，以报贤妻之德。今愿迁贤妻之香骨，共归金陵可乎？"夫人不从道："婆婆与叔叔在此，听奴说。今蒙贤夫念妾孤魂在此，岂不愿归从夫？然须得常常看我，庶几此情不隔冥漠。倘若再娶，必不我顾，则不如不去为强。"三人再三力劝，夫人只是不肯，向思温道："叔叔岂不知你哥哥心性，我在生之时，他风流性格，难以拘管。今妾已作故人，若随他去，怜新弃旧，必然之理。"思温再劝道："嫂嫂听思温说，哥哥今来不比往日，感嫂嫂贞节而亡，决不再娶。今哥哥来取，安忍不随回去？愿从思温之言。"夫人向二人道："谢叔叔如此苦苦相劝，若我夫果不昧心，愿以一言为誓，即当从命。"说罢，思厚以酒沥地为誓："若负前言，在路盗贼杀戮，在水巨浪覆舟。"夫人急止思厚："且住，且住，不必如此发誓。我夫既不重娶，愿叔叔为证见。"道罢，忽地又起一阵香风，香过遂不见了夫人。三人大惊讶，复添上灯烛，去供卓底下揭起花砖，款款掇起匣子，全不费力。收拾逾墙而出，至打缘婆婆家。次晚，以白银三两，谢了婆婆；又以黄金十两，赠与思温，思温再辞方受。思厚别了思温，同仆人张谨带骨匣归本驿。俟月余，方得回书，令奉使归。思温将酒饯别，再三叮咛："哥哥无忘嫂嫂之言。"

思厚同一行人从，负夫人骨匣，出燕山丰宜门①，取路而归，月余方抵盱眙。思厚到驿中歇泊，忽一人唱喏便拜。思厚看时，乃是旧仆人周义，今来谢天地，在此做个驿子。遂引思厚入房，只见挂一幅影神，画着个妇

① 燕山丰宜门——金燕京城正南门。

人；又有牌位儿上写着："亡主母郑夫人之位。"思厚怪而问之，周义道："夫人贞节，为官人而死，周义亲见，怎的不供奉夫人？"思厚因把燕山韩夫人宅中事，从头说与周义；取出匣子，教周义看了，周义展拜啼哭。思厚是夜与周义抵足而卧。

至次日天晓，周义与思厚道："旧日二十余口，今则惟影是伴，情愿伏侍官人去金陵。"思厚从其请，将带周义归金陵。思厚至本所，将回文呈纳。周义随着思厚，卜地于燕山之侧，备礼埋葬夫人骨匣毕。思厚不胜悲感，三日一诣坟所飨祭，至暮方归，遂令周义守坟茔。

忽一日，苏掌仪、许掌仪说："金陵土星观观主刘金坛，虽是个女道士，德行清高，何不同往观中，做些功德，追荐令政？"思厚依从，选日，同苏、许二人到土星观来访刘金坛时，你说怎生打扮？但见：

> 顶天青巾①，执象牙简，穿白罗袍，著翡翠履。不施朱粉，分明是梅萼凝霜；淡伫精神，仿佛如莲花出水。仪容绝世，标致非凡。

思厚一见，神魂散乱，目睁口呆。叙礼毕，金坛吩咐一面安排做九幽醮②，且请众官到里面看灵芝。三人同入去，过二清殿、翠华轩，从八卦坛房内，转入绛绡馆，原来灵芝在绛绡馆。众人去看灵芝，惟思厚独入金坛房内闲看。但见明窗净几，铺陈玩物。书案上文房四宝，压纸界方③下露出些纸，信手取看时，是一幅词，上写着《浣溪沙》：

> 标致清高不染尘，星冠云氅紫霞裙，门掩斜阳无一事，抚瑶琴。
> 虚馆幽花偏惹恨，小窗闲月最消魂。此际得教还俗去，谢天尊！

韩思厚初观金坛之貌，已动私情；后观纸上之词，尤增爱念。乃作一词，名《西江月》，词道：

> 玉貌何劳朱粉？江梅岂类群花？终朝隐几论黄芽④，不顾花前月下。　　冠上星簪北斗，杖头经挂《南华》⑤。不知何日到仙家，曾许彩鸾同跨。

拍手高唱此词。金坛变色焦躁说："是何道理？欺我孤弱，乱我观宇！命

---

① 天青——颜色名。
② 九幽醮——道士作醮，遍召鬼神，忏悔罪孽，冀求超升，称为九幽大醮。
③ 界方——界尺。
④ 黄芽——道家炼丹，称铅精为黄芽。
⑤ 《南华》——《南华真经》，即《庄子》。

人取轿来,我自去见恩官,与你理会。”苏、许二人再四劝住,金坛不允。韩思厚就怀中取出金坛所作之词,教众人看,说:“观主不必焦躁,这个词儿是谁做的?”唬得金坛安身无地,把怒色都变做笑容,安排筵席,请众官共坐,饮酒作乐,都不管做功德追荐之事。酒阑,二人各有其情,甚相爱慕,尽醉而散。这刘金坛原是东京人,丈夫是枢密院冯六承旨①。因靖康年间同妻刘氏雇舟避难,来金陵,去淮水上,冯六承旨被冷箭落水身亡。其妻刘氏发愿,就土星观出家,追荐丈夫,朝野知名,差做观主。此后韩思厚时常往来刘金坛处。

忽一日,苏、许二掌仪醵金②备礼,在观中请刘金坛、韩思厚。酒至数巡,苏、许二人把盏劝思厚与金坛道:“哥哥既与金坛相爱,乃是宿世姻缘。今外议藉藉,不当稳便。何不还了俗,用礼通媒,娶为嫂嫂,岂不美哉!”思厚、金坛从其言。金坛以钱买人告还俗,思厚选日下定,娶归成亲。一个也不追荐丈夫,一个也不看顾坟墓。倚窗携手,惆怅论心。

成亲数日,看坟周义不见韩官人来上坟,自诣宅前探听消息。见当直在门前,问道:“官人因甚这几日不来坟上?”当直道:“官人娶了土星观刘金坛做了孺人,无工夫上坟。”周义是北人,性直,听说气忿忿地。恰好撞见思厚出来,周义唱喏毕,便有言语道:“官人,你好负义!郑夫人为你守节丧身,你怎下得别娶孺人?”一头骂,一头哭夫人。韩思厚与刘金坛新婚,恐不好看,喝教当直们打出周义。周义闷闷不已,先归坟所。当日是清明,周义去夫人坟前哭着告诉许多。是夜睡至三更,郑夫人叫周义道:“你韩掌仪在那里住?”周义把思厚辜恩负义娶刘氏事,一一告诉他一番:“如今在三十六丈街住,夫人自去寻他理会。”夫人道:“我去寻他。”周义梦中惊觉,一身冷汗。

且说那思厚共刘氏新婚欢爱,月下置酒赏玩。正饮酒间,只见刘氏柳眉剔竖,星眼圆睁,以手捽③住思厚不放,道:“你忒煞亏我,还我命来!”身是刘氏,语音是郑夫人的声气。唬得思厚无计可施,道:“告贤妻饶恕。”那里肯放。正摆拨④不下,忽报苏、许二掌仪步月而来望思厚,见刘氏捽

① 承旨——官名,负责承宣皇帝旨意及处理院务。

② 醵(jù)金——大家凑钱。

③ 捽(zuó)——揪。

④ 摆拨——摆脱、解决。

住思厚不放。二人解脱得手，思厚急走出，与苏、许二人商议，请笪桥①铁索观朱法官来救治。即时遣张谨请到朱法官，法官见了刘氏道："此冤抑不可治之，只好劝谕。"刘氏自用手打掴其口与脸上，哭着告诉法官以燕山踪迹。又道："望法官慈悲做主。"朱法官再三劝道："当做功德追荐超生，如坚执不听，冒犯天条。"刘氏见说，哭谢法官："奴奴且退。"少刻刘氏方苏。法官书符与刘氏吃，又贴符房门上，法官辞去。当夜无事。

次日，思厚赍香纸请笪桥谢法官，方坐下，家中人来报，说孺人又中恶。思厚再告法官同往家中救治，法官云："若要除根好时，须将燕山坟发掘，取其骨匣，弃于长江，方可无事。"思厚只得依从所说，募土工人等，同往掘开坟墓，取出郑夫人骨匣，到扬子江边，抛放水中。自此刘氏安然。恁地时，负心的无天理报应，岂有此理！

思厚负了郑义娘，刘金坛负了冯六承旨。至绍兴十一年，车驾幸钱塘，官民百姓皆从。思厚亦挈家离金陵，到于镇江。思厚因想金山胜景，乃赁舟同妻刘氏江岸下船，行到江心，忽听得舟人唱《好事近》词，道是：

> 往事与谁论？无语暗弹泪血。何处最堪怜？肠断黄昏时节。
> 倚门凝望又徘徊，谁解此情切？何计可同归雁？趁江南春色。

思厚审听所歌之词，乃燕山韩国夫人郑氏义娘题屏风者，大惊，遂问梢公："此曲得自何人？"梢公答曰："近有使命入国至燕山，满城皆唱此词，乃一打线婆婆自韩国夫人宅中屏上录出来的。说是江南一官人浑家，姓郑名义娘，因贞节而死，后来郑夫人丈夫私挈其骨归江南，此词传播中外。"思厚听得说，如万刃攒心，眼中泪下。须臾之间，忽见江中风浪俱生，烟涛并起，异鱼出没，怪兽掀波，见水上一人波心涌出，顶万字巾②，把手揪刘氏云鬓，掷入水中。侍妾高声喊叫："孺人落水！"急唤思厚求救，那里救得！俄顷，又见一妇人，项缠罗帕，双眼圆睁，以手捽思厚，拽入波心而死。舟人欲救不能，遂惆怅而归。叹古今负义人皆如此，乃传之于人。诗曰：

> 一负冯君罹水厄，一亏郑氏丧深渊。

---

① 笪（dá）桥——金陵（今南京）城内桥道。

② 万字巾——一种头巾，上阔下狭，形如万字。

宛如孝女寻尸①死，不若三闾为主愆②。

# 第二十五卷　晏平仲二桃杀三士

大禹涂山御座开，诸侯玉帛走如雷。
防风谩有专车骨，何事兹辰最后来？

此篇言语，乃胡曾诗。昔三皇禅位，五帝相传：舜之时，洪水滔天，民不聊生。舜使鲧治水，鲧无能，其水横流。舜怒，将鲧殛于羽山。后使其子禹治水，禹疏通九河，皆流入海。三过其门而不入。会天下诸侯于会稽涂山，迟到误期者斩。惟有防风氏后至，禹怒而斩之，弃其尸于原野。后至春秋时，越国于野外掘得一骨专车，——言一车只载得一骨节，——诸人不识，问于孔子。孔子曰："此防风氏骨也。"被禹王斩之，其骨尚存，有如此之大人也，当时防风氏正不知长大多少。古人长者最多，其性极淳，丑陋如兽者亦多，神农氏顶生肉角。岂不闻昔人有云："古人形似兽，却有大圣德；今人形似人，兽心不可测。"

今日说三个好汉，被一个身不满三尺之人，聊用微物，都断送了性命。昔春秋列国时，齐景公朝有三个大汉，一人姓田，名开疆，身长一丈五尺。其人生得面如噀血③，目若朗星，雕嘴鱼腮，板牙无缝。比时④曾随景公猎于桐山，忽然于西山之中，赶起一只猛虎来。其虎奔走，径扑景公之马。马见虎来，惊倒景公在地。田开疆在侧，不用刀枪，双拳直取猛虎。左手揪住项毛，右手挥拳而打，用脚望面门上踢，一顿打死那只猛虎，救了景公。文武百官，无不畏惧。景公回朝，封为寿宁君，是齐国第一个行霸道的。却说第二个，姓顾名冶子，身长一丈三尺，面如泼墨，腮吐黄须，手似铜钩，牙如锯齿。此人曾随景公渡黄河，忽大雨骤至，波浪汹涌，舟船将覆。景公大惊，见云雾中火块闪烁，戏于水面。顾冶子在侧，言曰："此必

① 孝女寻尸——汉代传说，上虞女子曹娥，其父淹死，曹娥自投于江，抱父尸而出。

② 三闾为主愆——屈原为楚三闾大夫，楚亡，自沉于汨罗江而死。

③ 噀(xùn)血——比喻殷红色。

④ 比时——往日、以前。

是黄河之蛟也。”景公曰：“如之奈何？”顾冶子曰：“主公勿虑，容臣斩之。”拔剑裸衣下水。少刻风浪俱息，见顾冶子手提蛟头，跃水而出。景公大骇，封为武安君，这是齐国第二个行霸道的。第三个姓公孙名接，身长一丈二尺，头如累塔，眼生三角，板肋猿背，力举千斤。一日秦兵犯界，景公引军马出迎，被秦兵杀败，引军赶来，围住在凤鸣山。公孙接用铁阕一条，约至一百五十斤，杀入秦兵之内。秦兵十万，措手不及，救出景公。封为威远君，这是齐国第三个行霸道的。这三个结为兄弟，誓说生死相托。三个不知文墨礼让，在朝廷横行，视君臣如同草木。景公见三人上殿，如芒刺在背。

一日，楚国使中大夫靳尚前来本国求和。原来齐、楚二邦乃是邻国，二国交兵二十余年，不曾解和。楚王乃命靳尚为使，入见景公，奏曰：“齐、楚不和，交兵岁久，民有倒悬之患。今特命臣入国讲和，永息刀兵。俺楚国襟三江而带五湖，地方千里，粟支数年，足食足兵，可为上国①。王可裁之，得名获利。”却说田、顾、公孙三人大怒，叱靳尚曰：“量汝楚国，何足道哉！吾三人亲提雄兵，将楚国践为平地，人人皆死，个个不留。”喝靳尚下殿，教金瓜②武士斩讫报来。阶下转过一人，身长三尺八寸，眉浓目秀，齿白唇红，乃齐国丞相，姓晏名婴，字平仲，前来喝住武士，备问其详。靳尚说了，晏子便教放了靳尚，先回本国，吾当亲至讲和。乃上殿奏知景公。三人大怒曰：“吾欲斩之，汝何故放还本国？”晏子曰：“岂不闻‘两国战争，不斩来使’？他独自到这里，擒住斩之，邻国知道，万世笑端。晏婴不才，凭三寸舌，亲到楚国，令彼君臣，皆顿首谢罪于阶下，尊齐为上国，并不用刀兵士马，此计若何？”三士怒发冲冠，皆叱曰：“汝乃黄口侏儒小儿，国人无眼，命汝为相，擅敢乱开大口！吾三人有诛龙斩虎之威，力敌万夫之勇，亲提精兵，平吞楚国，要汝何用？”景公曰：“丞相既出大言，必有广学。且待入楚之后，若果获利，胜似典兵。”三士曰：“且看侏儒小儿这回为使，若折了我国家气概，回来时砍为肉泥！”三士出朝。景公曰：“丞相此行，不可轻忽。”晏子曰：“主上放心，至楚邦，视彼君臣如土壤耳。”遂辞而行，从者十余人跟随。

---

① 上国——汉代诸侯称帝室为上国，后来多指国都京城。

② 金瓜——俗称仪仗中的立瓜为金瓜。

车马已至郢都，楚国臣宰奏知，君臣商议曰："齐晏子乃舌辨之士，可定下计策，先塞其口，令不敢来下说词。"君臣定计了，宣晏子入朝。晏子到朝门，见金门不开，下面闸板止留半段，意欲令晏子低头钻入，以显他矮小辱之。晏子望见下面便钻，从人急止之曰："彼见丞相矮小，故以辱之，何中其计？"晏子大笑曰："汝等岂知之耶？吾闻人有人门，狗有狗窦。使于人，即当进人门；使于狗，即当进狗窦。有何疑焉？"楚臣听之，火急开金门而接。晏子旁若无人，昂然而入。

至殿下，礼毕，楚王问曰："汝齐国地狭人稀乎？"晏子曰："臣齐国东连海岛，西跨魏秦，北拒赵燕，南吞吴楚，鸡鸣犬吠相闻，数千里不绝，安得为地狭耶？"楚王曰："地土虽阔，人物却少。"晏子曰："臣国中人呵气如云，沸汗如雨，行者摩肩，立者并迹，金银珠玉，堆积如山，安得人物稀少耶？"楚王曰："既然地广人稠，何故使一小儿来吾国中为使耶？"晏子答曰："使于大国者，则用大人；使于小国者，则当用小儿。因此特命晏婴到此。"楚王视臣下，无言可答。请晏婴上殿，命座。侍臣进酒，晏子欣然畅饮，不以为意。

少刻，金瓜簇拥一人至筵前，其人口称冤屈。晏子视之，乃齐国带来从者。问得何罪，楚臣对曰："来筵前作贼，盗酒器而出，被户尉所获，乃真赃正犯也。"其人曰："实不曾盗，乃户尉图赖。"晏子曰："真赃正犯，尚敢抵赖，速与吾牵出市曹斩之。"楚臣曰："丞相远来，何不带诚实之人？令从者作贼，其主岂不羞颜？"晏子曰："此人自幼跟随，极知心腹，今日为盗，有何难见？昔在齐国是个君子，今到楚国，却为小人，乃风俗之所变也。吾闻江南洞庭有一树，生一等果，其名曰橘，其色黄而香，其味甜而美；若将此树移于北方，结成果木，乃名枳实，其色青而臭，其味酸而苦。名谓南橘北枳，便分两等，乃风俗之不等也。以此推之，在齐不为盗，在楚为盗，更复何疑？"

楚王大惭，急离御座，拱手于晏子曰："真乃贤士也。吾国中大小公卿，万不及一。愿赐见教，一听严命。"晏子曰："王上安坐，听臣一言。齐国中有三士，皆万夫不挡之勇，久欲起兵来吞楚国。吾力言不可：齐楚不睦，苍生受害，心何忍焉？今臣特来讲和，王上可亲诣齐国和亲，结为唇齿之邦，歃血①为盟。若邻国加兵，互相救应，永无侵扰，可保万年之基业。若不听臣，祸不远矣。非臣相唬，愿王裁之。”王曰：“闻公之才，寡人情愿和亲。但所患者，齐三士皆无仁义之人，吾不敢去。”晏子曰：“王上放心，臣愿保驾，聊施小计，教三士死于大王之前，以绝两国之患。”楚王曰：“若三士俱亡，吾宁为小邦，年朝岁贡而无怨。”晏子许之。楚王乃大设筵席，送令先去，随后收拾进献礼物而至。

晏子先使人归报，齐景公闻之大喜，令大小公卿，尽随吾出郭迎接丞相。三士闻之，转怒。晏子至，景公下车而迎，慰劳已毕，同载而回，齐国之人看者塞途。晏子辞景公回府。次日入宫，见三士在阁下博戏。晏子进前施礼，三士亦不回顾，傲忽之气，旁若无人。晏子侍立久之，方自退，入见景公，说三士如此无礼。景公曰：“此三人如常带剑上殿，视吾如小儿，久必篡位矣。素欲除之，恨力不及耳。”晏子曰：“主上宽心，来朝楚国君臣皆至，可大张御宴。待臣于筵间，略施小计，令三士皆自杀何如？”景公曰：“计将安出？”晏子曰：“此三人者皆一勇匹夫，并无谋略，若……如此如此，祸必除矣。”景公喜。

次日，楚王引文武官僚百余员，车载金珠玩好之物，亲至朝门。景公请入，楚王先下拜，景公忙答礼罢，二君分宾主而坐。楚王令群臣罗拜阶下。楚王拱手伏罪曰：“二十年间，多有凶犯。今因丞相之言，特来请罪。薄礼上贡，望乞恕纳。”齐景公谢讫，大设筵宴，二国君臣相庆。三士带剑立于殿下，昂昂自若。晏子进退揖让，并不谄于三士。

酒至半酣，景公曰：“御园金桃已熟，可采来筵间食之。”须臾，一宫监金盘内捧出五枚。齐王曰：“园中桃树，今岁止收五枚，味甜气香，与他树不同。丞相捧杯进酒以庆此桃。”上古之时，桃树难得，今园中有此五枚，为希罕之物。晏子捧玉爵行酒，先进楚王。饮毕，食其一桃。又进齐王，饮毕，食其一桃。齐王曰：“此桃非易得之物，丞相合二国和好，如此大功，可食一桃。”晏子跪而食之，赐酒一爵。齐王曰：“齐、楚二国，公卿之中，言其功勋大者，当食此桃。”田开疆挺身而出，立于筵上而言曰：“昔从主公猎于桐山，力诛猛虎，其功若何？”齐王曰：“擎王②保驾，功莫大焉。”

① 歃血——古代结盟时的一种仪式，盟者把血涂在口旁，称为歃血。

② 擎王——擎，应为勤。勤王，即起兵救援王室。

晏子慌忙进酒一爵,食桃一枚,归于班部。顾冶子奋然便出,曰:“诛虎者未为奇,吾曾斩长蛟于黄河,救主上回故国,觑洪波巨浪,如登平地,此功若何?”王曰:“此概世之功也,进酒赐桃,又何疑哉?”晏子慌忙进酒赐桃。公孙接撩衣破步而出,曰:“吾曾于十万军中,手挥铁阕,救主公出,军中无敢近者,此功若何?”齐王曰:“据卿之功,极天际地,无可比者;争奈无桃可赐,赐酒一杯,以待来年。”晏子曰:“将军之功最大,可惜言之太迟,以此无桃,掩其大功。”公孙接按剑而言曰:“诛龙斩虎,小可事耳。吾纵横于十万军中,如入无人之境,力救主上,建立大功,反不能食桃,受辱于两国君臣之前,为万代之耻笑,安有面目立于朝廷耶?”言讫,遂拔剑自刎而死。田开疆大惊,亦拔剑而言曰:“我等微功而食桃,兄弟功大反不得食,吾之羞耻,何日可脱?”言讫,自刎而死。顾冶子奋气大呼曰:“吾三人义同骨肉,誓同生死;二人既亡,吾安能自活?”言讫,亦自刎而亡。晏子笑曰:“非二桃不能杀三士,今已绝虑,吾计若何?”楚王下坐,拜伏而叹曰:“丞相神机妙策,安敢不伏耶?自今以后,永尊上国,誓无侵犯。”齐王将三士敕葬于东门外。

自此齐、楚连和,绝其士马①。齐为霸国。晏子名扬万世,宣圣②亦称其善。后来诸葛孔明曾为《梁父吟》,单道此事。吟曰:

步出齐城门,遥望汤阴里;里中有三坟,累累正相似。问是谁家冢?田疆顾冶氏。力能排南山,文能绝地理;一朝被谗言,二桃杀三士。谁能为此谋?相国齐晏子。

又《满江红》词一篇,古人单道此事,词云:

齐景雄风,因习战海滨畋③猎。正驱驰忽逢猛兽,众皆惊绝。壮士开疆能奋勇,双拳杀虎身流血。救君危拜爵宠恩荣,真豪杰!顾冶子,除妖孽;强秦战,公孙接。笑三人恃勇,在齐猖獗。只被晏婴施小巧,二桃中计皆身灭。齐东门累累有三坟,荒郊月。

① 绝士马——没有战争。

② 宣圣——指孔子。

③ 畋(tián)——打猎。

# 第二十六卷　沈小官一鸟害七命

飞禽惹起祸根芽，七命相残事可嗟。

奉劝世人须鉴戒，莫教儿女不当家。

话说大宋徽宗朝，宣和三年，海宁郡①武林门外北新桥②下，有一机户，姓沈名昱，字必显。家中颇为丰足，娶妻严氏，夫妇恩爱。单生一子，取名沈秀，年长一十八岁，未曾婚娶。其父专靠织造段匹为活，不想这沈秀不务本分生理，专好风流闲耍，养画眉过日。父母因惜他一子，以此教训他不下。街坊邻里取他一个浑名，叫做“沈鸟儿”。每日五更，提了画眉，奔入城中柳林里来拖画眉，不只一日。忽至春末夏初，天气不暖不寒，花红柳绿之时。当日沈秀侵晨起来，梳洗罢，吃了些点心，打点笼儿，盛着个无比赛的画眉。这畜生只除天上有，果系世间无，将他各处去斗，俱斗他不过，成百十贯赢得。因此十分爱惜他，如性命一般，做一个金漆笼儿，黄铜钩子，哥窑③的水食罐儿，绿纱罩儿。提了在手，摇摇摆摆，径奔入城，往柳林里去拖画眉。不想这沈秀一去，死于非命。好似：

猪羊进入宰生家，一步步来寻死路。

当时沈秀提了画眉，径到柳林里来。不意来得迟了些，众拖画眉的俱已散了，净荡荡黑阴阴，没一个人往来。沈秀独自一个，把画眉挂在柳树上，叫了一回。沈秀自觉没情没绪，除了笼儿，正要回去，不想小肚子一阵疼，滚将上来，一块儿蹲到在地上。原来沈秀有一件病在身上，叫做“主心馄饨”，一名“小肠疝气”，每常一发一个小死。其日想必起得早些，况又来迟，众人散了，没些情绪，闷上心来，这一次甚是发得凶。一跤倒在柳树边，有两个时辰不醒人事。

你道事有凑巧，物有偶然，这日有个箍桶的，叫做张公，挑着担儿，径往柳林里，穿过褚家堂做生活。远远看见一个人，倒在树边，三步那做两

① 海宁郡——当是宁海军之误。宋代宁海军，即今杭州。

② 北新桥——在杭州武林门外香积寺之北。

③ 哥窑——宋代龙泉县有章姓兄弟，都造窑，兄长造的称为哥窑，弟弟造的称为章窑。哥窑釉色青，多裂纹。

步,近前歇下担儿。看那沈秀脸色蜡查黄的,昏迷不醒,身边并无财物,止有一个画眉笼儿,这畜生此时越叫得好听。所以一时见财起意,穷极计生,心中想道:“终日括得这两分银子,怎地得快活?”只是这沈秀当死,这画眉见了张公,分外叫得好。张公道:“别的不打紧,只这个画眉,少也值二三两银子。”便提在手,却待要走。不意沈秀正苏醒,开眼见张公提着笼儿,要閛①身子不起,只口里骂道:“老忘八,将我画眉那里去?”张公听骂,“这小狗入的,忒也嘴尖!我便拿去,他倘爬起赶来,我倒反吃他亏。一不做,二不休,左右是歹了。”却去那桶里取出一把削桶的刀来,把沈秀按住一勒,那湾刀又快,力又使得猛,那头早滚在一边。张公也慌张了,东观西望,恐怕有人撞见。却抬头见一株空心杨柳树,连忙将头提起,丢在树中。将刀放在桶内,笼儿挂在担上,也不去褚家堂做生活,一道烟径走。穿街过巷,投一个去处,你道只因这个画眉,生生的害了几条性命。正是:

人间私语,天闻若雷。暗室亏心,神目如电。

当时张公一头走,一头心里想道:“我见湖州墅②里客店内,有个客人,时常要买虫蚁③,何不将去卖与他?”一径望武林门外来。也是前生注定的劫数,却好见三个客人,两个后生跟着,共是五人,正要收拾货物回去,却从门外进来客人,俱是东京汴梁人,内中有个姓李名吉,贩卖生药。此人平昔也好养画眉,见这箍桶担上,好个画眉,便叫张公,借看一看。张公歇下担子,那客人看那画眉毛衣并眼,生得极好,声音又叫得好,心里爱他,便问张公:“你肯卖么?”此时张公巴不得脱祸,便道:“客官,你出多少钱?”李吉转看转好,便道:“与你一两银子。”张公自道着手④了,便道:“本不当计较,只是爱者如宝,添些便罢。”那李吉取出三块银子,秤秤看到有一两二钱,道:“也罢。”递与张公。张公接过银子,看一看,将来放在荷包里,将画眉与了客人,别了便走。口里道:“发脱得这祸根,也是好事了。”不上街做生理,一直奔回家去,心中也自有些不爽利⑤。正是:

作恶恐遭天地责,欺心犹怕鬼神知。

---

① 閛——同挣。

② 湖州墅——地名,在杭州北武林门外。

③ 虫蚁——宋明间对小动物的一种通称。

④ 着手——此为得手。

⑤ 不爽利——不爽快、不痛快、不自在。

原来张公正在涌金门①城脚下住,止婆老②两口儿,又无儿子。婆儿见张公回来,便道:“篾子一条也不动,缘何又回来得早?有甚事干?”张公只不答应,挑着担子,径入门歇下,转身关上大门,道:“阿婆,你来,我与你说话。恰才……”如此如此,“谋得这一两二钱银子,与你权且快活使用。”两口儿欢天喜地,不在话下。

却说柳林里无人来往,直至巳牌③时分,两个挑粪庄家,打从那里过,见了这没头尸首,挡在地上,吃了一惊,声张起来。当坊里甲邻佑,一时嚷动。本坊申呈本县,本县申府。次日,差官吏仵作人等,前来柳阴里,检验得浑身无些伤痕,只是无头,又无苦主④。官吏回覆本府,本府差应捕⑤挨获⑥凶身。城里城外,纷纷乱嚷。

却说沈秀家到晚不见他回来,使人去各处寻不见。天明,央人入城寻时,只见湖州墅嚷道:“柳林里杀死无头尸首。”沈秀的娘听得说,想道:“我的儿子昨日入城拖画眉,至今无寻他处,莫不得是他?”连叫丈夫:“你必须自进城打听。”沈昱听了一惊,慌忙自奔到柳林里。看了无头尸首,仔细定睛上下看了衣服,却认得是儿子,大哭起来。本坊里甲道:“苦主有了,只无凶身。”其时沈昱径到临安府告说:“是我的儿子,昨日五更入城拖画眉,不知怎的被人杀了?望老爷做主!”本府发放各处应捕及巡捕官,限十日内要捕凶身着。

沈昱具棺木盛了尸首,放在柳林里,一径回家,对妻说道:“是我儿子,被人杀了,只不知将头何处去了。我已告过本府,本府着捕人各处捉获凶身。我且自买棺木盛了,此事如何是好?”严氏听说,大哭起来,一交跌倒。不知五脏何如,先见四肢不举。正是:

身如五鼓衔山月,气似三更油尽灯。

当时众人灌汤,救得苏醒,哭道:“我儿日常不听好人之言,今日死无葬身之地。我的少年的儿,死得好苦!谁想我老来无靠!”说了又哭,哭了又

---

① 涌金门——杭州西面城门。
② 婆老——老婆子和老头子。
③ 巳牌——古制太史以牙牌报时。巳牌,就是巳时、巳刻。
④ 苦主——被害人的家属。
⑤ 应捕——负责缉捕的官兵,叫应捕人。
⑥ 挨获——访拿、搜捕。

说,茶饭不吃。丈夫再三苦劝,只得勉强。过了半月,并无消息。沈昱夫妻二人商议,儿子平昔不依教训,致有今日祸事,吃人杀了,没捉获处,也只得没奈何,但得全尸也好。不若写个帖子,告禀四方之人,倘得见头,全了尸首,待后又作计较。二人商议已定,连忙便写了几张帖子,满城去贴,上写:"告知四方君子,如有寻获得沈秀头者,情愿赏钱一千贯;捉得凶身者,愿赏钱二千贯。"将此情告知本府,本府亦限捕人寻获,亦出告示道:"如有人寻得沈秀头者,官给赏钱五百贯;如捉获凶身者,赏钱一千贯。"告示一出,满城哄动不提。

且说南高峰①脚下,有一个极贫老儿,姓黄,浑名叫做黄老狗,一生为人鲁拙,抬轿营生②。老来双目不明,止靠两个儿子度日,大的叫做大保,小的叫做小保。父子三人,正是衣不遮身,食不充口,巴巴急急,口食不敷。一日,黄老狗叫大保、小保到来,"我听得人说,甚么财主沈秀吃人杀了,没寻头处。今出赏钱,说有人寻得头者,本家赏钱一千贯,本府又给赏五百贯。我今叫你两个别无话说,我今左右老了,又无用处,又不看见,又没趁钱③。做我着④,教你两个发迹快活。你两个今夜将我的头割了,埋在西湖水边。过了数日,待没了认色⑤,却将去本府告赏,共得一千五百贯钱,却强似今日在此受苦。此计大妙,不宜迟,倘被别人先做了,空折了性命。"只因这老狗失志⑥,说了这几句言语,况兼两个儿子又是愚蠢之人,不省法度的。正是:

口是祸之门,舌是斩身刀。
闭口深藏舌,安身处处牢。

当时两个出到外面商议,小保道:"我爷设这一计大妙,便是做主将元帅,也没这计策。好便好了,只是可惜没了一个爷。"大保做人,又狠又呆,道:"看他左右只在早晚要死,不若趁这机会杀了,去山下掘个坑埋了,又无踪迹,那里查考?这个叫做'趁汤推',又唤做'一抹光'。天理人心,又

---

① 南高峰——山名,在杭州城西南。
② 营生——谋生、做生意。
③ 趁钱——赚钱。
④ 做我着——拼着我、把我豁出去、牺牲了我。
⑤ 认色——记认、辨认的标记。
⑥ 失志——心地糊涂、疏忽。

不是我们逼他,他自叫我们如此如此。”小保道:“好倒好,只除等睡熟了,方可动手。”

二人计较已定,却去东奔西走,赊得两瓶酒来,父子三人吃得大醉,东倒西歪。一觉直到三更,两人爬将起来,看那老子①正齁齁睡着。大保去灶前摸了一把厨刀,去爷的项上一勒,早把这颗头割下了。连忙将破衣包了,放在床边。便去山脚下掘个深坑,扛去埋了。也不等天明,将头去南屏山藕花居②湖边浅水处埋了。

过半月入城,看了告示,先走到沈昱家报说道:“我二人昨日因捉虾鱼,在藕花居边,看见一个人头,想必是你儿子头。”沈昱见说道:“若果是,便赏你一千贯钱,一分不少。”便去安排酒饭吃了,同他两个径到南屏山藕花居湖边。浅土隐隐盖着一头,提起看时,水浸多日,澎涨了,也难辨别。想必是了,若不是时,那里又有这个人头在此?沈昱便把手帕包了,一同两个径到府厅告说:“沈秀的头有了。”知府再三审问,二人答道:“因捉虾鱼,故此看见,并不晓别项情由。”本府准信,给赏五百贯,二人领了,便同沈昱将头到柳林里,打开棺木,将头凑在项上,依旧钉了,就同二人回家。严氏见说儿子头有了,心中欢喜,随即安排酒饭,管待二人,与了一千贯赏钱。二人收了,作别回家,便造房屋,买农具家生。二人道:“如今不要似前抬轿,我们勤力耕种,挑卖山柴,也可度日。”不在话下。正是光阴似箭,日月如梭,不觉过了数月,官府也懈了,日远日疏,俱不提了。

却说沈昱是东京机户,轮该③解段匹到京。待各机户段匹完日,到府领了解批④,回家吩咐了家中事务起身。此一去,只因沈昱看见了自家虫蚁,又屈害了一条性命。正是:

非理之财莫取,非理之事莫为。
明有刑法相系,暗有鬼神相随。

却说沈昱在路,饥餐渴饮,夜住晓行,不只一日,来到东京。把段匹一一交纳过了,取了批回,心下思量:“我闻京师景致,比别处不同,何不闲看一遭,也是难逢难遇之事。”其名山胜概,庵观寺院,出名的所在,都走

---

① 老子——此指老头子、老家伙。
② 南屏山藕花居——南屏山,在杭州城外西南;藕花居,在南屏山净慈寺前。
③ 轮该——轮值、轮流承当。
④ 解批——解送犯人或货物的公文。

了一遭。偶然打从御用监禽鸟房①门前经过，那沈昱心中是爱虫蚁的，意欲进去一看。因门上用了十数个钱，得放进去闲看。只听得一个画眉，十分叫得巧好，仔细看时，正是儿子不见的画眉。那画眉见了沈昱眼熟，越发叫得好听，又叫又跳，将头颠沈昱数次。沈昱见了，想起儿子，千行泪下，心中痛苦，不觉失声，叫起屈来，口中只叫得："有这等事！"那掌管禽鸟的校尉喝道："这厮好不知法度，这是甚么所在，如此大惊小怪起来！"沈昱痛苦难伸，越叫得响了。

那校尉恐怕连累自己，只得把沈昱拿了，送到大理寺②。大理寺官便喝道："你是那里人，敢进内御用之处，大惊小怪？有何冤屈之事？好好直说，便饶你罢。"沈昱就把儿子拖画眉被杀情由，从头诉说了一遍。大理寺官听说，呆了半晌，想这禽鸟是京民李吉进贡在此，缘何有如此一节隐情。便差人火速捉拿李吉到官，审问道："你为何在海宁郡将他儿子谋杀了，却将他的画眉来此进贡？一一明白供招，免受刑罚。"李吉道："先因往杭州买卖，行至武林门里，撞见一个箍桶的担上，挂着这个画眉，是吉因见他叫得巧，又生得好，用价一两二钱，买将回来。因他好巧，不敢自用，以此进贡上用。并不知人命情由。"勘官问道："你却赖与何人！这画眉就是实迹了，实招了罢。"李吉再三哀告道："委的是问个箍桶的老儿买的，并不知杀人情由，难以屈招。"勘官又问："你既是问老儿买的，那老儿姓甚名谁？那里人氏？供得明白，我这里行文拿来，问理得实，即便放你。"李吉道："小人是路上逢着买的，实不知姓名，那里人氏。"勘官骂道："这便是含糊了，将此人命推与谁偿？据这画眉，便是实迹，这厮不打不招！"再三拷打，打得皮开肉绽。李吉痛苦不过，只得招做"因见画眉生得好巧，一时杀了沈秀，将头抛弃"情由。遂将李吉送下大牢监候，大理寺官具本奏上朝廷，圣旨道：李吉委的杀死沈秀，画眉见存，依律处斩。将画眉给还沈昱，又给了批回③，放还原籍，将李吉押发④市曹斩首。正是：

老龟煮不烂，移祸于枯桑。

---

① 御用监禽鸟房——御用监，明代宦官十二监之一。禽鸟房，专司饲养各种飞禽。

② 大理寺——官署名，掌刑狱。

③ 批回——官府答覆下级的批示公文。

④ 押发——押送。

当时恰有两个同与李吉到海宁郡来做买卖的客人,蹀躞不下①,“有这等冤屈事!明明是买的画眉,我欲待替他申诉,争奈卖画眉的人虽认得,我亦不知其姓名,况且又在杭州。冤倒不辩得,和我连累了,如何出豁②?只因一个畜生,明明屈杀了一条性命。除我们不到杭州,若到,定要与他讨个明白。”也不在话下。

却说沈昱收拾了行李,带了画眉,星夜奔回。到得家中,对妻说道:“我在东京替儿讨了命了。”严氏问道:“怎生得来?”沈昱把在内监见画眉一节,从头至尾,说了一遍。严氏见了画眉,大哭了一场,睹物伤情,不在话下。

次日沈昱提了画眉,本府来销批,将前项事情,告诉了一遍。知府大喜道:“有这等巧事。”正是:

劝君莫作亏心事,古往今来放过谁。

休说人命关天,岂同儿戏。知府发放③道:“既是凶身获着斩首,可将棺木烧化。”沈昱叫人将棺木烧了,就撒了骨殖④,不在话下。

却说当时同李吉来杭州卖生药的两个客人,一姓贺,一姓朱,有些药材,径到杭州湖墅客店内歇下,将药材一一发卖讫。当为心下不平,二人径入城来,探听这个箍桶的人。寻了一日,不见消耗。二人闷闷不已,回归店中歇了。次日,又进城来,却好遇见一个箍桶的担儿。二人便叫住道:“大哥,请问你,这里有一个箍桶的老儿,……”这般这般模样,“不知他姓甚名谁,大哥你可认得么?”那人便道:“客官,我这箍桶行里,止有两个老儿:一个姓李,住在石榴园巷⑤内;一个姓张,住在西城脚下。不知那一个是?”二人谢了,径到石榴园来寻,只见李公正在那里劈篾。二人看了,却不是他。又寻他到西城脚下,二人来到门首,便问:“张公在么?”张婆道:“不在,出去做生活去了。”二人也不打话,一径且回。正是未牌时分,二人走不上半里之地,远远望见一个箍桶担儿来。有分直教此人偿了沈秀的命,明白了李吉的事。正是:

---

① 蹀躞(dié xiè)不下——往来徘徊、心里不安、放心不下。

② 出豁——解决;出脱。

③ 发放——处理、分发。

④ 撒了骨殖——尸体焚化,骨灰则抛撒在水池中。

⑤ 石榴园巷——杭州城内巷名。

恩义广施，人生何处不相逢？冤仇莫结，路逢狭处难回避。

其时张公望南回来，二人朝北而去，却好劈面撞见。张公不认得二人，二人却认得张公，便拦住问道："阿公高姓？"张公道："小人姓张。"又问道："莫非是在西城脚下住的？"张公道："便是，问小人有何事干？"二人便道："我店中有许多生活要箍，要寻个老成的做，因此问你。你如今那里去？"张公道："回去。"三人一头走，一头说，直走到张公门首。张公道："二位请坐吃茶。"二人道："今日晚了，明日再来。"张公道："明日我不出去了，专等专等。"

二人作别，不回店去，径投本府首告。正是本府晚堂①，直入堂前跪下。把沈昱认画眉一节，李吉被杀一节，撞见张公买画眉一节，一一诉明。"小人两个不平，特与李吉讨命，望老爷细审张公。不知恁地得画眉？"府官道："沈秀的事，俱已明白了，凶身已斩了，再有何事？"二人告道："大理寺官不明，只以画眉为实，更不推详②来历，将李吉明白屈杀了。小人路见不平，特与李吉讨命。如不是实，怎敢告扰？望乞怜悯做主。"知府见二人告得苦切，随即差捕人连夜去捉张公。好似：

数只皂雕追紫燕，一群猛虎啖羊羔。

其夜众公人奔到西城脚下，把张公背剪绑了，解上府去，送大牢内监了。次日，知府升堂，公人于牢中取出张公跪下。知府道："你缘何杀了沈秀，反将李吉偿命？今日事露，天理不容。"喝令好生打着。直落打了三十下，打得皮开肉绽，鲜血淋漓。再三拷打，不肯招承。两个客人，并两个伴当齐说："李吉便死了，我四人见在，眼同将一两二钱银子，买你的画眉。你今推却何人？你若说不是你，你便说这画眉从何来？实的虚不得，支吾有何用处？"张公犹自抵赖，知府大喝道："画眉是真赃物，这四人是真证见，若再不招，取夹棍来夹起。"张公惊慌了，只得将前项盗取画眉，勒死沈秀一节，一一供招了。知府道："那头彼时放在那里？"张公道："小人一时心慌，见侧边一株空心柳树，将头丢在中间。随提了画眉，径出武林门来，偶撞见三个客人，两个伴当，问小人买了画眉，得银一两二钱，归

① 晚堂——官府每日两次视事，傍晚申时升厅理事，属吏差役参见唱喏，称为晚衙，也叫晚堂。

② 推详——推究。

家用度。所供是实。”知府令张公画了供，又差人去拘沈昱，一同押着张公，到于柳林里寻头。哄动街市上之人无数，一齐都到柳林里来看寻头。只见果有一株空心柳树，众人将锯放倒，众人发一声喊，果有一个人头在内。提起看时，端然不动。沈昱见了这头，定睛一看，认得是儿子的头，大哭起来，昏迷倒地，半晌方醒。遂将帕子包了，押着张公，径上府去。知府道：“既有了头，情真罪当。”取具大枷枷了，脚镣手杻钉了，押送死囚牢里，牢固监候。

知府又问沈昱道：“当时那两个黄大保、小保，又那里得这人头来请赏？事有可疑。今沈秀头又有了，那头却是谁人的？”随即差捕人去拿黄大保兄弟二人，前来审问来历。沈昱眼同公人，径到南山黄家，捉了弟兄两个，押到府厅，当厅跪下。知府道：“杀了沈秀的凶身，已自捉了，沈秀的头见已追出。你弟兄二人谋死何人，将头请赏？一一承招，免得吃苦。”大保、小保被问，口隔心慌，答应不出。知府大怒，喝令吊起拷打半日，不肯招承，又将烧红烙铁烫他，二人熬不过死去，将水喷醒，只得口吐真情，说道：“因见父亲年老，有病伶仃，一时不合将酒灌醉，割下头来，埋在西湖藕花居水边，含糊请赏。”知府道：“你父亲尸骸埋在何处？”两个道：“就埋在南高峰脚下。”当时押发二人到彼，掘开看时，果有没头尸骸一副，埋藏在彼。依先押二人到于府厅回话，道：“南山脚下，浅土之中，果有没头尸骸一副。”知府道：“有这等事，真乃逆天之事，世间有这等恶人！口不欲说，耳不欲闻，笔不欲书，就一顿打死他倒干净，此恨怎的消得！”喝令手下不要计数，先打一会，打得二人死而复醒者数次。讨两面大枷枷了，送入死囚牢里，牢固监候。沈昱并原告人，宁家听候。

随即具表申奏，将李吉屈死情由奏闻。奉圣旨，着刑部及都察院，将原问李吉大理寺官好生勘问，随贬为庶人，发岭南安置。李吉平人屈死，情实可矜，着官给赏钱一千贯，除子孙差役。张公谋财故杀，屈害平人，依律处斩，加罪凌迟，剐割二百四十刀，分尸五段。黄大保、小保，贪财杀父，不分首从，俱各凌迟处死，剐二百四十刀，分尸五段，枭首示众。正是：

湛湛青天不可欺，未曾举意早先知。
劝君莫作亏心事，古往今来放过谁？

一日文书到府,差官吏仵作人等,将三人押赴木驴[①]上,满城号令三日,律例凌迟分尸,枭首示众。其时张婆听得老儿要剐,来到市曹上,指望见一面。谁想仵作见了行刑牌,各人动手碎剐,其实凶险,惊得婆儿魂不附体,折身便走。不想被一绊,跌得重了,伤了五脏,回家身死。正是:

积善逢善,积恶逢恶。仔细思量,天地不错。

# 第二十七卷　金玉奴棒打薄情郎

枝在墙东花在西,自从落地任风吹。

枝无花时还再发,花若离枝难上枝。

这四句,乃昔人所作《弃妇词》,言妇人之随夫,如花之附于枝;枝若无花,逢春再发;花若离枝,不可复合。劝世上妇人,事夫尽道,同甘同苦,从一而终;休得慕富嫌贫,两意三心,自贻后悔。

且说汉朝一个名臣,当初未遇时节,其妻有眼不识泰山,弃之而去,到后来,悔之无及。你说那名臣何方人氏?姓甚名谁?那名臣姓朱,名买臣,表字翁子,会稽郡人氏。家贫未遇,夫妻二口,住于陋巷蓬门。每日买臣向山中砍柴,挑至市中,卖钱度日。性好读书,手不释卷,肩上虽挑却[②]柴担,手里兀自擒[③]着书本,朗诵咀嚼,且歌且行。市人听惯了,但闻读书之声,便知买臣挑柴担来了,可怜他是个儒生,都与他买。更兼买臣不争价钱,凭人估值,所以他的柴比别人容易出脱。一般[④]也有轻薄少年,及儿童之辈,见他又挑柴,又读书,三五成群,把他嘲笑戏侮,买臣全不为意。一日其妻出门汲水,见群儿随着买臣柴担,拍手共笑,深以为耻。买臣卖柴回来,其妻劝道:"你要读书,便休卖柴;要卖柴,便休读书。许大年纪,不痴不颠,却做出恁般行径,被儿童笑话,岂不羞死!"买臣答道:"我卖柴以救贫贱,读书以取富贵,各不相妨,由他笑话便了。"其妻笑道:"你若取

---

① 木驴——一种古代的刑具。凡处决凌迟犯时,必先将犯人钉在木驴上,游街示众,然后执行。

② 挑却——挑着、挑得。

③ 擒——拿、抓。

④ 一般——照例、一样。

得富贵时,不去卖柴了。自古及今,那见卖柴的人做了官?却说这没把鼻的话!”买臣道:“富贵贫贱,各有其时。有人算我八字,到五十岁上,必然发迹。常言‘海水不可斗量’,你休料我。”其妻道:“那算命先生,见你痴颠模样,故意要笑你,你休听信。到五十岁时,连柴担也挑不动,饿死是有分的,还想做官!除是阎罗王殿上,少个判官,等你去做!”买臣道:“姜太公八十岁,尚在渭水钓鱼,遇了周文王,以后车载之,拜为尚父。本朝公孙弘丞相,五十九岁上还在东海牧豕,整整六十岁,方才际遇今上,拜将封侯。我五十岁上发迹,比甘罗①虽迟,比那两个还早,你须耐心等去。”其妻道:“你休得攀今吊古,那钓鱼牧豕的,胸中都有才学;你如今读这几句死书,便读到一百岁,只是这个嘴脸,有甚出息?晦气做了你老婆!你被儿童耻笑,连累我也没脸皮。你不听我言抛却书本,我决不跟你终身,各人自去走路,休得两相耽误了。”买臣道:“我今年四十三岁了,再七年,便是五十。前长后短,你就等耐,也不多时。直恁薄情,舍我而去,后来须要懊悔!”其妻道:“世上少甚挑柴担的汉子,懊悔甚么来?我若再守你七年,连我这骨头不知饿死于何地了。你倒放我出门,做个方便,活了我这条性命。”买臣见其妻决意要去,留他不住,叹口气道:“罢,罢,只愿你嫁得丈夫,强似②朱买臣的便好。”其妻道:“好歹强似一分儿。”说罢,拜了两拜,欣然出门而去,头也不回。买臣感慨不已,题诗四句于壁上云:

嫁犬逐犬,嫁鸡逐鸡。妻自弃我,我不弃妻。

买臣到五十岁时,值汉武帝下诏求贤,买臣到西京上书,待诏公车③。同邑人严助荐买臣之才,天子知买臣是会稽人,必知本土民情利弊,即拜为会稽太守,驰驿赴任。会稽长吏闻新太守将到,大发人夫,修治道路。买臣妻的后夫亦在役中,其妻蓬头跣足,随伴送饭,见太守前呼后拥而来,从旁窥之,乃故夫朱买臣也。买臣在车中,一眼瞧见,还认得是故妻,遂使人招之,载于后车。到府第中,故妻羞惭无地,叩头谢罪。买臣教请他后夫相见。不多时,后夫唤到,拜伏于地,不敢仰视。买臣大笑,对其妻道:“似此人,未见得强似我朱买臣也。”其妻再三叩谢,自悔有眼无珠,愿降

---

① 甘罗——战国时秦国人,年十二岁,封为上卿。

② 强似——胜于、胜过。

③ 待诏公车——公车,汉代官署名,掌管官车。凡应征的人,都由官府用车接引,居此署中,等待诏命。

为婢妾，伏侍终身。买臣命取水一桶，泼于阶下，向其妻说道："若泼水可复收，则汝亦可复合。念你少年结发之情，判后园隙地，与汝夫妇耕种自食。"其妻随后夫走出府第，路人都指着说道："此即新太守夫人也。"于是羞极无颜，到于后园，遂投河而死。有诗为证：

漂母尚知怜饿士，亲妻忍得弃贫儒。
早知覆水难收取，悔不当初任读书。

又有一诗，说欺贫重富，世情皆然，不止一买臣之妻也。诗曰：

尽看成败说高低，谁识蛟龙在污泥？
莫怪妇人无法眼，普天几个负羁妻[①]？

这个故事，是妻弃夫的。如今再说一个夫弃妻的，一般是欺贫重富，背义忘恩，后来徒落得个薄幸之名，被人讲论。

话说故宋绍兴年间，临安虽然是个建都之地，富庶之乡，其中乞丐的依然不少。那丐户中有个为头的，名曰"团头"[②]，管着众丐。众丐叫化得东西来时，团头要收他日头钱。若是雨雪时，没处叫化，团头却熬些稀粥，养活这伙丐户，破衣破袄，也是团头照管。所以这伙丐户，小心低气，服着团头，如奴一般，不敢触犯。那团头见成收些常例钱，一般在众丐户中放债盘利，若不嫖不赌，依然做起大家事来。他靠此为生，一时也不想改业。只是一件："团头"的名儿不好。随你挣得有田有地，几代发迹，终是个叫化头儿，比不得平等百姓人家。出外没人恭敬，只好闭着门，自屋里做大。虽然如此，若数着"良贱"二字，只说娼、优、隶、卒，四般为贱流，到数不着那乞丐。看来乞丐只是没钱，身上却无疤瘢。假如[③]春秋时伍子胥逃难，也曾吹箫于吴市中乞食；唐时郑元和[④]做歌郎[⑤]，唱《莲花落》；后来富贵

① 负羁妻——僖负羁，春秋时曹国大夫。晋公子重耳出奔，经曹国，僖负羁的妻子预知重耳将来必然回国得志，劝僖负羁结纳他。后来重耳立为晋文公，侵入曹国，僖负羁一族得以免死。

② 团头——宋时各行业都有小组织叫做团行。行的首领叫"行老"，团的首领称"团头"。

③ 假如——譬如。

④ 郑元和——唐朝白行简著《李娃传》中的郑生，未登第时，曾沦为挽歌郎和乞丐。

⑤ 歌郎——即挽歌郎，替出丧的人家唱挽歌的人。

发达，一床锦被遮盖，这都是叫化中出色的。可见此辈虽然被人轻贱，到不比娼、优、隶、卒。

闲话休提，如今且说杭州城中一个团头，姓金，名老大。祖上到他，做了七代团头了，挣得个完完全全的家事。住的有好房子，种的有好田园，穿的有好衣，吃的有好食；真个廒①多积粟，囊有余钱，放债使婢。虽不是顶富，也是数得着的富家了。那金老大有志气，把这团头让与族人金癞子做了，自己见成受用，不与这伙丐户歪缠。然虽如此，里中口顺，还只叫他是团头家，其名不改。金老大年五十余，丧妻无子，止存一女名唤玉奴。那玉奴生得十分美貌，怎见得？有诗为证：

无瑕堪比玉，有态欲羞花。
只少宫妆扮，分明张丽华②。

金老大爱此女如同珍宝，从小教他读书识字。到十五六岁时，诗赋俱通，一写一作，信手而成。更兼女工精巧，亦能调筝弄管，事事伶俐。金老大倚着女儿才貌，立心要将他嫁个士人。论来就名门旧族中，急切要这一个女子也是少的，可恨生于团头之家，没人相求。若是平常经纪人家，没前程的，金老大又不肯扳他了。因此高低不就，把女儿直捱到一十八岁，尚未许人。

偶然有个邻翁来说："太平桥③下有个书生，姓莫名稽，年二十岁，一表人才，读书饱学。只为父母双亡，家穷未娶。近日考中，补上太学生，情愿入赘人家。此人正与令爱相宜，何不招之为婿？"金老大道："就烦老翁作伐何如？"邻翁领命，径到太平桥下，寻那莫秀才，对他说了："实不相瞒，祖宗曾做个团头的，如今久不做了。只贪他好个女儿，又且家道富足。秀才若不弃嫌，老汉即当玉成其事。"莫稽口虽不语，心下想道："我今衣食不周，无力婚娶，何不俯就他家，一举两得？也顾不得耻笑。"乃对邻翁说道："大伯所言虽妙，但我家贫乏聘，如何是好？"邻翁道："秀才但是允从，纸也不费一张，都在老汉身上。"邻翁回覆了金老大，择个吉日，金家倒送一套新衣穿着，莫秀才过门成亲。莫稽见玉奴才貌，喜出望外，不费

---

① 廒——粮仓。

② 张丽华——陈后主的妃子，容貌很美丽。

③ 太平桥——在宋代临安东青门外。

一钱,白白的得了个美妻,又且丰衣足食,事事称怀。就是朋友辈中,晓得莫稽贫苦,无不相谅,倒也没人去笑他。

到了满月,金老大备下盛席,教女婿请他同学会友饮酒,荣耀自家门户,一连吃了六七日酒,何期恼了族人金癞子。那癞子也是一班正理,他道:"你也是团头,我也是团头,只你多做了几代,挣得钱钞在手,论起祖宗一脉,彼此无二。侄女玉奴招婿,也该请我吃杯喜酒。如今请人做满月,开宴六七日,并无三寸长一寸阔的请帖儿到我。你女婿做秀才,难道就做尚书、宰相,我就不是亲叔公?坐不起凳头?直恁①不觑人在眼里!我且去蒿恼他一场,教他大家没趣!"叫起五六十个丐户,一齐奔到金老大家里来。但见:

> 开花帽子,打结衫儿。旧席片对着破毡条,短竹根配着缺糙碗。叫爹叫娘叫财主,门前只见喧哗;弄蛇弄狗弄猢狲,口内各呈伎俩。敲板唱杨花,恶声聒耳;打砖搽粉脸,丑态逼人。一班泼鬼聚成群,便是钟馗收不得。

金老大听得闹吵,开门看时,那金癞子领着众丐户,一拥而入,嚷做一堂。癞子径奔席上,拣好酒好食只顾吃,口里叫道:"快教侄婿夫妻来拜见叔公!"唬得众秀才站脚不住,都逃席去了,连莫稽也随着众朋友躲避。金老大无可奈何,只得再三央告道:"今日是我女婿请客,不干我事。改日专治一杯,与你陪话。"又将许多钱钞分赏众丐户,又抬出两瓮好酒和些活鸡、活鹅之类,教众丐户送去癞子家,当个折席②。直乱到黑夜,方才散去。玉奴在房中气得两泪交流。这一夜,莫稽在朋友家借宿,次早方回。金老大见了女婿,自觉出丑,满面含羞,莫稽心中未免也有三分不乐,只是大家不说出来。正是:

> 哑子尝黄柏,苦味自家知。

却说金玉奴只恨自己门风不好,要挣个出头,乃劝丈夫刻苦读书。凡古今书籍,不惜价钱,买来与丈夫看;又不吝供给之费,请人会文会讲;又出资财,教丈夫结交延誉。莫稽由此才学日进,名誉日起,二十三岁发解

---

① 直恁——竟然如此。

② 折席——客人未能赴席,按一定的价值折成银钱,或将相当的食品送于客人。

连科及第。这日琼林宴罢,乌帽宫袍,马上迎归。将到丈人家里,只见街坊上一群小儿争先来看,指道:"金团头家女婿做了官也。"莫稽在马上听得此言,又不好揽事,只得忍耐。见了丈人,虽然外面尽礼,却包着一肚子忿气,想道:"早知有今日富贵,怕没王侯贵戚招赘成婚?却拜个团头做岳丈,可不是终身之玷!养出儿女来,还是团头的外孙,被人传作话柄。如今事已如此,妻又贤慧,不犯七出之条,不好决绝得。正是事不三思,终有后悔。"为此心中怏怏,只是不乐。玉奴几遍问而不答,正不知甚么意故。好笑那莫稽,只想着今日富贵,却忘了贫贱的时节,把老婆资助成名一段功劳,化为春水,这是他心术不端处。

不一日,莫稽谒选①,得授无为军②司户,丈人治酒送行。此时众丐户,料也不敢登门闹吵了。喜得临安到无为军,是一水之地,莫稽领了妻子,登舟赴任。行了数日,到了采石江边,维舟北岸。其夜月明如昼,莫稽睡不能寐,穿衣而起,坐于船头玩月。四顾无人,又想起团头之事,闷闷不悦。忽然动一个恶念,除非此妇身死,另娶一人,方免得终身之耻。心生一计,走进船舱,哄玉奴起来看月华。玉奴已睡了,莫稽再三逼他起身。玉奴难逆丈夫之意,只得披衣,走至马门③口,舒头④望月,被莫稽出其不意,牵出船头,推堕江中。悄悄唤起舟人,吩咐快开船前去,重重有赏,不可迟慢。舟子不知明白,慌忙撑篙荡桨,移舟于十里之外,住泊⑤停当,方才说:"适间奶奶因玩月坠水,捞救不及了。"却将三两银子赏与舟人为酒钱。舟人会意,谁敢开口?船中虽跟得有几个蠢婢子,只道主母真个坠水,悲泣了一场,丢开了手,不在话下。有诗为证:

只为"团头"号不香,忍因得意弃糟糠⑥。
天缘结发终难解,赢得人呼薄幸郎。

你说事有凑巧,莫稽移船去后,刚刚有个淮西转运使许德厚,也是新上任的,泊舟于采石北岸,正是莫稽先前推妻坠水处。许德厚和夫人推窗

---

① 谒选——官吏到吏部去应选。
② 无为军——地名,今安徽省无为县。
③ 马门——船舱门。
④ 舒头——伸头、探头。
⑤ 住泊——停泊、停歇。
⑥ 糟糠——亦指妻子。

看月，开怀饮酒，尚未曾睡。忽闻岸上啼哭，乃是妇人声音，其声哀怨，好生不忍。忙呼水手打看，果然是个单身妇人，坐于江岸。便教唤上船来，审其来历。原来此妇正是无为军司户之妻金玉奴，初坠水时，魂飞魄荡，已拚着必死。忽觉水中有物，托起两足，随波而行，近于江岸。玉奴挣扎上岸，举目看时，江水茫茫，已不见了司户之船，才悟道丈夫贵而忘贱，故意欲溺死故妻，别图良配。如今虽得了性命，无处依栖，转思苦楚，以此痛哭。见许公盘问，不免从头至尾，细说一遍。说罢，哭之不已，连许公夫妇都感伤堕泪，劝道："汝休得悲啼，肯为我义女，再作道理。"玉奴拜谢。许公吩咐夫人取干衣替他通身换了，安排他后舱独宿。教手下男女都称他小姐，又吩咐舟人，不许泄漏其事。

不一日，到淮西上任。那无为军正是他所属地方，许公是莫司户的上司，未免随班参谒。许公见了莫司户，心中想道："可惜一表人才，干恁般薄幸之事。"约过数月，许公对僚属说道："下官有一女，颇有才貌，年已及笄①，欲择一佳婿赘之。诸君意中，有其人否？"众僚属都闻得莫司户青年丧偶，齐声荐他才品非凡，堪作东床之选。许公道："此子吾亦属意久矣，但少年登第，心高望厚，未必肯赘吾家。"众僚属道："彼出身寒门，得公收拔，如蒹葭倚玉树②，何幸如之，岂以入赘为嫌乎？"许公道："诸君既酌量可行，可与莫司户言之。但云出自诸君之意，以探其情，莫说下官，恐有妨碍。"众人领命，遂与莫稽说知此事，要替他做媒。莫稽正要攀高，况且联姻上司，求之不得，便欣然应道："此事全仗玉成，当效衔结之报。"众人道："当得，当得。"随即将言回复许公。许公道："虽承司户不弃，但下官夫妇，钟爱此女，娇养成性，所以不舍得出嫁。只怕司户少年气概，不相饶让，或致小有嫌隙，有伤下官夫妇之心。须是预先讲过，凡事容耐些，方敢赘人。"众人领命，又到司户处传话，司户无不依允。此时司户不比做秀才时节，一般用金花彩币为纳聘之仪，选了吉期，皮松骨痒，整备做转运使的女婿。

却说许公先教夫人与玉奴说，老相公怜你寡居，欲重赘一少年进士，你不可推阻。玉奴答道："奴家虽出寒门，颇知礼数。既与莫郎结发，从一而终。虽然莫郎嫌贫弃贱，忍心害理，奴家各尽其道，岂肯改嫁，以伤妇

---

① 及笄(jī)——古代女子到十五岁，用簪子把头发簪起来，表示成年。
② 蒹葭(jiānjiā)倚玉树——比喻身份低下者，倚托有权位者。

节?”言毕,泪如雨下。夫人察他志诚,乃实说道:“老相公所说少年进士,就是莫郎。老相公恨其薄幸,务要你夫妻再合,只说有个亲生女儿,要招赘一婿,却教众僚属与莫郎议亲,莫郎欣然听命,只今晚入赘吾家。等他进房之时,须是……”如此如此,“与你出这口呕气。”玉奴方才收泪,重匀粉面,再整新妆,打点结亲之事。

到晚,莫司户冠带齐整,帽插金花,身披红锦,跨着雕鞍骏马,两班鼓乐前导,众僚属都来送亲。一路行来,谁不喝采!正是:

鼓乐喧阗白马来,风流佳婿实奇哉。
团头喜换高门眷,采石江边未足哀。

是夜,转运司铺毡结彩,大吹大擂,等候新女婿上门。莫司户到门下马,许公冠带出迎,众官僚都别去。莫司户直入私宅,新人用红帕覆首,两个养娘扶将出来。掌礼人在槛外喝礼,双双拜了天地,又拜了丈人、丈母,然后交拜礼毕,送归洞房做花烛筵席。莫司户此时心中,如登九霄云里,欢喜不可形容,仰着脸,昂然而入。才跨进房门,忽然两边门侧里走出七八个老妪、丫鬟,一个个手执篱竹细棒,劈头劈脑打将下来,把纱帽都打脱了,肩背上棒如雨下,打得叫喊不迭,正没想一头处。莫司户被打,慌做一堆蹭倒,只得叫声:“丈人,丈母,救命!”只听房中娇声宛转吩咐道:“休打杀薄情郎,且唤来相见。”众人方才住手,七八个老妪、丫鬟,扯耳朵,拽胳膊,好似六贼戏弥陀①一般,脚不点地,拥到新人面前。司户口中还说道:“下官何罪?”开眼看时,画烛辉煌,照见上边端端正正坐着个新人,不是别人,正是故妻金玉奴。莫稽此时魂不附体,乱嚷道:“有鬼!有鬼!”众人都笑起来。只见许公自外而入,叫道:“贤婿休疑,此乃吾采石江头所认之义女,非鬼也。”莫稽心头方才住了跳,慌忙跪下,拱手道:“我莫稽知罪了,望大人包容之。”许公道:“此事与下官无干,只吾女没说话就罢了。”玉奴唾其面,骂道:“薄幸贼!你不记宋弘有言:‘贫贱之交不可忘,糟糠之妻不下堂。’当初你空手赘入吾门,亏得我家资财,读书延誉,以致成名,侥幸今日。奴家亦望夫荣妻贵,何期你忘恩负本,就不念结发之情,恩将仇报,将奴推堕江心。幸然天天可怜,得遇恩爹提救,收为义女。倘然葬江鱼之腹,你别娶新人,于心何忍?今日有何颜面,再与你完聚?”说

① 六贼戏弥陀——一种百戏的名称。佛经称色、声、香、味、触、法为六贼。

罢，放声而哭，千薄幸，万薄幸，骂不住口。莫稽满面羞惭，闭口无言，只顾磕头求恕。

许公见骂得够了，方才把莫稽扶起，劝玉奴道："我儿息怒，如今贤婿悔罪，料然不敢轻慢你了。你两个虽然旧日夫妻，在我家只算新婚花烛，凡事看我之面，闲言闲语，一笔都勾罢。"又对莫稽说道："贤婿，你自家不是，休怪别人。今宵只索忍耐，我教你丈母来解劝。"说罢，出房去。少刻夫人来到，又调停了许多说话，两个方才和睦。

次日许公设宴，管待新女婿，将前日所下金花彩币，依旧送还，道："一女不受二聘，贤婿前番在金家已费过了，今番下官不敢重叠收受。"莫稽低头无语，许公又道："贤婿常恨令岳翁卑贱，以致夫妇失爱，几乎不终。今下官备员如何？只怕爵位不高，尚未满贤婿之意。"莫稽涨得面皮红紫，只是离席谢罪。有诗为证：

痴心指望缔高姻，谁料新人是旧人？
打骂一场羞满面，问他何取岳翁新？

自此莫稽与玉奴夫妇和好，比前加倍。许公共夫人待玉奴如真女，待莫稽如真婿，玉奴待许公夫妇，亦与真爹妈无异。连莫稽都感动了，迎接团头金老大在任所，奉养送终。后来许公夫妇之死，金玉奴皆制重服，以报其恩。莫氏与许氏世世为通家兄弟，往来不绝。诗云：

宋弘守义①称高节，黄允休妻②骂薄情。
试看莫生婚再合，姻缘前定枉劳争。

# 第二十八卷　李秀卿义结黄贞女

暇日攀今吊古，从来几个男儿，履危临难有神机，不被他人算计？

男子尽多慌错，妇人反有权奇。若还智量③胜蛾眉，便带头巾

---

① 宋弘守义——宋弘，后汉时人。光武帝想把自己的姊姊嫁给他，宋弘说："贫贱之交不可忘，糟糠之妻不下堂。"拒绝了这头亲事。

② 黄允休妻——后汉袁隗替他的侄女择婿，看见黄允，说："如果能找到这样的女婿就满意了。"黄允知道了，便马上把自己的妻子休掉。

③ 智量——智谋、计策。

何愧？

常言有智妇人，赛过男子，古来妇人赛男子的也尽多。除着吕太后、武则天，这一班大手段①的歹人不论；再除却卫庄姜②、曹令女③，这一班大贤德、大贞烈的好人也不论；再除却曹大家④、班婕妤⑤、苏若兰⑥、沈满愿⑦、李易安⑧、朱淑真，这一班大学问、大才华的文人也不论；再除却锦车夫人冯氏⑨、浣花夫人任氏⑩、锦伞夫人洗氏⑪和那军中娘子⑫、绣旗女将⑬，这一班大智谋、大勇略的奇人也不论。如今单说那一种奇奇怪怪、

---

① 手段——本领、能耐。

② 卫庄姜——春秋时卫庄公的夫人，庄姜起初没有操行，后来听从傅母的规劝，努力修身。

③ 曹令女——指魏代曹文叔的妻子夏侯令女。曹文叔死后，家中要她再嫁，她用截耳断鼻来抗拒。在封建时代，她被看成一个了不起的“节女”。

④ 曹大家——家，读如姑字。汉班彪女班昭，嫁曹世叔为妻，博学多才，汉和帝召她入宫，命皇后贵人等师事之，称为曹大家。

⑤ 班婕妤——汉成帝宫人，能作诗歌。后来赵飞燕得宠，班婕妤被谗，改为太后侍女。婕妤，汉代女官名。

⑥ 苏若兰——晋窦滔妻，名蕙。窦滔为秦州秦刺史，纳妾，与蕙疏离，苏蕙用锦织成回文诗寄滔，文词十分凄惋。

⑦ 沈满愿——南朝梁时人，沈约之孙女，嫁征西记室范靖为妻，善作诗，有集五卷，不传。

⑧ 李易安——宋赵明诚妻，名清照，号易安居士，工诗文，尤擅填词，有《漱玉词》。

⑨ 锦车夫人冯氏——西汉冯嫽，嫁给乌孙国右大将军，号为冯夫人。汉宣帝曾征冯嫽，锦车持节，出使乌孙国。

⑩ 浣花夫人任氏——唐西川节度使崔宁之妾。崔宁入朝，阳子琳乘虚入成都，任氏出家财募得兵士数千人，亲自率领，击败阳子琳。

⑪ 锦伞夫人洗氏——南北朝时高凉太守冯宝之妻。冯宝死后，洗氏统治岭南一带。隋文帝册封为宋康郡失人，洗氏披甲骑马，张着锦伞，巡抚诸州。

⑫ 军中娘子——指唐高祖李渊的女儿平阳公主，嫁柴绍。柴绍随李渊起兵，平阳公主也募兵起来响应，一时威振关中，与柴绍对置幕府，分定京师，当时号为娘子军。

⑬ 绣旗女将——金代人，姓刘氏。宋宁宗嘉定十三年李全围东平，追金兵抵山谷，忽有一绣旗女将驰出，持枪突斗，李全大败。

蹊蹊跷跷，没阳道的假男子，带头巾的真女人，可钦可爱，可笑可歌。正是：

说处裙钗添喜色，话时男子减精神。

据唐人小说，有个木兰女子，是河南睢阳人氏。因父亲被有司点做边庭戍卒，木兰可怜父亲多病，扮女为男，代替其役，头顶兜鍪，身披铁铠，手执戈矛，腰悬弓矢，击柝提铃①，餐风宿草，受了百般辛苦。如此十年，役满而归，依旧是个童身。边廷上万千军士，没一人看得出他是女子。后人有诗赞云：

缇萦救父②古今稀，代父从戎事更奇。
全孝全忠又全节，男儿几个不亏移？

又有个女子，叫做祝英台，常州义兴人氏，自小通书好学，闻余杭文风最盛，欲往游学。其哥嫂止之曰："古者男女七岁不同席，不共食，你今一十六岁，却出外游学，男女不分，岂不笑话！"英台道："奴家自有良策。"乃裹巾束带，扮作男子模样，走到哥嫂面前，哥嫂亦不能辨认。英台临行时，正是夏初天气，榴花盛开，乃手摘一枝，插于花台之上，对天祷告道："奴家祝英台出外游学，若完名全节，此枝生根长叶，年年花发；若有不肖之事，玷辱门风，此枝枯萎。"祷毕出门，自称祝九舍人。遇个朋友，是个苏州人氏，叫做梁山伯，与他同馆读书，甚相爱重，结为兄弟。日则同食，夜则同卧，如此三年，英台衣不解带，山伯屡次疑惑盘问，都被英台将言语支吾过了。读了三年书，学问成就，相别回家，约梁山伯二个月内，可来见访。英台归时，仍是初夏，那花台上所插榴枝，花叶并茂，哥嫂方信了。同乡三十里外，有个安乐村，那村中有个马氏，大富之家。闻得祝九娘贤慧，寻媒与他哥哥议亲。哥哥一口许下，纳彩问名都过了，约定来年二月娶亲。原来英台有心于山伯，要等他来访时，露其机括③；谁知山伯有事，稽迟在家。英台只恐哥嫂疑心，不敢推阻。山伯直到十月，方才动身，过了六个月了。到得祝家庄，问祝九舍人时，庄客说道："本庄只有祝九娘，并没有祝九舍人。"山伯心疑，传了名刺进去，只见丫鬟出来，请梁兄到中堂

① 击柝提铃——指巡更。宋明间，凡巡卒打更，都击柝摇铃。

② 缇萦救父——汉淳于意有罪当受肉刑，其女缇萦随父至长安，上书愿为官婢以赎父罪，汉文帝终于赦免了淳于意，并下诏废除肉刑。

③ 机括——心思、用心。

相见。山伯走进中堂,那祝英台红妆翠袖,别是一般妆束了。山伯大惊,方知假扮男子,自愧愚鲁,不能辨识。寒温已罢,便谈及婚姻之事。英台将哥嫂做主,已许马氏为辞。山伯自恨来迟,懊悔不迭。分别回去,遂成相思之病,奄奄不起,至岁底身亡。嘱咐父母,可葬我于安乐村路口,父母依言葬之。明年,英台出嫁马家,行至安乐村路口,忽然狂风四起,天昏地暗,舆人都不能行。英台举眼观看,但见梁山伯飘然而来,说道:“吾为思贤妹,一病而亡,今葬于此地。贤妹不忘旧谊,可出轿一顾。”英台果然走出轿来,忽然一声响亮,地下裂开丈余,英台从裂中跳下。众人扯其衣服,如蝉脱一般,其衣片片而飞。顷刻天清地明,那地裂处,只如一线之细。歇轿处,正是梁山伯坟墓。乃知生为兄弟,死作夫妻。再看那飞的衣服碎片,变成两般花蝴蝶,传说是二人精灵所化,红者为梁山伯,黑者为祝英台。其种到处有之,至今犹呼其名为梁山伯、祝英台也。后人有诗赞云:

三载书帏共起眠,活姻缘作死姻缘。
非关山伯无分晓,还是英台志节坚。

又有一个女子,姓黄名崇嘏①,是西蜀临邛人氏。生成聪明俊雅,诗赋俱通,父母双亡,亦无亲族。时宰相周庠镇蜀,崇嘏假扮做秀才,将平日所作诗卷呈上。周庠一见,篇篇道好,字字称奇,乃荐为郡掾②。吏事精敏,地方凡有疑狱,累年不决者,一经崇嘏剖断,无不洞然。屡摄府县之事,到处便有声名,胥徒畏服,士民感仰。周庠首荐于朝,言其才可大用,欲妻之以女,央太守作媒,崇嘏只微笑不答。周庠乘他进见,自述其意,崇嘏索纸笔,作诗一首献上。诗曰:

一辞拾翠③碧江湄,贫守蓬茅但赋诗;
自服蓝袍居郡掾,永抛鸾镜画蛾眉。
立身卓尔青松操,挺志坚然白壁姿。
幕府若教为坦腹,愿天速变作男儿。

庠见诗,大惊,叩其本末,方知果然是女子。因将女作男,事关风化,不好声张其事,教他辞去郡掾,隐于郭外,乃于郡中择士人嫁之。后来士人亦

---

① 嘏(jiǎ 或 gǔ)。
② 郡掾——州郡的属官。
③ 拾翠——古代妇女,于春天采撷百草,作为娱乐。

举进士及第，位致通显，崇嘏累封夫人。据如今搬演《春桃记》①传奇，说黄崇嘏中过女状元，此是增藻之词。后人亦有诗赞云：

珠玑满腹彩生毫，更服烹鲜②手段高。

若使生时逢武后，君臣一对女中豪。

那几个女子，都是前朝人，如今再说个近代的，是大明朝弘治年间的故事。南京应天府上元县有个黄公，以贩线香为业，兼带卖些杂货，惯走江北一带地方。江北人见他买卖公道，都唤他做"黄老实"。家中止一妻二女，长女名道聪，幼女名善聪。道聪年长，嫁与本京青溪桥张二哥为妻去了。止有幼女善聪在家，方年一十二岁。母亲一病而亡，殡葬已毕。黄老实又要往江北卖香生理，思想："女儿在家，孤身无伴，况且年幼未曾许人，怎生放心得下？待寄在姐夫家，又不是个道理。若不做买卖，撇了这走熟的道路，又那里寻几贯钱钞养家度日？"左思右想，去住两难。香货俱已定下，只有这女儿没安顿处。一连想了数日，忽然想着道："有计了，我在客边没人作伴，何不将女假充男子，带将出去？且待年长，再作区处。只是一件，江北主顾人家，都晓得我没儿，今番带着孩子去，倘然被他盘问，露出破绽，却不是个笑话？我如今只说是张家外甥，带出来学做生理，使人不疑。"计较已定，与女儿说通了，制副道袍净袜，教女儿穿着，头上裹个包巾，妆扮起来，好一个清秀孩子。正是：

眉目生成清气，资性那更伶俐。

若还伯道相逢，十个九个过继。

黄老实爹女两人，贩着香货，趁船来到江北庐州府，下了主人家。主人家见善聪生得清秀，无不夸奖，问黄老实道："这个孩子，是你什么人？"黄老实答道："是我家外甥，叫做张胜。老汉没有儿子，带他出来走走，认了这起主顾人家，后来好接管老汉的生意。"众人听说，并不疑惑。黄老实下个单身客房，每日出去发货讨帐，留下善聪看房。善聪目不妄视，足不乱移。众人都道这张小官比外公愈加老实，个个欢喜。

自古道："天有不测风云，人有旦夕祸福。"黄老实在庐州，不上两年，

---

① 《春桃记》——即院本《女状元春桃记》，金人撰，一说元人撰，已佚。

② 烹鲜——《老子》说："治大国，若烹小鲜。"所以后人常用烹鲜比喻治理国家。

害个病症,医药不痊,呜呼哀哉。善聪哭了一场,买棺盛殓,权寄于城外古寺之中;思想年幼孤女,往来江湖不便。间壁客房中下着的,也是个贩香客人,又同是应天府人氏,平昔间看他少年诚实,问其姓名来历,那客人答道:"小生姓李,名英,字秀卿,从幼跟随父亲出外经纪。今父亲年老,受不得风霜辛苦,因此把本钱与小生,在此行贩。"善聪道:"我张胜跟随外祖在此,不幸外祖身故,孤寡无依。足下若不弃,愿结为异姓兄弟,合伙生理,彼此有靠。"李英道:"如此最好。"李英年十八岁,长张胜四年,张胜因拜李英为兄,甚相友爱。过了几日,弟兄两个商议,轮流一人往南京贩货,一人住在庐州发货讨帐;一来一去,不致耽误了生理,甚为两便。善聪道:"兄弟年幼,况外祖灵柩无力奔回,何颜归于故乡?让哥哥去贩货罢。"于是收拾资本,都交付与李英。李英剩下的货物,和那帐目,也交付与张胜。但是两边买卖,毫厘不欺。从此李英、张胜两家行李,并在一房。李英到庐州时,只在张胜房住,日则同食,夜则同眠。但每夜张胜只是和衣而睡,不脱衫裤,亦不去鞋袜,李英甚以为怪。张胜答道:"兄弟自幼得了个寒疾,才解动里衣,这病就发作,所以如此睡惯了。"李英又问道:"你耳朵子上,怎的有个环眼?"张胜道:"幼年间爹娘与我算命,说有关煞①难养,为此穿破两耳。"李英是个诚实君子,这句话便被他瞒过,更不疑惑。张胜也十分小心在意,虽泄溺亦必等到黑晚,私自去方便,不令人瞧见。以此客居虽久,并不露一些些马脚。有诗为证:

女相男形虽不同,全凭心细谨包笼②。
只憎一件难遮掩,行步跷蹊三寸弓。

黄善聪假称张胜,在庐州府做生理,初到时止十二岁,光阴似箭,不觉一住九年,如今二十岁了。这几年勤苦营运,手中颇颇活动,比前不同。思想父亲灵柩暴露他乡,亲姐姐数年不会,况且自己终身也不是个了当,乃与李英哥哥商议,只说要搬外公灵柩,回家安葬。李英道:"此乃孝顺之事,只灵柩不比他件,你一人如何担带?做哥的相帮你同走,心中也放得下。待你安葬事毕,再同来就是。"张胜道:"多谢哥哥厚意。"当晚定

① 关煞——即星命家称命中注定的灾厄。
② 包笼——包藏。

议，择个吉日，顾下船只，唤几个僧人，做个起灵功德①，抬了黄老实的灵柩下船。一路上风顺则行，风逆则止，不一日到了南京，在朝阳门外，觅个空闲房子，将柩寄顿，俟吉下葬。

闲话休叙。再说李英同张胜进了城门，东西分路。李英问道："兄弟高居何处？做哥的好来拜望。"张胜道："家下傍着秦淮河清溪桥②居住，来日专候哥哥降临茶话。"两下分别。张胜本是黄家女子，那认得途径？喜得秦淮河是个有名的所在，不是个僻地，还好寻问。张胜行至清溪桥下，问着了张家，敲门而入。其日姐夫不在家，望着内里便走。姐姐道聪骂将起来，道："是人家各有内外，甚么花子，一些体面不存，直入内室，是何道理？男子汉在家时，瞧见了，好歹一百孤拐③奉承你，还不快走！"张胜不慌不忙，笑嘻嘻的作一个揖下去，口中叫道："姐姐，你自家嫡亲兄弟，如何不认得了？"姐姐骂道："油嘴光棍！我从来那有兄弟？"张胜道："姐姐九年前之事，你可思量得出？"姐姐道："思量甚么？前九年我还记得。我爹爹并没儿子，止生下我姊妹二人，我妹子小名善聪，九年前爹爹带往江北贩香，一去不回。至今音问不通，未审死活存亡。你是何处光棍，却来冒认别人做姐姐！"张胜道："你要问善聪妹子，我即是也。"说罢，放声大哭。姐姐还不信是真，问道："你既是善聪妹子，缘何如此妆扮？"张胜道："父亲临行时，将我改扮为男，只说是外甥张胜，带出来学做生理。不期两年上父亲一病而亡，你妹子虽然殡殓，却恨孤贫，不能扶柩而归。有个同乡人李秀卿，志诚君子，你妹子万不得已，只得与他八拜为交，合伙营生。淹留江北，不觉又六七年，今岁始办归计。适才到此，便来拜见姐姐，别无他故。"姐姐道："原来如此，你同个男子合伙营生，男女相处许多年，一定配为夫妇了。自古明人不做暗事，何不带顶髻儿④？还好看相。恁般乔打扮回来，不雌不雄，好不羞耻人！"张胜道："不欺姐姐，奴家至今，还是童身，岂敢行苟且之事，玷辱门风。"道聪不信，引入密室验之。你说怎么验法？用细细干灰铺放余桶⑤之内，却教女子解了下衣，坐于桶

---

① 起灵功德——撤除灵位前所做的佛事。

② 清溪桥——即淮清桥，桥址在南京城东南青溪与秦淮河会合处。

③ 孤拐——踝骨。

④ 髻儿——即鬏髻，一种妇女戴的束发冠，一般用银丝编织而成。

⑤ 余桶——便桶。

上。用绵纸条栖入鼻中,要他打喷嚏。若是破身的,上气泄,下气亦泄,干灰必然吹动;若是童身,其灰如旧。朝廷选妃,都用此法,道聪生长京师,岂有不知?当时试那妹子,果是未破的童身。于是姊妹两人,抱头而哭。道聪慌忙开箱,取出自家裙袄,安排妹子香汤沐浴,教他更换衣服。妹子道:"不欺姐姐,我自从出去,未曾解衣露体。今日见了姐姐,方才放心耳。"那一晚,张二哥回家,老婆打发在外厢安歇。姊妹二人,同被而卧,各诉衷肠,整整的叙了一夜说话,眼也不曾合缝。

次日起身,黄善聪梳妆打扮起来,别自一个模样。与姐夫姐姐重新叙礼。道聪在丈夫面前,夸奖妹子贞节,连李秀卿也称赞了几句:"若不是个真诚君子,怎与他相处得许多时?"话犹未绝,只听得门外咳嗽一声,问道:"里面有人么?"黄善聪认得是李秀卿声音,对姐姐说:"教姐夫出去迎他,我今番不好相见了。"道聪道:"你既与他结义过来,又且是个好人,就相见也不妨。"善聪颠倒怕羞起来,不肯出去。道聪只得先教丈夫出去迎接,看他口气,觉也不觉。张二哥连忙趋出,见了李秀卿,叙礼已毕,分宾而坐。秀卿开言道:"小生是李英,特到此访张胜兄弟,不知阁下是他何人?"张二哥笑道:"是在下至亲,只怕他今日不肯与足下相会,枉劳尊驾。"李秀卿道:"说那里话?我与他是异姓骨肉,最相爱契,约定我今日到此。特特而来,那有不会之理?"张二哥道:"其中有个缘故,容从容奉告。"秀卿性急,连连的催促,迟一刻只待发作出来了。慌得张二哥便往内跑,教老婆苦劝姨姐①,与李秀卿相见,善聪只是不肯出房。他夫妻两口躲过一边,倒教人将李秀卿请进内宅。秀卿一见了黄善聪,看不仔细,倒退下七八步。善聪叫道:"哥哥不须疑虑,请来叙话。"秀卿听得声音,方才晓得就是张胜,重走上前作揖道:"兄弟,如何恁般打扮?"善聪道:"一言难尽,请哥哥坐了,容妹子从容告诉。"两人对坐了,善聪将十二岁随父出门始末根由,细细述了一遍,又道:"一向承哥哥带挈提携,感谢不尽。但在先有兄弟之好,今后有男女之嫌,相见只此一次,不复能再聚矣。"秀卿听说,呆②了半晌,自思五六年和他同行同卧,竟不晓得他是女子,好生懵懵!便道:"妹子听我一言,我与你相契许久,你知我知,往事

① 姨姐——小姨,妻子的妹妹。
② 呆——傻、呆。

不必说了。如今你既青年无主，我亦壮而未娶，何不推八拜之情，合二姓之好？百年谐老，永远团圆，岂不美哉！”善聪羞得满面通红，便起身道：“妾以兄长高义，今日不避形迹，厚颜请见。兄乃言及于乱，非妾所以待兄之意也。”说罢，一头走进去，一头说道：“兄宜速出，勿得停滞，以招物议。”

秀卿被发作一场，好生没趣。回到家中，如痴如醉，颠倒割舍不下起来。乃央媒妪去张家求亲说合。张二哥夫妇，倒也欣然。无奈善聪立意不肯，道：“嫌疑之际，不可不谨。今日若与配合，无私有私，把七年贞节，一旦付之东流，岂不惹人嘲笑？”媒妪与姐姐两口交劝，只是不允。那边李秀卿执意定要娶善聪为妻，每日缠着媒妪，要他奔走传话。三回五转，徒惹得善聪焦燥，并不见松了半分口气。似恁般说，难道这头亲事就不成了？且看下回分解。正是：

七年兄弟意殷勤，今日重逢局面新。

欲表从前清白操，故甘薄幸拒姻亲。

天下只有三般口嘴，极是利害：秀才口，骂遍四方；和尚口，吃遍四方；媒婆口，传遍四方。且说媒婆口，怎地传遍四方？那做媒的有几句口号：

东家走，西家走，两脚奔波气常吼。牵三带四有商量，走进人家不怕狗。前街某，后街某，家家户户皆朋友。相逢先把笑颜开，惯报新闻不待叩。说也有，话也有，指长话短舒开手。一家有事百家知，何曾留下隔宿口？要骗茶，要吃酒，脸皮三寸三分厚。若还羡他说作高，拌干涎沫七八斗。

那黄善聪女扮男妆，千古奇事，又且恁地贞节，世世罕有，这些媒妪，走一遍，说一遍，一传十，十传百，霎时间满京城通知道了。人人夸美，个个称奇，虽缙绅之中，谈及此事，都道：“难得，难得。”有守备太监李公，不信其事，差人缉访，果然不谬。乃唤李秀卿来盘问，一一符合。因问秀卿天下美妇人尽多，何必黄家之女？秀卿道：“七年契爱，意不能舍，除却此女，皆非所愿。”李公意甚悯之，乃藏秀卿于衙门中。次日唤前媒妪来，吩咐道：“闻知黄家女贞节可敬，我有个侄儿欲求他为妇，汝去说合，成则有赏。”那时守备太监，正有权势，谁敢不依？媒妪回覆，亲事已谐了。李公自出己财，替秀卿行聘；又赁下一所空房，密地先送秀卿住下。李公亲身到彼，主张花烛，笙箫鼓乐，娶那黄善聪进门成亲。交拜之后，夫妻相见，一场好笑。善聪明知落了李公圈套,事到其间,推阻不得。李公就认秀卿为侄,大出资财,替善聪备办妆奁。又对合城官府说了,五府六部及府尹县官,各有所助。一来看李公面上,二来都道是一桩奇事,人人要玉成其美。秀卿自此遂为京城中富室,夫妻相爱,连育二子,后来读书显达。有好事者,将此事编成唱本说唱,其名曰《贩香记》。有诗为证,诗曰:

七载男妆不露针,归来独守岁寒心。
编成小说垂闺训,一洗桑间濮上音①。

又有一首诗,单道太监李公的好处,诗曰:

节操恩情两得全,宦官谁似李公贤?
虽然没有风流分,种得来生一段缘。

## 第二十九卷　月明和尚度柳翠

万里新坟尽少年,修行莫待鬓毛斑。
前程黑暗路头险;十二时中自著研。

这四句诗,单道著禅和子②打坐参禅,得成正果,非同容易,有多少先作后修、先修后作的和尚。自家今日说这南渡宋高宗皇帝在位,绍兴年间,有个官人,姓柳,双名宣教,祖贯温州府永嘉县崇阳镇人氏。年方二十五岁,胸藏千古史,腹蕴五车书。自幼父母双亡,早年孤苦,宗族又无所依,只身笃学,赘于高判使家。后一举及第,御笔授得宁海军③临安府府尹。恭人高氏,年方二十岁,生得聪明智慧,容貌端严。新赘柳府尹在家,未及一年,欲去上任。遂带一仆,名赛儿,一日辞别了丈人、丈母,前往临安府上任。饥餐渴饮,夜住晓行,不则一日,已到临安府接官亭。早有所属官吏师生,粮里耆老,住持僧道,行首人等,弓兵隶卒,轿马人夫,俱在彼处,迎接入城。到府中,搬移行李什物,安顿已完,这柳府尹出厅到任。厅下一应人等,参拜已毕。柳府尹遂将参见人员花名手本,逐一点过不缺,

① 桑间濮上音——指亡国的音乐,一种淫靡的音乐。
② 禅和子——禅僧。
③ 宁海军——宋太宗淳化五年,改杭州为宁海军节度。高宗建炎三年,升为临安府。

止有城南水月寺竹林峰住持玉通禅师，乃四川人氏，点不到。府尹大怒道："此秃无礼！"遂问五山十刹禅师："何故此僧不来参接？拿来问罪！"当有各寺住持禀覆相公："此僧乃古佛出世，在竹林峰修行已五十二年，不曾出来。每遇迎送，自有徒弟。望相公方便。"柳府尹虽依僧言不拿，心中不忿。各人自散。

当日府堂公宴，承应歌妓，年方二八，花容娇媚，唱韵悠扬。府尹听罢，大喜，问妓者何名，答言："贱人姓吴，小字红莲，专一在上厅祗应。"当日酒筵将散，柳府尹唤吴红莲，低声吩咐："你明日用心去水月寺内，哄那玉通和尚云雨之事。如了事，就将所用之物前来照证，我这里重赏，判你从良；如不了事，定当记罪。"红莲答言："领相公钧旨。"出府一路自思，如何是好？眉头一蹙，计上心来。回家将柳府尹之事，一一说与娘知，娘儿两个商议一夜。

至次日午时，天阴无雨，正是十二月冬尽天气。吴红莲一身重孝，手提羹饭，出清波门①。走了数里，将及近寺，已是申牌时分，风雨大作。吴红莲到水月寺山门下，倚门而立，进寺，又无人出。直等到天晚，只见个老道人出来关山门。红莲向前道个万福，那老道人回礼道："天色晚了，娘子请回，我要关山门。"红莲双眼泪下，拜那老道人："望公公可怜，妾在城住，夫死百日，家中无人，自将羹饭祭奠。哭了一回，不觉天晚雨下，关了城门，回家不得，只得投宿寺中。望公公慈悲，告知长老，容妾寺中过夜，明早入城，免虎伤命。"言罢两泪交流，拜倒于山门地下，不肯走起。那老道人乃言："娘子请起，我与你裁处。"红莲见他如此说，便立起来。那老道人关了山门，领著红莲到僧房侧首一间小屋，乃是老道人卧房，教红莲坐在房内。那老道人连忙走去长老禅房里法座下，禀覆长老道："山门下有个年少妇人，一身重孝，说道丈夫死了，今日到坟上做羹饭，风雨大作，关了城门，进城不得，要在寺中权歇，明早入城，特来禀知长老。"长老见说，乃言："此是方便之事，天色已晚，你可教他在你房中过夜，明日五更打发他去。"道人领了言语，来说与红莲知道，红莲又拜谢："公公救命之恩，生死不忘大德。"言罢，坐在老道人房中板凳上。那老道人自去收拾，

① 清波门——宋临安城西壁靠南第二座城门，俗称阍门。水月寺即在清波门外西南。

关门闭户已了，来房中土榻上和衣而睡。这老道人日间辛苦，一觉便睡著。

原来水月寺在桑菜园里，四边又无人家，寺里有两个小和尚都去化缘，因此寺中冷静，无人走动。这红莲听得更鼓已是二更，心中想道："如何事了？"心乱如麻，遂乃轻移莲步，走至长老房边。那间禅房关著门，一派是大槅窗子，房中挂著一碗琉璃灯，明明亮亮。长老在禅椅之上打坐，也看见红莲在门外。红莲看著长老，遂乃低声叫道："长老慈悲为念，救度妾身则个。"长老道："你可去道人房中权宿，来早入城，不可在此搅扰我禅房，快去，快去！"红莲在窗外深深拜了十数拜道："长老慈悲为本，方便为门，妾身衣服单薄，夜寒难熬，望长老开门，借与一两件衣服，遮盖身体。救得性命，自当拜谢。"道罢，哽哽咽咽哭将起来。这长老是个慈悲善人，心中思忖道："倘若寒禁，身死在我禅房门首，不当稳便①。自古道：'救人一命，胜造七级浮屠。'"从禅床上走下来，开了槅子门，放红莲进去。长老取一领破旧禅衣把与他，自己依旧上禅床上坐了。红莲走到禅床边深深拜了十数拜，哭哭啼啼道："肚疼死也。"这长老并不睬他，自己瞑目而坐。怎当红莲哽咽悲哀，将身靠在长老身边，哀声叫疼叫痛，就睡倒在长老身上，或坐在身边，或立起叫唤不止。约莫也是三更，长老忍口不住，乃问红莲曰："小娘子，你如何只顾哭泣？那里疼痛？"红莲告长老道："妾丈夫在日，有此肚疼之病，我夫脱衣将妾搂于怀内，将热肚皮贴著妾冷肚皮，便不疼了。不想今夜疼起来，又值寒冷，妾死必矣。怎地得长老肯救妾命，将热肚皮贴在妾身上，便得痊可。若救得妾命，实乃再生之恩。"长老见他苦告不过，只得解开衲衣，抱那红莲在怀内。这红莲赚得长老肯时，便慌忙解了自的衣服，赤了下截身体，倒在怀内道："望长老一发去了小衣，将热肚皮贴一贴，救妾性命。"长老初时不肯，次后三回五次。此时不由长老禅心不动。这长老看了红莲如花如玉的身体，春心荡漾起来，两个就在禅床上两相欢洽。长老搂著红莲问道："娘子高姓何名？那里居住？因何到此？"红莲曰："不敢隐讳，妾乃上厅行首，姓吴，小字红莲，在于城中南新桥居住。"长老此时被魔障缠害，心欢意喜，吩咐道："此事只可你知我知，不可泄于外人。"少刻，云收雨散，被红莲将口扯

① 不当稳便——不妥当。

下白布衫袖一只，抹了，收入袖中，这长老困倦不知。长老虽然如此，心中疑惑，乃问红莲曰："姐姐此来，必有缘故，你可实说。"再三逼迫，要问明白。红莲被长老催逼不过，只得实说："临安府新任柳府尹，怪长老不出寺迎接，心中大恼，因此使妾来与长老成其云雨之事。"长老听罢大惊，悔之不及，道："我的魔障到了，吾被你赚骗，使我破了色戒，堕于地狱。"此时东方已白，长老教道人开了寺门，红莲别了长老，急急出寺回去了。

却说这玉通禅师教老道人烧汤："我要洗浴。"老道人自去厨下烧汤，长老磨墨捻笔，便写下八句《辞世颂》①，曰：

自入禅门无挂碍，五十二年心自在；
只因一点念头差，犯了如来淫色戒。
你使红莲破我戒，我欠红莲一宿债；
我身德行被你亏，你家门风还我坏。

写毕摺了，放在香炉足下压著。道人将汤入房中，伏侍长老洗浴罢，换了一身新禅衣，叫老道人吩咐道："临安府柳府尹差人来请我时，你可将香炉下简帖把与来人，教他回覆，不可有误。"道罢，老道人自去殿上烧香扫地，不知玉通禅师已在禅椅上圆寂②了。

话分两头。却说红莲回到家中，吃了早饭，换了色衣，将著布衫袖，径来临安府见柳府尹。府尹正坐厅，见了红莲，连忙退入书院中，唤红莲至面前，问和尚事了得否。红莲将夜来事备细说了一遍，袖中取出衫袖递与看了。柳府尹大喜，教人去堂中取小小墨漆盒儿一个，将白布衫袖子放在盒内，上面用封皮封了。捻起笔来，写一简子，乃诗四句，其诗云：

水月禅师号玉通，多时不下竹林峰；
可怜数点菩提水，倾入红莲两瓣中。

写罢，封了简子，差一个承局③，送与水月寺玉通和尚，要讨回字，不可迟误。承局去了。柳府尹赏红莲钱五百贯，免他一年官唱。红莲拜谢，将了钱自回去了，不在话下。

却说承局赍著小盒儿并简子，来到水月寺中，只见老道人在殿上烧

---

① 《辞世颂》——佛教徒临死时所作的偈语。

② 圆寂——指佛或僧侣之死。

③ 承局——官差、差人。

香。承局问长老在何处,老道人遂领了承局,径到禅房中时,只见长老已在禅椅上圆寂去了。老道人言:“长老曾吩咐道:‘若柳相公差人来请我,将香炉下简子去回覆。’”承局大惊道:“真是古佛,预先已知此事。”当下承局将了回简并小盒儿,再回府堂,呈上回简并原简,说长老圆寂一事。柳宣教打开回简一看,乃是八句《辞世颂》,看罢吃了一惊,道:“此和尚乃真僧也,是我坏了他德行。”懊悔不及。差人去叫匠人合一个龛子①,将玉通和尚盛了,教南山净慈寺②长老法空禅师,与玉通和尚下火③。

却说法空径到柳府尹厅上,取覆相公,要问备细。柳府尹将红莲事情说了一遍,法空禅师道:“可惜,可惜,此僧差了念头,堕落恶道矣。此事相公坏了他德行,贫僧去与他下火,指点教他归于正道,不堕畜生之中。”言罢,别了府尹,径到水月寺,吩咐抬龛子出寺后空地。法空长老手捻火把,打个圆相④,口中道:

自到川中数十年,曾在毗卢⑤顶上眠。
欲透赵州⑥关捩子⑦,好姻缘做恶姻缘。
桃红柳绿还依旧,石边流水冷湲湲。
今朝指引菩提路,再休错意念红莲。

恭惟圆寂玉通大和尚之觉灵曰:惟灵五十年来古拙,心中皎如明月,有时照耀当空,大地乾坤清白。可惜法名玉通,今朝作事不通:不去灵山⑧参佛祖,却向红莲贪淫欲。本是色即是空,谁想空即是色!无福向狮子光⑨中,享天上之逍遥;有分去驹儿隙⑩内,受人间之劳

① 龛子——这里是指佛教中的塔状盛尸器。
② 南山净慈寺——宋代临安著名的一座大寺,在南屏山麓。
③ 下火——佛教徒火葬时举行燃火的仪式。
④ 圆相——佛家参禅时,在空中或地上划的一个圆圈。
⑤ 毗卢——毗卢舍那的略语。法身佛,佛的真身的尊称。
⑥ 赵州——即唐代高僧从谂,居于赵州观音院,世称赵州和尚。
⑦ 关捩(liè)子——机关、机括。
⑧ 灵山——即灵鹫山,印度山名,释迦如来曾于此山讲说《法华经》。
⑨ 狮子光——狮子能降伏一切野兽,佛能降伏一切外道,所以佛经中称佛为人狮子。狮子光,就是佛光。
⑩ 驹儿隙——比喻人生的迅速短暂。汉代吕后对张良说:人生一世间,好似白驹过隙。

碌。虽然路径不迷，争奈去之太速。大众莫要笑他，山僧指引不俗。咦！

一点灵光透碧霄，兰堂画阁添澡浴。

法空长老道罢，掷下火把，焚龛将尽。当日，看的人不知其数，只见火焰之中，一道金光冲天而去了。法空长老与他拾骨入塔，各自散去。

却说柳宣教夫人高氏，于当夜得一梦，梦见一个和尚，面如满月，身材肥壮，走入卧房。夫人吃了一惊，一身香汗惊醒。自此不觉身怀六甲。光阴似箭，看看十月满足。夫人临盆分娩，生下一个女儿。当时侍妾报与柳宣教，且喜夫人生得一个小姐。三朝满月，取名唤做翠翠。百日周岁，做了多少筵席。正是：

窗外日光弹指过，席前花影座间移。

这柳翠翠长成八岁，柳宣教官满将及，收拾还乡。端的是：

世间好物不坚牢，彩云易散琉璃脆。

柳宣教感天行①时疫病，无旬日而故。这柳府尹做官清如水，明似镜，不贪贿赂，囊箧淡薄。夫人具棺木盛贮，挂孝看经，将灵柩寄在柳州寺内。夫人与仆赛儿并女翠翠欲回温州去，路途遥远，又无亲族投奔，身边些小钱财，难供路费。乃于在城白马庙②前，赁一间房屋，三口儿搬来住下。又无生理，一住八年，囊箧消疏，那仆人逃走。这柳翠翠长成，年纪一十六岁，生得十分容貌。这柳妈妈家中娘儿两个，日不料生，口食不敷，乃央间壁王妈妈，问人借钱。借得羊坝头③杨孔目④课钱⑤，借了三千贯钱，过了半年，债主索取要紧。这柳妈妈被讨不过，出于无奈，只得央王妈妈做媒，情愿把女儿与杨孔目为妾，言过我要他养老。不数日，杨孔目入赘在柳妈妈家，说："我养你母子二人，丰衣足食，做个外宅。"

不觉过了两月，这杨孔目因早晚不便，又两边家火⑥，忽一日回家，与妻商议，欲搬回家。其妻之父，告女婿停妻取妾，临安府差人捉柳妈妈并

---

① 天行——传染病。

② 白马庙——即白马神祠，在临安城南寿域坊。

③ 羊坝头——临安城内市西坊，俗称羊坝头。今杭州羊坝头，即其故址。

④ 孔目——官名，专管稽核文牍、簿籍。

⑤ 课钱——税钱。

⑥ 家火——此指火食开销。

女儿一干人到官，要追原聘财礼。柳妈妈诉说贫乏无措，因此将柳翠翠官卖。却说有个工部邹主事，闻知柳翠翠丰姿貌美，聪明秀丽，去问本府讨了，另买一间房子，在抱剑营街①，搬那柳妈妈并女儿去住下，养做外宅。又讨个妳子并小厮，伏侍走动。这柳翠翠改名柳翠。

原来南渡时，临安府最盛。只这通和坊②这条街，金波桥③下，有座花月楼④，又东去为熙春楼、南瓦子⑤，又南去为抱剑营、漆器墙、沙皮巷、融和坊，其西为太平坊、巾子巷、狮子巷，这几个去处都是瓦子。这柳翠是玉通和尚转世，天生聪明，识字知书。诗词歌赋，无所不通；女工针指，无有不会。这邹主事十日半月，来得一遭，千不合，万不合，住在抱剑营，是个行首窟里。这柳翠每日清闲自在，学不出好样儿，见邻妓家有孤老来往，他心中欢喜，也去门首卖俏，引惹子弟们来观看。眉来眼去，渐渐来家宿歇。柳妈妈说他不下，只得随女儿做了行首。多有豪门子弟爱慕他，饮酒作乐，殆无虚日。邹主事看见这般行径，好不雅相，索性与他个决绝，再不往来。这边柳翠落得无人管束，公然大做起来。只因柳宣教不行阴骘，折了女儿，此乃一报还一报，天理昭然。后人观此，不可不戒。有诗为证，诗曰：

用巧计时伤巧计，爱便宜处落便宜⑥。
莫道自身侥幸免，子孙必定受人欺。

后来直使得一尊古佛，来度柳翠，归依正道，返本还原，成佛作祖。你道这尊古佛是谁？正是月明和尚。他从小出家，真个是五戒⑦具足，一尘

---

① 抱剑营街——宋代临安城东街坊名。
② 通和坊——在临安城中心，御街东首。
③ 金波桥——在通和坊东小河上。
④ 花月楼——宋代临安酒楼名。
⑤ 熙春楼、南瓦子——熙春楼，为南宋临安著名酒楼。南瓦子，临安城内瓦舍名，在熙春楼下。
⑥ 落便宜——吃亏。
⑦ 五戒——佛教戒律：一不杀生，二不偷盗，三不邪淫，四不妄语，五不饮酒食肉。

不染，在皋亭山显孝寺①住持。当先与玉通禅师，俱是法门契友。闻知玉通圆寂之事，呵呵大笑道："阿婆立脚跟不牢，不免又去做媳妇也。"后来闻柳翠在抱剑营，色艺擅名，心知是玉通禅师转世，意甚怜之。一日，净慈寺法空长老到显孝寺来看月明和尚，坐谈之次，月明和尚谓法空曰："老通堕落风尘已久，恐积渐沉迷，遂失本性，可以相机度他出世，不可迟矣。"

原来柳翠虽堕娼流，却也有一种好处，从小好的是佛法。所得缠头金帛之资，尽情布施，毫不吝惜。况兼柳妈妈亲生之女，谁敢阻挡？在万松岭②下，造石桥一座，名曰柳翠桥；凿一井于抱剑营中，名曰柳翠井。其他方便济人之事，不可尽说。又制下布衣一袭，每逢月朔月望，卸下铅华，穿著布素，闭门念佛；虽宾客如云，此日断不接见，以此为常。那月明和尚只为这节上，识透他根器不坏，所以立心要度他。正是：

"悭贪"二字能除却，终是西方路上人。

却说法空长老，当日领了月明和尚言语，到次日，假以化缘为因，直到抱剑营柳行首门前，敲著木鱼，高声念道：

欲海轮回，沉迷万劫。眼底荣华，空花易灭。

一旦无常，四大消歇。及早回头，出家念佛。

这日正值柳翠西湖上游耍刚回，听得化缘和尚声口不俗，便教丫鬟唤入中堂，问道："师父，你有何本事，来此化缘？"法空长老道："贫僧没甚本事，只会说些因果。"柳翠问道："何为因果？"法空长老道："前为因，后为果；作者为因，受者为果。假如种瓜得瓜，种豆得豆，种是因，得是果。不因种下，怎得收成？好因得好果，恶因得恶果。所以说：要知前世因，今生受者是；要知后世因，今生作者是。"柳翠见说得明白，心中欢喜，留他吃了斋饭。又问道："自来佛门广大，也有我辈风尘中人成佛作祖否？"法空长老道："当初观音大士，见尘世欲根深重，化为美色之女，投身妓馆，一般接客。凡王孙公子，见其容貌，无不倾倒。一与之交接，欲心顿淡。因彼有大法力故，自然能破除邪网。后来无疾而死，里人买棺埋葬。有胡僧见其

---

① 皋亭山显孝寺——皋亭山，在临安东北。显孝寺，在皋亭山上，南宋高宗绍兴十九年建，二十八年赐额"崇先显孝寺"。

② 万松岭——在临安清波门（西南城门）外东南方，夹道都是巨松，所以称为万松岭。

家墓，合掌作礼，口称：'善哉，善哉！'里人说道：'此乃娼妓之墓，师父错认了。'胡僧说道：'此非娼妓，乃观世音菩萨化身，来度世上淫欲之辈，归于正道。如若不信，破土观之，其形骸必有奇异。'里人果然不信，忙斸[①]土破棺，见骨节联络，交锁不断，色如黄金，方始惊异。因就冢立庙，名为黄金锁子骨菩萨。这叫做清净莲花，污泥不染。小娘子今日混于风尘之中，也因前生种了欲根，所以今生堕落。若今日仍复执迷不悔，把倚门献笑认作本等生涯，将生生世世，浮沉欲海，永无超脱轮回之日矣。"这席话，说得柳翠心中变喜为愁，翻热作冷，顿然起追前悔后之意，便道："奴家闻师父因果之说，心中如触。倘师父不弃贱流，情愿供养在寒家，朝夕听讲，不知允否？"法空长老道："贫僧道微德薄，不堪为师；此间皋亭山显孝寺，有个月明禅师，是活佛度世，能知人过去未来之事，小娘子若坚心求道，贫僧当引拜月明禅师。小娘子听其讲解，必能洞了夙因，立地明心见性。"柳翠道："奴家素闻月明禅师之名，明日便当专访，有烦师父引进。"法空长老道："贫僧当得。明日侵晨，在显孝寺前相候，小娘子休得失言。"柳翠舒出尖尖玉手，向乌云鬓边拔下一对赤金凤头钗，递与长老道："些须小物，权表微忱，乞师父笑纳。"法空长老道："贫僧虽则募化，一饱之外，别无所需，出家人要此首饰何用？"柳翠道："虽然师父用不著，留作山门修理之费，也见奴家一点诚心。"法空长老那里肯受，合掌辞谢而去。有诗为证：

追欢卖笑作生涯，抱剑营中第一家。
终是法缘前世在，立谈因果倍嗟呀。

再说柳翠自和尚去后，转展寻思，一夜不睡。次早起身，梳洗已毕，浑身上下换了一套新衣。只说要往天竺进香，妈妈谁敢阻挡？教丫鬟唤个小轿，一径抬到皋亭山显孝寺来。那法空长老早在寺前相候，见柳翠下轿，引入山门，到大雄宝殿，拜了如来，便同到方丈，参谒月明和尚。正值和尚在禅床上打坐，柳翠一见，不觉拜倒在地，口称："弟子柳翠参谒。"月明和尚也不回礼，大喝道："你二十八年烟花债，还偿不够，待要怎么？"吓得柳翠一身冷汗，心中恍惚，如有所悟。再要开言问时，月明和尚又大喝

① 斸(zhǔ)——砍、斫。

道："恩爱无多，冤仇有尽，只有佛性，常明不灭。你与柳府尹打了平火①，该收拾自己本钱回去了。"说得柳翠肚里恍恍惚惚，连忙磕头道："闻知吾师大智慧、大光明，能知三生因果；弟子至愚无识，望吾师明言指示则个。"月明和尚又大喝道："你要识本来面目，可去水月寺中，寻玉通禅师，与你证明。快走，快走！走迟时，老僧禅杖无情，打破你这粉骷髅。"这一回话，唤做"显孝寺堂头②三喝"。正是：

欲知因果三生事，只在高僧棒喝中。

柳翠被月明师父连喝三遍，再不敢开言，慌忙起身。依先出了寺门，上了小轿，吩咐轿夫，径抬到水月寺中，要寻玉通禅师证明。

却说水月寺中行者，见一乘女轿远远而来，内中坐个妇人。看看抬入山门，急忙唤集火工道人③，不容他下轿。柳翠问其缘故，行者道："当初被一个妇人，断送了我寺中老师父性命，至今师父们吩咐，不容妇人入寺。"柳翠又问道："甚么妇人？如何有恁样做作？"行者道："二十八年前，有个妇人，夜来寺中投宿，十分哀求，老师父发起慈心，容他过夜。原来这妇人不是良家，是个娼妓，叫做吴红莲，奉柳府尹钧旨，特地前来，哄诱俺老师父。当夜假装肚疼，要老师父替他偎贴，因而破其色戒。老师父惭愧，题了八句偈语，就圆寂去了。"柳翠又问道："你可记得他偈语么？"行者道："还记得。"遂将偈语八句，念了一遍。柳翠听得念到"我身德行被你亏，你家门风还我坏。"心中豁然明白，恰像自家平日做下的一般。又问道："那位老师父唤甚么法名？"行者道："是玉通禅师。"柳翠点头会意，急唤轿夫抬回抱剑营家里，吩咐丫鬟："烧起香汤，我要洗澡。"当时丫鬟伏侍，沐浴已毕。柳翠挽就乌云，取出布衣穿了，掩上房门。卓上见列著文房四宝，拂开素纸，题下偈语二首。偈云：

本因色戒翻招色，红裙生把缁衣革。
今朝脱得赤条条，柳叶莲花总无迹。

又云：

坏你门风我亦羞，冤冤相报甚时休？

---

① 打了平火——众人凑钱聚餐。此比喻彼此都不吃亏。

② 堂头——方丈。

③ 火工道人——寺院中的杂役。

今朝卸却恩仇担，廿八年前水月游。

后面又写道："我去后随身衣服入殓，送到皋亭山下，求月明师父一把无情火烧却。"写毕，掷笔而逝。丫鬟推门进去，不见声息。向前看时，见柳翠盘膝坐于椅上。叫呼不应，已坐化去了。慌忙报知柳妈妈。柳妈妈吃了一惊，呼儿叫肉，啼哭将来。乱了一回，念了二首偈词，看了后面写的遗嘱，细问丫鬟天竺进香之事，方晓得在显孝寺参师，及水月寺行者一段说话。分明是丈夫柳宣教不行好事，破坏了玉通禅师法体，以致玉通投胎柳家，败其门风。冤冤相报，理之自然。今日被月明和尚指点破了，他就脱然而去。他要送皋亭山下，不可违之。但遗言火厝①，心中不忍。所遗衣饰尽多，可为造坟之费，当下买棺盛殓，果然只用随身衣服，不用锦绣金帛之用。入殓已毕，合城公子王孙平昔往来之辈，都来探丧吊孝。闻知坐化之事，无不嗟叹。柳妈妈先遣人到显孝寺，报与月明和尚知道，就与他商量埋骨一事。月明和尚将皋亭山下隙地一块，助与柳妈妈，择日安葬。合城百姓，闻得柳翠死得奇异，都道活佛显化，尽来送葬。造坟已毕，月明和尚向坟合掌作礼，说偈四句。偈云：

二十八年花柳债，一朝脱卸无拘碍。

红莲柳翠总虚空，从此老通长自在。

至今皋亭山下，有个柳翠墓古迹。有诗为证：

柳宣教害人自害，通和尚因色堕色。

显孝寺三喝机锋，皋亭山青天白日。

# 第三十卷　明悟禅师赶五戒

昔为东土寰中客，今作菩提会②上人。

手把杨枝临净土，寻思往事是前身。

话说昔日唐太祖，姓李名渊，承隋天下，建都陕西长安，法令一新。仗着次子世民，扫清七十二处狼烟，收伏一十八处蛮洞，改号武德，建文学馆

① 火厝(cuò)——火葬。

② 菩提会——佛家参究菩提佛法的集会。

以延一十八学士，造凌烟阁以绘二十三功臣，相魏徵、杜如晦、房玄龄等辈，以治天下。贞观、治平、开元，这几个年号，都是治世。只因玄宗末年，宠任奸臣李林甫、卢杞、杨国忠等，以召安禄山之乱。后来虽然平定，外有藩镇专制，内有宦官弄权，君子退，小人进，终唐之世，不得太平。

且说洛阳有一人，姓李名源，字子澄，乃饱学之士，腹中记诵五车书，胸内包藏千古史。因见朝政颠倒，退居不仕，与本处慧林寺①首僧②圆泽为友，交游甚密。泽亦诗名遍洛，德行满野，乃宿世古佛，一时豪杰皆敬慕之。每与源游山玩水，吊古寻幽，赏月吟风，怡情遣兴，诗赋文词，山川殆遍。忽一日，相约同舟往瞿塘三峡，游天开图画寺。源带一仆人，泽携一弟子，共四人发舟。不半月间，至三峡，舟泊于岸，振衣而起。忽见一妇人，年约三旬，外服旧衣，内穿锦裆，身怀六甲，背负瓦罂而汲清泉。圆泽一见，愀然不悦，指谓李源曰："此孕妇乃某托身之所也，明早吾即西行矣。"源愕然曰："吾师此言，是何所主也？"圆泽曰："吾今圆寂，自有相别言语。"四人乃入寺，寺僧接入。茶毕，圆泽备道所由，众皆惊异。泽乃香汤沐浴，吩咐弟子已毕，乃与源决别。说道："泽今幸生四旬，与君交游甚密；今大限到来，只得分别。后三日，乞到伊家相访，乃某托身之所。三日浴儿，以一笑为验，此晚吾亦卒矣。再后十二年，到杭州天竺寺③相见。"乃取纸笔，作《辞世颂》曰：

四十年来体性空，多于诗酒乐心胸。
今朝别却故人去，日后相逢下竺峰④。
咦！幻身复入红尘内，赢得君家再与逢。

偈毕，跏趺⑤而化。本寺僧众具衣龛，送入后山岩中，请本寺月峰长老下火。僧众诵经已毕，月峰坐在轿上，手执火把，打个问讯，念云：

三教从来本一宗，吾师全具得灵通。
今朝觉化归西去，且听山僧道本风。

恭惟圆寂圆泽禅师堂头大和尚之觉灵曰：惟灵生于河南，长在洛

---

① 慧林寺——慧，应写作惠。惠林寺，唐代洛阳寺院名，在洛阳城北。
② 首僧——当家和尚、住持。
③ 天竺寺——杭州寺名，有三天竺，此处指下天竺寺，在飞来峰南，隋朝创建。
④ 下竺峰——杭州有天竺峰，在灵隐山飞来峰南，有上、中、下三竺。
⑤ 跏趺（jiāfú）——佛教中修禅者的坐法，即双足交迭而坐。

阳。自入空门，心无挂碍。酒吞江海，诗泣鬼神。惟思玩水寻山，不厌粗衣藜食。交至契之李源，游瞿塘之三峡。因见孕妇而负罂，乃思托身而更出。再世杭州相见，重会今日交契。如今送入离宫，听取山僧指秘。咄！

三生共会下竺峰，葛洪井①畔寻踪迹。

颂毕，荼毗②之次，见火中一道青烟，直透云端，烟中显出圆泽全身本相，合掌向空而去。少焉，舍利③如雨。众僧收骨入塔，李源不胜悲怆。

首僧留源在寺，闲住数日。至第三日，源乃至寺前，访于居民。去寺不半里，有一人家，姓张，已于三日前生一子。今正三朝，在家浴儿。源乃恳求一见，其人不许。源告以始末，贿以金帛，乃令源至中堂。妇人抱子正浴，小儿见源，果然一笑，源大喜而返。是晚，小儿果卒。源乃别长老回家不提。

日往月来，星移斗换，不觉又十载有余。时唐十六帝僖宗乾符三年，黄巢作乱，天下骚动，万姓流离。君王幸蜀，民舍宫室悉遭兵火，一无所存。亏着晋王李克用，兴兵灭巢，僖宗龙归旧都，天下稍定，道路始通。源因货殖，来至江浙路杭州地方。时当清明，正是良辰美景，西湖北山，游人如蚁。源思十二年前圆泽所言：下天竺相会。乃信步随众而行，见两山夹川，清流可爱，赏心不倦。不觉行入下竺寺西廊，看葛洪炼丹井。转入寺后，见一大石临溪，泉流其畔。源心大喜，少坐片时。

忽闻隔川歌声，源见一牧童，年约十二三岁，身骑牛背，隔水高歌。源心异之，侧耳听其歌云：

三生石上旧精魂，赏月吟风不要论。
惭愧情人远相访，此身虽异性常存。

又云：

身前身后事茫茫，欲话当时恐断肠。
吴越山川游已遍，却寻烟棹上瞿塘。

歌毕，只见小童远远的看着李源，拍手大笑。源惊异之，急欲过川相问而

---

① 葛洪井——在杭州下天竺，相传三国吴赤乌二年，葛洪得道于此，井即其遗迹。

② 荼毗——梵文的音译，即焚烧。

③ 舍利——梵文的音译，佛身火化以后所结成的珠状物。

不可得。遥望牧童,度柳穿林,不知去向。李源不胜惆怅,坐于石上久之。问于僧人,答道:“此乃葛稚川石也。”源深详其诗,乃十二年圆泽之语,并月峰下火文记。至此在下竺相会,恰好正是三生。访问小儿住处,并言无有,源心怏怏而返。后人因呼源所坐葛稚川之石为“三生石”,至今古迹犹存。后来瞿宗吉①有诗云:

清波下映紫裆鲜,邂逅相逢峡口船。
身后身前多少事?三生石上说姻缘。

王元瀚②又有诗云:

处世分明一梦魂,身前身后孰能论?
夕阳山下三生石,遗得荒唐迹尚存。

这段话文,叫做“三生相会”。如今再说个两世相逢的故事,乃是“明悟禅师赶五戒”。又说是“佛印长老度东坡”。

话说大宋英宗治平年间,去那浙江路宁海军钱塘门外,南山净慈孝光禅寺,乃名山古刹。本寺有两个得道高僧,是师兄师弟,一个唤做五戒禅师,一个唤作明悟禅师。这五戒禅师,年三十一岁,形容古怪,左边瞽③一目,身不满五尺。本贯西京洛阳人,自幼聪明,举笔成文,琴棋书画,无所不通。长成出家,禅宗释教,如法了得,参禅访道。俗姓金,法名五戒。且问何谓之“五戒”?

第一戒者,不杀生命;
第二戒者,不偷盗财物;
第三戒者,不听淫声美色;
第四戒者,不饮酒茹荤;
第五戒者,不妄言造语。

此谓之“五戒”。忽日云游至本寺,访大行禅师。禅师见五戒佛法晓得,留在寺中,做了上色徒弟④。不数年,大行禅师圆寂,本寺僧众立他做住持,每日打坐参禅。那第二个唤做明悟禅师,年二十九岁,生得头圆耳大,

① 瞿宗吉——瞿佑,字宗吉,明钱塘人。著有《存斋诗集》、《剪灯新话》等。
② 王元瀚——“瀚”,当作“翰”。王元翰,字伯举,明云南宁州人,万历进士,曾任庶吉士、工科给事中等官。
③ 瞽(gǔ)——盲。
④ 上色徒弟——上首徒弟、首座弟子。

面阔口方,眉清目秀,丰彩精神,身长七尺,貌类罗汉。本贯河南太原府人氏,俗姓王,自幼聪明,笔走龙蛇,参禅访道,出家在本处沙陀寺,法名明悟。后亦云游至宁海军,到净慈寺来访五戒禅师。禅师见他聪明了得,就留于本寺做师弟。二人如一母所生,且是好。但遇着说法,二人同升法座,讲说佛教,不在话下。

忽一日冬尽春初,天道严寒,阴云作雪,下了两日。第三日雪霁天晴,五戒禅师清早在方丈禅椅上坐,耳内远远的听得小孩儿啼哭声,当时便叫身边一个知心腹的道人,唤做清一,吩咐道:“你可去山门外各处看,有甚事来与我说。”清一道:“长老,落了两日雪,今日方晴,料无甚事。”长老道:“你可快去看了来回话。”清一推托不过,只得走到山门边。那时天未明,山门也不曾开。叫门公开了山门,清一打一看时,吃了一惊,道:“善哉,善哉!”正所谓:

日日行方便,时时发道心。
但行平等事,不用问前程。

当时清一见山门外松树根雪地上,一块破席,放一个小孩儿在那里,口里道:“苦哉,苦哉!甚人家将这个孩儿丢在此间?不是冻死,便是饿死。”走向前仔细一看,却是五六个月一个女儿,将一个破衲头①包着,怀内揣着个纸条儿,上写生年月日时辰。清一口里不说,心下思量:“古人有云:‘救人一命,胜造七级浮屠。’”连忙走回方丈,禀复长老道:“不知甚人家,将个五七个月女孩儿,破衣包着,撇在山门外松树根头。这等寒天,又无人来往,怎的做个方便,救他则个!”长老道:“善哉,善哉!清一,难得你善心。你如今抱了回房,早晚把些粥饭与他,喂养长大,把与人家,救他性命,胜做出家人。”

当时清一急急出门去,抱了女儿到方丈中,回复长老。长老看道:“清一,你将那纸条儿我看。”清一递与长老,长老看时,却写道:“今年六月十五日午时生,小名红莲。”长老吩咐清一,好生抱去房里,养到五七岁,把与人家去,也是好事。清一依言,抱到千佛殿后,一带三间四椽平屋房中,放些火,在火囤内烘他,取些粥喂了。似此日往月来,藏在空房中,无人知觉,一向长老也忘了。不觉红莲已经十岁,清一见他生得清秀,诸

① 衲头——用破布补缀而成的布片子、补丁很多的衣服。

事见便①,藏匿在房里。出门锁了,入门关了,且是谨慎。

光阴似箭,日月如梭,倏忽这红莲女长成一十六岁,这清一如自生的女儿一般看待。虽然女子,却只打扮如男子,衣服鞋袜,头上头发,前齐眉,后齐项,一似个小头陀,且是生得清楚,在房内茶饭针线。清一指望寻个女婿,要他养老送终。

一日时遇六月炎天,五戒禅师忽想十数年前之事,洗了浴,吃了晚粥,径走到千佛阁后来。清一道:"长老希行②。"长老道:"我问你:那年抱的红莲,如今在那里?"清一不敢隐匿,引长老到房中一见,吃了一惊,却似:

分开八块顶阳骨③,倾下半桶冰雪来。

长老一见红莲,一时差讹了念头,邪心遂起,嘻嘻笑道:"清一,你今晚可送红莲到我卧房中来,不可有误。你若依我,我自抬举你。此事切不可泄漏,只教他做个小头陀,不要使人识破他是女子。"清一口中应允,心内想道:"欲待不依长老又难,依了长老,今夜去到房中,必坏了女身,千难万难。"长老见清一应不爽利,便道:"清一,你锁了房门跟我到房里去。"清一跟了长老,径到房中。长老去衣箱里,取出十两银子,把与清一道:"你且将这些去用,我明日与你讨道度牒,剃你做徒弟,你心下如何?"清一道:"多谢长老抬举。"只得收了银子,别了长老,回到房中,低低说与红莲道:"我儿,却才来的,是本寺长老。他见你,心中喜爱。你今等夜静,我送你去伏侍长老。你可小心仔细,不可有误。"红莲见父亲如此说,便应允了。

到晚,两个吃了晚饭。约莫二更天气,清一领了红莲,径到长老房中,门窗无些阻挡。原来长老有两个行者在身边伏侍,当晚吩咐:"我要出外闲走乘凉,门窗且未要关。"因此无阻。长老自在房中等清一送红莲来。候至二更,只见清一送小头陀来房中。长老接入房内,吩咐清一:"你到明日此时来领他回房去。"清一自回房中去了。

且说长老关了房门,灭了琉璃灯,携住红莲手,一将将到床前,教红莲脱了衣服,长老向前一搂,搂在怀中,抱上床去。当日长老与红莲云收雨

① 见便——机灵、聪敏。

② 希行——希,即稀。稀行,即少走动、不常来。

③ 顶阳骨——头盖骨。

散,却好五更,天色将明。长老思量一计,怎生藏他在房中。房中有口大衣橱,长老开了锁,将橱内物件都收拾了,却教红莲坐在橱中,吩咐道:"饭食我自将来与你吃,可放心宁耐①则个。"红莲是女孩儿家,初被长老淫勾,心中也喜,躲在衣橱内,把锁锁了。少间,长老上殿诵经毕,入房,闭了房门,将橱开了锁,放出红莲,把饮食与他吃了,又放些果子在橱内,依先锁了。至晚,清一来房中领红莲回房去了。

却说明悟禅师,当夜在禅椅上入定回来,慧眼已知五戒禅师差了念头,犯了色戒,淫了红莲,把多年清行,付之东流。"我今劝省他,不可如此,也不说出。"至次日,正是六月尽,门外撇骨池②内,红白莲花盛开。明悟长老令行者采一朵白莲花,将回自己房中,取一花瓶插了,教道人备杯清茶在房中,却教行者去请五戒禅师:"我与他赏莲花,吟诗谈话则个。"不多时,行者请到五戒禅师。两个长老坐下,明悟道:"师兄,我今日见莲花盛开,对此美景,折一朵在瓶中,特请师兄吟诗清话。"五戒道:"多蒙清爱。"行者捧茶至,茶罢,明悟禅师道:"行者,取文房四宝来。"行者取至面前,五戒道:"将何物为题?"明悟道:"便将莲花为题。"五戒捻起笔来,便写四句诗道:

　　一枝菡萏瓣初张,相伴葵榴花正芳。
　　似火石榴虽可爱,争如翠盖芰荷香?

五戒诗罢,明悟道:"师兄有诗,小僧岂得无语乎?"落笔便写四句诗曰:

　　春来桃杏尽舒张,万蕊千花斗艳芳。
　　夏赏芰荷真可爱,红莲争似白莲香?

明悟长老依韵诗罢,呵呵大笑。

五戒听了此言,心中一时解悟,面皮红一回、青一回,便转身辞回卧房,对行者道:"快与我烧桶汤来洗浴。"行者连忙烧汤与长老洗浴罢,换了一身新衣服,取张禅椅到房中,将笔在手,拂开一张素纸,便写八句《辞世颂》曰:

　　吾年四十七,万法本归一;
　　只为念头差,今朝去得急。

---

① 宁耐——忍耐、安心。

② 撇骨池——旧时寺院内供人抛撒骨灰用的池子。

传与悟和尚，何劳苦相逼？

幻身如雷电，依旧苍天碧。

写罢《辞世颂》，教焚一炉香在面前，长老上禅椅上，左脚压右脚，右脚压左脚，合掌坐化。

行者忙去报与明悟禅师。禅师听得大惊，走到房中看时，见五戒师兄已自坐化去了。看了面前《辞世颂》，道："你好却好了，只可惜差了这一着。你如今虽得个男子身，长成不信佛、法、僧三宝，必然灭佛谤僧，后世却堕落苦海，不得皈依佛道，深可痛哉！真可惜哉！你道你走得快，我赶你不着不信！"当时也教道人烧汤洗浴，换了衣服，到方丈中，上禅椅跏趺而坐，吩咐徒众道："我今去赶五戒和尚，汝等可将两个龛子盛了，放三日一同焚化。"嘱罢圆寂而去。众僧皆惊，有如此异事！城内城外听得本寺两个禅师同日坐化，各皆惊讶，来烧香礼拜，布施者，人山人海，男子妇人不计其数。嚷了三日，抬去金牛寺①焚化，拾骨撇了。

这清一遂浼人说议亲事，将红莲女嫁与一个做扇子的刘待诏为妻，养了清一在家，过了下半世，不在话下。

且说明悟一灵真性，直赶至四川眉州眉山县城中，五戒已自托生在一个人家。这个人家，姓苏名洵，字明允，号老泉居士，诗礼之人。院君王氏，夜梦一瞽目和尚，走入房中，吃了一惊。明旦分娩一子，生得眉清目秀，父母皆喜。三朝满月，百日一周，不在话下。

却说明悟一灵，也托生在本处，姓谢名原，字道清。妻章氏，亦梦一罗汉，手持一印，来家抄化②。因惊醒，遂生一子。年长，取名谢瑞卿。自幼不吃荤酒，一心只爱出家。父母是世宦之家，怎么肯？勉强送他学堂攻书，资性聪明，过目不忘，吟诗作赋，无不出人头地。喜看的是诸经内典，一览辄能解会。随你高僧讲论，都不如他。可惜一肚子学问，不屑应举求官，但说着功名之事，笑而不答。这也不在话下。

却说苏老泉的孩儿，年长七岁，教他读书写字，十分聪明，目视五行书。行至③十岁来，五经三史，无所不通，取名苏轼，字子瞻。此人文章冠

① 金牛寺——南宋临安寺名，即金牛护法院。

② 抄化——募化。

③ 行至——长到。

世，举笔珠玑，从幼与谢瑞卿同窗相厚，只是志趣不同。那东坡志在功名，偏不信佛法，最恼的是和尚，常言："不秃不毒，不毒不秃；转毒转秃，转秃转毒。我若一朝管了军民，定要灭了这和尚们，方遂吾愿。"见谢瑞卿不用荤酒，便大笑道："酒肉乃养生之物，依你不杀生，不吃肉，羊、豕、鸡、鹅，填街塞巷，人也没处安身了。况酒是米做的，又不害性命，吃些何伤？"每常二人相会，瑞卿便劝子瞻学佛，子瞻便劝瑞卿做官。瑞卿道："你那做官，是不了之事，不如学佛三生结果。"子瞻道："你那学佛，是无影之谈，不如做官，实在事业。"终日议论，各不相胜。

仁宗天子嘉祐改元，子瞻往东京应举，要拉谢瑞卿同去，瑞卿不从。子瞻一举成名，御笔除翰林学士，锦衣玉食，前呼后拥，富贵非常。思念窗友谢瑞卿，不肯出仕。"吾今接他到东京，他见我如此富贵，必然动了功名之念。"于是修书一封，差人到眉山县接谢瑞卿到来。谢瑞卿也恐怕子瞻一旦富贵，果然谤佛灭僧，也要劝化他回心改念，遂随着差人到东京，与子瞻相见。两人终日谈论，依旧各执己见，不相上下。

你说事有凑巧，物有偶然。适值东京大旱，赤地千里。仁宗天子降旨，特于内庭修建七日黄罗大醮①，为万民祈雨。仁宗一日亲自行香二次，百官皆素服奔走执事。翰林官专管撰青词，子瞻奉旨修撰，要拉瑞卿同去，共观胜会，瑞卿心中却不愿行。子瞻道："你平昔最喜佛事，今日朝廷请下三十六处名僧，建下祈场，诵经设醮，你不去随喜，却不错过？"瑞卿道："朝廷设醮，虽然仪文好看，都是套数②，那有什么高僧谈经说法，使人倾听？"看起来也是子瞻法缘该到，自然生出机会来。当日子瞻定要瑞卿作伴同往，瑞卿拗他不过，只得从命。二人到了佛场③，子瞻随班效劳。瑞卿打扮个道人模样，往来观看法事。

忽然仁宗天子驾到，众官迎入，在佛前拈香下拜。瑞卿上前一步，偷看圣容，被仁宗龙目观见。瑞卿生得面方耳大，丰仪出众，仁宗金口玉言，问道："这汉子何人？"苏轼一时着了忙，使个急智，跪下奏道："此乃大相国寺新来一个道人，为他深通经典，在此供香火之役。"仁宗道："好个相

① 黄罗大醮——设醮遍召天神、地祇、鬼魂，忏悔罪过，祈求超升。

② 套数——套子、俗套。

③ 佛场——做佛事的地方。

貌,既然深通经典,赐你度牒一道,钦度为僧。”谢瑞卿自小便要出家做和尚,恰好圣旨吩咐,正中其意,当下谢恩已毕,奏道:“既蒙圣恩剃度,愿求御定法名。”仁宗天子问礼部取一道度牒,御笔判定“佛印”二字。瑞卿领了度牒,重又叩谢。候圣驾退了,瑞卿就于醮坛佛前祝发,自此只叫佛印,不叫谢瑞卿了。那大相国寺众僧,见佛印参透佛法,又且圣旨剃度,苏学士的乡亲好友,谁敢怠慢?都称他做“禅师”,不在话下。

且说苏子瞻特地接谢瑞卿来东京,指望劝他出仕,谁知带他到醮坛行走,累他落发改名为僧,心上好不过意。谢瑞卿向来劝子瞻信心学佛,子瞻不从,今日倒是子瞻作成他落发,岂非天数,前缘注定?那佛印虽然心爱出家,故意埋怨子瞻许多言语,子瞻惶恐无任,只是谢罪,再不敢说做和尚的半个字儿不好。任凭佛印谈经说法,只得悉心听受;若不听受时,佛印就发恼起来。听了多遍,渐渐相习,也觉佛经讲得有理,不似向来水火不投的光景了。朔望日,佛印定要子瞻到相国寺中礼佛奉斋,子瞻只得依他。又子瞻素爱佛印谈论,日常无事,便到寺中与佛印闲讲,或分韵吟诗。佛印不动荤酒,子瞻也随着吃素,把个毁僧谤佛的苏学士,变做了护法敬僧的苏子瞻了。佛印乘机又劝子瞻弃官修行。子瞻道:“待我宦成名就,筑室寺东,与师同隐。”因此别号东坡居士,人都称为苏东坡。

那苏东坡在翰林数年,到神宗皇帝熙宁改元,差他知贡举,出策题内讥诮了当朝宰相王安石,安石在天子面前谮他恃才轻薄,不宜在史馆,遂出为杭州通判。与佛印相别,自去杭州赴任。一日,在府中闲坐,忽见门吏报说,有一和尚说是本处灵隐寺住持,要见学士相公。东坡教门吏出问何事要见相公,佛印见问,于门吏处借纸笔墨来,便写四字送入府去。东坡看其四字:“诗僧谒见。”东坡取笔来批一笔云:“诗僧焉敢谒王侯?”教门吏把与和尚,和尚又写四句诗道:

大海尚容蛟龙隐,高山也许凤皇游;
笑却小人无度量,‘诗僧焉敢谒王侯’!

东坡见此诗,方才认出字迹,惊讶道:“他为何也到此处?快请相见。”你道那和尚是谁?正是佛印禅师,因为苏学士谪官杭州,他辞下大相国寺,行脚①到杭州灵隐寺住持,又与东坡朝夕往来。后来东坡自杭州迁任徐

① 行脚——游方。

州,又自徐州迁任湖州,佛印到处相随。

神宗天子元丰二年,东坡在湖州做知府,偶感触时事,做了几首诗,诗中未免含着讥讽之意。御史李定、王珪等交章劾奏苏轼诽谤朝政,天子震怒,遣校尉拿苏轼来京,下御史台狱,就命李定勘问。李定是王安石门生,正是苏家对头,坐他大逆不道,问成死罪。东坡在狱中,思想着甚来由,读书做官,今日为几句诗上,便丧了性命?乃吟诗一首自叹,诗曰:

人家生子愿聪明,我为聪明丧了生;
但愿养儿皆愚鲁,无灾无祸到公卿。

吟罢,凄然泪下,想道:"我今日所处之地,分明似鸡鸭到了庖人手里,有死无活。想鸡鸭得何罪,时常烹宰他来吃?只为他不会说话,有屈莫伸。今日我苏轼枉了能言快语,又向那处伸冤?岂不苦哉!记得佛印时常劝我戒杀持斋,又劝我弃官修行,今日看来,他的说话,句句都是,悔不从其言也。"

叹声未绝,忽听得数珠索落一声,念句"阿弥陀佛"。东坡大惊,睁眼看时,乃是佛印禅师。东坡忘其身在狱中,急起身迎接,问道:"师兄何来?"佛印道:"南山净慈孝光禅寺,红莲花盛开,同学士去玩赏。"东坡不觉相随而行,到于孝光禅寺。进了山门,一路僧房曲折,分明是熟游之地;法堂中摆设钟磬经典之类,件件认得,好似自家家里一般,心下好生惊怪。寺前寺后,走了一回,并不见有莲花,乃问佛印禅师道:"红莲在那里?"佛印向后一指道:"这不是红莲来也?"东坡回头看时,只见一个少年女子,从千佛殿后,冉冉而来,走到面前,深深道个万福。东坡看那女子,如旧日相识。那女子向袖中摸出花笺一幅,求学士题诗。佛印早取到笔砚,东坡遂信手写出四句,道是:

四十七年一念错,贪却红莲甘堕却。
孝光禅寺晓钟鸣,这回抱定如来脚。

那女子看了诗,扯得粉碎,一把抱定东坡,说道:"学士休得忘恩负义!"东坡正没奈何,却得佛印劈手拍开,惊出一身冷汗。醒将转来,乃是南柯一梦,狱中更鼓正打五更。东坡寻思,此梦非常,四句诗一字不忘,正不知甚么缘故。忽听得远远晓钟声响,心中顿然开悟:"分明前世在孝光寺出家,为色欲堕落,今生受此苦楚。若得佛力覆庇,重见天日,当一心护法,学佛修行。"

少顷天明，只见狱官进来称贺，说圣旨赦学士之罪，贬为黄州团练副使。东坡得赦，才出狱门，只见佛印禅师在于门首，上前问讯，道："学士无恙？贫僧相候久矣！"原来被逮之日，佛印也离了湖州，重来东京大相国寺住持，看取东坡下落。闻他问成死罪，各处与他分诉①求救，却得吴充②、王安礼③两个正人，在天子面前竭力保奏。太皇太后曹氏，自仁宗朝便闻苏轼才名，今日也在宫中劝解。天子回心转意，方有这道赦书。东坡见了佛印，分明是再世相逢，倍加欢喜。东坡到五凤楼下，谢恩过了，便来大相国寺，寻佛印说其夜来之梦。说到中间，佛印道："住了，贫僧昨夜亦梦如此。"也将所梦说出后一段，与东坡梦中无二，二人互相叹异。

次日，圣旨下，苏轼谪守黄州。东坡与佛印相约，且不上任，迂路先到宁海军钱塘门外来访孝光禅寺。比及到时，路径门户，一如梦中熟识。访问僧众，备言五戒私污红莲之事。那五戒临化去时，所写《辞世颂》，寺僧兀自藏着。东坡索来看了，与自己梦中所题四句诗相合，方知佛法轮回，并非诳语，佛印乃明悟转生无疑。此时东坡便要削发披缁，跟随佛印出家。佛印倒不允从，说道："学士宦缘未断，二十年后，方能脱离尘俗。但愿坚持道心，休得改变。"东坡听了佛印言语，复来黄州上任。自此不杀生，不多饮酒，浑身内外，皆穿布衣，每日看经礼佛。在黄州三年，佛印仍朝夕相随，无日不会。

哲宗皇帝元祐改元，取东坡回京，升做翰林学士，经筵讲官。不数年，升做礼部尚书，端明殿大学士。佛印又在大相国寺相依，往来不绝。

到绍圣年间，章惇做了宰相，复行王安石之政，将东坡贬出定州安置。东坡到相国寺相辞佛印，佛印道："学士宿业④未除，合有几番劳苦。"东坡问道："何时得脱？"佛印说出八个字来，道是：

逢永而返，逢玉而终。

又道："学士牢记此八字者⑤！学士今番跋涉忒大，贫僧不得相随，只在东

① 分诉——辩解。

② 吴充——宋代人，宋神宗熙宁中，代王安石为相，请召返司马光等十余人。后蔡确执政，充罢为宫观使。

③ 王安礼——宋代人，王安石之弟。

④ 宿业——前世所造的恶因。

⑤ 者——句尾词。相当于吧、呀、呵。

京等候。"东坡怏怏而别。到定州未及半年,再贬英州;不多时,又贬惠州安置;在惠州年余,又徙儋州;又自儋州移廉州;自廉州移永州;踪迹无定,方悟佛印"跋涉忒大"之语。

在永州不多时,赦书又到,召还提举玉局观①。想着:"'逢永而返',此句已应了;'逢玉而终',此乃我终身结局矣。"乃急急登程,重到东京,再与佛印禅师相会。佛印道:"贫僧久欲回家,只等学士同行。"东坡此时大通佛理,便晓得了。当夜两个在相国寺,一同沐浴了毕,讲论到五更,分别而去。这里佛印在相国寺圆寂,东坡回到寓中,亦无疾而逝。

至道君皇帝时,有方士道:"东坡已作大罗仙。亏了佛印相随一生,所以不致堕落。佛印是古佛出世。"这两世相逢,古今罕有,至今流传做话本。有诗为证:

禅宗法教岂非凡,佛祖流传在世间。
铁树开花千载易,坠落阿鼻②要出难。

# 第三十一卷　闹阴司司马貌断狱

扰扰劳生,待足何时是足?据见定,随家丰俭,便堪龟缩。得意浓时休进步,须防世事多番覆。枉教人白了少年头,空碌碌。　谁不愿,黄金屋?谁不愿,千钟粟?算五行,不是这般题目。枉使心机闲计较,儿孙自有儿孙福。又何须采药访蓬莱?但寡欲。

这篇词,名《满江红》,是晦庵和尚所作,劝人乐天知命之意。凡人万事莫逃乎命,假如命中所有,自然不求而至;若命里没有,枉自劳神,只索罢休。你又不是司马重湘秀才,难道与阎罗王寻闹不成?说话的,就是司马重湘,怎地与阎罗王寻闹。毕竟那个理长,那个理短?请看下回便见。诗曰:

世间屈事万千千,欲觅长梯问老天。

---

① 玉局观——宋代成都道观名。
② 阿鼻——指阿鼻地狱。佛教名词。也称"无间地狱"。佛教认为堕入此地狱的人,将受无穷的苦难。

休怪老天公道少，生生世世宿因缘。

话说东汉灵帝时，蜀郡益州，有一秀才，复姓司马，名貌，表字重湘。资性聪明，一目十行俱下。八岁纵笔成文，本郡举他应神童，起送至京。因出言不逊，冲突了试官，打落下去。及年长，深悔轻薄之非，更修端谨之行，闭户读书，不问外事。双亲死，庐墓六年，人称其孝。乡里中屡次举他孝廉①、有道②及博学宏词③，都为有势力者夺去，悒悒不得志。自光和元年，灵帝始开西邸，卖官鬻爵，视官职尊卑，入钱多少，各有定价：欲为三公者，价千万；欲为卿者，价五百万。崔烈讨了傅母④的人情，入钱五百万，得为司徒。后受职谢恩之日，灵帝顿足懊悔道："好个官，可惜贱卖了。若小小作难，千万必可得也。"又置鸿都门学，敕州、郡、三公，举用富家郎为诸生。若入得钱多者，出为刺史，入为尚书，士君子耻与其列。司马重湘家贫，因此无人提挈，淹滞至五十岁，空负一腔才学，不得出身，屈埋于众人之中，心中怏怏不平。乃因酒醉，取文房四宝，且吟且写，遂成《怨词》一篇，词曰：

天生我才兮，岂无用之？豪杰自期兮，奈此数奇。五十不遇兮，困迹蓬蔂⑤。纷纷金紫兮，彼何人斯？胸无一物兮，囊有余赀。富者乘云兮，贫者堕泥。贤愚颠倒兮，题雄为雌。世运沦夷兮，俾我嵚崎。天道何知兮，将无有私？欲叩末曲兮，悲涕淋漓。

写毕，讽咏再四。余情不尽，又题八句：

得失与穷通，前生都注定；
问彼注定时，何不判忠佞？
善士叹沉埋，凶人得暴横；
我若作阎罗，世事皆更正。

不觉天晚，点上灯来，重湘于灯下，将前诗吟哦了数遍，猛然怒起，把诗稿

---

① 孝廉——选举科目名。汉代制度，郡国每年荐举孝廉各一人。

② 有道——东汉时设置的选举科目之一。

③ 博学宏词——选举科目名。唐代设博学宏词科，以考拔博学能文之士。南宋时也曾设置此科。

④ 傅母——保姆。此指汉灵帝刘宏的保姆。

⑤ 蔂（léi）——土筐。

向灯焚了,叫道:“老天,老天!你若还有知,将何言抵对?我司马貌一生鲠直①,并无奸佞,便提我到阎罗殿前,我也理直气壮,不怕甚的!”说罢,自觉身子困倦,倚卓而卧。

只见七八个鬼卒,青面獠牙,一般的三尺多长,从卓底下钻出,向重湘戏侮了回,说道:“你这秀才,有何才学,辄敢怨天忧地,毁谤阴司!如今我们来拿你去见阎罗王,只教你有口难开。”重湘道:“你阎罗王自不公正,反怪他人谤毁,是何道理!”众鬼不由分说,一齐上前,或扯手,或扯脚,把重湘拖下坐来,便将黑索子望他颈上套去。重湘大叫一声,醒将转来,满身冷汗。但见短灯一盏,半明半灭,好生凄惨。

重湘连打几个寒噤,自觉身子不快,叫妻房汪氏点盏热茶来吃。汪氏点茶来,重湘吃了,转觉神昏体倦,头重脚轻。汪氏扶他上床,次日昏迷不醒,叫唤也不答应,正不知什么病症。捱至黄昏,口中无气,直挺挺的死了。汪氏大哭一场,见他手脚尚软,心头还有些微热,不敢移动他,只守在他头边,哭天哭地。

话分两头。原来重湘写了《怨词》,焚于灯下,被夜游神体察,奏知玉帝。玉帝见了大怒,道:“世人爵禄深沉,关系气运。依你说,贤者居上,不肖者居下;有才显荣,无才者黜落;天下世世太平,江山也永不更变了,岂有此理!小儒见识不广,反说天道有私。速宜治罪,以儆妄言之辈。”时有太白金星启奏道:“司马貌虽然出言无忌,但此人因才高运蹇,抑郁不平,致有此论。若据福善祸淫的常理,他所言未为无当,可谅情而恕之。”玉帝道:“他欲作阎罗,把世事更正,甚是狂妄。阎罗岂凡夫可做?阴司案牍如山,十殿阎君食不暇给;偏他有甚本事,一一更正来?”金星又奏道:“司马貌口出大言,必有大才。若论阴司,果有不平之事,几百年滞狱,未经判断的,往往地狱中怨气上冲天庭。以臣愚见,不若押司马貌到阴司,权替阎罗王半日之位,凡阴司有冤枉事情,着他剖断。若断得公明,将功恕罪;倘若不公不明,即时行罚,他心始服也。”玉帝准奏,即差金星奉旨,到阴司森罗殿,命阎君即勾司马貌到来,权借王位与坐。只限一晚六个时辰,容他放告理狱。若断得公明,来生注他极富极贵,以酬其今生抑郁之苦;倘无才判问,把他打落酆都地狱,永不得转人身。阎君得旨,便

① 鲠直——同耿直。

差无常小鬼,将重湘勾到地府。

重湘见了小鬼,全然无惧,随之而行。到森罗殿前,小鬼喝教下跪,重湘问道:"上面坐者何人？我去跪他!"小鬼道:"此乃阎罗天子。"重湘闻说,心中大喜,叫道:"阎君,阎君,我司马貌久欲见你,吐露胸中不平之气,今日幸得相遇。你贵居王位,有左右判官,又有千万鬼卒,牛头、马面,帮扶者甚众;我司马貌只是个穷秀才,孑然一身,生死出你之手。你休得把势力相压,须是平心论理,理胜者为强。"阎君道:"寡人忝①为阴司之主,凡事皆依天道而行,你有何德能,便要代我之位？所更正者何事？"重湘道:"阎君,你说奉天行道,天道以爱人为心,以劝善惩恶为公。如今世人有等悭吝的,偏教他财积如山;有等肯做好事的,偏教他手中空乏;有等刻薄害人的,偏教他处富贵之位,得肆其恶;有等忠厚肯扶持人的,偏教他吃亏受辱,不遂其愿。作善者常被作恶者欺瞒,有才者反为无才者凌压。有冤无诉,有屈无伸,皆由你阎君判断不公之故。即如我马司貌,一生苦志读书,力行孝弟,有甚不合天心处,却教我终身蹭蹬,屈于庸流之下？似此颠倒贤愚,要你阎君何用？若让我马司貌坐于森罗殿上,怎得有此不平之事？"阎君笑道:"天道报应,或迟或早,若明若暗;或食报于前生,或留报于后代。假如富人悭吝,其富乃前生行苦所致;今生悭吝,不种福田,来生必受饿鬼之报矣。贫人亦由前生作业,或横用非财,受享太过,以致今生穷苦;若随缘作善,来生依然丰衣足食。由此而推,刻薄者虽今生富贵,难免堕落;忠厚者虽暂时亏辱,定注显达。此乃一定之理,又何疑焉？人见目前,天见久远。人每不能测天,致汝纷纭议论,皆由浅见薄识之故也。"重湘道:"既说阴司报应不爽,阴间岂无冤鬼？你敢取从前案卷,与我一一稽查么？若果事事公平,人人心服,我司马貌甘服妄言之罪。"阎君道:"上帝有旨,将阎罗王位权借你六个时辰,容放告理狱。若断得公明,还你来生之富贵;倘无才判问,永堕酆都地狱,不得人身。"重湘道:"玉帝果有此旨,是吾之愿也。"

当下阎君在御座起身,唤重湘入后殿,戴平天冠②,穿蟒衣,束玉带,装扮出阎罗天子气象。鬼卒打起升堂鼓,报道:"新阎君升殿!"善恶诸

---

① 忝(tiǎn)——有愧于。

② 平天冠——古代皇帝祭祀时戴的平冕。

司，六曹①法吏，判官小鬼，齐齐整整，分立两边。重湘手执玉简，昂然而出，升于法座。诸司吏卒，参拜已毕，禀问要抬出放告牌②。重湘想道："五岳四海，多少生灵？上帝只限我六个时辰管事，倘然判问不结，只道我无才了，取罪不便。"心生一计，便教判官吩咐："寡人奉帝旨管事，只六个时辰，不及放告。你可取从前案卷来查，若有天大疑难事情，累百年不决者，寡人判断几件，与你阴司问事的做个榜样。"判官禀道："只有汉初四宗文卷，至今三百五十余年，未曾断结，乞我王拘审。"重湘道："取卷上来看。"判官捧卷呈上，重湘揭开看时：

一宗屈杀忠臣事，

原告：韩信、彭越、英布。

被告：刘邦、吕氏。

一宗恩将仇报事，

原告：丁公。

被告：刘邦。

一宗专权夺位事，

原告：戚氏。

被告：吕氏。

一宗乘危逼命事，

原告：项羽。

被告：王翳、杨喜、夏广、吕马童、吕胜、杨武。

重湘览毕，呵呵大笑道："恁样大事，如何反不问决？你们六曹吏司，都该究罪。这都是向来阎君因循担搁之故，寡人今夜都与你判断明白。"随叫直日鬼吏，照单开四宗文卷原被告姓名，一齐唤到，挨次听审。那时振动了地府，闹遍了阴司。有诗为证：

每逢疑狱便因循，地府阳间事体均。
今日重湘新气象，千年怨气一朝伸。

鬼吏禀道："人犯已拘齐了，请爷发落。"重湘道："带第一起上来。"判官高声叫道："第一起犯人听点！"原被共五名，逐一点过，答应：

---

① 六曹——功曹、仓曹、户曹、兵曹、法曹、士曹，合称六曹。

② 放告牌——官府接纳诉讼时所出的告示牌。

原告：韩信有，彭越有，英布有。

被告：刘邦有，吕氏有。

重湘先唤韩信上来，问道："你先事项羽，位不过郎中，言不听，计不从；一遇汉祖，筑坛拜将，捧毂推轮，后封王爵以酬其功。如何又起谋叛之心，自取罪戮？今日反告其主！"韩信道："阎君在上，韩信一一告诉。某受汉王筑坛拜将之恩，使尽心机，明修栈道，暗度陈仓，与汉王定了三秦；又救汉皇于荥阳，虏魏王豹，破代兵，擒赵王歇；北定燕，东定齐，下七十余城；南败楚兵二十万，杀了名将龙且；九里山排下十面埋伏，杀尽楚兵；又遣六将，逼死项王于乌江渡口。造下十大功劳，指望子子孙孙世享富贵。谁知汉祖得了天下，不念前功，将某贬爵。吕后又与萧何定计，哄某长乐宫，不由分说，叫武士缚某斩之；诬以反叛，夷某三族。某自思无罪，受此惨祸，今三百五十余年，衔冤未报，伏乞阎君明断。"重湘道："你既为元帅，有勇无谋，岂无商量帮助之人？被人哄诱，如缚小儿，今日却怨谁来？"韩信道："曾有一个军师，姓蒯，名通，奈何有始无终，半途而去。"

重湘叫鬼吏，快拘蒯通来审。霎时间，蒯通唤到。重湘道："韩信说你有始无终，半途而逃，不尽军师之职，是何道理？"蒯通道："非我有始无终，是韩信不听忠言，以致于此。当初韩信破走了齐王田广，是我进表洛阳，与他讨个假王名号，以镇齐人之心。汉王骂道：'胯下夫，楚尚未灭，便想王位！'其时张子房在背后，轻轻蹑汉皇之足，附耳低言：'用人之际，休得为小失大。'汉皇便改口道：'大丈夫要便为真王，何用假也？'乃命某赍印封信为三齐王。某察汉王，终有疑信之心，后来必定负信，劝他反汉，与楚连和，三分天下，以观其变。韩信道：'筑坛拜将之时，曾设下大誓：汉不负信，信不负汉。今日我岂可失信于汉皇？'某反复陈说利害，只是不从，反怪某教唆谋叛。某那时惧罪，假装风魔，逃回田里。后来助汉灭楚，果有长乐宫之祸，悔之晚矣。"重湘问韩信道："你当初不听蒯通之言，是何主意？"韩信道："有一算命先生许复，算我有七十二岁之寿，功名善终，所以不忍背汉。谁知殀亡，只有三十二岁。"

重湘叫鬼吏，再拘许复来审问，道："韩信只有三十二岁，你如何许他七十二岁？你做术士的，妄言祸福，只图哄人钱钞，不顾误人终身，可恨，可恨！"许复道："阎君听禀：常言'人有可延之寿，亦有可折之寿'。所以星家偏有寿命难定。韩信应该七十二岁，是据理推算。何期他杀机太深，亏损阴骘，以致短折，非某推算无准也。”重湘问道：“他那几处阴骘亏损？可一一说来。”许复道：“当初韩信弃楚归汉时，迷踪失路，亏遇两个樵夫，指引他一条径路，往南郑而走。韩信恐楚王遣人来追，被樵夫走漏消息，拔剑回步，将两个樵夫都杀了。虽然樵夫不打紧，却是有恩之人；天条负恩忘义，其罚最重。诗曰：

亡命心如箭离弦，迷津指引始能前。
有恩不报翻加害，折堕青春一十年。”

重湘道：“还有三十年呢？”许复道：“萧何丞相三荐韩信，汉皇欲重其权，筑了三丈高坛，教韩信上坐，汉皇手捧金印，拜为大将，韩信安然受之。诗曰：

大将登坛阃外专，一声军令赛皇宣。
微臣受却君皇拜，又折青春一十年。”

重湘道：“臣受君拜，果然折福。还有二十年呢？”许复道：“辩士郦生，说齐王田广降汉。田广听了，日日与郦生饮酒为乐。韩信乘其无备，袭击破之。田广只道郦生卖己，烹杀郦生。韩信得了大功劳，辜负了齐王降汉之意，掩夺了郦生下齐之功。诗曰：

说下三齐功在先，乘机掩击势无前。
夺他功绩伤他命，又折青春一十年。”

重湘道：“这也说得有理。还有十年？”许复道：“又有折寿之处。汉兵追项王于固陵，其时楚兵多，汉兵少，又项王有拔山举鼎之力，寡不敌众，弱不敌强。韩信九里山排下绝机阵，十面埋伏，杀尽楚兵百万，战将千员，逼得项王匹马单枪，逃至乌江口，自刎而亡。诗曰：

九里山前怨气缠，雄兵百万命难延。
阴谋多杀伤天理，共折青春四十年。”

韩信听罢许复之言，无言可答。重湘问道：“韩信，你还有辩么？”韩信道：“当初是萧何荐某为将，后来又是萧何设计，哄某入长乐宫害命；成也萧何，败也萧何，某心上至今不平。”重湘道：“也罢，一发唤萧何来与你审个明白。”少顷，萧何当面，重湘问道：“萧何，你如何反覆无常，又荐他，又害他？”萧何答道：“有个缘故。当初韩信怀才未遇，汉皇缺少大将，两得其便。谁知汉皇心变，忌韩信了得①，后因陈豨造反，御驾亲征，临行

① 了得——有本领。

时，嘱咐娘娘，用心防范。汉皇行后，娘娘有旨，宣某商议，说韩信谋反，欲行诛戮。某奏道：'韩信是第一个功臣，谋反未露，臣不敢奉命。'娘娘大怒道：'卿与韩信敢是同谋么？卿若没诛韩信之计，待圣驾回时，一同治罪。'其时某惧怕娘娘威令，只得画下计策，假说陈豨已破灭了，赚韩信入宫称贺，喝教武士拿下斩讫。某并无害信之心。"重湘道："韩信之死，看来都是刘邦之过。"吩咐判官，将众人口词录出。"审得汉家天下，大半皆韩信之力；功高不赏，千古无此冤苦，转世报冤明矣。"立案且退一边。

再唤大梁王彭越听审："你有何罪，吕氏杀你？"彭越道："某有功无罪。只为高祖征边去了，吕后素性淫乱，问太监道：'汉家臣子，谁人美貌？'太监奏道：'只有陈平美貌。'娘娘道：'陈平在那里？'太监道：'随驾出征。'吕后道：'还有谁来？'太监道：'大梁王彭越，英雄美貌。'吕后听说，即发密旨，宣大梁王入朝。某到金銮殿前，不见娘娘。太监道：'娘娘有旨，宣入长信宫议机密事。'某进得宫时，宫门落锁，只见吕后降阶相迎，邀某入宫赐宴。三杯酒罢，吕后淫心顿起，要与某讲枕席之欢。某惧怕礼法，执意不从。吕后大怒，喝教铜锥乱下打死，煮肉作酱，枭首悬街，不许收葬。汉皇归来，只说某谋反，好不冤枉！"吕后在旁听得，叫起屈来，哭告道："阎君，休听彭越一面之词，世间只有男戏女，那有女戏男？那时妾唤彭越入宫议事，彭越见妾宫中富贵，辄起调戏之心。臣戏君妻，理该处斩。"彭越道："吕后在楚军中，惯与审食其私通；我彭越一生刚直，那有淫邪之念！"重湘道："彭越所言是真，吕氏是假饰之词，不必多言。审得彭越，乃大功臣，正直不淫，忠节无比，来生仍作忠正之士，与韩信一同报仇。"存案。

再唤九江王英布听审。英布上前诉道："某与韩信、彭越三人，同功一体，汉家江山，都是我三人挣下的，并无半点叛心。一日某在江边玩赏，忽传天使到来，吕娘娘懿旨，赐某肉酱一瓶。某谢恩已毕，正席尝之，觉其味美。偶吃出人指一个，心中疑惑，盘问来使，只推不知。某当时发怒，将来使拷打，说出真情，乃大梁王彭越之肉也。某闻言凄惨，便把手指插入喉中，向江中吐出肉来，变成小小螃蟹。至今江中有此一种，名为'蟚蚏'①，乃怨气所化。某其时无处泄怒，即将使臣斩讫。吕后知道，差人将

① 蟚蚏（péng yuè）——一种穴沙而居的小蟹。

三般朝典，宝剑、药酒、红罗三尺，取某首级回朝。某屈死无申，伏望阎君明断。”重湘道：“三贤果是死得可怜，寡人做主，把汉家天下三分与你三人，各掌一国，报你生前汗马功劳，不许再言。”画招而去。

第一起人犯权时退下，唤第二起听审。第二起恩将仇报事，

原告：丁公有。　　　　被告：刘邦有。

丁公诉道：“某在战场上围住汉皇，汉皇许我平分天下，因此开放。何期立帝之后，反加杀害。某心中不甘，求阎爷作主。”重湘道：“刘邦怎么说？”汉皇道：“丁公为项羽爱将，见仇不取，有背主之心，朕故诛之，为后人为臣不忠者之戒，非枉杀无辜也。”丁公辨道：“你说我不忠，那纪信在荥阳替死，是忠臣了，你却无一爵之赠，可见你忘恩无义。那项伯是项羽亲族，鸿门宴上，通同樊哙，拔剑救你，是第一个不忠于项氏，如何不加杀戮，反得赐姓封侯？还有个雍齿，也是项家爱将，你平日最怒者，后封为什方侯；偏与我做冤家，是何意故？”汉皇顿口无言。重湘道：“此事我已有处分了，可唤项伯、雍齿与丁公做一起，听候发落。暂且退下。”

再带第三起上来。第三起专权夺位事，

原告：戚氏有。　　　　被告：吕氏有。

重湘道：“戚氏，那吕氏是正宫，你不过是宠妃，天下应该归于吕氏之子，你如何告他专权夺位，如何背理？”戚氏诉道：“昔日汉皇在睢水大战，被丁公、雍齿赶得无路可逃，单骑走到我戚家庄，吾父藏之。其时妾在房鼓瑟，汉皇闻而求见，悦妾之貌，要妾衾枕，妾意不从。汉皇道：‘若如我意时，后来得了天下，将你所生之子立为太子。’扯下战袍一幅，与妾为记，奴家方才依允。后生一子，因名如意。汉皇原许万岁之后，传位如意为君。因满朝大臣，都惧怕吕后，其事不行。未几汉皇驾崩，吕后自立己子，封如意为赵王，妾母子不敢争。谁知吕后心犹不足，哄妾母子入宫饮宴，将酖酒赐与如意，如意九窍流血，登时身死。吕后假推酒醉，只做不知。妾心怀怨恨，又不敢啼哭，斜看了他一看。他说我一双凤眼，迷了汉皇，即叫宫娥，将金针刺瞎双眼；又将红铜熔水，灌入喉中，断妾四肢，抛于坑厕。妾母子何罪，枉受非刑？至今含冤未报，乞阎爷做主。”说罢，哀哀大哭。重湘道：“你不须伤情，寡人还你个公道，教你母子来生为后为君，团圞①

① 团圞（luán）——团聚。

到老。”画招而去。

再唤第四起乘危逼命事，人犯到齐，唱名①已毕。重湘问项羽道：“灭项兴刘，都是韩信，你如何不告他，反告六将？”项羽道：“是我空有重瞳之目，不识英雄，以致韩信弃我而去，实难怪他。我兵败垓下，溃围逃命，遇了个田夫，问他左右两条路，那一条是大路，田夫回言：‘左边是大路。’某信其言，望左路而走，不期走了死路，被汉兵追及。那田夫乃汉将夏广，装成计策。某那时仗生平本事，杀透重围，来到乌江渡口，遇了故人吕马童，指望他念故旧之情，放我一路。他同着四将，逼我自刎，分裂支体，各去请功。以此心中不服。”重湘点头道是。“审得六将原无斗战之功，止乘项羽兵败力竭，逼之自刎，袭取封侯，侥幸甚矣。来生当发六将，仍使项羽斩首，以报其怨。”立案讫，且退一边。

唤判官将册过来，一一与他判断明白：恩将恩报，仇将仇报，分毫不错。重湘口里发落②，判官在旁用笔填注，何州何县何乡，姓甚名谁，几时生，几时死，细细开载。将人犯逐一唤过，发去投胎出世：“韩信，你尽忠报国，替汉家夺下大半江山，可惜衔冤而死，发你在谯乡曹嵩家托生，姓曹，名操，表字孟德。先为汉相，后为魏王，坐镇许都，享有汉家山河之半。那时威权盖世，任从你谋报前世之仇。当身不得称帝，明你无叛汉之心。子受汉禅，追尊你为武帝，偿十大功劳也。”又唤过汉祖刘邦发落：“你来生仍投入汉家，立为献帝，一生被曹操欺侮，胆战魂惊，坐卧不安，度日如年。因前世君负其臣，来生臣欺其君以相报。”唤吕后发落：“你在伏家投胎，后日仍做献帝之后，被曹操千磨百难，将红罗勒死宫中，以报长乐宫杀信之仇。”韩信问道：“萧何发落何处？”重湘道：“萧何有恩于你，又有怨于你。”叫萧何发落：“你在杨家投胎，姓杨，名修，表字德祖。当初沛公入关之时，诸将争取金帛，偏你只取图籍，许你来生聪明盖世，悟性绝人，官为曹操主簿，大俸大禄，以报三荐之恩。不合参破曹操兵机，为操所杀，前生你哄韩信入长乐宫，来生偿其命也。”判官写得明白。又唤九江王英布上来，“发你在江东孙坚家投胎，姓孙，名权，表字仲谋。先为吴王，后为吴帝，坐镇江东，享一国之富贵。”又唤彭越上来，“你是个正直之人，发你在

① 唱名——呼名、点名。

② 发落——处理、判决。

涿郡楼桑村刘弘家为男,姓刘,名备,字玄德。千人称仁,万人称义。后为蜀帝,抚有蜀中之地,与曹操、孙权三分鼎足。曹氏灭汉,你续汉家之后,乃表汝之忠心也。"彭越道:"三分天下,是大乱之时,西蜀一隅之地,怎能敌得吴、魏?"重湘道:"我判几个人扶助你就是。"乃唤蒯通上来:"你足智多谋,发你在南阳托生,覆姓诸葛,名亮,表字孔明,号为卧龙。为刘备军师,共立江山。"又唤许复上来,"你算韩信七十二岁之寿,只有三十二岁,虽然阴骘折堕,也是命中该载的。如今发你在襄阳投胎,姓庞,名统,表字士元,号为凤雏,帮刘备取西川。注定三十二岁,死于落凤坡之下,与韩信同寿,以为算命不准之报。今后算命之人,胡言哄人,如此折寿,必然警醒了。"彭越道:"军师虽有,必须良将帮扶。"重湘道:"有了。"唤过樊哙,"发你范阳涿州张家投胎,名飞,字翼德。"又唤项羽上来,"发你在蒲州解良关家投胎,只改姓不改名,姓关,名羽,字云长。你二人都有万夫不挡之勇,与刘备桃园结义,共立基业。樊哙不合纵妻吕须帮助吕后为虐,妻罪坐夫。项羽不合杀害秦王子婴,火烧咸阳,二人都注定凶死。但樊哙生前忠勇,并无谄媚;项羽不杀太公,不污吕后;不于酒席上暗算人;有此三德,注定来生俱义勇刚直,死而为神。"再唤纪信过来,"你前生尽忠刘家,未得享受一日富贵,发你来生在常山赵家出世,名云,表字子龙,为西蜀名将。当阳长坂百万军中救主,大显威名。寿年八十二,无病而终。"又唤戚氏夫人,"发你在甘家出世,配刘备为正宫。吕氏当初慕彭王美貌,求淫不遂,又妒忌汉皇爱你,今断你与彭越为夫妇,使他妒不得也。赵王如意,仍与你为子,改名刘禅,小字阿斗,嗣位为后主,安享四十二年之富贵,以偿前世之苦。"又唤丁公上来,"你去周家投胎,名瑜,字公瑾。发你孙权手下为将,被孔明气死,寿止三十五而卒。原你事项羽不了,来生事孙权亦不了也。"再唤项伯、雍齿过来,"项伯背亲向疏,贪图富贵,雍齿受仇人之封爵,你两人皆项羽之罪人;发你来生一个改名颜良,一个改名文丑,皆为关羽所斩,以泄前世之恨。"项羽问道:"六将如何发落?"重湘发六将于曹操部下,守把关隘。杨喜改名卞喜,王翳改名王植,夏广改名孔秀,吕胜改名韩福,杨武改名秦琪,吕马童改名蔡阳,关羽过五关,斩六将,以泄前生乌江逼命之恨。重湘判断明白已毕,众人无不心服。

重湘又问楚、汉争天下之时,有兵将屈死不甘者,怀才未尽者,有恩欲报、有怨欲伸者,一齐许他自诉,都发在三国时投胎出世。其刻薄害人,阴谋惨毒,负恩不报者,变作战马,与将帅骑坐。如此之类,不可细述。判官一一细注明白,不觉五更鸡叫。

重湘退殿,卸了冠服,依旧是个秀才。将所断簿籍,送与阎罗王看了。阎罗王叹服,替他转呈上界,取旨定夺。玉帝见了,赞道:“三百余年久滞之狱,亏他六个时辰断明,方见天地无私,果报不爽,真乃天下之奇才也。众人报冤之事,一一依拟。司马貌有经天纬地之才,今生屈抑不遇,来生宜赐王侯之位,改名不改姓,仍托生司马之家,名懿,表字仲达。一生出将入相,传位子孙,并吞三国,国号曰晋。曹操虽系韩信报冤,所断欺君弑后等事,不可为训。只怕后人不悟前因,学了歹样,就教司马懿欺凌曹氏子孙,一如曹操欺凌献帝故事,显其花报①,以警后人,劝他为善不为恶。”玉帝颁下御旨,阎王开读罢,备下筵席,与重湘送行。重湘启告阎王:“荆妻汪氏,自幼跟随穷儒,受了一世辛苦,有烦转乞天恩,来生仍判为夫妻,同享荣华。”阎王依允。

那重湘在阴司与阎王作别,这边床上忽然翻身,睁开双眼,见其妻汪氏,兀自坐在头边啼哭。司马貌连叫怪事,便将大闹阴司之事,细说一遍:“我今已奉帝旨,不敢久延,喜得来生复得与你完聚。”说罢,瞑目而逝。汪氏已知去向,心上到也不苦了,急忙收拾后事。殡殓方毕,汪氏亦死。到三国时,司马懿夫妻,即重湘夫妇转生。至今这段奇闻,传留世间。后人有诗为证:

半日阎罗判断明,冤冤相报气皆平。
劝人莫作亏心事,祸福昭然人自迎。

# 第三十二卷　游酆都胡母迪吟诗

自古机深祸亦深,休贪富贵昧良心。
檐前滴水毫无错,报应昭昭自古今。

话说宋朝第一个奸臣,姓秦名桧,字会之,江宁人氏。生来有一异相,脚面连指长一尺四寸,在太学时,都唤他做“长脚秀才”。后来登科及第,

① 花报——报应。

靖康年间，累官至御史中丞。其时金兵陷汴，徽、钦二帝北迁，秦桧亦陷在虏中，与金酋挞懒郎君相善，对挞懒说道："若放我南归，愿为金邦细作①。侥幸一朝得志，必当主持和议，使南朝割地称臣，以报大金之恩。"挞懒奏知金主，金主教四太子兀术与他私立了约誓，然后纵之南还。

秦桧同妻王氏，航海奔至临安行在②，只说道杀了金家监守之人，私逃归宋。高宗皇帝信以为真，因而访问他北朝之事。秦桧盛称金家兵强将勇，非南朝所能抵敌。高宗果然惧怯，求其良策，秦桧奏道："自石晋臣事夷敌，中原至今丧气，一时不能振作。靖康之变，宗社几绝，此殆天意，非独人力也。今行在草创，人心惶惶，而诸将皆握重兵在外，倘一人有变，陛下大事去矣。为今之计，莫若息兵讲和，以南北分界，各不侵犯，罢诸将之兵权，陛下高枕而享富贵，生民不致涂炭，岂不美哉。"高宗道："朕欲讲和，只恐金人不肯。"秦桧道："臣在虏中，颇为金酋所信服。陛下若以此事专委之臣，臣自有道理，保为陛下成此和议，可必万全不失。"高宗大喜，即拜秦桧为尚书仆射。未几，遂为左丞相。桧乃专主和议，用勾龙如渊为御史中丞，凡朝臣谏沮和议者，上疏击去之。赵鼎、张浚、胡铨、晏敦复、刘大中、尹焞③、王居正、吴师古、张九成、喻樗④等，皆被贬逐。

其时岳飞累败金兵，杀得兀术四太子奔走无路。兀术情急了，遣心腹王进，蜡丸内藏着书信，送与秦桧。书中写道："既要讲和，如何边将却又用兵？此乃丞相之不信也。必须杀了岳飞，和议可成。"秦桧写了回书，许以杀飞为信，打发王进去讫。一日发十二道金牌，召岳飞班师。军中皆愤怒，河南父老百姓无不痛哭。飞既还，罢为万寿观使。秦桧必欲置飞于死地，与心腹张俊商议，访得飞部下统制王俊，与副都统制张宪有隙，将厚赏诱致王俊，教他妄告张宪谋据襄阳，还飞兵权。王俊依言出首，桧将张宪执付大理狱，矫诏遣使召岳飞父子，与张宪对理。御史中丞何铸，鞫审无实，将冤情白知秦桧。桧大怒，罢去何铸不用，改命万俟卨⑤。那万俟卨素与岳飞有隙，遂将无作有，构成其狱，说岳飞、岳云父子，与部将张宪、王

---

① 细作——间谍、奸细、暗探。

② 行在——皇帝巡行时临时驻居、办公的地方。

③ 焞(tūn)。

④ 樗(chū)。

⑤ 万俟卨(mò qí xiè)——宋朝人。

贵通谋造反。大理寺卿薛仁辅等讼飞之冤；判宗正寺①士㒟②，请以家属百口，保飞不反；枢密使韩世忠愤愤不平，亲诣桧府争论：俱各罢斥。狱既成，秦桧独坐于东窗之下，踌躇此事："欲待不杀岳飞，恐他阻挠和议，失信金邦，后来朝廷觉悟，罪归于我；欲待杀之，奈众人公论有碍。"心中委决不下。其妻长舌夫人王氏适至，问道："相公有何事迟疑？"秦桧将此事与之商议，王氏向袖中，摸出黄柑一只，双手劈开，将一半奉与丈夫，说道："此柑一劈两开，有何难决？岂不闻古语云'擒虎易，纵虎难'乎？"只因这句话，提醒了秦桧，其意遂决。将片纸写几个密字封固，送大理寺狱官，是晚就狱中缢死了岳飞。其子岳云与张宪、王贵，皆押赴市曹处斩。

金人闻飞之死，无不置酒相贺，从此和议遂定。以淮水中流，及唐、邓二州为界。北朝为大邦，称伯父；南朝为小邦，称侄。秦桧加封太师魏国公，又改封益国公，赐第于望仙桥，壮丽比于皇居。其子秦熺，十六岁上状元及第，除授翰林学士，专领史馆。熺生子名埙，襁褓中便注下翰林之职。熺女方生，即封崇国夫人。一时权势，古今无比。

且说崇国夫人六七岁时，爱弄一个狮猫。一日偶然走失，责令临安府府尹，立限挨访。府尹曹泳差人遍访，数日间拿到狮猫数百，带累猫主吃苦使钱，不可尽述。押送到相府，检验都非。乃图形千百幅，张挂茶坊酒肆，官给赏钱一千贯。此时闹动了临安府，乱了一月有余，那猫儿竟无踪影。相府遣官督责，曹泳心慌，乃将黄金铸成金猫，重赂妳娘，送与崇国夫人，方才罢手。只这一节，桧贼之威权，大概可知。

晚年谋篡大位，为朝中诸旧臣未尽，心怀疑忌，欲兴大狱，诬陷赵鼎、张浚、胡铨等五十三家，谋反大逆。吏写奏牍已成，只待秦桧署名进御。是日，桧适游西湖，正饮酒间，忽见一人披发而至，视之乃岳飞也。厉声说道："汝残害忠良，殃民误国，吾已诉闻上帝，来取汝命。"桧大惊，问左右都说不见。桧因此得病归府。次日，吏将奏牍送览。众人扶桧坐于格天阁③下，桧索笔署名，手颤不止，落墨污坏了奏牍。立刻教重换来，又复污坏，究竟写不得一字。长舌妻王夫人在屏后摇手道："勿劳太师！"须臾桧

---

① 宗正寺——官署名，掌皇室亲属谱籍。

② 士㒟(niǎo)——指宋朝宗室赵士㒟。赵士㒟，字立之，宋高宗时官至开府仪同三司。判大宗正寺。因力保岳飞不反，迕秦桧，被贬逐而死。

③ 格天阁——即一德格天阁，秦桧任宰相时所建。

仆于几上,扶进内室,已昏愦了,一语不能发,遂死。此乃五十三家不该遭在桧贼手中,亦见天理昭然也。有诗为证:

忠简①流亡武穆②诛,又将善类肆阴图。
格天阁下名难署,始信忠良有嘿扶③。

桧死不多时,秦熺亦死。长舌王夫人设醮追荐,方士伏坛奏章,见秦熺在阴府荷铁枷而立。方士问:"太师何在?"秦熺答道:"在酆都。"方士径至酆都,见秦桧、万俟卨、王俊披发垢面,各荷铁枷,众鬼卒持巨梃驱之而行,其状甚苦。桧向方士说道:"烦君传语夫人,东窗事发矣。"方士不知何语,述与王氏知道。王氏心下明白,吃了一惊:果然是人间私语,天闻若雷,暗室亏心,神目如电。因这一惊,王氏亦得病而死。未几,秦埙亦死。不够数年,秦氏遂衰。后因朝廷开浚运河,畚土堆积府门。有人从望仙桥行走,看见丞相府前,纵横堆着乱土,题诗一首于墙上,诗曰:

格天阁在人何在?偃月堂④深恨亦深。
不向洛阳图白发,却于郿邬贮黄金⑤。
笑谈便解兴罗织,咫尺那知有照临?
寂寞九原今已矣,空余泥泞积墙阴。

宋朝自秦桧主和,误了大计,反面事仇,君臣贪于佚乐;元太祖铁木真起自沙漠,传至世祖忽必烈灭金及宋。宋丞相文天祥,号文山,天性忠义,召兵勤王。有志不遂,为元将张弘范所执,百计说他投降不得。至元十九年,斩于燕京之柴市。子道生、佛生、环生,皆先丞相而死。其弟名璧,号文溪,以其子升嗣天祥之后,璧、升父子俱附元贵显。当时有诗云:

江南见说好溪山,兄也难时弟也难。

---

① 忠简——宋赵鼎谥。赵鼎,字元镇,官至尚书左仆射,同中书门下平章事,兼枢密使。因与秦桧不合,被流谪,绝食而死。宋孝宗时追谥忠简。

② 武穆——指岳飞,宋孝宗时追谥武穆。

③ 嘿扶——暗中扶助保佑。

④ 偃月堂——唐李林甫堂名。李林甫每次要陷害大臣,必居此堂中,思考办法。

⑤ 郿邬贮黄金——邬,应写作坞。郿坞,地名,在陕西郿县北。东汉董卓筑坞于郿,号称万岁坞。坞中珍藏有金二三万斤,银八九万斤,锦帛奇玩,积如山丘。

可惜梅花各心事，南枝向暖北枝寒。

元仁宗皇帝皇庆年间，文升仕至集贤阁大学士。

话分两头。且说元顺宗至元初年间，锦城有一秀才，复姓胡母，名迪。为人刚直无私，常说："我若一朝际会风云，定要扶持善类，驱尽奸邪，使朝政清明，方遂其愿。"何期时运未利，一气走了十科①不中，乃隐居威凤山②中，读书治圃，为养生计。然感愤不平之意，时时发露，不能自禁于怀也。

一日，独酌小轩之中。饮至半酣，启囊探书而读，偶得《秦桧东窗传》，读未毕，不觉赫然大怒，气涌如山，大骂奸臣不绝。再抽一书观看，乃《文文山丞相遗稿》，朗诵了一遍，心上愈加不平，拍案大叫道："如此忠义之人，偏教他杀身绝嗣，皇天，皇天，好没分晓！"闷上心来，再取酒痛饮，至于大醉。磨起墨来，取笔题诗四句于《东窗传》上，诗云：

长脚邪臣长舌妻，忍将忠孝苦诛夷。

愚生若得阎罗做，剥此奸雄万劫皮！

吟了数遍，撇开一边。再将文丞相集上，也题四句：

只手擎天志已违，带间遗赞日争辉。

独怜血胤同时尽，漂泊忠魂何处归？

吟罢，余兴未尽，再题四句于后：

桧贼奸邪得善终，羡他孙子显荣同；

文山酷死兼无后，天道何曾识佞忠！

写罢掷笔，再吟数过，觉得酒力涌上，和衣就寝。

俄见皂衣二吏，至前揖道："阎君命仆等相邀，君宜速往。"胡母迪正在醉中，不知阎君为谁，答道："吾与阎君素昧平生，今见召，何也？"皂衣吏笑道："君到彼自知，不劳详问。"胡母迪方欲再拒，被二吏挟之而行。离城约行数里，乃荒郊之地，烟雨霏微，如深秋景象。再行数里，望见城郭，居人亦稠密，往来贸易不绝，如市廛之状。行到城门，见榜额乃"酆都"二字，迪才省得是阴府。业已至此，无可奈何。既入城，则有殿宇峥嵘，朱门高敞，题曰"曜灵之府"，门外守者甚严。皂衣吏令一人为伴，一

① 走了十科——应了十次考选。

② 威凤山——在四川成都县北。

人先入。少顷复出，招迪曰："阎君召子。"迪乃随吏入门，行至殿前，榜曰"森罗殿"。殿上王者，兖衣冕旒，类人间神庙中绘塑神像。左右列神吏六人，绿袍皂履，高幞①广带，各执文簿。阶下侍立百余人，有牛头马面，长喙朱发，狰狞可畏。胡母迪稽颡②于阶下，冥王问道："子即胡母迪耶？"迪应道："然也。"冥王大怒道："子为儒流，读书习礼，何为怨天怒地，谤鬼侮神乎？"胡母迪答道："迪乃后进之流，早习先圣先贤之道，安贫守分，循理修身，并无怨天尤人之事。"冥王喝道："你说'天道何曾识佞忠'，岂非怨谤之谈乎？"迪方悟醉中题诗之事，再拜谢罪道："贱子酒酣，罔能持性，偶读忠奸之传，致吟忿懑之辞。颙望③神君，特垂宽宥。"冥王道："子试自述其意，怎见得天道不辨忠佞？"胡母迪道："秦桧卖国和番，杀害忠良，一生富贵善终，其子秦熺，状元及第，孙秦埙，翰林学士，三代俱在史馆；岳飞精忠报国，父子就戮；文天祥宋末第一个忠臣，三子俱死于流离，遂至绝嗣；其弟降虏，父子贵显。福善祸淫，天道何在？贱子所以拊心致疑，愿神君开示其故。"冥王呵呵大笑："子乃下土腐儒，天意微渺，岂能知之？那宋高宗原系钱镠王第三子转生，当初钱镠独霸吴越，传世百年，并无失德。后因钱镠入朝，被宋太宗留住，逼之献土。到徽宗时，显仁皇后有孕，梦见一金甲贵人，怒目言曰：'我吴越王也。汝家无故夺我之国，吾今遣第三子托生，要还我疆土。'醒后遂生皇子构，是为高宗。他原索取旧疆，所以偏安南渡，无志中原，秦桧会逢其适，力主和议，亦天数当然也；但不该诬陷忠良，故上帝斩其血胤。秦熺非桧所出，乃其妻兄王焕之子，长舌妻冒认为儿，虽子孙贵显，秦氏魂魄，岂得享异姓之祭哉？岳飞系三国张飞转生，忠心正气，千古不磨。一次托生为张巡，改名不改姓；二次托生为岳飞，改姓不改名。虽然父子屈死，子孙世代贵盛，血食万年。文天祥父子夫妻，一门忠孝节义，传扬千古。文升嫡侄为嗣，延其宗祀，居官清正，不替家风，岂得为无后耶？夫天道报应，或在生前，或在死后；或福之而反祸，或祸之而反福。须合幽明古今而观之，方知毫厘不爽。子但据目前，譬如以管窥天，多见其不知量矣。"胡母迪顿首道："承神君指教，开示愚

① 高幞——高幞头。

② 稽颡（qǐ sǎng）——行礼、叩头。

③ 颙（yóng）望——乞望、期望。

蒙,如拨云见日,不胜快幸。但愚民但据生前之苦乐,安知身后之果报哉?以此冥冥不可见之事,欲人趋善而避恶,如风声水月,无所忌惮。宜乎恶人之多,而善人之少也。贱子不才,愿得遍游地狱,尽观恶报,传语人间,使知儆惧自修,未审允否?”冥王点头道是,即呼绿衣吏,以一白简书云:“右仰普掠狱官,即启狴牢①,引此儒生,遍观泉扃②报应,毋得违错。”

吏领命,引胡母迪从西廊而进。过殿后三里许,有石垣高数仞,以生铁为门,题曰“普掠之狱”。吏将门环叩三下,俄顷门开,夜叉数辈突出,将欲擒迪。吏叱道:“此儒生也,无罪。”便将阎君所书白简,教他看了。夜叉道:“吾辈只道罪鬼入狱,不知公是书生,幸勿见怪。”乃揖迪而入。其中广袤五十余里,日光惨淡,风气萧然。四围门牌,皆榜名额:东曰“风雷之狱”,南曰“火车之狱”,西曰“金刚之狱”,北曰“溟泠之狱”。男女荷铁枷者千余人。又至一小门,则见男子二十余人,皆被发裸体,以巨钉钉其手足于铁床之上,项荷铁枷,举身皆刀杖痕,脓血腥秽不可近。旁一妇人,裳而无衣,罩于铁笼中。一夜叉以沸汤浇之,皮肉溃烂,号呼之声不绝。绿衣吏指铁床上三人,对胡母迪说道:“此即秦桧、万俟卨、王俊。这铁笼中妇人,即桧妻长舌王氏也。其他数人,乃章惇③、蔡京父子、王

---

① 狴牢——监牢。
② 泉扃——黄泉、冥界。
③ 章惇——北宋时人。哲宗初年,知枢密院事。高太后死,起为尚书左仆射兼门下侍郎,恢复新法,引用蔡京、蔡卞等,排斥元祐党人。徽宗时,贬睦州死。

黼[①]、朱勔[②]、耿南仲[③]、丁大全[④]、韩侂胄[⑤]、史弥远、贾似道，皆其同奸党恶之徒。王遣施刑，令君观之。”即驱桧等至风雷之狱，缚于铜柱，一卒以鞭扣其环，即有风刀乱至，绕刺其身。桧等体如筛底。良久，震雷一声，击其身如齑粉，血流凝地。少顷，恶风盘旋，吹其骨肉，复聚为人形。吏向迪道：“此震击者阴雷也，吹者业风也。”又呼卒驱至金刚、火车、溟泠等狱，将桧等受刑尤甚，饥则食以铁丸，渴则饮以铜汁。吏说道：“此曹凡三日，则遍历诸狱，受诸苦楚。三年之后，变为牛、羊、犬、豕，生于世间，为人宰杀，剥皮食肉。其妻亦为牝豕，食人不洁，临终亦不免刀烹之苦。今此众已为畜类于世五十余次了。”迪问道：“其罪何时可脱？”吏答道：“除是天地重复混沌，方得开除耳。”复引迪到西垣一小门，题曰“奸回之狱”。荷桎梏者百余人，举身插刃，浑类蝟形。迪问此辈皆何等人，吏答道：“是皆历代将相，奸回党恶，欺君罔上，蠹国害民，如梁冀[⑥]、董卓、卢杞[⑦]、李林甫之流，皆在其中。每三日，亦与秦桧等同受其刑。三年后，变为畜类，皆同桧也。”复至南垣一小门，题曰“不忠内臣[⑧]之狱”。内有牝牛数百，皆以铁索贯鼻，系于铁柱，四围以火炙之。迪问道：“牛畜类也，何罪而致是

① 王黼——北宋末人，多智善佞，与蔡京、梁师成相勾结。宣和元年，拜特进少宰。置应奉局，竭力搜括。当时朝廷欲与女真联合图燕，王黼括所有壮丁，计口出钱，以六千二百万缗买五六座空城而凯旋。进太傅，封楚国公。钦宗即位，被诛。

② 朱勔(miǎn)——北宋末人，谄事蔡京。宋徽宗好花石，朱勔搜括江浙奇花异石，运送东京，号为“花石纲”。豪夺渔取，流毒于东南。钦宗时，诛死。

③ 耿南仲——宋代人。宋钦宗时，官尚书左丞。金人南侵，耿南仲力主割地议和。宋高宗即位，降为别驾，安置南雄，死于道上。

④ 丁大全——南宋人，谄事宦官，贪纵淫恶。宋理宗宝祐年间为右丞相。景定中流窜海岛，死于半路。

⑤ 韩侂(tuō)胄——南宋人。宋宁宗即位，韩侂胄以传导诏旨而得宠幸，排斥宰相赵汝愚，专横擅权。后欲立功以巩固地位，出兵伐金，溃败被诛。

⑥ 梁冀——东汉顺帝梁皇后兄，代父为大将军，鸩杀质帝，立桓帝。执政二十余年，骄横专恣。后桓帝与宦官单超等谋，领兵收捕 ，冀自杀。

⑦ 卢杞——唐代人。唐德宗用以为相，专权恣肆，毒害忠良。创间架税、除陌钱，进行聚敛。后被贬死。

⑧ 内臣——宦官。

耶?”吏摇手道:“君勿言,姑俟观之。”即呼狱卒,以巨扇拂火,须臾烈焰亘天,皆不胜其苦,哮吼踯躅,皮肉焦烂。良久,大震一声,皮忽绽裂,其中突出个人来。视之俱无须髯,寺人①也。吏呼夜叉掷于镬汤中烹之,但见皮肉消融,止存白骨。少顷,复以冷水沃之,白骨相聚,仍复人形。吏指道:“此皆历代宦官,秦之赵高,汉之十常侍②,唐之李辅国③、仇士良④、王守澄⑤、田令孜⑥,宋童贯之徒,从小长养禁中,锦衣玉食,欺诱人主,妒害忠良,浊乱海内。今受此报,累劫无已。”复至东壁,男女数千人,皆裸体跣足,或烹剥刳心,或剉烧舂磨,哀呼之声,彻闻数里。吏指道:“此皆在生时为官为吏,贪财枉法,刻薄害人,及不孝不友,悖负师长,不仁不义,故受此报。”迪见之大喜,叹曰:“今日方知天地无私,鬼神明察,吾一生不平之气始出矣。”吏指北面云:“此去一狱,皆僧尼哄骗人财,奸淫作恶者。又一狱,皆淫妇、妒妇、逆妇、狠妇等辈。”迪答道:“果报之事,吾已悉知,不消去看了。”吏笑携迪手偕出,仍入森罗殿。迪再拜,叩首称谢,呈诗四句。诗曰:

权奸当道任恣睢,果报原来总不虚。
冥狱试看刑法惨,应知今日悔当初。

迪又道:“奸回受报,仆已目击,信不诬矣。其他忠臣义士,在于何所?愿希一见,以适鄙怀,不胜欣幸。”冥王俯首而思,良久,乃曰:“诸公

---

① 寺人——太监。

② 十常寺——汉灵帝时,宦官张让、赵忠、夏恽、郭胜、孙璋、毕岚、栗嵩、段珪、高望、张恭、韩悝、宋典等十二人,都为中常侍。举成数,所以称“十常侍”。十常侍以亲戚宾客,任州郡大官,侵掠百姓,终于激发农民起义。

③ 李辅国——唐代宦官。唐代宗时尊为“尚父”,进司空,封博陆郡王,擅权跋扈。后被代宗遣人刺死。

④ 仇士良——唐代宦官。唐文宗时,为左神策军中尉,李训谋诛宦官,事露,仇士良、鱼弘志以神策军作乱,杀李训等。文宗死,仇士良援立武宗,官至观军容使,兼统左右军。以疾辞罢,未几死。曾杀二王、一妃、四宰相,贪酷二十余年。

⑤ 王守澄——唐代宦官。曾与陈弘志杀死唐宪宗,拥立穆宗。唐文宗时赐死。

⑥ 田令孜——唐代宦官。唐僖宗时,为左神策军中尉,僖宗委以政事,呼之为父。贩卖官爵,专权作恶。黄巢起义,田令孜挟僖宗出奔成都。事定,王重荣、李克用、朱玫等请诛令孜,诏以为剑南监军使。唐昭宗时,被缢死。

皆生人道，为王公大人，享受天禄。寿满天年，仍还原所，以俟缘会，又复托生。子既求见，吾躬导之。”于是登舆而前，吩咐从者，引迪后随。行五里许，但见琼楼玉殿，碧瓦参横，朱牌金字，题曰“天爵之府”。既入，有仙童数百，皆衣紫绡之衣，悬丹霞玉珮，执彩幢绛节，持羽葆花旌，云气缤纷，天花飞舞，龙吟凤吹，仙乐铿锵，异香馥郁，袭人不散。殿上坐者百余人，头带通天之冠①，身穿云锦之衣，足蹑朱霓之履，玉珂琼珮，光彩射人。绛绡玉女五百余人，或执五明之扇②，或捧八宝之盂，环侍左右。见冥王来，各各降阶迎迓，宾主礼毕，分东西而坐。仙童献茶已毕，冥王述胡母迪来意，命迪致拜，诸公皆答之尽礼，同声赞道：“先生可谓‘仁者，能好人，能恶人矣’。”乃别具席于下，命迪坐，迪谦让再三不敢。王曰：“诸公以子斯文，能持正论，故加优礼，何用苦辞？”迪乃揖谢而坐。冥王拱手道：“座上皆历代忠良之臣，节义之士，在阳则流芳史册，在阴则享受天乐。每遇明君治世，则生为王侯将相，扶持江山，功施社稷。今天运将转，不过数十年，真人当出，拨乱反正。诸公行且先后出世，为创功立业之名臣矣。”迪即席又呈诗四句。诗曰：

时从窗下阅遗编，每恨忠良福不全；
目击冥司天爵贵，皇天端不负名贤。

诸公皆举手称谢。冥王道：“子观善恶报应，忠佞分别不爽。假令子为阎罗，恐不能复有所加耳。”迪离席下拜谢罪。诸公齐声道：“此生好善嫉恶，出于至性，不觉见之吟咏，不足深怪。”冥王大笑道：“诸公之言是也。”迪又拜问道：“仆尚有所疑，求神君剖示。仆自小苦志读书，并无大过，何一生无科第之分？岂非前生有罪业乎？”冥王道：“方今胡元世界，天地反覆。子秉性刚直，命中无夷狄之缘，不应为其臣子。某冥任将满，想子善善恶恶，正堪此职。某当奏知天廷，荐子以自代。于暂回阳世，以享余龄，更十余年后，耑当奉迎耳。”言毕，即命朱衣二吏送迪还家。迪大悦，再拜称谢。及辞诸公而出，约行十余里，只见天色渐明。朱衣吏指向迪道：

---

① 通天冠——一种王冠，始于秦朝，此后历代都有，但形制不尽相同。宋代制度，通天冠二十四梁（冠上横脊），加金博山，附蝉十二，青面朱里，饰以珠翠，黑帻，黑缨翠绥，用犀玉簪导。

② 五明扇——一种掌扇，最初一般官僚士大夫都可用，魏晋以后只限皇帝使用。

“日出之处，即君家也。”迪挽住二吏之衣，欲延归谢之，二吏坚却不允。迪再三挽留，不觉失手，二吏已不见了。迪即展臂而寤，残灯未灭，日光已射窗纸矣。

迪自此绝意干进，修身乐道。再二十三年，寿六十六，一日午后，忽见冥吏持牒来，迎迪赴任。车马仪从，俨若王者。是夜迪遂卒。又十年，元祚遂倾，天下仍归于中国，天爵府诸公已知出世为卿相矣。后人有诗云：

王法昭昭犹有漏，冥司隐隐更无私。
不须亲见酆都景，但请时吟胡母诗。

# 第三十三卷　张古老种瓜娶文女

长空万里彤云作，迤逦祥光遍斋阁。
未教柳絮舞千毬，先使梅花开数萼。
入帘有韵自飕飕，点水无声空漠漠。
夜来阁向古松梢，向晓朔风吹不落。

这八句诗题雪，那雪下相似三件物事：似盐，似柳絮，似梨花。雪怎地似盐？谢灵运曾有一句诗咏雪道：“撒盐空中差可疑①。”苏东坡先生有一词，名《江神子》：

黄昏犹自雨纤纤，晓开帘，玉平檐。江阔天低，无处认青帘②。独坐闲吟谁伴我？呵冻手，捻衰髯。　　使君留客醉恹恹，水晶盐③，为谁甜？手把梅花，东望忆陶潜。雪似古人人似雪，虽可爱，有人嫌。

这雪又怎似柳絮？谢道韫④曾有一句咏雪道：“未若柳絮因风起。”黄鲁

---

① 疑——当作拟字。
② 青帘——酒店所挂的青布幌子。
③ 水晶盐——即石盐，又名饴盐，一种带甜味的岩盐。
④ 谢道韫——晋谢安侄女。有一次天下雪，谢安问子侄们：“像什么？”谢朗答云：“撒盐空中差可拟。”谢道韫说：“未若柳絮因风起。”谢安大悦。

直①有一词，名《踏莎行》：

堆积琼花，铺陈柳絮，晓来已没行人路。长空尤未绽彤云，飘飖尚逐回风舞。　对景衔杯，迎风索句，回头却笑无言语。为何终日未成吟？前山尚有青青处。

又怎见得雪似梨花？李易安夫人曾道："行人舞袖拂梨花。"晁叔用②有一词，名《临江仙》：

万里彤云密布，长空琼色交加。飞如柳絮落泥沙。前村归去路，舞袖拂梨花。　此际堪描何处景？江湖小艇渔家。旋斟香醞过年华。披蓑乘远兴，顶笠过溪沙。

雪似三件物事，又有三个神人掌管。那三个神人？姑射真人、周琼姬、董双成。周琼姬掌管芙蓉城；董双成掌管贮雪琉璃净瓶，瓶内盛着数片雪；每遇彤云密布，姑射真人用黄金箸敲出一片雪来，下一尺瑞雪。当日紫府真人安排筵会，请姑射真人、董双成，饮得都醉。把金箸敲着琉璃净瓶，待要唱只曲儿。错敲破了琉璃净瓶，倾出雪来，当年便好大雪。曾有只曲儿，名做《忆瑶姬》：

姑射真人，宴紫府，双成击破琼苞。零珠碎玉，被蕊宫仙子，撒向空抛。乾坤皓彩中宵，海月流光色共交。向晓来，银压琅玕，数枝斜坠玉鞭梢。　荆山隈，碧水曲，际晚飞禽，冒寒归去无巢。檐前为爱成簪箸，不许儿童使杖敲。待效他当日袁安③谢女④，才词咏嘲。

姑射真人是掌雪之神。又有雪之精，是一匹白骡子，身上抖下一根毛，下一丈雪。却有个神仙是洪崖先生管着，用葫芦儿盛着白骡子。赴罢紫府真人会，饮得酒醉，把葫芦塞得不牢，走了白骡子，却在番人界里退毛。洪崖先生因走了白骡子，下了一阵大雪。

且说一个官人，因雪中走了一匹白马，变成一件蹊跷神仙的事，举家

---

① 黄鲁直——黄庭坚，字鲁直，北宋诗人，著有《山谷内外集》、《别集》、《山谷词》等。

② 晁叔用——晁冲之，字叔用，北宋诗人。有《具茨集》及近人所辑《晁叔用词》。

③ 袁安——东汉人。贫时，逢洛阳大雪，僵卧不起。所以后来有"袁安卧雪"之称。

④ 谢女——指谢道韫。

白日上升,至今古迹尚存。萧梁武帝普通六年,冬十二月,有个谏议大夫姓韦名恕,因谏萧梁武帝奉持释教得罪,贬在滋生驷马监①做判院。这官人:

中心正直,秉气刚强。有回天转日之言,怀逐佞去邪之见。

这韦官人受得滋生驷马监判院,这座监在真州六合县界上。萧梁武帝有一匹白马,名作"照殿玉狮子":

蹄如玉削,体若琼妆。荡胸一片粉铺成,摆尾万条银缕散。能驰能载,走得千里程途;不喘不嘶,跳过三重阔涧。浑似狻猊②生世上,恰如白泽③下人间。

这匹白马,因为萧梁武帝追赶达摩禅师,到今时长芦界上有失,罚下在滋生驷马监,教牧养。当日大雪下,早晨起来,只见押槽来禀覆韦谏议道:"有件祸事,——昨夜就槽头不见了那照殿玉狮子。"唬得韦谏议慌忙叫将一监养马人来,却是如何计结④?就中一个押槽出来道:"这匹马容易寻。只看他雪中脚迹,便知着落。"韦谏议道:"说得是。"即时差人随着押槽,寻马脚迹。迤逦间行了数里田地,雪中见一座花园,但见:

粉妆台榭,琼锁亭轩。两边斜压玉栏杆,一径平钩银绶带。太湖石陷,恍疑盐虎深埋;松柏枝盘,好似玉龙高耸。径里草枯难辨色,亭前梅绽只闻香。

却是一座篱园。押槽看着众人道:"这匹马在这庄里。"即时敲庄门,见一个老儿出来。押槽相揖道:"借问则个。昨夜雪中滋生驷马监里,走了一匹白马。这匹白马是梁皇帝骑的御马,名唤做'照殿玉狮子'。看这脚迹时,却正跳入篱园内来。老丈若还收得之时,却教谏议自备钱酒相谢。"老儿听得道:"不妨,马在家里。众人且坐,老夫请你们食件物事了去。"众人坐定,只见大伯子去到篱园根中,去那雪里面,用手取出一个甜瓜来。看这瓜时,真个是:

绿叶和根嫩,黄花向顶开。
香从辛里得,甜向苦中来。

---

① 滋生驷马监——就是御马监,掌牧养统治者所用的马匹。

② 狻猊(suānní)——传说中的一种猛兽。

③ 白泽——古代传说的一种神兽。

④ 计结——解决、了结。

那甜瓜藤蔓枝叶都在上面。众人心中道:“莫是大伯子收下的?”看那瓜颜色又新鲜。大伯取一把刀儿,削了瓜皮,打开瓜顶,一阵异气喷人。请众人吃了一个瓜,又再去雪中取出三个瓜来,道:“你们做①老拙传话谏议,道张公教送这瓜来。”众人接了甜瓜。大伯从篱园后地,牵出这匹白马来,还了押槽。押槽拢了马儿,谢了公公,众人都回滋生驷马监。见韦谏议,道:“可煞作怪!大雪中如何种得这甜瓜?”即时请出恭人②来,和这十八岁的小娘子都出来,打开这瓜,合家大小都食了。恭人道:“却罪过这老儿,与我收得马,又送瓜来,着个甚道理谢他?”

捻指过了两月,至次年春半,景色清明。恭人道:“今日天色晴和,好去谢那送瓜的张公,谢他收得马。”谏议即时教安排酒樽食垒③,暖荡撩锅④,办几件食次⑤。叫出十八岁女儿来,道:“我今日去谢张公,一就带你母子去游玩闲走则个。”谏议乘着马,随两乘轿子,来到张公门前,使人请出张公来。大伯连忙出来唱喏。恭人道:“前日相劳你收下马,今日谏议置酒,特来相谢。”就草堂上铺陈酒器,摆列杯盘,请张公同坐。大伯再三推辞,掇条凳子,横头坐地。酒至三杯,恭人问张公道:“公公贵寿?”大伯言:“老拙年已八十岁。”恭人又问:“公公几口?”大伯道:“孑然一身。”恭人说:“公公也少不得个婆婆相伴。”大伯应道:“便是没恁么巧头脑⑥。”恭人道:“也是说个七十来岁的婆婆。”大伯道:“年纪须老,道不得个:

百岁光阴如捻指,人生七十古来稀。”

恭人道:“也是说一个六十来岁的。”大伯道:“老也,

月过十五光明少,人到中年万事休。”

恭人道:“也是说一个五十来岁的。”大伯又道:“老也,

三十不荣,四十不富,五十看看寻死路。”

恭人忍不得,自道,看我取笑他:“公公说个三十来岁的。”大伯道:“老

---

① 做——替、为。

② 恭人——对官员妻子的封号。

③ 食垒——一种有几层屉的食盒。

④ 暖荡撩锅——暖酒,叫做荡。撩锅,一种汤锅。

⑤ 食次——此指食物、食品。

⑥ 巧头脑——合适的对象。

也。”恭人说：“公公，如今要说几岁的？”大伯抬起身来，指定十八岁小娘子道：“若得此女以为匹配，足矣。”韦谏议当时听得说，怒从心上起，恶向胆边生，却不听他说话，叫那当直的都来要打那大伯。恭人道：“使不得，特地来谢他，却如何打他？这大伯年纪老，说话颠狂，只莫管他。”收拾了酒器自归去。

话里却说张公，一并三日不开门，六合县里有两个扑花的①，一个唤做王三，一个唤做赵四，各把着大蒲篓来，寻张公打花②。见他不开门，敲门叫他，见大伯一行③说话，一行咳嗽，一似害痨病相思，气丝丝地。怎见得？曾有一《夜游宫》词：

四百四病人皆有，只有相思难受。不疼不痛在心头，魆魆地④教人瘦。　　愁逢花前月下，最怕黄昏时候。心头一阵痒将来，一两声咳嗽咳嗽。

看那大伯时，喉咙哑飒飒地出来道：“罪过你们来，这两日不欢，要花时打些个去，不要你钱。有件事相烦你两个：与我去寻两个媒人婆子，若寻得来时，相赠二百足钱，自买一角⑤酒吃。”二人打花了自去，一时之间，寻得两个媒人来。这两个媒人：

开言成匹配，举口合和谐。掌人间凤只鸾孤，管宇宙孤眠独宿。折莫⑥三重门户，选甚⑦十二楼中？男儿下惠也生心，女子麻姑须动意。传言玉女，用机关把手拖来；侍香金童，下说辞拦腰抱住。引得巫山⑧偷汉子，唆教织女害相思。

叫得两个媒婆来，和公公厮叫。张公道：“有头亲相烦说则个。这头亲曾相见，则是难说。先各与你三两银子，若讨得回报，各人又与你五两银子。

① 扑花的——扑卖鲜花的人。
② 打花——采花。
③ 一行——一面、一头。
④ 魆魆地——暗暗地。
⑤ 一角——一份。角为宋、元间沽酒单位。
⑥ 折莫——同遮莫，尽教、就使的意思。
⑦ 选甚——管什么、论什么，不论、不问。
⑧ 巫山——宋玉的《高唐赋》中说，楚王游高唐，梦见了巫山的神女。这里的巫山，就是指巫山神女。

说得成时,教你两人撰个小小富贵。”张媒、李媒便问:“公公,要说谁家小娘子?”张公道:“滋生驷马监里韦谏议有个女儿,年纪一十八岁,相烦你们去与我说则个。”两个媒婆含着笑笑,接了三两银子出去,行半里田地①,到一个土坡上。张媒看着李媒道:“怎地去韦谏议宅里说?”张媒道:“容易,我两人先买一角酒吃,教脸上红拂拂地,走去韦谏议门前旋一遭,回去说与大伯,只道说了,还未有回报。”道犹未了,则听得叫道:“且不得去!”回头看时,却是那张公赶来。说道:“我猜你两个买一角酒,吃得脸上红拂拂地,韦谏议门前旋一遭回来,说与我道未有回报,还是恁地么?你如今要得好,急速便去,千万讨回报。”两个媒人见张公恁地说道,做着只得去。

两人同到滋生驷马监,倩人传报与韦谏议,谏议道:“教入来。”张媒、李媒见了,谏议道:“你两人莫是来说亲么?”两个媒人笑嘻嘻的,怕得开口。韦谏议道:“我有个大的儿子,二十二岁,见随王僧辩②征北,不在家中;有个女儿,一十八岁,清官家贫,无钱嫁人。”两个媒人则在阶下拜,不敢说。韦谏议道:“不须多拜,有事但说。”张媒道:“有件事,欲待不说,为他六两银;欲待说,恐激恼谏议,又有些个好笑。”韦谏议问如何。张媒道:“种瓜的张老,没来历③,今日使人来叫老媳妇两人,要说谏议的小娘子。得他六两银子,见在这里。”怀中取出那银子,教谏议看,道:“谏议周全时,得这银;若不周全,只得还他。”谏议道:“大伯子莫是疯?我女儿才十八岁,不曾要说亲。如今要我如何周全你这六两银子?”张媒道:“他说来,只问谏议觅得回报,便得六两银子。”谏议听得说,用指头指着媒人婆道:“做我传话那没见识的老子:要得成亲,来日办十万贯见钱为定礼,并要一色小钱,不要金钱准折。”教讨酒来劝了媒人,发付他去。

两个媒人拜谢了出来,到张公家,见大伯伸着脖项,一似望风宿鹅。等得两个媒人回来道:“且坐,生受不易!”且取出十两银子来,安在卓上,道:“起动④你们,亲事圆备。”张媒问道:“如何了?”大伯道:“我丈人说,

① 田地——路程。

② 王僧辩——南朝梁时人,为江州刺史,平侯景之乱,官至大司马。后被陈霸先所袭杀。

③ 没来历——没来由、无缘无故、毫无道理。

④ 起动——烦劳、扰动。

要我十万贯钱为定礼,并要小钱,方可成亲。”两个媒人道:“猜着了,果是谏议恁地说。公公,你却如何对付?”那大伯取出一掇酒来开了,安在卓子上,请两个媒人各吃了四盏。将这媒人转屋山头①边来,指着道:“你看!”两个媒人用五轮八光左右两点瞳仁,打一看时,只见屋山头堆垛②着一便价十万贯小钱儿。道:“你们看,先准备在此了。”只就当日,教那两个媒人先去回报谏议,然后发这钱来。媒人自去了。

这里安排车仗,从里面叫出几个人来,都着紫衫,尽戴花红③银揲子④,推数辆太平车:

> 平川如雷吼,旷野似潮奔。猜疑地震天摇,仿佛星移日转。初观形象,似秦皇塞海鬼驱山⑤;乍见威仪,若夏奡行舟临陆地⑥。满川寒雁叫,一队锦鸡鸣。

车子上旗儿插着,写道:“张公纳韦谏议宅财礼。”众人推着车子,来到谏议宅前,喝起三声喏来,排着两行车子,使人入去,报与韦谏议。谏议出来看了车子,开着口则合不得。使人入去,说与恭人,却怎地对付?恭人道:“你不合勒他讨十万贯见钱,不知这大伯如今那里擘划⑦将来?待不成亲,是言而无信;待与他成亲,岂有衣冠女子,嫁一园叟乎?”夫妻二人倒断不下,恭人道:“且叫将十八岁女儿前来,问这事却是如何。”女孩儿怀中取出一个锦囊来。原来这女子七岁时,不会说话。一日,忽然间道出四句言语来:

> 天意岂人知?应于南楚畿。
> 寒灰热如火,枯杨再生稊。

自此后便会行文,改名文女。当时着锦囊盛了这首诗,收十二年。今日将来教爹爹看道:“虽然张公年纪老,恐是天意,却也不见得。”恭人见女儿

① 屋山头——堂屋两头的房檐。
② 堆垛——堆积。
③ 花红——此指喜庆人家装饰披挂用的红绸。
④ 银揲子——揲,应作楪。银铸碗碟,宋代做喜事的人家常用以犒赏从人。
⑤ 秦皇塞海鬼驱山——古代传说,秦始皇要造石桥,渡海观看日出的地方,当时有一神人,能够驱石入海。石头走得慢,神人便鞭打它,石头被打得流血。
⑥ 夏奡(ào)行舟临陆地——夏代人,寒浞的儿子,力气很大,能够陆地行舟。
⑦ 擘(bò)划——筹划。

肯,又见他果有十万贯钱,此必是奇异之人,无计奈何,只得成亲。拣吉日良辰,做起亲来。张公喜欢。正是:

旱莲得雨重生藕,枯木无芽再遇春。

做成了亲事,卷帐回,带那儿女归去了。韦谏议戒约①家人,不许一人去张公家去。

普通七年,夏六月间,谏议的儿子,姓韦名义方,文武双全,因随王僧辩北征回归,到六合县。当日天气热,怎见得?

万里无云驾六龙,千林不放鸟飞空。

地燃石裂江湖沸,不见南来一点风。

相次②到家中。只见路旁篱园里,有个妇女。头发蓬松,腰系青布裙儿,脚下拖双靸鞋③,在门前卖瓜。这瓜:

西园摘处香和露,洗尽南轩暑。莫嫌坐上适无蝇,只恐怕寒难近玉壶冰。　　井花浮翠金盆小,午梦初回了。诗翁自是不归来,不是青门④无地可移栽。

韦义方觉走得渴,向前要买个瓜吃。抬头一觑,猛叫一声道:"文女,你如何在这里?"文女叫:"哥哥,我爹爹嫁我在这里。"韦义方道:"我路上听得人说道,爹爹得十万贯钱,把你卖与卖瓜人张公,却是为何?"那文女把那前面的来历,对着韦义方从头说一遍。韦义方道:"我如今要与他相见如何?"文女道:"哥哥要见张公,你且少待。我先去说一声,却相见。"文女移身,已挺脚步入去房里,说与张公。复身出来道:"张公道你性如烈火,意若飘风,不肯教你相见。哥哥,如今要相见却不妨,只是勿生恶意。"说罢,文女引义方入去相见。大伯即时抹着腰⑤出来。韦义方见了,道:"却不叵耐!恁么模样,却有十万贯钱娶我妹子,必是妖人。"一会子掣出太阿宝剑,觑着张公,劈头便剁将下去。只见剑靶揝在手里,剑却折做数段。

---

① 戒约——禁止。

② 相次——将近。

③ 靸(sǎ)鞋——一种没有后跟的草鞋。

④ 青门——汉长安城东靠南第一座门。原名霸城门,因门青色,所以俗称青城门,或青门。门外产瓜很有名。秦东陵侯召平,秦亡以后种瓜于青门外,当时称为东陵瓜。

⑤ 抹着腰——弯着腰。

张公道:“可惜又减了一个神仙!”文女推那哥哥出来,道:“教你勿生恶意,如何把剑剁他?”韦义方归到家中,参拜了爹爹妈妈,便问如何将文女嫁与张公。韦谏议道:“这大伯是个作怪人。”韦义方道:“我也疑他:把剑剁他不着,到坏了我一把剑。”

次日早,韦义方起来,洗漱罢,系裹停当,向爹爹妈妈道:“我今日定要取这妹子归来;若取不得这妹子,定不归来见爹爹妈妈。”相辞了,带着两个当直,行到张公住处,但见平原旷☐,踪迹荒凉。问那当方住的人,道:“是有个张公,在这里种瓜。住二十来年,昨夜一阵乌风猛雨,今日不知所在。”韦义方大惊抬头,只见树上削起树皮,写着四句诗道:

两枚篚袋世间无,盛尽瓜园及草庐。

要识老夫居止处,桃花庄上乐天居。

韦义方读罢了书,教当直四下搜寻。当直回来报道:“张公骑着匹蹇驴,小娘子也骑着匹蹇驴儿,带着两枚篚袋,取真州路上而去。”韦义方和当直三人,一路赶上,则见路上人都道:“见大伯骑着蹇驴,女孩儿也骑驴儿。那小娘子不肯去,哭告大伯道:‘教我归去相辞爹妈。’那大伯把一条杖儿在手中,一路上打将这女孩儿去。好恓惶人!令人不忍见。”韦义方听得说,两条忿气,从脚板灌到顶门;心上一把无明火,高三千丈,按捺不下。带着当直,迤逦去赶。约莫去不得数十里,则是赶不上。直赶到瓜洲渡口,人道见他方过江去,韦义方教讨船渡江。直赶到茅山脚下,问人时,道他两个上茅山去。韦义方吩咐了当直,寄下行李,放客店中了,自赶上山去。

行了半日,那里得见桃花庄?正行之次,见一条大溪拦路,但见:

寒溪湛湛,流水泠泠。照人清影澈冰壶,极目浪花番瑞雪。垂杨掩映长堤岸,世俗行人绝往来。

韦义方到溪边,自思量道:“赶了许多路,取不得妹子归去,怎地见得爹爹妈妈?不如跳在溪水里死休。”迟疑之间,着眼看时,则见溪边石壁上,一道瀑布泉流将下来,有数片桃花,浮在水面上。韦义方道:“如今是六月,怎得桃花片来?上面莫是桃花庄,我那妹夫张公住处?”则听得溪对岸一声哨笛儿①响,看时,见一个牧童骑着蹇驴,在那里吹这哨笛儿,但见:

① 哨笛儿——一种笛子,或用笛吹奏的一种民间俗乐。

浓绿成阴古渡头，牧童横笛倒骑牛。

笛中一曲《升平乐》，唤起离人万种愁。

牧童近溪边来，叫一声："来者莫是韦义方？"义方应道："某便是。"牧童说："奉张真人法旨，教请舅舅过来。"牧童教蹇驴渡水，令韦官人坐在驴背上渡过溪去。牧童引路，到一所庄院。怎见得？有《临江仙》为证：

快活无过庄家好，竹篱茅舍清幽。春耕夏种及秋收，冬间观瑞雪，醉倒被蒙头。 门外多栽榆柳树，杨花落满溪头。绝无闲闷与闲愁，笑他名利客，役役市廛游。

到得庄前，小童入去，从篱园里走出两个朱衣吏人来，接见这韦义方，道："张真人方治公事，未暇相待，令某等相款。"遂引到一个大四望亭子上，看这牌上写着"翠竹亭"，但见：

茂林郁郁，修竹森森。翠阴遮断屏山，密叶深藏轩槛。烟锁幽亭仙鹤唳，云迷深谷野猿啼。

亭子上铺陈酒器，四下里都种夭桃艳杏，异卉奇葩，簇着这座亭子。朱衣吏人与义方就席饮宴，义方欲待问张公是何等人，被朱衣吏人连劝数杯，则问不得。及至筵散，朱衣相辞自去，独留韦义方在翠竹轩，只教少待。

韦义方等待多时无信，移步下亭子来。正行之间，在花木之外，见一座殿屋，里面有人说话声。韦义方把舌头舔开朱红毬路①亭隔②看时，但见：

朱栏玉砌，峻宇雕墙。云屏与珠箔齐开，宝殿共琼楼对峙。灵芝丛畔，青鸾彩凤交飞；琪树阴中，白鹿玄猿并立。玉女金童排左右，祥烟瑞气散氤氲。

见这张公顶冠穿履，佩剑执圭，如王者之服，坐于殿上。殿下列两行朱衣吏人，或神或鬼。两面铁枷：上手枷着一个紫袍金带的人，称是某州城隍，因境内虎狼伤人，有失检举；下手枷着一个顶盔贯甲，称是某州某县山神，虎狼损害平人，部辖不前。看这张公书断，各有罪名。韦义方就窗眼内望见，失声叫道："怪哉，怪哉！"殿上官吏听得，即时差两个黄巾力士，捉将韦义方来，驱至阶下。官吏称韦义方不合漏泄天机，合当有罪，急得韦义

① 毬路——窗户雕镂的格子眼。

② 亭隔——这里的亭，疑是亮的讹字。亮隔，透光的槅子门。

方叩头告罪。真人正恁么说，只见屏风后一个妇人，凤冠霞帔，珠履长裙，转屏风背后出来，正是义方妹子文女，跪告张公道："告真人，念是妾亲兄之面，可饶恕他。"张公道："韦义方本合为仙，不合以剑剁吾，吾以亲戚之故，不见罪。今又窥觑吾之殿宇，欲泄天机，看你妹妹面，饶你性命。我与你十万钱，把件物事与你为照去支讨。"张公移身，已挺脚步入殿里。去不多时，取出一个旧席帽儿①，付与韦义方，教往扬州开明桥②下，寻开生药铺申公，凭此为照，取钱十万贯。张公道："仙凡异路，不可久留。"令吹哨笛的小童，送韦舅乘蹇驴，出这桃花庄去。到溪边，小童就驴背上把韦义方一推，头掉脚掀，攧将下去。义方如醉醒梦觉，却在溪岸上坐地。看那怀中，有个帽儿。似梦非梦，迟疑未决。且只得携着席帽儿，取路下山来。

回到昨所寄行李店中，寻两个当直不见。只见店二哥出来，说道："二十年前有个韦官，寄下行李，上茅山去担搁，两个当直等不得，自归去了。如今恰好二十年，是隋炀帝大业二年。"韦义方道："昨日才过一日，却是二十年。我且归去六合县滋生驷马监，寻我二亲。"便别了店主人。来到六合县，问人时，都道二十年前滋生驷马监里，有个韦谏议，一十三口白日上升，至今升仙台古迹尚存；道是有个直阁③，去了不归。韦义方听得说，仰面大哭：二十年则一日过了，父母俱不见，一身无所归。如今没计奈何，且去寻申公讨这十万贯钱。

当时从六合县取路，迤逦直到扬州，问人寻到开明桥下，果然有个申公，开生药铺。韦义方来到生药铺前，见一个老儿：

> 生得形容古怪，装束清奇。颔边银剪苍髯，头上雪堆白发。鸢肩龟背，有如天降明星；鹤骨松形，好似化胡老子④。多疑商岭逃秦

---

① 席帽儿——一种用藤、席做成骨架，外面鞔以绢的帽子。女人所戴的席帽，则四周垂下丝网，遮住面部。

② 开明桥——在扬州城东北大街上，跨市河。

③ 直阁——官名。宋元之间也用作对于豪门子弟的一种称呼。

④ 化胡老子——道家传说，老子出函谷关，西入流沙，化胡成佛。

客①，料是磻溪执钓人②。

在生药铺里坐。韦义方道："老丈拜揖！这里莫是申公生药铺？"公公道："便是。"韦义方着眼看生药铺厨里：

四个笿箸③三个空，一个盛着西北风。

韦义方肚里思量道："却那里讨十万贯钱支与我？"且问大伯，买三文薄荷。公公道："好薄荷！《本草》上说凉头明目，要买几文？"韦义方道："回④三钱。"公公道："恰恨缺。"韦义方道："回些个百药煎⑤。"公公道："百药煎能消酒面，善润咽喉，要买几文？"韦义方道："回三钱。"公公道："恰恨卖尽。"韦义方道："回些甘草。"公公道："好甘草！性平无毒，能随诸药之性，解金石草木之毒，市语叫做'国老'，要买几文？"韦义方道："问公公回五钱。"公公道："好教官人知，恰恨也缺。"韦义方对着公公道："我不来买生药，一个人传语，是种瓜的张公。"申公道："张公却没事，传语我做甚么？"韦义方道："教我来讨十万贯钱。"申公道："钱却有，何以为照⑥？"韦义方去怀里摸索一和⑦，把出席帽儿来。申公看着青布帘里，叫浑家出来看。青布帘起处，见个十七八岁的女孩儿出来，道："丈夫叫则甚？"韦义方心中道："却和那张公一般，爱娶后生老婆。"申公教浑家看这席帽儿，是也不是？女孩儿道："前日张公骑着蹇驴儿，打门前过，席帽儿绽了，教我缝。当时没皂线，我把红线缝着顶上。"翻过来看时，果然红线缝着顶。申公即时引韦义方入去家里，交还十万贯钱。韦义方得这项钱，把来修桥作路，散与贫人。

忽一日，打一个酒店前过。见个小童，骑只驴儿。韦义方认得是当日载他过溪的，问小童道："张公在那里？"小童道："见在酒店楼上，共申公

---

① 商岭逃秦客——指"四皓"，即东园公、绮里季、夏黄公、角里先生。秦始皇时，他们逃隐于商山中。

② 磻溪执钓人——指吕尚。吕尚七十多岁，垂钓于磻溪，遇到周文王。

③ 笿箸(gè lǎo)——用竹条或柳条编成的盛物器具。

④ 回——买、掉换。

⑤ 百药煎——药名，为一种褐色味苦的液体，相传端午日采百草煎汁制成，可以治疗瘰疬。

⑥ 照——凭据、证明。

⑦ 一和——一会儿。

饮酒。”苇义方上酒店楼上来，见申公与张公对坐，义方便拜。张公道：“我本上仙长兴张古老，文女乃上天玉女，只因思凡，上帝恐被凡人点污，故令吾托此态取归上天。韦义方本合为仙，不合杀心太重，止可受扬州城隍都土地。”道罢，用手一招，叫两只仙鹤。申公与张古老各乘白鹤，腾空而去。则见半空遗下一幅纸来，拂开看时，只见纸上题着八句诗，道是：

一别长兴二十年，锄瓜隐迹暂居廛。
因嗟世上凡夫眼，谁识尘中未遇仙？
授职义方封土地，乘鸾文女得升天。
从今跨鹤楼①前景，壮观维扬尚俨然。

# 第三十四卷　李公子救蛇获称心

劝人休诵经，念甚消灾咒？
经咒总慈悲，冤业如何救？
种麻还得麻，种豆还得豆；
报应本无私，作了还自受。

这八句言语，乃徐神翁②所作，言人在世，积善逢善，积恶逢恶。古人有云：积金以遗子孙，子孙未必能守；积书以遗子孙，子孙未必能读；不如积阴德于冥冥之中，以为子孙长久之计。昔日孙叔敖③晓出，见两头蛇一条，横截其路。孙叔敖用砖打死而埋之，归家告其母曰：“儿必死矣。”母曰：“何以知之？”敖曰：“尝闻人见两头蛇者必死，儿今日见之。”母曰：“何不杀乎？”叔敖曰：“儿已杀而埋之，免使后人再见，以伤其命，儿宁一身受死。”母曰：“儿有救人之心，此乃阴骘，必然不死。”后来叔敖官拜楚相。今日说一个秀才，救一条蛇，亦得后报。

南宋神宗朝熙宁年间，汴梁有个官人，姓李，名懿，由杞县知县，除佥杭州判官。本官世本陈州人氏，有妻韩氏。子李元，字伯元，学习儒业。

---

① 跨鹤楼——即骑鹤楼，楼址在扬州城东北大街上。现无存。
② 徐神翁——宋哲宗时泰州天庆观道士。
③ 孙叔敖——春秋楚国人，也叫劳敖。

李懿到家收拾行李,不将妻子,只带两个仆人,到杭州赴任。在任倏忽一年,猛思子李元在家攻书,不知近日学业如何?写封家书,使王安往陈州,取孩儿李元来杭州,早晚作伴,就买书籍。王安辞了本官,不一日,至陈州,参见恭人,呈上家书。书院中唤出李元,令读了父亲家书,收拾行李。李元在前曾应举不第,近日琴书意懒,止游山玩水,以自娱乐。闻父命呼召,收拾琴剑书箱,拜辞母亲,与王安登程。沿路觅船,不一日,到扬子江。李元看了江山景物,观之不足,乃赋诗曰:

西出昆仑东到海,惊涛拍岸浪掀天。

月明满耳风雷吼,一派江声送客船。

渡江至润州,迤逦到常州,过苏州,至吴江。

是日申牌时分,李元舟中看见吴江风景,不减潇湘图画①,心中大喜,令梢公泊舟近长桥②之侧。元登岸上桥,来垂虹亭③上,凭栏而坐,望太湖晚景。李元观之不足,忽见桥东一带粉墙中有殿堂,不知何所。却值渔翁卷网而来,揖而问之,桥东粉墙,乃是何家。渔人曰:“此三高士祠④。”李元问曰:“三高何人也?”渔人曰:“乃范蠡、张翰⑤、陆龟蒙⑥三个高士。”元喜,寻路渡一横桥,至三高士祠。入侧门,观石碑。上堂,见三人列坐,中范蠡,左张翰,右陆龟蒙。李元寻思间,一老人策杖而来,问之,乃看祠堂之人。李元曰:“此祠堂几年矣?”老人曰:“近千余年矣。”元曰:“吾闻张翰在朝,曾为显官,因思鲈鱼莼菜之美,弃官归乡,彻老不仕,乃是急流中勇退之人,世之高士也。陆龟蒙绝代诗人,隐居吴淞江上,惟以养鸭为乐,亦世之高士。此二人立祠,正当其理。范蠡乃越国之上卿,因献西施于吴王夫差,就中取事,破了吴国。后见越王义薄,扁舟遨游五湖,自号鸱

---

① 潇湘图画——指宋代画家宋迪,所作《平沙落雁》、《远浦归帆》、《山市晴岚》、《江天春雪》、《洞庭秋月》、《潇湘夜雨》、《烟寺晓钟》、《渔村夕阳》,号为“潇湘八景”。

② 长桥——即垂虹桥,在江苏吴江县东,共七十二孔。

③ 垂虹亭——在垂虹桥(即长桥)上,北宋仁宗庆历年间所建。

④ 三高士祠——在吴江县东门外,宋时建。

⑤ 张翰——晋代吴郡人,曾入洛,仕齐王冏为大司马。

⑥ 陆龟蒙——唐代长洲人,居松江甫里,善诗文。有《笠泽丛书》、《甫里集》等。

夷子。此人虽贤，乃吴国之仇人，如何于此受人享祭？”老人曰：“前人所建，不知何意。”李元于老人处借笔砚，题诗一绝于壁间，以明鸱夷子不可于此受享。诗曰：

地灵人杰夸张、陆，共预清祠事可宜；

千载难消亡国恨，不应此地着鸱夷。

题罢，还了老人笔砚，相辞出门。见数个小孩儿，用竹杖于深草中戏打小蛇。李元近前视之，见小蛇生得奇异，金眼黄口，赭身锦鳞，体如珊瑚之状，腮下有绿毛，可长寸余。其蛇长尺余，如瘦竹之形，元见尚有游气，慌忙止住小童休打，“我与你铜钱百文，可将小蛇放了，卖与我。”小童簇定①要钱，李元将朱蛇用衫袖包裹，引小童到船边，与了铜钱自去。唤王安开书箱取艾叶煎汤，少等温贮于盘中，将小蛇洗去污血。命梢公开船，远望岸上草木茂盛之处，急无人到，就那里将朱蛇放了。蛇乃回头数次，看着李元。元曰：“李元今日放了你，可于僻静去处躲避，休再教人见。”朱蛇游入水中，穿波底而去。李元令移舟望杭州而行。

三日已到，拜见父亲，言讫家中之事，父问其学业，李元一一对答，父心甚喜。在衙中住了数日，李元告父曰：“母亲在家，早晚无人侍奉，儿欲归家，就赴春选②。”父乃收拾俸余之资，买些土物，令元回乡，又令王安送归。行李已搬下船，拜辞父亲，与王安二人离了杭州。出东新桥官塘大路，过长安坝，至嘉禾，近吴江。从旧岁所观山色湖光，意中不舍。到长桥时，日已平西，李元教暂住行舟，且观景物，宿一宵来早去。就桥下湾③住船，上岸独步。上桥，登垂虹亭，凭阑伫目。遥望湖光潋滟④，山色空濛；风定渔歌聚，波摇雁影分。

正观玩间，忽见一青衣小童，进前作揖，手执名榜⑤一纸曰：“东人有名榜在此，欲见解元，未敢擅便。”李元曰：“汝东人何在？”青衣曰：“在此桥左，拱听呼唤。”李元看名榜纸上一行书云：“学生朱伟谨谒。”元曰：“汝东人莫非误认我乎？”青衣曰：“正欲见解元，安得误耶！”李元曰：“我自来

---

① 簇定——簇拥着。

② 春选——指乡试后第二年春天（二月）在礼部举行的“会试”。

③ 湾——停泊的意思。

④ 潋滟（liànyàn）——形容水波流动。

⑤ 名榜——名帖。

江左,并无相识,亦无姓朱者来往为友,多敢同姓者乎?"青衣曰:"正欲见通判相公李衙内李伯元,岂有误耶!"李元曰:"既然如此,必是斯文,请来相见何碍。"青衣去不多时,引一秀才至,眉清目秀,齿白唇红,飘飘然有凌云之气。那秀才见李元先拜,元慌忙答礼。朱秀才曰:"家尊与令祖相识甚厚,闻先生自杭而回,特命学生伺候已久。倘蒙不弃,少屈文旆,至舍下与家尊略叙旧谊,可乎?"李元曰:"元年幼,不知先祖与君家有旧,失于拜望,幸乞恕察。"朱秀才曰:"蜗居只在咫尺,幸勿见却。"李元见朱秀才坚意叩请,乃随秀才出垂虹亭,至长桥尽处,柳阴之中,泊一画舫,上有数人,容貌魁梧,衣装鲜丽。邀元下船,见船内五彩装画,茵①褥铺设,皆极富贵,元早惊异。朱秀才教开船,从者荡桨,舟去如飞,两边搅起浪花,如雪飞舞。

须臾之间,船已到岸,朱秀才请李元上岸。元见一带松柏,亭亭如盖,沙草滩头,摆列着紫衫银带约二十余人,两乘紫藤兜轿。李元问曰:"此公吏何府第之使也?"朱秀才曰:"此家尊之所使也。请上轿,咫尺便是。"李元惊惑之甚,不得已上轿。左右呵喝入松林,行不一里,见一所宫殿,背靠青山,面朝绿水。水上一桥,桥上列花石栏干,宫殿上盖琉璃瓦,两廊下皆捣红泥墙壁。朱门三座,上有金字牌,题曰"玉华之宫"。轿至宫门,请下轿。李元不敢挪步,战栗不已。宫门内有两人出迎,皆头顶貂蝉冠②,身披紫罗襕③,腰系黄金带,手执花纹简,进前施礼,请曰:"王上有命,谨请解元。"李元半晌不能对答。朱秀才在侧曰:"吾父有请,慎勿惊疑。"李元曰:"此何处也?"秀才曰:"先生到殿上便知也。"李元勉强随二臣宰行,从东廊历阶而进,上月台④,见数十个人皆锦衣,簇拥一老者出殿上。其人蝉冠大袖,朱履长裾,手执玉圭,进前迎迓。李元慌忙下拜,王者命左右扶起。王曰:"坐邀文旆,甚非所宜,幸沐来临,万乞情恕。"李元但只唯唯答应而已。

左右迎引入殿,王升御座,左手下设一绣墩,请解元登席。元再拜于

---

① 茵——垫子或褥子。

② 貂蝉冠——貂和蝉都是冠上饰物。汉代制度,侍中、中常侍冠上,附蝉为饰,插以貂尾。

③ 襕——上下相连的服装。

④ 月台——露台。用以赏月,所以称为月台。

地,曰:"布衣寒生,王上御前,安敢侍坐?"王曰:"解元于吾家有大恩,今令长男邀请至此,坐之何碍。"二臣宰请曰:"王上敬礼,先生勿辞。"李元再三推却,不得已低首躬身,坐于绣墩,王乃唤小儿来拜恩人。

少顷,屏风后宫女数人,拥一郎君至。头戴小冠,身穿绛衣,腰系玉带,足蹑花靴,面如傅粉,唇似涂脂,立于王侧。王曰:"小儿外日[①]游于水际,不幸为顽童所获;若非解元一力救之,则身为齑粉矣。众族感戴,未尝忘报。今既至此,吾儿可拜谢之。"小郎君近前下拜,李元慌忙答礼。王曰:"君是吾儿之大恩人也,可受礼。"命左右扶定,令儿拜讫。

李元仰视王者满面虬髯,目有神光,左右之人,形容皆异,方悟此处是水府龙宫,所见者龙君也;旁立年少郎君,即向日三高士祠后所救之小蛇也。元慌忙稽颡,拜于阶下。王起身曰:"此非待恩人处,请入宫殿后,少进杯酌之礼。"李元随王转玉屏,花砖之上,皆铺绣褥,两旁皆绷锦步障[②]。出殿后,转行廊[③],至一偏殿。但见金碧交辉,内列龙灯凤烛,玉炉喷沉麝之香,绣幕飘流苏之带。中设二座,皆是蛟绡拥护,李元惊怕而不敢坐。王命左右扶李元上座,两边仙音缭绕,数十美女,各执乐器,依次而入。前面执宝杯盘进酒献果者,皆绝色美女。但闻异香馥郁,瑞气氤氲,李元不知手足所措,如醉如痴。王命二子进酒,二子皆捧觞再拜。台上果卓,睁目观之,器皿皆是玻璃、水晶、琥珀、玛瑙为之,曲尽巧妙,非人间所有。王自起身与李元劝酒,其味甚佳,肴馔极多,不知何物。王令诸宰臣轮次举杯相劝,李元不觉大醉,起身拜王曰:"臣实不胜酒矣。"俯伏在地而不能起。王命侍从扶出殿外,送至客馆安歇。

李元酒醒,红日已透窗前。惊起视之,房内床榻帐幔,皆是蛟绡围绕。从人安排洗漱已毕,见夜来朱秀才来房内相邀,并不穿世之儒服,裹毬头帽[④],穿绛绡袍 ,玉带皂靴,从者各执斧钺。李元曰:"夜来大醉,甚失礼仪。"朱伟曰:"无可相款,幸乞情恕。父王久等,请恩人到偏殿进膳。"引李元见王曰:"解元且宽心怀,住数日去亦不迟。"李元再拜曰:"荷王上厚意。家尊令李元归乡侍母,就赴春选,日已逼近。更兼仆人久等,不见必

---

① 外日——前日、前时。

② 步障——一种帐幕,用以屏蔽风寒尘土。

③ 行廊——走廊。

④ 毬头帽——毬,同球。宋代侍从官所戴的一种帽子。

忧;倘回杭报父得知,必生远虑。因此不敢久留,只此告退。”王曰:“既解元要去,不敢久留。虽有纤粟之物,不足以报大恩,但欲者当一一奉纳。”李元曰:“安敢过望,平生但得称心足矣。”王笑曰:“解元既欲吾女为妻,敢不奉命。但三载后,须当复回。”王乃传言,唤出称心女子来。

须臾,众侍女簇拥一美女至前,元乃偷眼视之,雾鬓云鬟,柳眉星眼,有倾国倾城之貌,沉鱼落雁之容。王指此女曰:“此是吾女称心也。君既求之,愿奉箕帚。”李元拜于地曰:“臣所欲称心者,但得一举登科,以称此心,岂敢望天女为配偶耶?”王曰:“此女小名称心,既以许君,不可悔矣。若欲登科,只问此女,亦可办也。”王乃唤朱伟送此妹与解元同去。李元再拜谢。

朱伟引李元出宫,同到船边,见女子已改素妆,先在船内。朱伟曰:“尘世阻隔,不及亲送,万乞保重。”李元曰:“君父王,何贤圣也?愿乞姓名。”朱伟曰:“吾父乃西海群龙之长,多立功德,奉玉帝敕命,令守此处。幸得水洁波澄,足可荣吾子孙。君此去切不可泄漏天机,恐遭大祸,吾妹处亦不可问仔细。”元拱手听罢,作别上船,朱伟又将金珠一包相送。但耳畔闻风雨之声,不觉到长桥边。从人送女子并李元登岸,与了金珠,火急开船,两桨如飞,倏忽不见。

李元似梦中方觉,回观女子在侧,惊喜。元语女子曰:“汝父令汝与我为夫妇,你还随我去否?”女子曰:“妾奉王命,令吾侍奉箕帚,但不可以告家中人,若泄漏则妾不能久住矣。”李元引女子同至船边,仆人王安惊疑,接入舟中曰:“东人一夜不回,小人何处不寻?竟不知所在。”李元曰:“吾见一友人,邀于湖上饮酒,就以此女与我为妇。”王安不敢细问情由,请女子下船,将金珠藏于囊中,收拾行船。

一路涉河渡坝,看看来到陈州。升堂参见老母,说罢父亲之事,跪而告曰:“儿在途中娶得一妇,不曾得父母之命,不敢参见。”母曰:“男婚女聘,古之礼也。你既娶妇,何不领归?”母命引称心女子拜见老母,合家大喜。自搬回家,不过数日,已近试期。李元见称心女子聪明智慧,无有不通,乃问曰:“前者汝父曾言,若欲登科,必问于汝。来朝吾入试院,你有何见识教我?”女子曰:“今晚吾先取试题,汝在家中先做了文章,来日依本去写。”李元曰:“如此甚妙,此题目从何而得?”女子曰:“吾闭目作用,慎勿窥戏。”李元未信。女子归房,坚闭其门。但闻一阵风起,帘幕皆卷。

约有更余,女子开户而出,手执试题与元。元大喜,恣意检本,做就文章。来日入院,果是此题,一挥而出。后日亦如此,连三场皆是女子飞身入院,盗其题目。待至开榜,李元果中高科,初任江州佥判①,闾里作贺,走马上任。一年,改除奏院②。三年任满,除江南吴江县令,引称心女子,并仆从五人,辞父母来本处之任。

到任上不数日,称心女子忽一日辞李元曰:"三载之前,为因小弟蒙君救命之恩,父母教奉箕帚。今已过期,即当辞去,君宜保重。"李元不舍,欲向前拥抱,被一阵狂风,女子已飞于门外,足底生云,冉冉腾空而去。李元仰面大哭。女子曰:"君勿误青春,别寻佳配。官至尚书,可宜退步。妾若不回,必遭重责。聊有小诗,永为表记。"空中飞下花笺一幅,有诗云:

三载酬恩已称心,妾身归去莫沉吟。
玉华宫内浪埋雪,明月满天何处寻?

李元终日悒怏。后三年官满,回到陈州,除秘书,王丞相招为婿,累官至吏部尚书。直至如今,吴江西门外有龙王庙尚存,乃李元旧日所立。有诗云:

昔时柳毅传书信,今日李元逢称心。
恻隐仁慈行善事,自然天降福星临。

# 第三十五卷　简帖僧巧骗皇甫妻

白苎③轻衫入嫩凉,春蚕食叶响长廊。禹门已准桃花浪,月殿先收桂

① 佥(qiān)判——即签书判官厅公事的简称。为宋代各州幕职,总理诸案文牍。
② 奏院——进奏院的简称,属给事中,掌颁发诏令、符牒,呈进章奏、案牍。
③ 白苎(zhù)——一种细白的夏布。

子香。　　鹏北海①,凤朝阳②,又携书剑路茫茫。明知此日登云去,却笑人间举子忙。

长安京北有一座县,唤做咸阳县,离长安四十五里。一个官人,复姓宇文,名绶,离了咸阳县,来长安赶试,一连三番试不遇。有个浑家王氏,见丈夫试不中归来。把复姓为题,做一个词儿嘲笑丈夫,名唤做《望江南》,词道是:

公孙恨,端木笔俱收。枉念西门分手处,闻人寄信约深秋,拓拔泪交流。　　宇文弃,闷驾独孤舟。不望手勾龙虎榜③,慕容颜好一齐休,甘分守闾丘。

那王氏意不尽,看着丈夫,又做四句诗儿:

良人得意负奇才,何事年年被放回?
君面从今羞妾面,此番归后夜间来。

宇文解元从此发愤道:"试不中,定是不回。"到得来年,一举成名了,只在长安住,不肯归去。

浑家王氏,见丈夫不归,理会得,道:"我曾作诗嘲他,可知道不归。"修一封书,叫当直王吉来,"你与我将这书去四十五里,把与官人。"书中前面略叙寒暄,后面做只词儿,名唤《南柯子》,词道:

鹊喜噪晨树,灯开半夜花。果然音信到天涯,报道玉郎登第出京华。　　旧恨消眉黛,新欢上脸霞。从前都是误疑他,将谓经年狂荡不归家。

这词后面,又写四句诗道:

长安此去无多地,郁郁葱葱佳气浮。
良人得意正年少,今夜醉眠何处楼?

宇文绶接得书,展开看,读了词,看罢诗,道:"你前回做诗,教我从今归后夜间来;我今试遇了,却要我回!"就旅邸中取出文房四宝,做了只曲儿,唤做《踏莎行》:

---

① 鹏北海——《庄子》寓言,北海有鱼,其名为鲲,化为大鸟,其名为鹏,抟扶摇而上九万里。后人常用以比喻奋发有为,前程远大。

② 凤朝阳——《诗经》有"凤凰鸣矣,于彼高岗;梧桐生矣,于彼朝阳"的句子。山的东面,叫朝阳。

③ 龙虎榜——科举考试公布的考中者的名单。

足蹑云梯，手攀仙桂，姓名高挂登科记。马前喝道状元来，金鞍玉勒成行缀。　　宴罢归来，恣游花市，此时方显平生志。修书速报凤楼人，这回好个风流婿。

做毕这词，取张花笺，折叠成书，待要写了付与浑家。正研墨，觉得手重，惹翻砚，水滴儿打湿了纸。再把一张纸折叠了，写成一封家书，付与当直王吉，教吩咐家中孺人："我今在长安试遇了，到夜了归来。急去传与孺人，不到夜我不归来。"王吉接得书，唱了喏，四十五里田地，直到家中。

话里且说宇文绶发了这封家书，当日天晚，客店中无甚的事，便去睡。方才朦胧睡着，梦见归去，到咸阳县家中，见当直王吉在门前一壁①脱下草鞋洗脚。宇文绶问道："王吉，你早归了？"再四问他不应。宇文绶焦躁，抬起头来看时，见浑家王氏，把着蜡烛入去房里。宇文绶赶上来，叫："孺人，我归了。"浑家不睬他。又说一声，浑家又不睬。宇文绶不知身是梦里，随浑家入房去，看这王氏放烛在桌子上，取早间这一封书，头上取下金篦儿②，一剔剔开封皮看时，却是一幅白纸。浑家含笑，就烛下把起笔来，于白纸上写了四句：

碧纱窗下启缄封，一纸从头彻底空。
知汝欲归情意切，相思尽在不言中。

写毕，换个封皮，再来封了。那浑家把金篦儿去剔那烛烬，一剔剔在宇文绶脸上，吃了一惊，撒然睡觉，却在客店里床上睡，烛犹未灭。桌子上看时，果然错封了一幅白纸归去，取一幅纸写这四句诗。到得明日早饭后，王吉把那封回书来，拆开看时，里面写着四句诗，便是夜来梦里见那浑家做的一般。当便安排行李，即时回家去。

这便唤做"错封书"，下来说的便是"错下书"：有个官人，夫妻两口儿，正在家坐地，一个人送封简帖儿来，与他浑家。只因这封简帖儿，变出一本跷蹊作怪的小说来，正是：

尘随马足何年尽？事系人心早晚休。

有《鹧鸪》词③一首，单道着佳人：

---

① 一壁——一边。
② 金篦儿——金钗。
③ 《鹧鸪》词——指词调中的《鹧鸪天》。

淡画眉儿斜插梳,不欢拈弄绣工夫。云窗雾阁深深处,静拂云笺学草书。　　多艳丽,更清姝,神仙标格世间无。当时只说梅花似,细看梅花却不如。

东京汴州开封府枣槊巷①里,有个官人,复姓皇甫,单名松,本身是左班殿直②,年二十六岁。有个妻子杨氏,年二十四岁。一个十三岁的丫鬟,名唤迎儿。只这三口,别无亲戚。当时皇甫殿直官差去押衣袄上边③,回来是年节了。

这枣槊巷口一个小小的茶坊,开茶坊的唤做王二。当日茶市已罢,已是日中,只见一个官人入来,那官人生得:

浓眉毛,大眼睛,蹶④鼻子,略绰口⑤。头上裹一顶高样大桶子头巾⑥,着一领大宽袖斜襟褶子⑦,下面衬贴衣裳,甜鞋净袜⑧。

入来茶坊里坐下。开茶坊的王二拿着茶盏,进前唱喏奉茶。那官人接茶吃罢,看着王二道:"少借这里等个人。"王二道:"不妨。"等多时,只见一个男女,名叫僧儿,托个盘儿,口中叫卖鹌鹑馉饳儿⑨。官人把手打招,叫:"买馉饳儿。"僧儿见叫,托盘儿入茶坊内,放在桌上,将条篾黄穿那馉饳儿,捏些盐放在官人面前,道:"官人,吃馉饳儿。"官人道:"我吃,先烦你一件事。"僧儿道:"不知要做甚么?"那官人指着枣槊巷里第四家,问僧儿:"认得这人家么?"僧儿道:"认得,那里是皇甫殿直家里。殿直押衣袄上边,方才回家。"官人问道:"他家有几口?"僧儿道:"只是殿直,一个小娘子,一个小养娘。"官人道:"你认得那小娘子也不?"僧儿道:"小娘子寻常不出帘儿外面,有时叫僧儿买馉饳儿,常去认得,问他做甚么?"官人去

---

① 枣槊巷——即枣家子巷,在北宋东京内城西北隅。巷中有单雄信墓,墓上有枣树,传说为单雄信枣槊发芽生长而成。

② 左班殿直——内侍官名。充当宫庭役使。

③ 押衣袄上边——往边境押送军服。

④ 蹶(jué)。

⑤ 略绰口——阔口。

⑥ 大桶子头巾——一种帽桶很高大的头巾。流行于宋元之间,为文士所戴。

⑦ 褶子——一种有大领大襟、有长套袖的袍衫。又名"海青"。

⑧ 甜鞋净袜——鞋袜整洁。

⑨ 鹌鹑馉饳儿——一种面制点心。

腰里取下版金线篋儿，抖下五十来钱，安在僧儿盘子里。僧儿见了，可煞喜欢，叉手不离方寸①："告官人，有何使令?"官人道："我相烦你则个。"袖中取出一张白纸，包着一对落索环儿，两只短金钗子，一个简帖儿，付与僧儿，道："这三件物事，烦你送去适间问的小娘子。你见殿直，不要送与他。见小娘子时，你只道官人再三传语，将这三件物来与小娘子，万望笑留。你便去，我只在这里等你回报。"那僧儿接了三件物事，把盘子寄在王二茶坊柜上，僧儿托着三件物事，入枣槊巷来。到皇甫殿直门前，把青竹帘掀起，探一探。当时皇甫殿直正在前面交椅上坐地，只见卖馉饳儿的小厮掀起帘子，猖猖狂狂，探了一探，便走。皇甫殿直看着那厮，震威一喝，便是：

当阳桥上张飞勇，一喝曹公百万兵。

喝那厮一声，问道："做甚么?"那厮不顾便走。皇甫殿直拽开脚，两步赶上，捽那厮回来，问道："甚意思，看我一看了便走?"那厮道："一个官人，教我把三件物事与小娘子，不教把来与你。"殿直问道："甚么物事?"那厮道："你莫问，不要把与你。"皇甫殿直捻得拳头没缝，去顶门上屑那厮一暴，道："好好的把出来教我看!"那厮吃了一暴，只得怀里取出一个纸裹儿，口里兀自道："教我把与小娘子，又不教把与你，你却打我则甚?"皇甫殿直劈手夺了纸包儿，打开看，里面一对落索环儿，一双短金钗，一个简帖儿。皇甫殿直接得三件物事，拆开简帖，看时：

某惶恐再拜，上启小娘子妆前：即日孟春初时，恭惟懿处起居万福。某外日荷蒙持杯之款，深切仰思，未尝少替。某偶以薄干，不及亲诣，聊有小词，名《诉衷情》，以代面禀，伏乞懿览。

词道是：

知伊夫婿上边回，懊恼碎情怀。落索环儿一对，简子与金钗。

伊收取，莫疑猜，且开怀。自从别后，孤帏冷落，独守书斋。

皇甫殿直看了简帖儿，劈开眉下眼，咬碎口中牙，问僧儿道："谁教你把来?"僧儿用手指着巷口王二哥茶坊里道："有个粗眉毛、大眼睛、蹶鼻子、略绰口的官人，教我把来与小娘子，不教我把与你。"皇甫殿直一只手捽住僧儿狗毛，出这枣槊巷，径奔王二哥茶坊前来。僧儿指着茶坊道："恰

① 叉手不离方寸——方寸，指心。双手交叉齐胸，俯首到手。

才在这里面打的床铺上坐地的官人，教我把来与小娘子，又不教把与你，你却打我！”皇甫殿直见茶坊没人，骂声：“鬼话！”再捽僧儿回来，不由开茶坊的王二分说。

当时到家里，殿直把门来关上，搌来搌了①，唬得僧儿战做一团。殿直从里面叫出二十四岁花枝也似浑家出来，道：“你且看这件物事！”那小娘子又不知上件因依②，去交椅上坐地。殿直把那简帖儿和两件物事度与浑家看，那妇人看着简帖儿上言语，也没理会处。殿直道：“你见我三个月日押衣袄上边，不知和甚人在家中吃酒？”小娘子道：“我和你从小夫妻，你去后，何曾有人和我吃酒？”殿直道：“既没人，这三件物从那里来？”小娘子道：“我怎知？”殿直左手指，右手举，一个漏风掌打将去。小娘子则叫得一声，掩着面，哭将入去。皇甫殿直再叫将十三岁迎儿出来，去壁上取下一把箭簝子竹③来，放在地上，叫过迎儿来。看着迎儿，生得：

短胳膊，琵琶腿，劈得柴，打得水，会吃饭，能窝屎。

皇甫松去衣架上取下一条绦来，把妮子缚了两只手，掉过屋梁去，直下④打一抽，吊将妮子起去。拿起箭簝子竹来，问那妮子道：“我出去三个月，小娘子在家中和甚人吃酒？”妮子道：“不曾有人。”皇甫殿直拿起箭簝子竹，去妮子腿下便摔，摔得妮子杀猪也似叫。又问又打，那妮子吃不得打，口中道出一句来：“三个月殿直出去，小娘子夜夜和个人睡。”皇甫殿直道：“好也！”放下妮子来，解了绦，道：“你且来，我问你，是和兀谁睡？”那妮子揩着眼泪道：“告殿直，实不敢相瞒，自从殿直出去后，小娘子夜夜和个人睡，不是别人，却是和迎儿睡。”皇甫殿直道：“这妮子，却不弄我！”喝将过去。带一管锁，走出门去，拽上那门，把锁锁了。走去转湾巷口，叫将四个人来，是本地方所由，如今叫做“连手”，又叫做“巡军”。张千、李万、董超、薛霸四人，来到门前，用钥匙开了锁，推开门。从里面扯出卖馉饳的僧儿来，道：“烦上名⑤收领这厮。”四人道：“父母官使令，领台旨。”殿直道：“未要去，还有人哩。”从里面叫出十三岁的迎儿，和二十四岁花枝的

① 搌来搌了——搌，同拴。搌来搌了，意即把门闩拴上了。

② 上件因依——上述因由。

③ 箭簝子竹——一种竹棍子。

④ 直下——向下。

⑤ 上名——宋代对巡捕的尊称。

浑家,道:"和他都领去。"四人唱喏道:"告父母官,小人怎敢收领孺人?"殿直发怒道:"你们不敢领他,这件事干人命。"唬倒四个所由,只得领小娘子和迎儿并卖馉饳的僧儿三个同去,解到开封钱大尹①厅下。

皇甫殿直就厅下唱了大尹喏,把那简帖儿呈覆了。钱大尹看罢,即时教押下一个所属去处,叫将山前行②山定来。当时山定承了这件文字,叫僧儿问时,应道:"则是茶坊里见个粗眉毛、大眼睛、蹙鼻子、略绰口的官人,他把这封简子来与小娘子,打杀也只是恁地供招。"问这迎儿,迎儿道:"即不曾有人来同小娘子吃酒,亦不知付简帖儿来的是何人,打杀也只是恁地供招。"却待问小娘子,小娘子道:"自从少年夫妻,都无一个亲戚往来,只有夫妻二人,亦不知把简帖儿来的是何等人。"山前行山定看着小娘子,生得恁地瘦弱,怎禁得打勘③?怎地讯问他?从里面交拐将过来两个狱卒,押出一个罪人来,看这罪人时:

面长皴轮骨,胲生渗癞④腮。
犹如行病鬼,到处降人灾。

这罪人原是个强盗头儿,绰号"静山大王"。小娘子见这罪人,把两只手掩着面,那里敢开眼。山前行喝着狱卒道:"还不与我施行!"狱卒把枷梢⑤一纽,枷梢在上,罪人头向下,拿起把荆子来,打得杀猪也似叫。山前行问道:"你曾杀人也不曾?"静山大王应道:"曾杀人!"又问:"曾放火不曾?"应道:"曾放火!"教两个狱卒把静山大王押入牢里去。山前行回转头来,看着小娘子道:"你见静山大王,吃不得几杖子,杀人放火都认了。小娘子,你有事,只好供招了。你却如何吃得这般杖子?"小娘子簌地两行泪下,道:"告前行,到这里隐讳不得。觅幅纸和笔,只得与他供招。"小娘子供道:"自从小年夫妻,都无一个亲戚来往,即不知把简帖儿来的是甚色样人。如今看要侍儿吃甚罪名,皆出赐大尹笔下。"便恁么说,五回三次问他,供说得一同。

似此三日,山前行正在州衙门前立,倒断不下。猛抬头看时,却见皇

---

① 钱大尹——指钱明逸。字子飞,吴越王钱倧之孙,宋仁宗时,知开封府。
② 前行——掌管刑狱的吏员。
③ 打勘——刑讯、拷问。
④ 渗癞——丑恶可怕的样子。
⑤ 枷梢——刑具、枷板。

甫殿直在面前相揖，问及这件事，“如何三日理会这件事不下？莫是接了寄简帖的人钱物，故意不与决这件公事？”山前行听得，道：“殿直，如今台意要如何？”皇甫松道：“只是要休离了。”当日山前行入州衙里，到晚衙，把这件文字呈了钱大尹。大尹叫将皇甫殿直来，当厅问道：“捉贼见赃，捉奸见双，又无证见，如何断得他罪？”皇甫松告钱大尹：“松如今不愿同妻子归去，情愿当官休了。”大尹台判：听从夫便。殿直自归。僧儿、迎儿喝出，各自归去。只有小娘子见丈夫不要他，把他休了，哭出州衙门来，口中自道：“丈夫又不要我，又没一个亲戚投奔，教我那里安身？不若我自寻个死休。”至天汉州桥①，看着金水银堤汴河②，恰待要跳将下去。则见后面一个人，把小娘子衣裳一捽捽住。回转头来看时，恰是一个婆婆，生得：

眉分两道雪，髻挽一窝丝。眼昏一似秋水微浑，发白不若楚山云淡。

婆婆道：“孩儿，你却没事寻死做甚么？你认得我也不？”小娘子道：“不识婆婆。”婆婆道：“我是你姑姑，自从你嫁了老公，我家寒，攀陪你不着，到今不来往。我前日听得你与丈夫官司，我日逐在这里伺候。今日听得道休离了，你要投水做甚么？”小娘子道：“我上无片瓦，下无立锥，丈夫又不要我，又无亲戚投奔，不死更待何时？”婆婆道：“如今且同你去姑姑家里，看后如何。”妇女自思量道：“这婆子知他是我姑姑也不是，我如今没投奔处，且只得随他去了，却再理会。”即时随这姑姑家去看时，家里莫甚么活计，却好一个房舍，也有粉青帐儿，有交椅、卓凳之类。

在这姑姑家里过了两三日，当日方才吃罢饭，则听得外面一个官人，高声大气叫道：“婆子，你把我物事去卖了，如何不把钱来还？”那婆子听得叫，失张失志，出去迎接来叫的官人，请入来坐地。小娘子着眼看时，见入来的人：

粗眉毛，大眼睛，蹙鼻子，略绰口。头上裹一顶高样大桶子头巾，着一领大宽袖斜襟褶子，下面衬贴衣裳，甜鞋净袜。

---

① 天汉州桥——天汉桥，宋东京城内汴河上桥名，正对宫城前的御街，俗称州桥。

② 汴河——河名，自西水门流入东京，横贯全城，经东水门出城，东去至泗州入河。

小娘子见了,口喻心,心喻口,道:“好似那僧儿说的寄简帖儿官人。”只见官人入来,便坐在凳子上,大惊小怪道:“婆子,你把我三百贯钱物事去卖了,今经一个月日,不把钱来还。”婆子道:“物事自卖在人头,未得钱。支得时,即便付还官人。”官人道:“寻常交关①钱物东西,何尝捱许多日了?讨得时,千万送来。”官人说了自去。婆子入来,看着小娘子,簌地两行泪下,道:“却是怎好?”小娘子问道:“有甚么事?”婆子道:“这官人原是蔡州通判姓洪,如今不做官,却卖些珠翠头面。前日一件物事教我把去卖,吃人交加②了,到如今没这钱还他,怪他焦躁不得。他前日央我一件事,我又不曾与他干得。”小娘子问道:“却是甚么事?”婆子道:“教我讨个细人③,要生得好的。若得一个似小娘子模样去嫁与他,那官人必喜欢。小娘子你如今在这里,老公又不要你,终不然罢了?不若听姑姑说合,你去嫁了这官人,你终身不致耽误,挈带姑姑也有个倚靠,不知你意如何?”小娘子沉吟半晌,不得已,只得依允。婆子去回复了。不一日,这官人娶小娘子来家,成其夫妇。

逡巡过了一年,当年是正月初一日。皇甫殿直自从休了浑家,在家中无好况。正是:

时间风火性,烧了岁寒心。

自思量道:“每年正月初一日,夫妻两个,双双地上本州大相国寺里烧香。我今年却独自一个,不知我浑家那里去了?”簌地两行泪下,闷闷不已。只得勉强着一领紫罗衫,手里把着银香盒,来大相国寺里烧香。到寺中烧了香,恰待出寺门,只见一个官人领着一个妇女。看那官人时,粗眉毛,大眼睛,蹷鼻子,略绰口;领着的妇女,却便是他浑家。当时丈夫看着浑家,浑家又觑着丈夫,两个四目相视,只是不敢言语。那官人同妇女两个入大相国寺里去。皇甫松在这山门头正沉吟间,见一个打香油钱的行者,正在那里打香油钱。看见这两人入去,口里道:“你害得我苦,你这汉,如今却在这里!”大踏步赶入寺来。皇甫殿直见行者赶这两人,当时呼住行者道:“五戒,你莫待要赶这两个人上去?”那行者道:“便是。说不得,我受

① 交关——交接、交流。
② 交加——吞没。
③ 细人——这里指姬妾。

这汉苦,到今日抬头不起,只是为他。"皇甫殿直道:"你认得这个妇女么?"行者道:"不识。"殿直道:"便是我的浑家。"行者问:"如何却随着他?"皇甫殿直把送简帖儿和休离的上件事,对行者说了一遍。行者道:"却是怎地!"行者却问皇甫殿直:"官人认得这个人么?"殿直道:"不认得。"行者道:"这汉原是州东①墦台寺②里一个和尚,苦行③便是墦台寺里行者。我这本师,却是墦台寺里监院④,手头有百十钱,剃度这厮做小师⑤。一年已前时,这厮偷了本师二百两银器,逃走了,累我吃了好些拷打。如今赶出寺来,没讨饭吃处。罪过这大相国寺里知寺⑥厮认,留苦行在此间打化香油钱。今日撞见这厮,却怎地休得!"方才说罢,只见这和尚将着他浑家,从寺廊下出来。行者牵衣拔步,却待去捽这厮。皇甫殿直扯住行者,闪那身已在山门一壁,道:"且不要捽他,我和你尾这厮去,看那里着落,却与他官司。"两个后地尾将来。

话分两头。且说那妇人见了丈夫,眼泪汪汪,入去大相国寺里烧了香出来。这汉一路上却问这妇人道:"小娘子,如何你见了丈夫便眼泪出?我不容易得你来。我当初从你门前过,见你在帘子下立地,见你生得好,有心在你处。今日得你做夫妻,也非通容易。"两个说来说去,恰到家中门前,入门去,那妇人问道:"当初这个简帖儿,却是兀谁把来?"这汉道:"好教你得知,便是我教卖馉饳的僧儿把来你的。你丈夫中了我计,真个便把你休了。"妇人听得说,捽住那汉,叫声屈,不知高低。那汉见那妇人叫将起来,却慌了,就把只手去尅着他脖项,指望坏他性命。外面皇甫殿直和行者尾着他,两人来到门首,见他们入去,听得里面大惊小怪,抢将入去看时,见尅着他浑家,阐啯⑦性命。皇甫殿直和这行者两个,即时把这汉来捉了,解到开封府钱大尹厅下。这钱大尹是谁?

出则壮士携鞭,入则佳人捧臂。世世靴踪不断,子孙出入金门。

---

① 州东——指宋汴京东城。

② 睩台寺——一作繁台寺,在汴京陈州门内繁台上。

③ 苦行——寺院中专事劳作的净人,即未出家的人。

④ 监院——僧职名,即监寺,与寺院主相同,监督全寺。

⑤ 小师——僧侣受戒未满十夏,称为小师。

⑥ 知寺——僧职名,即知事,寺院中管事僧的总名。

⑦ 阐啯(zhèng chuài)——挣扎、勉力支撑。

他是两浙钱王子，吴越国王孙。

大尹升厅，把这件事解到厅下。皇甫殿直和这浑家，把前面说过的话，对钱大尹历历从头说了一遍。钱大尹大怒，教左右索长枷把和尚枷了。当厅讯一百腿花①，押下左司理院，教尽情根勘这件公事。勘正了，皇甫松责领浑家归去，再成夫妻，行者当厅给赏。和尚大情小节，一一都认了：不合设谋奸骗，后来又不合谋害这妇人性命。准《杂犯》②断，合重杖处死，这婆子不合假妆姑姑，同谋不首，亦合编管③邻州。当日推出这和尚来，一个书会先生④看见，就法场上做了一只曲儿，唤做《南乡子》：

怎见一僧人，犯滥铺摸⑤受典刑。案款已成招状了，遭刑，棒杀髡⑥囚示万民。　沿路众人听，犹念高王观世音。护法喜神齐合掌，低声，果谓金刚不坏身。

# 第三十六卷　宋四公大闹禁魂张

钱如流水去还来，恤寡周贫莫吝财。

试览石家金谷地，于今荆棘昔楼台。

话说晋朝有一人，姓石名崇，字季伦。当时未发迹时，专一在大江中，驾一小船，只用弓箭射鱼为生。

忽一日，至三更，有人扣船言曰："季伦救吾则个！"石崇听得，随即推篷，探头看时，只见月色满天，照着水面；月光之下，水面上立着一个年老之人。石崇问老人："有何事故，夜间相恳？"老人又言："相救则个！"石崇

---

① 腿花——杖腿。

② 《杂犯》——也叫做《杂犯律》或《杂律》，为古代法典中一篇的名称。这一篇系补遗性质，所以错综驳杂，没有一定条例。

③ 编管——犯罪的人流放别地，加以管制。又，宋代贬谪大臣，最重一等，也称编管。

④ 书会先生——书会，是宋元之间的一种小说、词曲、隐语等作者和艺人的团体。书会先生，指书会中的成员。

⑤ 犯滥铺摸——作恶犯法。

⑥ 髡(kūn)——古代一种剃发的刑罚。

当时就令老人上船，问有何缘故。老人答曰："吾非人也，吾乃上江老龙王。年老力衰，今被下江小龙欺我年老，与吾斗敌，累输与他，老拙无安身之地。又约我明日大战，战时又要输与他。今特来求季伦：明日午时弯弓在江面上，江中两个大鱼相战，前走者是我，后赶者乃是小龙；但望君借一臂之力，可将后赶大鱼一箭，坏了小龙性命，老拙自当厚报重恩。"石崇听罢，谨领其命。那老人相别而回，涌身一跳，入水而去。

石崇至明日午时，备下弓箭。果然将傍午时，只见大江水面上，有二大鱼追赶将来。石崇扣上弓箭，望着后面大鱼，风地一箭，正中那大鱼腹上。但见满江红水，其大鱼死于江上。此时风浪俱息，并无他事。夜至三更，又见老人扣船来谢道："蒙君大恩，今得安迹。来日午时，你可将船泊于蒋山①脚下南岸第七株杨柳树下相候，当有重报。"言罢而去。

石崇明日依言，将船去蒋山脚下杨柳树边相候。只见水面上有鬼使三人出，把船推将去。不多时，船回，满载金银珠玉等物。又见老人出水，与石崇曰："如君再要珍珠宝贝，可将空船来此相候取物。"相别而去。

这石崇每每将船于柳树下等，便是一船珍宝，因致敌国之富。将宝玩买嘱权贵，累升至太尉之职，真是富贵两全。遂买一所大宅于城中，宅后造金谷园，园中亭台楼馆。用六斛大明珠，买得一妾，名曰绿珠。又置偏房婢奶侍婢，朝欢暮乐，极其富贵。结识朝臣国戚，宅中有十里锦帐，天上人间，无比奢华。

忽一日排筵，独请国舅王恺，这人姐姐是当朝皇后。石崇与王恺饮酒半酣，石崇唤绿珠出来劝酒，端的十分美貌。王恺一见绿珠，喜不自胜，便有奸淫之意。石崇相待宴罢，王恺谢了自回，心中思慕绿珠之色，不能够得会。王恺常与石崇斗宝，王恺宝物，不及石崇，因此阴怀毒心，要害石崇。每每受石崇厚待，无因为之。

忽一日，皇后宣王恺入内御宴。王恺见了姐姐，就流泪，告言："城中有一财主富室，家财巨万，宝贝奇珍，言不可尽。每每请弟设宴斗宝，百不及他一二。姐姐可怜与弟争口气，于内库内那借奇宝，赛他则个。"皇后见弟如此说，遂召掌内库的太监，内库中借他镇库之宝，乃是一株大珊瑚树，长三尺八寸。不曾启奏天子，令人扛抬往王恺之宅。王恺谢了姐姐，

---

① 蒋山——又名钟山，在今南京东。

便回府用蜀锦做重罩罩了。

翌日，广设珍羞美馔，使人移在金谷园中，请石崇会宴，先令人扛抬珊瑚树去园上开空闲阁子里安了。王恺与石崇饮酒半酣，王恺道："我有一宝，可请一观，勿笑为幸。"石崇教去了锦袱，看着微笑，用杖一击，打为粉碎。王恺大惊，叫苦连天道："此是朝廷内库中镇库之宝，自你赛我不过，心怀妒恨，将来打碎了，如何是好？"石崇大笑道："国舅休虑，此亦未为至宝。"石崇请王恺到后园中看珊瑚树，大小三十余株，有长至七八尺者。内一株一般三尺八寸，遂取来赔王恺填库，更取一株长大的送与王恺。王恺羞惭而退，自思国中之宝，敌不得他过，遂乃生计嫉妒。

一日，王恺朝于天子，奏道："城中有一富豪之家，姓石名崇，官居太尉，家中敌国之富。奢华受用，虽我王不能及他快乐。若不早除，恐生不测。"天子准奏，口传圣旨，便差驾上人①去捉拿太尉石崇下狱，将石崇应有家资，皆没入官。王恺心中只要图谋绿珠为妾，使兵围绕其宅欲夺之。绿珠自思道："丈夫被他诬害性命，不知存亡。今日强要夺我，怎肯随他？虽死不受其辱！"言讫，遂于金谷园中坠楼而死，深可悯哉。王恺闻之，大怒，将石崇戮于市曹。石崇临受刑时叹曰："汝辈利吾家财耳。"刽子曰："你既知财多害己，何不早散之？"石崇无言可答，挺颈受刑。胡曾先生有诗曰：

一自佳人坠玉楼，晋家宫阙古今愁。
惟余金谷园中树，已向斜阳叹白头。

方才说石崇因富得祸，是夸财炫色，遇了王恺国舅这个对头。如今再说一个富家，安分守己，并不惹事生非；只为一点悭吝未除，便弄出非常大事，变做一段有笑声的小说。这富家姓甚名谁？听我道来：这富家姓张名富，家住东京开封府，积祖②开质库③，有名唤做张员外。这员外有件毛病，要去那

虱子背上抽筋，鹭鸶腿上割股，
古佛脸上剥金，黑豆皮上刮漆，

① 驾上人——指禁卫军士。
② 积祖——世世代代、祖传。
③ 质库——典当铺。

痰唾留着点灯，捋松将来炒菜。

这个员外平日发下四条大愿：

一愿衣裳不破，二愿吃食不消，

三愿拾得物事，四愿夜梦鬼交。

是个一文不使的真苦人。他还①地上拾得一文钱，把来磨做镜儿，捍做磬儿，掐做锯儿，叫声"我儿"，做个嘴儿，放入篋儿。人见他一文不使，起他一个异名，唤做"禁魂"张员外。

当日是日中前后，员外自入去里面，白汤泡冷饭吃点心，两个主管在门前数见钱。只见一个汉，浑身赤膊，一身锦片也似文字，下面熟白绢裈②拽扎着③，手把着个笊篱④，觑着张员外家里，唱个大喏了教化。口里道："持绳把索，为客周全。"主管见员外不在门前，把两文撇在他笊篱里。张员外恰在水瓜心⑤布帘后望见，走将出来道："好也，主管！你做甚么，把两文撇与他？一日两文，千日便两贯。"大步向前，赶上捉笊篱的，打一夺把他一笊篱钱都倾在钱堆里，却教众当直打他一顿。路行人看见也不忿。那捉笊篱的哥哥吃打了，又不敢和他争，在门前指着了骂。只见一个人叫道："哥哥，你来，我与你说句话。"捉笊篱的回过头来，看那个人，却是狱家院子⑥打扮一个老儿。两个唱了喏，老儿道："哥哥，这禁魂张员外，不近道理，不要共他争。我与你二两银子，你一文价卖生萝卜，也是经纪人。"捉笊篱的得了银子，唱喏自去，不在话下。

那老儿是郑州奉宁军人，姓宋，排行第四，人叫他做宋四公，是小番子⑦闲汉。宋四公夜至三更前后，向金梁桥上四文钱买两只焦酸馅⑧，揣在怀里，走到禁魂张员外门前。路上没一个人行，月又黑。宋四公取出蹊

① 还——如果。

② 裈(kūn)——古代称裤子。

③ 拽扎——敛束衣裳。

④ 笊篱——一种圆口尖底的竹器，有柄，用以淘米、捞面等。

⑤ 水瓜心——水，当是木字的讹误。木瓜心，一种布的名称。

⑥ 狱家院子——狱卒。

⑦ 小番子——光棍、无赖。

⑧ 酸馅——菜包子。

跷作怪的动使①，一挂挂在屋檐上，从上面打一盘盘在屋上，从天井里一跳跳将下去。两边是廊屋，去侧首见一碗灯。听着里面时，只听得有个妇女声道："你看三哥恁么早晚，兀自未来。"宋四公道："我理会得了，这妇女必是约人在此私通。"看那妇女时，生得：

黑丝丝的发儿，白莹莹的额儿，
翠弯弯的眉儿，溜度度的眼儿，
正隆隆的鼻儿，红艳艳的腮儿，
香喷喷的口儿，平坦坦的胸儿，
白堆堆的奶儿，玉纤纤的手儿，
细袅袅的腰儿，弓弯弯的脚儿。

那妇女被宋四公把两只衫袖掩了面，走将上来。妇女道："三哥，做甚么遮了脸子唬我？"被宋四公向前一捽，捽住腰里，取出刀来道："悄悄地！高则声，便杀了你！"那妇女颤做一团道："告公公，饶奴性命。"宋四公道："小娘子，我来这里做不是②，我问你则个，他这里到上库有多少关闭？"妇女道："公公出得奴房，十来步有个陷马坑，两只恶狗；过了便有五个防土库③的，在那里吃酒赌钱，一家④当一更，便是土库；入得那土库，一个纸人，手里托着个银球，底下做着关棙子，踏着关棙子，银球脱在地下，有条合溜⑤，直滚到员外床前，惊觉，教人捉了你。"宋四公道："却是恁地。小娘子，背后来的是你兀谁？"妇女不知是计，回过头去，被宋四公一刀，从肩头上劈将下去，见道血光倒了。那妇女被宋四公杀了。宋四公再出房门来，行十来步，沿西手走过陷马坑，只听得两个狗子吠。宋四公怀中取出酸馅，着些个不按君臣⑥作怪的药，入在里面，觑得近了，撇向狗子身边去。狗子闻得又香又软，做两口吃了，先摆翻两个狗子。又行过去，只听得人喝幺幺六六，约莫也有五六人在那里掷骰。宋四公怀中取出一个小罐儿，安些个作怪的药在中面，把块撇火石，取些火烧着，喷鼻馨香。那五

① 动使——器皿用具。
② 做不是——作奸犯科、干坏事。
③ 土库——富豪人家的私人库房。
④ 一家——一位、一人。
⑤ 合溜——槽道。
⑥ 不按君臣——违反中医药理，乱配药物。

个人闻得道:“好香!员外日早晚兀自烧香。”只管闻来闻去,只见脚在下头在上,一个倒了,又一个倒。看见那五个男女,闻那香,一霎间都摆翻了。宋四公走到五人面前,见有半掇儿吃剩的酒,也有果菜之类,被宋四公把来吃了。只见五个人眼睁睁地,只是则声不得。便走到土库门前,见一具胳膊来大三簧锁,锁着土库门。宋四公怀里取个钥匙,名唤做“百事和合”,不论大小粗细锁都开得。把钥匙一斗,斗开了锁,走入土库里面去。入得门,一个纸人手里,托着个银球。宋四公先拿了银球,把脚踏过许多关棙子,觅了他五万贯锁赃物,都是上等金珠,包裹做一处。怀中取出一管笔来,把津唾润教湿了,去壁上写着四句言语,道:

宋国逍遥汉,四海尽留名。

曾上太平鼎,到处有名声。

写了这四句言语在壁上,土库也不关,取条路出那张员外门前去。宋四公思量道:“梁园①虽好,不是久恋之家。”连更彻夜,走归郑州去。

且说张员外家,到得明日天晓,五个男女苏醒,见土库门开着,药死两个狗子,杀死一个妇女,走去覆了员外。员外去使臣房②里下了状,滕大尹差王七殿直王遵,看贼踪由。做公的看了壁上四句言语,数中一个老成的叫做周五郎周宣,说道:“告观察③,不是别人,是宋四。”观察道:“如何见得?”周五郎周宣道:“‘宋国逍遥汉’,只做着上面个‘宋’字;‘四海尽留名’,只做着个‘四’字;‘曾上太平鼎’,只做着个‘曾’字;‘到处有名声’,只做着个‘到’字。上面四字道:‘宋四曾到’。”王殿直道:“我久闻得做道路④的,有个宋四公,是郑州人氏,最高手段,今番一定是他了。”便教周五郎周宣,将带一行做公的去郑州干办宋四。

众人路上离不得饥餐渴饮,夜住晓行。到郑州,问了宋四公家里,门前开着一个小茶坊。众人入去吃茶,一个老子上灶点茶。众人道:“一

---

① 梁园——本来是指梁孝王兔园,故址在汴京(开封)城东南;宋代人也往往称汴京为梁园。

② 使臣房——缉捕武官的班房。

③ 观察——缉捕武官。

④ 做道路——此指偷窃。

道①请四公出来吃茶。”老子道：“公公害些病未起在②，等老子入去传话。”老子走进去了，只听得宋四公里面叫起来道：“我自头风③发，教你买三文粥来，你兀自不肯。每日若干钱养你，讨不得替心替力，要你何用？”刮刮地把那点茶老子打了几下。只见点茶的老子，手把粥碗出来道：“众上下④少坐，宋四公教我买粥，吃了便来。”众人等个意休不休，买粥的也不见回来，宋四公也竟不见出来。众人不奈烦，入去他房里看时，只见缚着一个老儿。众人只道宋四公，来收⑤他。那老儿说道：“老汉是宋公点茶的，恰才把碗去买粥的，正是宋四公。”众人见说，吃了一惊，叹口气道：“真个是好手，我们看不仔细，却被他瞒过了。”只得出门去赶，那里赶得着？众做公的只得四散，分头各去，挨查缉获，不在话下。

原来众人吃茶时，宋四公在里面，听得是东京人声音，悄地打一望，又像个干办公事的模样，心上有些疑惑，故意叫骂埋怨。却把点茶老儿的儿子衣服，打换⑥穿着，低着头，只做买粥，走将出来，因此众人不疑。

却说宋四公出得门来，自思量道：“我如今却是去那里好？我有个师弟，是平江府人，姓赵名正。曾得他信道：如今在谟县。我不如去投奔他家也罢。”宋四公便改换色服，妆做一个狱家院子打扮，把一把扇子遮着脸，假做瞎眼，一路上慢腾腾地，取路要来谟县。来到谟县前，见个小酒店，但见：

云拂烟笼锦旆⑦扬，太平时节日舒长。
能添壮士英雄胆，会解佳人愁闷肠。
三尺晓垂杨柳岸，一竿斜刺杏花旁。
男儿未遂平生志，且乐高歌入醉乡。

宋四公觉得肚中饥馁，入那酒店去，买些个酒吃。酒保安排将酒来，宋四公吃了三两杯酒。只见一个精精致致的后生，走入酒店来。看那人时，却

---

① 一道——顺便。
② 在——这里相当于着、得。
③ 头风——头痛病。
④ 上下——宋时对公差的一种尊称。
⑤ 收——拘捕。
⑥ 打换——调换。
⑦ 锦旆（pèi）——宋代酒店，常用画竿挂锦旗，作为幌子。

是如何打扮？

砖顶背系带头巾①，皂罗文武带背儿②，下面宽口裤，侧面丝鞋。

叫道："公公拜揖。"宋四公抬头看时，不是别人，便是他师弟赵正。宋四公人面前，不敢师父师弟厮叫，只道："官人少坐。"赵正和宋四公叙了间阔就坐，教酒保添只盏来筛酒，吃了一杯。赵正却低低地问道："师父一向疏阔。"宋四公道："二哥，几时有道路也没？"赵正道："是道路却也自有，都只把来风花雪月使了。闻知师父入东京去，得拳③道路。"宋四公道："也没甚么，只有得个四五万钱。"又问赵正道："二哥，你如今那里去？"赵正道："师父，我要上东京闲走一遭，一道赏玩则个，归平江府去做话说。"宋四公道："二哥，你去不得。"赵正道："我如何上东京不得？"宋四公道："有三件事，你去不得。第一，你是浙右人，不知东京事，行院④少有认得你的，你去投奔阿谁？第二，东京百八十里罗城⑤，唤做'卧牛城'⑥。我们只是草寇，常言：'草入牛口，其命不久。'第三，是东京有五千个眼明手快做公的人，有三都捉事⑦使臣。"赵正道："这三件事都不妨，师父你只放心，赵正也不到得胡乱吃输。"宋四公道："二哥，你不信我口，要去东京时，我觅得禁魂张员外的一包儿细软，我将归客店里去，安在头边，枕着头；你觅得我的时，你便去上东京。"赵正道："师父，恁地时不妨。"两个说罢，宋四公还了酒钱，将着赵正归客店里。店小二见宋四公将着一个官人归来，唱了喏，赵正同宋四公入房里走一遭，道了"安置"，赵正自去。当下天色晚，如何见得？

暮烟迷远岫，薄雾卷晴空。群星共皓月争光，远水与山光斗碧。深林古寺，数声钟韵悠扬；曲岸小舟，几点渔灯明灭。枝上子规啼夜月，花间粉蝶宿芳丛。

---

① 砖顶背系带头巾——宋代一般平民所戴头巾，共有四带，二带下垂，二带反系脑后，所以称为背系带头巾。砖顶头巾，顶似砖，作长方形。

② 背儿——一种对襟袍，袖较衫略宽，长垂至足。

③ 拳——一笔、一桩。得拳道路，就是得一项买卖，一笔钱财。

④ 行院——指同行帮之间的一种组织。

⑤ 罗城——内城外面的大城。

⑥ 卧牛城——北宋汴京城，形似卧牛，所以俗称卧牛城。

⑦ 捉事——缉捕。

宋四公见天色晚，自思量道："赵正这汉手高，我做他师父，若还真个吃他觅了这般细软，好吃人笑！不如早睡。"宋四公却待要睡，又怕吃赵正来后如何，且只把一包细软安放头边，就床上掩卧。只听得屋梁上知知兹兹地叫，宋四公道："作怪！未曾起更，老鼠便出来打闹人。"仰面向梁上看时，脱些个屋尘下来，宋四公打两个喷涕。少时老鼠却不则声，只听得两个猫儿，乜凹乜凹地厮咬了叫，溜些尿下来，正滴在宋四公口里，好臊臭！宋四公渐觉困倦，一觉睡去。

到明日天晓起来，头边不见了细软包儿。正在那里没摆拨，只见店小二来说道："公公，昨夜同公公来的官人来相见。"宋四公出来看时，却是赵正。相揖罢，请他入房里，去关上房门。赵正从怀里取出一个包儿，纳还师父。宋四公道："二哥，我问你则个，壁落共门都不曾动，你却是从那里来，讨了我的包儿？"赵正道："实瞒不得师父，房里床面前一带黑油纸槛窗，把那学书纸糊着。吃我先在屋上，学一和老鼠；脱下来屋尘，便是我的作怪药，撒在你眼里鼻里，教你打几个喷涕；后面猫尿，便是我的尿。"宋四公道："畜生，你好没道理！"赵正道："是吃我盘到你房门前，揭起学书纸，把小锯儿锯将两条窗栅下来；我便挨身而入，到你床边，偷了包儿；再盘出窗外去，把窗栅再接住，把小钉儿钉着，再把学书纸糊了，恁地便没踪迹。"宋四公道："好，好！你使得，也未是你会处。你还今夜再觅得我这包儿，我便道你会。"赵正道："不妨，容易的事。"赵正把包儿还了宋四公道："师父，我且归去，明日再会。"漾①了手自去。

宋四公口里不说，肚里思量道："赵正手高似我，这番又吃他觅了包儿，越不好看，不如安排走休！"宋四公便叫将店小二来说道："店二哥，我如今要行，二百钱在这里，烦你买一百钱爊②肉，多讨椒盐，买五十钱蒸饼，剩五十钱，与你买碗酒吃。"店小二谢了公公，便去谟县前买了爊肉和蒸饼，却待回来。离客店十来家，有个茶坊里，一个官人叫道："店二哥，那里去？"店二哥抬头看时，便是和宋四公相识的官人。店二哥道："告官人，公公要去，教男女买爊肉共蒸饼。"赵正道："且把来看。"打开荷叶看了一看，问道："这里几文钱肉？"店二哥道："一百钱肉。"赵正就怀里取出

---

① 漾——撇、丢。

② 爊(āo)——放在微火上煨熟。

二百钱来道:“哥哥,你留这爊肉蒸饼在这里,我与你二百钱,一道相烦,依这样与我买来,与哥哥五十钱买酒吃。”店二哥道:“谢官人。”道了便去。不多时,便买回来。赵正道:“甚劳烦哥哥,与公公再裹了那爊肉。见公公时,做我传语他,只教他今夜小心则个。”店二哥唱喏了自去。到客店里,将肉和蒸饼递还宋四公。宋四公接了道:“罪过哥哥。”店二哥道:“早间来的那官人,教再三传语,今夜小心则个。”

宋四公安排行李,还了房钱,脊背上背着一包被卧,手里提着包裹,便是觅得禁魂张员外的细软,离了客店。行一里有余,取八角镇①路上来。到渡头看那渡船,却在对岸,等不来。肚里又饥,坐在地上,放细软包儿在面前,解开爊肉裹儿,擘开一个蒸饼,把四五块肥底爊肉多蘸些椒盐,卷做一卷,嚼得两口,只见天在下,地在上,就那里倒了。宋四公只见一个丞局打扮的人,就面前把了细软包儿去。宋四公眼睁睁地见他把去,叫又不得,赶又不得,只得由他。那个丞局拿了包儿,先过渡去了。

宋四公多样时②苏醒起来,思量道:“那丞局是阿谁?捉我包儿去。店二哥与我买的爊肉里面有作怪物事!”宋四公忍气吞声走起来,唤渡船过来,过了渡,上了岸,思量那里去寻那丞局好。肚里又闷,又有些饥渴,只见个村酒店,但见:

> 柴门半掩,破旆低垂。村中量酒,岂知有涤器相如?陋质蚕姑,难效彼当垆卓氏。壁间大字,村中学究醉时题;架上麻衣,好饮芒郎留下当。酸醨③破瓮土床排,彩画醉仙④尘土暗。

宋四公且入酒店里去,买些酒消愁解闷则个。酒保唱了喏,排下酒来。一杯两盏,酒至三杯,宋四公正闷里吃酒,只见外面一个妇女入酒店来:

> 油头粉面,白齿朱唇。锦帕齐眉,罗裙掩地。鬓边斜插些花朵,脸上微堆着笑容。虽不比闺里佳人,也当得垆头少妇。

那个妇女入着酒店,与宋四公道个万福,拍手唱一只曲儿。宋四公仔细看时,有些个面熟,道这妇女是酒店擦桌儿的⑤,请小娘子坐则个。妇女在

---

① 八角镇——地名,现开封西南八角店。

② 多样时——许久。

③ 醨(lí)——薄酒。

④ 彩画醉仙——酒店墙壁上描画醉八仙,当作市招。

⑤ 擦桌儿的——酒店中巡座卖唱的歌妓。

宋四公根底①坐定，教量酒添只盏儿来，吃了一盏酒。宋四公把那妇女抱一抱，撮一撮，拍拍惜惜，把手去摸那胸前道："小娘子，……"没有奶儿。宋四公道："热牢，你是兀谁？"那个妆做妇女打扮的，叉手不离方寸道："告公公，我不是擦桌儿顶老②，我便是苏州平江府赵正。"宋四公道："打脊的检才③！我是你师父，却教我摸你爷头！原来却才丞局便是你。"赵正道："可知便是赵正。"宋四公道："二哥，我那细软包儿，你却安在那里？"赵正叫量酒道："把适来我寄在这里包儿还公公。"量酒取将包儿来，宋四公接了道："二哥，你怎地拿下我这包儿？"赵正道："我在客店隔几家茶坊里坐地，见店小二哥提一裹爊肉。我讨来看，便使转他也与我去买，被我安些汗药在里面裹了，依然教他把来与你。我妆做丞局，后面踏④将你来，你吃摆翻了。被我拿得包儿，到这里等你。"宋四公道："恁地你真个会，不枉了上得东京去。"即时还了酒钱，两个同出酒店。去空野处除了花朵，溪水里洗了面，换一套男子衣裳着了，取一顶单青纱头巾裹了。宋四公道："你而今要上京去，我与你一封书，去见个人，也是我师弟。他家住汴河岸上，卖人肉馒头。姓侯，名兴，排行第二，便是侯二哥。"赵正道："谢师父。"到前面茶坊里，宋四公写了书，吩咐赵正，相别自去。宋四公自在谟县。

赵正当晚去客店里安歇，打开宋四公书来看时，那书上写道：

> 师父信上贤师弟二郎、二娘子：别后安乐否？今有姑苏贼人赵正，欲来京做买卖，我特地使他来投奔你。这汉与行院无情，一身线道⑤，堪作你家行货使用。我吃他三次无礼，可千万剿除此人，免为我们行院后患。

赵正看罢了书，伸着舌头缩不上。"别人便怕了，不敢去；我且看他，如何对付我！我自别有道理。"再把那书折叠，一似原先封了。

明日天晓，离了客店，取八角镇；过八角镇，取板桥，到陈留县。沿那汴河行，到日中前后，只见汴河岸上，有个馒头店。门前一个妇女，玉井栏

① 根底——面前。
② 顶老——宋元时市人对艺妓的称呼。
③ 打脊的检才——打脊就是杖脊。检才，即坏蛋、滑头。
④ 踏——尾随侦视。
⑤ 线道——肉的隐语。

手巾勒着腰,叫道:“客长,吃馒头点心去。”门前牌儿上写着:“本行侯家,上等馒头点心。”赵正道:“这里是侯兴家里了。”走将入去,妇女叫了万福,问道:“客长用点心?”赵正道:“少待则个。”就脊背上取将包裹下来。一包金银钗子,也有花头的,也有连二连三的,也有素的,都是沿路上觅得的。侯兴老婆看见了,动心起来,道:“这客长,有二三百只钗子!我虽然卖人肉馒头,老公虽然做赞老子①,到没许多物事。你看少间问我买馒头吃,我多使些汗火②,许多钗子都是我的。”赵正道:“嫂嫂,买五个馒头来。”侯兴老婆道:“着!”楦个碟子,盛了五个馒头,就灶头合儿里多撮些物料在里面。赵正肚里道:“这合儿里便是作怪物事了。”赵正怀里取出一包药来,道:“嫂嫂,觅些冷水吃药。”侯兴老婆将半碗水来,放在卓上。赵正道:“我吃了药,却吃馒头。”赵正吃了药,将两只箸一拨,拨开馒头馅,看了一看,便道:“嫂嫂,我爷说与我道:‘莫去汴河岸上买馒头吃,那里都是人肉的。’嫂嫂,你看这一块有指甲,便是人的指头;这一块皮上许多短毛儿,须是人的不便处。”侯兴老婆道:“官人休要,那得这话来!”赵正吃了馒头,只听得妇女在灶前道:“倒也!”指望摆翻赵正,却又没些事。赵正道:“嫂嫂,更添五个。”侯兴老婆道:“想是恰才汗火少了,这番多把些药倾在里面。”赵正怀中又取包儿,吃些个药。侯兴老婆道:“官人吃甚么药?”赵正道:“平江府提刑散的药,名唤做‘百病安丸’,妇女家八般头风,胎前产后,脾血气痛,都好服。”侯兴老婆道:“就官人觅得一服吃也好。”赵正去怀里别搠换③包儿来,撮百十丸与侯兴老婆吃了,就灶前攧翻了。赵正道:“这婆娘要对付我,却到吃我摆翻。别人漾了去,我却不走。”特骨地④在那里解腰捉虱子。

不多时,见个人挑一担物事归。赵正道:“这个便是侯兴,且看他如何?”侯兴共赵正两个唱了喏,侯兴道:“客长吃点心也未?”赵正道:“吃了。”侯兴叫道:“嫂子,会钱也未?”寻来寻去,寻到灶前,只见浑家倒在地下,口边溜出痰涎,说话不真,喃喃地道:“我吃摆翻了。”侯兴道:“我理会得了,这婆娘不认得江湖上相识,莫是吃那门前客长摆翻了?”侯兴向赵

① 赞老子——赞,不正、邪恶。赞老子,指盗贼。
② 汗火——蒙汗药、迷药。
③ 搠换——调换。
④ 特骨地——故意地。

正道："法兄，山妻眼拙，不识法兄，切望恕罪。"赵正道："尊兄高姓？"侯兴道："这里便是侯兴。"赵正道："这里便是姑苏赵正。"两个相揖了，侯兴自把解药与浑家吃了。赵正道："二兄，师父宋四公有书上呈。"侯兴接着，拆开看时，书上写着许多言语，末梢①道："可剿除此人。"侯兴看罢，怒从心上起，恶向胆边生，道："师父兀自三次无礼，今夜定是坏他性命！"向赵正道："久闻清德，幸得相会！"即时置酒相待，晚饭过了，安排赵正在客房里睡，侯兴夫妇在门前做夜作。

赵正只闻得房里一阵臭气，寻来寻去，床底下一个大缸。探手打一摸，一颗人头；又打一摸，一只人手共人脚。赵正搬出后门头，都把索子缚了，挂在后门屋檐上。关了后门，再入房里，只听得妇女道："二哥，好下手！"侯兴道："二嫂，使未得！更等他落忽些个。"妇女道："二哥，看他今日把出金银钗子，有二三百只。今夜对付他了，明日且把来做一头戴，教人喝采则个。"赵正听得道："好也！他两个要恁地对付我性命，不妨得。"侯兴一个儿子，十来岁，叫做伴哥，发脾寒②，害在床上。赵正去他房里，抱那小的安在赵正床上，把被来盖了，先走出后门去。不多时，侯兴浑家把着一碗灯，侯兴把一把劈柴大斧头，推开赵正房门，见被盖着个人在那里睡，和被和人，两下斧头，砍做三段。侯兴揭起被来看了一看，叫声："苦也！二嫂，杀了的是我儿子伴哥！"两夫妻号天洒地哭起来。赵正在后门叫道："你没事自杀了儿子则甚？赵正却在这里。"侯兴听得焦躁，拿起劈柴斧赶那赵正，慌忙走出后门去，只见扑地撞着侯兴额头，看时却是人头、人脚、人手挂在屋檐上，一似闹竿儿③相似。侯兴教浑家都搬将入去，直上④去赶。赵正见他来赶，前头是一派溪水。赵正是平江府人，会弄水，打一跳，跳在溪水里，后头侯兴也跳在水里来赶。赵正一分一蹬，顷刻之间，过了对岸。侯兴也会水，来得迟些个。赵正先走上岸，脱下衣裳挤教干。侯兴赶那赵正，从四更前后，到五更二点时候，赶十一二里，直到顺天新郑门⑤一个浴堂。赵正入那浴堂里洗面，一道烘衣裳。正洗面间，

---

① 末梢——末端、末尾。

② 发脾寒——发疟子。

③ 闹竿儿——一种小孩玩具，一根竹竿上悬挂着各种玩意儿。

④ 直上——向前。

⑤ 顺天新郑门——汴京外城西壁南首第一座门，本名顺天门，俗称新郑门。

只见一个人把两只手去赵正两腿上打一掔,掔翻赵正。赵正见侯兴来掔他,把两秃膝桩番侯兴,倒在下面,只顾打。

只见一个狱家院子打扮的老儿进前道:“你门①看我面放手罢。”赵正和侯兴抬头看时,不是别人,却是师父宋四公,一家唱个大喏,直下便拜。宋四公劝了,将他两个去汤店②里吃盏汤。侯兴与师父说前面许多事,宋四公道:“如今一切休论。则是赵二哥明朝入东京去,那金梁桥下,一个卖酸馅的,也是我们行院,姓王,名秀,这汉走得楼阁没赛,起个浑名,唤做‘病猫儿’。他家在大相国寺后面院子里住。他那卖酸馅架儿上一个大金丝罐,是定州中山府窑变③了烧出来的,他惜似气命。你如何去拿得他的?”赵正道:“不妨。”等城门开了,到日中前后,约师父只在侯兴处。

赵正打扮做一个砖顶背系带头巾,皂罗文武带背儿,走到金梁桥下,见一抱架儿,上面一个大金丝罐,根底立着一个老儿:

> 郓州单青纱现顶儿头巾,身上着一领𥮉④杨柳子布衫。腰里玉井栏手巾,抄着腰⑤。

赵正道:“这个便是王秀了。”赵正走过金梁桥来,去米铺前撮几颗红米,又去菜担上摘些个叶子,和米和叶子,安在口里,一处嚼教碎。再走到王秀架子边,漾下六文钱,买两个酸馅,特骨地脱一文在地下。王秀去拾那地上一文钱,被赵正吐那米和菜在头巾上,自把了酸馅去。却在金梁桥顶上立地,见个小的跳将来,赵正道:“小哥,与你五文钱,你看那卖酸馅王公头巾上一堆虫蚁屎,你去说与他,不要道我说。”那小的真个去说道:“王公,你看头巾上。”王秀除下头巾来,只道是虫蚁屎,入去茶坊里揩抹了。走出来架子上看时,不见了那金丝罐。原来赵正见王秀入茶坊去揩那头巾,等他眼慢,拿在袖子里便行,一径走往侯兴家去。宋四公和侯兴看了,吃一惊。赵正道:“我不要他的,送还他老婆休!”赵正去房里换了

---

① 门——同们。

② 汤店——指专卖一种用甘草等药料研末冲成药茶的店铺。

③ 定州中山府窑变——定州,宋徽宗政和三年升为中山府,宋时以产瓷著名,称为“定窑”。窑变,是烧瓷器时由于釉料中铜的还原焰所引起的一种偶然的变态,瓷呈红色或紫色。

④ 𥮉(cī)。

⑤ 抄着腰——叉着腰。

一顶搭飒①头巾，底下旧麻鞋，着领旧布衫，手把着金丝罐，直走去大相国寺后院子里。见王秀的老婆，唱个喏了道："公公教我归来，问婆婆取一领新布衫、汗衫、裤子、新鞋袜，有金丝罐在这里表照。"婆子不知是计，收了金丝罐，取出许多衣裳，吩咐赵正。赵正接得了，再走去见宋四公和侯兴道："师父，我把金丝罐去他家换许多衣裳在这里。我们三个少间同去送还他，博个笑声。我且着了去闲走一回耍子。"

赵正便把王秀许多衣裳着了，再入城里，去桑家瓦里②，闲走一回，买酒买点心吃了，走出瓦子外面来。

却待过金梁桥，只听得有人叫："赵二官人！"赵正回过头来看时，却是师父宋四公和侯兴。三个同去金梁桥下，见王秀在那里卖酸馅。宋四公道："王公拜茶。"王秀见了师父和侯二哥，看了赵正，问宋四公道："这个客长是兀谁？"宋四公恰待说，被赵正拖起去，教宋四公"未要说我姓名，只道我是你亲戚，我自别有道理。"王秀又问师父："这客长高姓？"宋四公道："是我的亲戚，我将他来京师闲走。"王秀道如此，即时寄了酸馅架儿在茶坊，四个同出顺天新郑门外僻静酒店，去买些酒吃。入那酒店去，酒保筛酒来，一杯两盏，酒至三巡。王秀道："师父，我今朝呕气。方才挑那架子出来，一个人买酸馅，脱一钱在地下。我去拾那一钱，不知甚虫蚁屙在我头巾上。我入茶坊去揩头巾出来，不见了金丝罐，一日好闷！"宋四公道："那人好大胆，在你跟前卖弄得，也算有本事了。你休要气闷，到明日闲暇时，大家和你查访这金丝罐。又没三件两件，好歹要讨个下落，不到得失脱。"赵正肚里，只是暗暗的笑。四个都吃得醉，日晚了，各自归。

且说王秀归家去，老婆问道："大哥，你恰才教人把金丝罐归来？"王秀道："不曾。"老婆取来道："在这里，却把了几件衣裳去。"王秀没猜道是谁，猛然想起今日宋四公的亲戚，身上穿一套衣裳，好似我家的。心上委决不下，肚里又闷，提一角酒，索性和婆子吃个醉，解衣卸带了睡。王秀道："婆婆，我两个多时不曾做一处。"婆子道："你许多年纪了，兀自鬼乱！"王秀道："婆婆，你岂不闻：'后生犹自可，老的急似火。'"王秀早移过

---

① 搭飒——破烂、陈旧。

② 瓦里——宋元时大城市里娱乐场所集中的地方。

共头，在婆子头边，做一班半点儿事，兀自未了当。原来赵正见两个醉，掇开门躲在床底下，听得两个鬼乱，把尿盆去房门上打一撵。王秀和婆子吃了一惊，鬼慌起来。看时，见个人从床底下趱将出来，手提一包儿。王秀就灯光下仔细认时，却是和宋四公、侯兴同吃酒的客长。王秀道："你做甚么？"赵正道："宋四公教还你包儿。"王公接了看时，却是许多衣裳，再问："你是甚人？"赵正道："小弟便是姑苏平江府赵正。"王秀道："如此，久闻清名。"因此拜识。便留赵正睡了一夜。

次日，将着他闲走。王秀道："你见白虎桥①下大宅子，便是钱大王②府，好一拳财。"赵正道："我们晚些下手。"王秀道："也好。"到三鼓前后，赵正打个地洞，去钱大王土库偷了三万贯钱正赃，一条暗花盘龙羊脂白玉带。王秀在外接应，共他归去家里去躲。明日，钱大王写封简子与滕大尹，大尹看了，大怒道："帝辇之下，有这般贼人！"即时差缉捕使臣马翰，限三日内要捉钱府做不是的贼人。

马观察马翰得了台旨，吩咐众做公的落宿，自归到大相国寺前，只见一个人背系带砖顶头巾，也着上一领紫衫，道："观察拜茶。"同入茶坊里，上灶③点茶来。那着紫衫的人怀里取出一裹松子胡桃仁，倾在两盏茶里。观察问道："尊官高姓？"那个人道："姓赵，名正，昨夜钱府做贼的便是小子。"马观察听得，脊背汗流，却待等众做公的过捉他。吃了盏茶，只见天在下，地在上，吃摆翻了。赵正道："观察醉也。"扶住他，取出一件作怪动使剪子，剪下观察一半衫褖④，安在袖里，还了茶钱。吩咐茶博士道："我去叫人来扶观察。"赵正自去。

两碗饭间，马观察肚里药过了，苏醒起来。看赵正不见了，马观察走归去。睡了一夜，明日天晓，随大尹朝殿。大尹骑着马，恰待入宣德门⑤去，只见一个人裹顶弯角帽子，着上一领皂衫，拦着马前，唱个大喏，道："钱大王有札目⑥上呈。"滕大尹接了，那个人唱喏自去。大尹就马上看

① 白虎桥——在宋东京城西北隅金水河上。

② 钱大王——指吴越王钱俶。

③ 上灶——茶坊里端茶水的仆役。

④ 衫褖（xiē）——衣衫的袖子。

⑤ 宣德门——即宣德楼，北宋汴京宫城正门。

⑥ 札目——公文、报告。

时,腰裹金鱼带不见挞尾①。简上写道:"姑苏贼人赵正,拜禀大尹尚书:所有钱府失物,系是正偷了。若是大尹要来寻赵正家里,远则十万八千,近则只在目前。"大尹看了越焦躁,朝殿回衙,即时升厅,引放民户词状②。词状人抛箱③,大尹看到第十来纸状,有状子上面也不依式论诉甚么事,去那状上只写一只《西江月》曲儿,道是:

是水归于大海,闲汉总入京都。三都捉事马司徒④,衫褙难为作主。　盗了亲王玉带,剪除大尹金鱼。要知闲汉姓名无?小月旁边疋土。

大尹看罢道:"这个又是赵正,直恁地手高。"即唤马观察马翰来,问他捉贼消息。马翰道:"小人因不认得贼人赵正,昨日当面错过。这贼委的手高,小人访得他是郑州宋四公的师弟;若拿得宋四,便有了赵正。"滕大尹猛然想起,那宋四因盗了张富家的土库,见告失状未获。即唤王七殿直王遵,吩咐他协同马翰访捉贼人宋四、赵正。王殿直王遵禀道:"这贼人踪迹难定,求相公宽限时日。又须官给赏钱,出榜悬挂,那贪着赏钱的便来出首,这公事便容易了办。"滕大尹听了,立限一个月缉获;依他写下榜文,如有缉知真赃来报者,官给赏钱一千贯。马翰和王遵领了榜文,径到钱大王府中,禀了钱大王,求他添上赏钱,钱大王也注了一千贯。两个又到禁魂张员外家来,也要他出赏。张员外见在失了五万贯财物,那里肯出赏钱?众人道:"员外休得为小失大。捕得着时,好一主大赃追还你。府尹相公也替你出赏,钱大王也注了一千贯;你却不肯时,大尹知道,却不好看相。"张员外说不过了,另写个赏单,勉强写足了五百贯。马观察将去府前张挂,一面与王殿直约会,分路挨查。

那时府前看榜的人山人海,宋四公也看了榜,去寻赵正来商议。赵正道:"可奈王遵、马翰,日前无怨,定要加添赏钱,缉获我们;又可奈张员外悭吝,别的都出一千贯,偏你只出五百贯,把我们看得恁贱!我们如何去蒿恼他一番,才出得气。"宋四公也怪前番王七殿直领人来拿他,又怪马

① 挞尾——腰带向下垂插的带头,视官阶的高下,而分别以金、玉、犀、银、铜、铁为饰。

② 词状——告状。

③ 抛箱——宋明间衙门,用箱子接纳状纸;抛箱,即告状的人把状纸投入箱中。

④ 司徒——官名。此是对于缉捕武官的尊称。

观察当官禀出赵正是他徒弟,当下两人你商我量,定下一条计策,齐声道:"妙哉!"赵正便将钱大王府中这条暗花盘龙羊脂白玉带递与宋四公,四公将禁魂张员外家金珠一包就中捡出几件有名的宝物,递与赵正。两下分别各自去行事。

且说宋四公才转身,正遇着向日张员外门首捉笊篱的哥哥,一把扯出顺天新郑门,直到侯兴家里歇脚。便道:"我今日有用你之处。"那捉笊篱的便道:"恩人有何差使?并不敢违。"宋四公道:"作成你趁一千贯钱养家则个。"那捉笊篱的倒吃一惊,叫道:"罪过!小人没福消受。"宋四公道:"你只依我,自有好处。"取出暗花盘龙羊脂白玉带,教侯兴扮作内官①模样,"把这条带去禁魂张员外解库②里去解钱。这带是无价之宝,只要解他三百贯,却对他说:'三日便来取赎,若不赎时,再加绝二百贯。你且放在铺内,慢些子收藏则个。'"侯兴依计去了。张员外是贪财之人,见了这带,有些利息,不问来由,当去三百贯足钱。侯兴取钱回复宋四公,宋四公却教捉笊篱的到钱大王门上揭榜出首。钱大王听说获得真赃,便唤捉笊篱的面审。捉笊篱的说道:"小的去解库中当钱,正遇那主管,将白玉带卖与北边一个客人,索价一千五百两。有人说是大王府里来的,故此小的出首。"钱大王差下百十名军校,教捉笊篱的做眼,飞也似跑到禁魂张员外家,不由分说,到解库中一搜,搜出了这条暗花盘龙羊脂白玉带。张员外走出来分辩时,这些个众军校,那里来管你三七二十一,一条索子扣头,和解库中两个主管,都拿来见钱大王。钱大王见了这条带,明是真赃,首人不虚,便写个钧帖,付与捉笊篱的,库上支一千贯赏钱。钱大王打轿,亲往开封府拜滕大尹,将玉带及张富一干人送去拷问。大尹自己缉获不着,倒是钱大王送来,好生惭愧,便骂道:"你前日到本府告失状,开载许多金珠宝贝。我想你庶民之家,那得许多东西?却原来放线做贼!你实说这玉带甚人偷来的?"张富道:"小的祖遗财物,并非做贼窝赃。这条带是昨日申牌时分,一个内官拿来,解了三百贯钱去的。"大尹道:"钱大王府里失了暗花盘龙羊脂白玉带,你岂不晓得?怎肯不审来历,当钱与他?如今这内官何在?明明是一派胡说!"喝教狱卒,将张富和两个主管一齐

---

① 内官——诸省及禁卫之官。
② 解库——典当铺。

用刑，都打得皮开肉绽，鲜血迸流。张富受苦不过，情愿责限三日，要出去挨获当带之人。三日获不着，甘心认罪。滕大尹心上也有些疑虑，只将两个主管监候。却差狱卒押着张富，准他立限三日回话。

张富眼泪汪汪，出了府门，到一个酒店里坐下，且请狱卒吃三杯。方才举盏，只见外面踱个老儿入来，问道："那一个是张员外？"张富低着头，不敢答应。狱卒便问："阁下是谁？要寻张员外则甚？"那老儿道："老汉有个喜信要报他，特到他解库前，闻说有官事在府前，老汉跟寻至此。"张富方才起身道："在下便是张富，不审有何喜信见报？请就此坐讲。"那老儿捱着张员外身边坐下，问道："员外土库中失物，曾缉知下落否？"张员外道："在下不知。"那老儿道："老汉到晓得三分，特来相报员外。若不信时，老汉愿指引同去起赃。见了真正赃物，老汉方敢领赏。"张员外大喜道："若起得这五万贯赃物，便赔偿钱大王，也还有余。拼些上下使用，身上也得干净。"便问道："老丈既然的确，且说是何名姓？"那老儿向耳边低低说了几句，张员外大惊道："怕没此事。"老儿道："老汉情愿到府中出个首状，若起不出真赃，老汉自认罪。"张员外大喜道："且屈老丈同在此吃三杯，等大尹晚堂，一同去禀。"当下四人饮酒半醉，恰好大尹升厅，张员外买张纸，教老儿写了首状，四人一齐进府出首。滕大尹看了王保状词，却是说马观察、王殿直做贼，偷了张富家财，心中想道："他两个积年捕贼，那有此事？"便问王保道："你莫非挟仇陷害么？有甚么证据？"王保老儿道："小的在郑州经纪，见两个人把许多金珠在彼兑换。他说家里还藏得有，要换时再取来。小的认得他是本府差来缉事的，他如何有许多宝物？心下疑惑。今见张富失单，所开宝物相像，小的情愿眼同张富到彼搜寻。如若没有，甘当认罪。"滕大尹似信不信，便差李观察李顺，领着眼明手快的公人，一同王保、张富前去。

此时马观察马翰与王七殿直王遵，俱在各县挨缉两宗盗案未归。众人先到王殿直家，发声喊，径奔入来。王七殿直的老婆，抱着三岁的孩子，正在窗前吃枣糕，引着耍子。见众人啰唣，吃了一惊，正不知甚么缘故。恐怕吓坏了孩子，把袖裙子掩了耳朵，把着进房。众人随着脚跟儿走，围住婆娘问道："张员外家赃物，藏在那里？"婆娘只光着眼，不知那里说起。众人见婆娘不言不语，一齐掀箱倾笼，搜寻了一回。虽有几件银钗饰和些衣服，并没赃证。李观察却待埋怨王保，只见王保低着头，向床底下钻去，在贴壁床脚下解下一个包儿,笑嘻嘻的捧将出来。众人打开看时,却是八宝嵌花金杯一对,金镶玳瑁杯十只,北珠①念珠一串。张员外认得是土库中东西,还痛起来,放声大哭。连婆娘也不知这物事那里来的,慌做一堆,开了口合不得,垂了手抬不起。众人不由分说,将一条索子,扣了婆娘的颈。婆娘哭哭啼啼,将孩子寄在邻家,只得随着众人走路。众人再到马观察家,混乱了一场。又是王保点点搠搠,在屋檐瓦椽内搜出珍珠一包,嵌宝金钏等物,张员外也都认得。两家妻小都带到府前,滕大尹兀自坐在厅上,专等回话。见众人蜂拥进来,阶下列着许多赃物,说是床脚上、瓦椽内搜出,见有张富识认是真。滕大尹大惊道:"常闻得捉贼的就做贼,不想王遵、马翰真个做下这般勾当!"喝教将两家妻小监候,立限速拿正贼,所获赃物暂寄库。首人在外听候,待赃物明白,照额领赏。张富磕头禀道:"小人是有碗饭吃的人家,钱大王府中玉带跟由,小人委实不知。今小的家中被盗赃物,既有的据,小人认了悔气,情愿将来赔偿钱府。望相公方便,释放小人和那两个主管,万代阴德。"滕大尹情知张富冤枉,许他召保在外。王保跟张员外到家,要了他五百贯赏钱去了。原来王保就是王秀,浑名"病猫儿",他走得楼阁没赛。宋四公定下计策,故意将禁魂张员外家土库中赃物,预教王秀潜地埋藏两家床头屋檐等处,却教他改名王保,出首起赃,官府那里知道?

却说王遵、马翰正在各府缉获公事,闻得妻小吃了官司,急忙回来见滕大尹。滕大尹不由分说,用起刑法,打得希烂,要他招承张富赃物,二人那肯招认?大尹教监中放出两家的老婆来,都面面相觑,没处分辩,连大尹也委决不下,都发监候。次日又拘张富到官,劝他且将己财赔了钱大王府中失物,待从容退赃还你。张富被官府逼勒不过,只得承认了。归家思想,又恼又闷,又不舍得家财,在土库中自缢而死。可惜有名的禁魂张员外,只为"悭吝"二字,惹出大祸,连性命都丧了。那王七殿直王遵、马观察马翰,后来俱死于狱中。这一班贼盗,公然在东京做歹事,饮美酒,宿名娼,没人奈何得他。那时节东京扰乱,家家户户,不得太平。直待包龙图相公做了府尹,这一班贼盗,方才惧怕,各散去讫,地方始得宁静。有诗为证,诗云:

---

① 北珠——出在北海中的珍珠,带青色。

只因贪吝惹非殃，引到东京盗贼狂。
亏杀龙图包大尹，始知官好自民安。

# 第三十七卷　梁武帝累修归极乐

香雨琪园百尺梯，不知窗外晓莺啼；
觉来悟定胡麻①熟，十二峰前月未西。

这诗为齐明帝朝盱眙县光化寺一个修行的，姓范，法名普能而作。这普能，前世原是一条白颈曲蟮，生在千佛寺大通禅师关房②前天井里面。那大通禅师坐关时刻，只诵《法华经》。这曲蟮偏有灵性，闻诵经便舒头而听。那禅师诵经三载，这曲蟮也听经三载。忽一日，那禅师关期完满出来，修斋礼佛。偶见关房前草深数尺，久不芟除，乃唤小沙弥将锄去草。小沙弥把庭中的草去尽了，到墙角边，这一锄去得力大，入土数寸。却不知曲蟮正在其下，挥为两段。小沙弥叫声："阿弥陀佛！今日伤了一命，罪过，罪过！"掘些土来埋了曲蟮，不在话下。

这曲蟮得了听经之力，便讨得人身，生于范家。长大时，父母双亡，舍身于光化寺中，在空谷禅师座下，做一个火工道人。其人老实，居香积厨下，煮茶做饭，殷勤伏侍长老。便是众僧，也不分彼此，一体相待。普能虽不识字，却也硬记得些经典。只有《法华经》一部，背诵如流，晨昏早晚，一有闲空之时，着实念诵修行。在寺三十余年，闻得千佛寺大通禅师坐化去了，去得甚是脱洒，动了个念头，来对长老说："范道在寺多年，一世奉斋，并不敢有一毫贪欲，也不敢狼籍天物。今日拜辞长老回首，烦乞长老慈悲，求个安身去处。"说了下拜跪着。长老道："你起来，我与你说。你虽是空门修行，还不晓得灵觉门户。你如今回首去，只从这条寂静路上去，不可落在富贵套子里。差了念头，求个轮回也不可得。"范道受记③

① 胡麻——指仙家胡麻饭。传说东汉时刘晨、阮肇入天台山采药，逢二仙女，饷以胡麻饭，留住半年。及归，子孙已经七世了。

② 关房——僧侣坐关的房间。

③ 受记——佛教中称佛记弟子来生因果及将来成佛之事为记别。接受记别，叫做受记。

了，相辞长老，自来香积厨下沐浴，穿些洁净衣服，礼拜诸佛天地父母，又与众僧作别，进到龛子里，盘膝坐了，便闭着双眼去了。众僧都与他念经，叫工人扛这龛子到空地上，正要去请长老下火。只听得殿上撞起钟来，长老忙使人来说道："不要下火。"长老随即也抬乘轿子，来到龛子前。叫人开了龛子门，只见范道又醒转来了，依先开了眼，只立不起来，合掌向长老说："适才弟子到一个好去处，进在红锦帐中，且是安稳。又听得钟鸣起来，有个金身罗汉，把弟子一推，跌在一个大白莲池里。吃这一惊就醒转来，不知有何法旨？"长老说道："因你念头差了，故投落在物类。我特地唤醒你来，再去投胎。"又与众僧说："山门外银杏树下掘开那青石来看。"众僧都来到树下，掘起那青石来看，只见一条小火赤链蛇，才生出来的，死在那里。众僧见了，都惊异不已，来回复长老，说果有此事。长老叫上首徒弟，与范道说："安净坚守，不要妄念，去投个好去处。轮回转世，位列侯王帝主，修行不怠，方登极乐世界。"范道受记了，阁着高高的念声"南无阿弥陀佛"，便合了眼。众僧来请长老下火，长老穿上如来法衣，一乘轿子，抬到范道龛子前，吩咐范道如何？偈曰：

　　范道范道，每日厨灶。火里金莲，颠颠倒倒。

长老念毕了偈，就叫人下火，只见括括杂杂的著将起来。众僧念声佛，只见龛子顶上一道青烟，从火里卷将出来，约有数十丈高，盘旋回绕，竟往东边一个所在去了。

说这盱眙县东，有个乐安村，村中有个大财主，姓黄名岐，家资殷富，不用大秤小斗，不违例克剥人财，坑人陷人，广行方便，普积阴功。其妻孟氏，身怀六甲，正要分娩。范道乘着长老指示，这道灵光竟投到孟氏怀中。这里范道圆寂，那里孟氏就生下这个孩儿来。说这孩儿相貌端然，骨格秀拔，黄员外四十余岁无子，生得这个孩儿，就如得了若干珍宝一般，举家欢喜。好却十分好了，只是一件，这孩儿生下来，昼夜啼哭，乳也不肯吃。夫妻二人忧惶，求神祈佛，全然不验。

家中有个李主管对员外说道："小官人啼哭不已，或有些缘故，不可知得。离此间二十里，山里有个光化寺，寺里空谷长老，能知过去未来，见在活佛。员外何不去拜求？他必然有个道理。"黄员外听说，连忙备盒礼信香，起身往光化寺来。其寺如何？诗云：

　　山寺钟鸣出谷西，溪阴流水带烟齐。

野花满地闲来往，多少游人过石堤。

进到方丈里，空谷禅师迎接着，黄员外慌忙下拜说："新生小孩儿，昼夜啼哭，不肯吃乳，危在须臾。烦望吾师慈悲，没世不忘。"长老知是范道要求长老受记，故此昼夜啼哭，长老不说出这缘故来。长老对黄员外说道："我须亲自去看他，自然无事。"就留黄员外在方丈里吃了素斋，与黄员外一同乘轿，连夜来到黄员外家里。请长老在厅上坐了，长老叫抱出令郎来。黄员外自抱出来，长老把手摸着这小儿的头，在着小儿的耳朵，轻轻的说几句，众人都不听得。长老又把手来摸着这小儿的头，说道："无灾无难，利益双亲，道源不替。"只见这小儿便不哭了。众人惊异，说道："何曾见这样异事！真是活佛超度。"黄员外说："待周岁送到上刹，寄名出家。"长老说："最好。"就与黄员外别了，自回寺里来。黄员外幸得小儿无事，一家爱惜抚养。

光阴捻指，不觉又是周岁。黄员外说："我曾许小儿寄名出家。"就安排盒子表礼①，叫养娘抱了孩儿，两乘轿子，抬往寺里。来到方丈内，请见长老拜谢，送了礼物。长老与小儿取个法名，叫做黄复仁，送出一件小法衣、僧帽，与复仁穿戴，吃些素斋，黄员外仍与小儿自回家去。来来往往，复仁不觉又是六岁。员外请个塾师教他读书。这复仁终是有根脚的，聪明伶俐，一村人都晓得他是光化寺里范道化身来的，日后必然富贵。

这县里有个童太尉，见复仁聪明俊秀，又见黄家数百万钱财，有个女儿，与复仁同年，使媒人来说，要把女儿许聘与复仁。黄员外初时也不肯定这太尉的女儿，被童太尉再三强不过，只得下三百个盒子，二百两金首饰，一千两银子，若干段匹色丝②定了。也是一缘一会，说这女子聪明过人，不曾上学读书，便识得字，又喜诵诸般经卷。为何能得如此？他却是摩诃迦叶祖师③身边一个女侍，降生下来了道缘的。初时男女两个幼小，不理人事。到十五六岁，年纪渐长，两个一心只要出家修行，各不愿嫁娶。黄员外因复仁年长，选日子要做亲。童小姐听得黄家有了日子，要成亲，心中慌乱，忙写一封书，使养娘送上太太。书云：

---

① 表礼——赏赐或作礼品的布帛缎匹。

② 色丝——彩色绸缎。

③ 摩诃迦叶祖师——即大迦叶，为释迦的大弟子。

切惟《诗》重《摽梅》①，礼端合卺。奈世情不一，法律难齐。紫玉志向禅门，不乐唱随之偶；心悬觉岸，宁思伉俪之偕？一虑百空，万缘俱尽。禅灯一点，何须花烛之辉煌；梵磬数声，奚取琴瑟之嘹亮？破盂甘食，敝衲为衣。泯色象于两忘，齐生死于一彻。伏望母亲大人，大发慈悲，优容苦志。永谢为云神女，宁追奔月嫦娥。佛果倘成，亲恩可报。莫问琼箫之响②，长寒玉杵之盟③。干冒台慈，幸惟怜鉴。

养娘拿着小姐书，送上太太。太太接得这书，对养娘道："连日因黄家要求做亲，不曾着人来看小姐。我女儿因甚事，叫你送书来？"养娘把小姐不肯成亲，闲常只是看经念佛要出家的事，说了一遍。太太听了这话，心中不喜，就使人请老爷来看书。太太把小姐的书，送与太尉。太尉看了，说道："没教训的婢子！男婚女嫁，人伦常道。只见孝弟通于神明，那曾见修行做佛？"把这封书扯得粉碎，骂道："放屁，放屁！"太尉只依着黄家的日子，把小姐嫁过去。黄复仁与童小姐两个，那日拜了花烛，虽同一房，二人各自歇宿。一连过了半年有余，夫妇相敬相爱，就如宾客一般。黄复仁要辞了小姐，出去云游，小姐道："官人若出去云游，我与你正好同去出家。自古道：'妇人嫁了从夫。'身子决不敢坏了。"复仁见小姐坚意要修行，又不肯改嫁，与小姐说道："恁的，我与你结拜做兄妹，一同双修罢。"小姐欢喜，两个各在佛前礼拜，誓毕，二人换了粗布衣服，粗茶淡饭，在家修行。黄员外看见这个模样，都不欢喜。恐怕被人笑耻，员外只得把复仁夫妻二人，连一个养娘，两个梅香，都打发到山里西庄上冷落去处住下。夫妻二人，只是看经念佛，参禅打坐。

三年有余，两个正在佛前长明灯下坐禅，黄复仁忽然见个美貌佳人，妖娇袅娜，走到复仁面前，道个万福，说道："妾是童太尉府中唱曲儿的如翠，太太因大官人不与小姐同床，必然绝了黄家后嗣，二来不碍大官人修

---

① 《摽梅》——《摽有梅》，《诗经》篇名。摽，落的意思。梅落时晚，比喻女子应当出嫁之期。

② 琼箫之响——传说春秋时秦穆公的女儿弄玉，嫁给萧史。萧史吹箫作凤鸣，有凤飞来，两人乘凤飞升而去。

③ 玉杵之盟——传说唐朝裴航过蓝桥，向一老妇人求浆，老妇呼云英与之。裴航欲娶云英，老妇云："须得玉杵臼为聘。"后裴航得玉杵臼，与云英结婚，夫妻都仙去。

行,并无一人知觉。"说罢,与复仁眷恋起来。复仁被这美貌佳人亲近如此,又听说道绝了黄门后嗣,不觉也有些动心。随又想道:"童小姐比他十分娇美,我尚且不与他沾身,怎么因这个女子,坏了我的道念?"才然自忖,只听得一声响亮,万道火光,飞腾缭绕。复仁惊醒来,这小姐也却好放参①。复仁连忙起来礼拜菩萨,又来礼拜小姐,说道:"复仁道念不坚,几乎着魔,望姐姐指迷。"说这小姐,聪明过人,智慧圆通,反胜复仁。小姐就说道:"兄弟被色魔迷了,故有此幻象。我与你除是去见空谷祖师,求个解脱。"次日两个来到光化寺中,来见长老。空谷说道:"欲念一兴,四大无着。再求转脱,方始圆明。"因与复仁夫妻二人口号,如何?

跳出爱欲渊,渴饮灵山泉。

夫也亡去住,妻也履福田。

休休同泰寺,荷荷极乐天。

夫妻二人拜辞长老,回到西庄来,对养娘、梅香说:"我兄妹二人,今夜与你们别了,各要回首。"养娘说道:"我伏侍大官人小姐数载,一般修行,如何不带挈养娘同回首?"复仁说道:"这个勉强不得,恐你缘分不到。"养娘回话道:"我也自有分晓。"夫妻二人沐浴了,各在佛前礼拜,一对儿坐化了,这养娘也在房里不知怎么也回首去了。黄员外听得说,自来收拾,不在话下。

且说黄大官人精灵,竟来投在萧家,小姐来投在支家。渔湖有个萧二郎,在齐为世胄之家,萧懿、萧坦之俱是一族。萧二郎之妻单氏,最仁慈积善,怀娠九个月,将要分娩之时,这里复仁却好坐化。单氏夜里梦见一个金人,身长丈余,衮服冕旒,旌旗羽雉,辉耀无比。一伙绯衣人,车从簇拥,来到萧家堂上歇下。这个金身人,独自一个,进到单氏房里,望着单氏下拜。单氏惊惶,正要问时,恍惚之间,单氏梦觉来,就生下一个孩儿来。这孩儿生下来便会啼啸,自与常儿不群,取名萧衍。八九岁时,身上异香不散。聪明才敏,文章书翰,人不可及。亦且长于谈兵,料敌制胜,谋无遗策。衍以五月五日生,齐时俗忌伤克父母,多不肯举。其母密养之,不令其父知之,至是始令见父。父亲说道:"五月儿刑克父母,养之何为?"衍对父亲说道:"若五月儿有损父母,则萧衍已生九岁,九年之间,曾有害于

① 放参——寺院中放免坐禅。

父母么？九岁之间，不曾伤克父母，则九岁之后，岂能刑克父母哉？请父亲勿疑。”其父异其说，其惑稍解。其叔萧懿闻之，说道：“此儿识见超卓，他日必大吾宗。”由此知其为不凡，每事亦与计议。

时有刺史李贲谋反，僭称越帝，置立官属，朝命将军杨瞟讨贲。杨瞟见李贲势大，恐不能取胜，每每来问计于萧懿，懿说：“有侄萧衍，年虽幼小，智识不凡，命世之才。我着人去请来，与他计议，必有个善处①。”萧懿忙使人召萧衍来见杨瞟，瞟见衍举止不常，遂致礼敬，虚心请问，要求破贲之策。衍说：“李贲蓄谋已久，兵马精强，士众归向。足下以一旅之师与彼交战，犹如以肉投虎，立见其败。闻贲跨据淮南，近逼广州。孙冏逗遛取罪，子雄失律赐死。贲志骄意满，不复顾忌。足下引大军屯于淮南，以一军与陈霸先抄贲之后，略出数千之众，与贲接战，勿与争强，佯败而走，引至淮南大屯之所，且淮南芦苇深曲，更兼地湿泥泞，不易驰骋，足下深沟高垒，不与接战，坐毙其锐；候得天时，因风纵火，霸先从后断其归路，诈为贲军逃溃，袭取其城。贲进退无路，必成擒矣。”瞟闻衍言，叹异惊服，拜辞而去。杨瞟依衍计策，随破了李贲。萧衍名誉益彰，远近羡慕，人乐归向。

衍有大志。一日，齐明帝要起兵灭魏，又恐高欢这枝人马强众，不敢轻发，特遣黄门召衍入朝问计。萧衍随着使者进到朝里，见明帝，拜舞已毕。明帝虽闻萧衍大名，却见衍年纪幼小，说道：“卿年幼望重，何才而能？”萧衍回奏道：“学问无穷，智识有限，臣不敢以才事陛下。”明帝悚然启敬，不以小儿待之。因与衍计议：“要伐魏，灭尔朱氏②，只是高欢那厮士众兵强，故与卿商议。”衍奏道：“所谓众者，得众人之死；所谓强者，得天下之心。今尔朱氏凶暴狡猾，淫恶滔天，高欢反复挟诈，窃窥不轨，名虽得众，实失士心。况君臣异谋，各立党与，不能固守其常也。陛下选将练兵，声言北伐，便攻其东，彼备其东，我罢其战。今年一师，明年一旅，日肆侵扰，使彼不安，自然困毙。且上下不和，国必内乱；陛下因其乱而乘之，蔑不胜矣。”明帝闻言大悦，留衍在朝，引入宫内，皇后妃嫔时常相见，与衍日亲日近。衍赞画既多，勋劳日积，累官至雍州刺史。

---

① 善处——好办法。

② 尔朱氏——指尔朱荣。北魏明帝时任并肆等六州都督。胡太后鸩杀明帝，尔朱荣起兵入洛阳，沉胡太后于河，立庄帝。后被庄帝诱入朝杀死。

后至齐主宝卷,惟喜游嬉,荒淫无度,不接朝士,亲信宦官。萧衍闻之,谓张弘策曰:"当今始安王遥光、徐孝嗣等,六贵①同朝,势必相乱。况主上慓虐嫌忌,赵王伦反迹已形,一朝祸发,天下土崩,不可不为自备。"于是衍乃密修武备,招聚骁勇数万,多伐竹木,沉之檀溪,积茅如冈阜。齐主知萧衍有异志,与郑植计议,欲起兵诛衍。郑植奏道:"萧衍图谋日久,士马精强,未易取也。莫若听臣之计,外假加爵温旨,衍必见臣,因而刺杀之,一匹夫之力耳,省了许多钱粮兵马。"齐主大喜,即便使郑植到雍州来,要刺杀萧衍。惊动了光化寺空谷长老,知道此事,就托个梦与萧衍。长老拿着一卷天书,书里夹着一把利刃,递与萧衍。衍醒来,自想道:"明明的一个僧人,拿这夹刀的一卷天书与我,莫非有人要来刺我么?明日且看如何。"只见次日有人来报道,朝廷使郑植赍诏书要加爵一事,萧衍自说道:"是了。"且不与郑植相见,先使人安排酒席,在宁蛮长史郑绍寂家里,都埋伏停当了,与郑植相见,说道:"朝廷使卿来杀我,必有诏书。"郑植赖道:"没有此事。"萧衍喝一声道:"与我搜看。"只见帐后跑出三四十个力士,就把郑植拿下,身边搜出一把快刀来,又有杀衍的密诏。萧衍大怒,说道:"我有甚亏负朝廷,如何要刺杀我?"连夜召张弘策计议起兵,建牙树旗,选集甲士二万余人,马千余匹,船三十余艘,一齐杀出檀溪来。昔日所贮下竹木茅草,葺束立办。又命王茂、曹景宗为先锋,军至汉口,乘着水涨,顺流进兵,就袭取了嘉湖地方。

且说郢城与鲁城,这两个城是嘉湖的护卫,建康的门户。今被王先锋袭取了嘉湖,这两处守城官,心胆惊落,料道敌不过,彼此相约投降。这建康就如没了门户的一般,无人敢敌,势如破竹,进克建康。兵至近郊,齐主游骋如故,遣将军王珍国等,将精兵十万陈于朱雀航②。被吕僧珍纵火焚烧其营,曹景宗大兵乘之,将士殊死战,鼓噪震天地。珍国等不能抗,军遂大败。衍军长驱进至宣阳门③,萧衍兄弟子侄皆集,将军徐元瑜以东府城降,李居士以新亭降。十二月,齐人遂弑宝卷。萧衍以太后令,追废宝卷

① 六贵——南朝齐废帝东昏侯宠信杨州刺史始安王萧遥光、尚书令徐孝嗣、右仆射江祐、右将军萧坦之、侍中江祀、卫尉刘暄,当时称为六贵。

② 朱雀航——六朝时,建康(今南京)南五里朱雀门前秦淮河上设有浮航,称为朱雀航,有警时则撤除。

③ 宣阳门——建康城的正南门。

为东昏侯,加衍为大司马,迎宣德太后入宫称制①。衍寻自为国相,封梁国公,加九锡②。黄复仁化生之时,却原来养娘转世为范云,二女侍一转世为沈约,一转世为任昉,与梁公同在竟陵王西府为官,也是缘会③,自然义气相合。至是梁公引云为谘议,约为侍中,昉为参谋。二年夏四月,梁公萧衍受禅,称皇帝,废齐主为巴陵王,迁太后于别宫。

梁主虽然马上得了天下,终是道缘不断,杀中有仁,一心只要修行。梁主因兵兴多故,与魏连和。一日,东魏遣散骑常侍李谐来聘。梁主与谐谈久,命李谐出得朝,更深了不及还宫,就在便殿斋阁中宿歇。散了宫嫔诸官,独自一个默坐,在阁儿里开着窗看月。约莫三更时分,只见有三五十个青衣使人,从甬巷中走到阁前来,内有一个口里唱着歌,歌:

从入牢笼羁绊多,也曾罹毕走洪波。
可怜明日庖丁解,不复辽东④《白蹢歌》⑤。

梁主听这歌,心中疑惑,这一班人走近,朝着梁主叩头奏道:"陛下仁民爱物,恻隐慈悲,我等俱是太庙中祭祀所用牲体,百万生灵,明日一时就杀。伏愿陛下慈悲,赦宥某等苦难,陛下功德无量。"梁主与青衣使人说道:"太庙一祭,朕如何知道杀戮这许多牲体?朕实不忍。来日朕另有处。"这青衣人一齐叩头哀祈,涕泣而去。梁主次日早朝,与文武各官说昨夜斋阁中见青衣之事,又说道:"宗庙致敬,固不可已;杀戮屠毒,朕亦不忍。自今以后,把粉面代做牺牲,庶使祀典不废,仁恻亦存,两全无害。"永为定制,谁敢违背?

梁主每日持斋奉佛,忽夜间梦见一伙绛衣神人,各持旌节,祥麟凤辇,千百诸神,各持执事护卫,请梁主去游冥府。游到一个大宝殿内,见个金冠法服神人,相陪游览。每到一殿,各有主事者都来相见。有等善人,安

---

① 称制——太后代行皇帝职权。

② 九锡——皇帝赐与功臣以示宠异的九种舆服器仗,即一车马、二衣服、三乐则、四朱户、五纳陛、六虎贲、七弓矢、八𫓧钺、九秬鬯。

③ 缘会——缘分、夙缘。

④ 辽东——汉代寓言,辽东有猪,生小猪白头,人以为异,将献之。来到河东,见群猪皆白,惭愧而返。这里的辽东,就是隐指猪。

⑤ 《白蹢歌》——蹢,就是蹄。《诗经》有"有豕白蹢"的话,所以《白蹢歌》,即猪的歌。

乐从容，优游自在，仙境天堂，并无挂碍；有等恶人，受罪如刀山血海，拔舌油锅，蛇伤虎咬，诸般罪孽。又见一伙蓝缕贫人，蓬头跣足，疮毒遍体，种种苦恼，一齐朝着梁主哀告："乞陛下慈悲超救！某等俱是无主孤魂，饥饿无食。久沉地狱。"梁主见说，回曰："善哉，善哉！待朕回朝，即超度汝等。"诸罪人皆哀谢。末后到一座大山，山有一穴，穴中伸出一个大蟒蛇的头来，如一间殿屋相似，对着梁主昂头而起。梁主见了，吃一大惊，正欲退走，只见这蟒蛇张开血池般口，说起话来，叫道："陛下休惊，身乃郗后也。只为生前嫉妒心毒，死后变成蟒身，受此业报。因身躯过大，旋转不便，每苦腹饥，无计求饱。陛下如念夫妇之情，乞广作佛事，使妾脱离此苦，功德无量。"原来郗后是梁主正宫，生前最妒，凡帝所幸宫人，百般毒害，死于其手者，不计其数。梁主无可奈何，闻得鸧鹒①鸟作羹，饮之可以治妒，乃命猎户每月责取鸧鹒百头，日日煮羹，充入御馔进之，果然其妒稍减。后来郗后闻知其事，将羹泼了不吃，妒复如旧。今日死为蟒蛇，阴灵见帝求救。梁主道："朕回朝时，当与汝忏悔前业。"蟒蛇道："多谢陛下仁德，妾今送陛下还朝，陛下勿惊。"说罢那蟒蛇舒身出来，大数百围，其长不知几百丈。梁主吓出一身冷汗，醒来乃南柯一梦②，咨嗟到晓。次日朝罢，与众僧议设盂兰盆大斋③，又造《梁皇宝忏》。说这盂兰盆大斋者，犹中国言普食也，盖为无主饿鬼而设也。《梁皇忏》者，梁主所造，专为郗后忏悔恶业，兼为众生解释其罪。冥府罪人，因梁主设斋造经二事，即得超救一切罪业，地狱为彼一空。梦见郗后如生前装束，欣然来谢道："妾得陛下宝忏之力，已脱蟒身生天，特来拜谢。"又梦见百万狱囚，皆朝着梁主拜谢，齐道："皆赖陛下功德，幸得脱离地狱。"

梁主以此奉佛益专，屡诏寻访高僧礼拜，阐明其教，未得其人。闻得有个榼头和尚，精通释典，遣内侍降敕，召来相见。榼头和尚随着使命而来，武帝在便殿，正与侍中沈约弈棋，内侍禀道："奉敕唤榼头师已在午门外听旨。"适值武帝用心在围棋上，算计要杀一段棋子，这里连禀三次，武

---

① 鸧鹒(cāng gēng)——"黑枕黄鹂"的别称。

② 南柯一梦——唐李公佐《南柯太守传》云，淳于棼梦到槐安国，国王妻以女，任为南柯郡太守。醒来寻觅，乃是槐树下蚁穴。所以后人常称梦境为"南柯"。

③ 盂兰盆大斋——佛教中于七月十五日做佛事，施佛斋僧，称为盂兰盆斋。

帝全不听得,手持一个棋子下去,口里说道:“杀了他罢。”武帝是说杀那棋子,内侍只道要杀榼头和尚。应道:“得旨。”便传旨出午门外,将榼头和尚斩讫。武帝完了这局围棋,沈约奏道:“榼头师已唤至,听宣久矣。”武帝忙呼内侍教请和尚进殿相见,内侍奏道:“已奉旨杀了。”武帝大惊,方悟杀棋时误听之故,乃问内侍道:“和尚临刑有何言语?”内侍奏道:“和尚说前劫为小沙弥时,将锄去草,误伤一曲蟮之命。帝那时正做曲蟮,今生合偿他命,乃理之当然也。”武帝叹惜良久,益信轮回报应之理,乃传旨厚葬榼头和尚。一连数日,心中怏怏不乐。

沈约窥知帝意,乃遣人遍访名僧。忽闻得有个圣僧法号道林支长老,在建康十里外结茅而居,在那里修行。乃奏知梁主,梁主即命侍中沈约去访其僧。约旌旗车马,仆从都盛,势如山岳,惊动远近。一路传呼,道林自在庵中打坐,寂然不动。沈约走到榻前说道:“和尚知侍中来乎?”道林张目说道:“侍中知和尚坐乎?”沈约又说道:“和尚安身处所那里得来的?”道林回话道:“出家人去住无碍。”只说得这一声,这个庵连里面僧人一切都不见了,只剩得一片白地。沈约吃这一惊不小,晓得真是圣僧,慌忙望空下拜道:“弟子肉眼凡庸,烦望吾师慈悲。非约僭妄,乃朝廷所使,约不得不如此。”支公仍见沈约,就留沈约吃些斋饭。沈约恳求禅旨指迷,支公与沈约口号云:

　　粟事护前,断舌何缘?欲解阴事,赤章奏天。

纸后又写十来个“隐”字。为何支公有此四句口号?一日,豫州献二寸五分大栗子,梁主与沈约各默书栗子故事,沈约故意少书三事,乃云:“不及陛下。”出朝语人曰:“此公护前。”盖言梁主护短也。后梁主知道,以此憾约。断舌之事:约与范云劝武帝受禅,约病中梦齐和帝以剑割其舌。约恐惧,命道士密为赤章奏天,以禳其孽。都是沈约的心事,无人知得,被支公说着了。沈约惊得一身冷汗,魂不附体,木呆了一会,又再三拜问“隐”字之义。支公为何连写这十来个“隐”字?日后沈约身死,朝议欲谥沈约为文侯。梁主恨约,不肯谥为文侯,说道:“情怀不尽为‘隐’。”改其谥为隐侯。支公所书前二事,是沈约已往之事;后谥法一事,是沈约未来之事,沈约如何便悟得出来?再三拜求,定要支公明示。支公说道:“天机不可尽泄,侍中日后自应。”说罢,依先闭着眼坐去了。

沈约怅然而归,回见武帝,把支公变化之事,备细奏上武帝。武帝说道："世上真有仙佛，但俗人未晓耳。"武帝传旨，来日銮舆幸其庵，命集文武大臣，起二万护卫兵，仪从卤簿，旗幡鼓吹，一齐出城，竟到庵里来迎支公。支公已先知了，庵里都收拾停当，似有个起行的模样。武帝与沈约到得庵里，相见支公，武帝屈尊下拜，尊礼支公为师。行礼已毕，支公说道："陛下请坐，受和尚的拜。"武帝说道："那曾见师拜弟？"支公答道："亦不曾见妻抗夫。"只这一句话头，武帝听了，就如提一桶冷水，从顶门上浇下来，遍身苏麻。此时武帝心地不知怎地忽然开明，就省悟前世黄复仁、童小姐之事，二人点头解意，眷眷不已。武帝就请支公一同在銮舆里回朝，供养在便殿斋阁里。武帝每日退朝，倒到阁子中，与支公参究禅理，求解了悟。支公与武帝道："我在此终是不便，与陛下别了，仍到庵里去住。"武帝道："离此间三十里，有个白鹤山，最是清幽仙境之所。朕去建造个寺刹，请师傅到那里去住。"支公应允了。武帝差官督造这个山寺，大兴工作，极土木之美，殿刹禅房，数千百间，资费百万，取名同泰寺，夫妇同登佛地之意。四方僧人来就食者，千百余人。支公供养在同泰寺，一年有余。

梁主有个昭明太子①，年方六岁，能默诵五经，聪明仁孝。一日，忽然四肢不举，口眼紧闭，不知人事。合宫慌张，来告梁主。遍召诸医，皆不能治。梁主道："朕得此子聪明，若是不醒，朕亦不愿生了。"举朝惊恐，东宫一班宫嫔宫属奏道："太子虽然不省人事，身体犹温，陛下何不去见支太师，问个备细如何？"武帝忙排驾，到同泰寺见支公，说太子死去缘故。支公道："陛下不须惊张，太子非死也，是尸蹶也。昔秦穆公曾游天府，闻钧天之乐，七日而苏。赵简子亦游于天，五日而苏。射熊之事，符契扁鹊之言，命董安于书于宫。今太子亦在天上已四日矣，因忉利天②有恒伽阿做青梯优迦会，为听仙乐忘返，被三足神乌啄了一口，西王母已杀是乌。太子还在天上。我为陛下取来。"梁主下拜道："若得太子更生，朕情愿与太子一同舍身在寺出家。"支公言："陛下第还宫，太子已苏矣。"梁主急回朝，见太子复生，搂抱太子，父子大哭起来。又说道："我儿，因你蹶了这

① 昭明太子——梁武帝长子萧统，天监中立为皇太子，三十一岁就死了，死后谥为昭明。

② 忉利天——佛经上称三十三天为忉利天。

几日,惊得我死不得死,生不得生,好苦!”太子回话道:“我在天上看做会,被神乌啄了手,上帝命天医与我敷药。正要在那里耍,被个僧人抱了下来。”梁主说道:“这个师傅,是支长老,明日与你去礼拜长老。”又说舍身之事。梁主致斋三日,先着天厨官来寺里办下大斋,普济群生,报答天地。梁主与太子就舍身在寺里。太子有诗一首云:

粹宇迎阊阖,天衢尚未央。
鸣辂和鸾凤,飞旆入羊肠。
谷静泉通峡,林深树奏琅。
火树含日炫,金刹接天长。
月迥塔全见,烟生楼半藏。
法雨香林泽,仁风颂圣王。
皈依惟上乘,宿化喜陶唐。
且进香胡饭,山樱处处芳。
长生容有外,诸福被遐方。

梁主、太子在寺里一住二十余日,文武臣僚耆老百姓都到寺里请梁主回朝,梁主不允。太后又使宦官来请回朝,梁主也不肯回去。支公夜里与梁主说道:“爱欲一念,转展相侵,与陛下还有数年魔债未完,如何便能解脱得去?陛下必须还朝,了这孽缘,待时日到来,自无住碍。”梁主见说依允。次日,各官又来请梁主回朝。梁主与各官说:“朕已发誓舍身,今日又没缘故,便回了朝,这是虚语。朕有个善处:如要朕回朝,须是各出些钱财,赎朕回去才可。朕舍得一万两,各官舍一万两,太后舍一万两,都送在寺里来供佛斋僧,朕方可与太子回朝。”各官太后都送银子在寺里,梁主也发一万银子,送到寺里来,梁主才回朝。

无多时,适有海西一个大秦犁鞬①国,辖下有个条枝国,其人长八九尺,食生物,最猛悍,如禽兽一般;又善为妖妄眩惑,如吞刀吐火,屠人截马之术。闻得梁主受禅,他却要起倾国人马,来与大梁归并。边海守备官闻知这个消息,飞报与梁主知道。梁主见报,与文武官员商议:“别的要厮杀都不打紧,若说这条枝国人马,怎生与他对敌?如何是好?各官有能为朕领兵去敌得他,重加官职。”各官听得说,都面面相看,无人敢去迎敌。

① 鞬(jiān)。

侍中范云奏道:“臣等去同泰寺与道林长老求个善处道理。”梁主道:“朕须自去走一遭。”梁主慌忙命驾来到寺里,礼拜支长老,把条枝国要来厮杀归并,备说一遍。支公说道:“不妨事,条枝国要过西海方才转洋入大海,一千七百里到得明州;明州过二三条江,才到得建康。明州有个释迦真身舍利塔,是阿育王所造,藏释迦佛爪发舍利于塔中。这塔寺非是无故而设,专为镇西海口子,使彼不得来暴中国,说不尽的好处。今塔已倒坏了,陛下若把这塔依先修起来,镇压风水,老僧上祝释迦阿育王佛力护持,条枝国人马,如何过得海来?”梁主见说,连忙差官修造释迦塔,要增高做九十丈,刹高十丈,与金陵长干塔①一般。钱粮工力,不计其数。

这里正好修造,说这大秦犁鞬王,催促条枝国,兴起十万人马,海船千艘,精兵猛将,都过大海,要来厮并②。道林长老入定时,见这景象。次日,来请梁主在寺里,打个释迦阿育王大会。长老拜佛忏祝,武帝也释去御服,持法衣,行清净大舍,素床瓦器,亲为礼拜讲经。你看这佛力浩大,非同小可!这里祈佛做会,那条枝国人马,下得海,开船不到三四日,就阻了飓风,各船几乎覆没。躲得在海中一个阿耨屿岛里住下,等了十余日,风息了,方敢开船。不到一会间,风又发了,白浪滔天,如何过得来?仍旧回洋,躲在岛里。不开船便无风,若要开船就有风。条枝国大将军乾笃说道:“却不是古怪!不开船便无风,一要开船风就发起来,还是中国天子福分。天若容我们去厮并,看这光景,便过得海,也未必取胜他们,不若回了兵罢。”把船回得洋时,风也没了,顺顺的放回去。乾笃领着众头目,来见大秦国王满屈,备说这缘故。满屈说道:“中国天子弘福,我们终是小邦,不可与大国抗礼。”令乾笃领几个头目,修一通降表,进贡狮子、犀牛、孔雀、三足雉、长鸣鸡,一班夷官来朝拜进贡。梁主见乾笃说阻风不敢过海一事,自知修塔的佛力,以此深信释教,奉事益谨。

梁王恃中国财力,欲并二魏,遂纳侯景之降。景事东魏高欢,景左足偏短,不长弓马,而谋算诸将莫及,尝与高欢言:“愿得精兵三万,横行天下,渡江缚取萧老,公为太平主。”欢大喜,使将兵十万,专制河南。适欢死,梁主因欢子高澄素与景不和,用反间高澄,澄果疑景,作为欢书召景,

① 长干塔——建康南长干寺塔,梁简文帝所建。

② 厮并——决斗、决战。

景发书知澄诈，遂据河南叛魏。景遂使郎中丁和奉降表于梁主，举河南十三州归附。梁主正月丁卯夜，梦中原牧守皆以地来降。次日，见朱异说梦中之事，异奏道："此宇内混一之兆也。"及丁和奉降表见梁主，言景定降计，实是正月乙卯。梁主益神其事，遂纳景降，封景为河南王，又发兵马助景。那里晓得侯景反复凶人，他知道临贺王萧正德，屡以贪暴得罪于梁主，正德阴养死士，只愿国家有变，景因致书于正德，书云：

天子年尊，奸臣乱国。大王属当储贰①，今被废黜，景虽不才，实思自效。

正德得书大喜，暗地与景连和，又致书与景，书云：

仆为其内，公为其外，何为不济？事机在速，今其时矣。

说这侯景与正德密约，遂诈称出猎起兵。十月，袭谯州，执刺史萧泰。又攻破历阳，太守庄铁以城投降，因说侯景曰："国家承平岁久，人不习战斗，大王举兵，内外震骇。宜乘此际，速趋建康，兵不血刃，而成大功。若使朝廷徐得为备，使羸兵千人，直据采石，虽有精甲百万，不能济矣。"景闻大悦，遂以铁为导引。梁主不知正德与景暗通，反令正德督军屯丹阳。正德遣大船数十艘，诈称载荻②，暗济景众。侯景得渡，遂围台城③，昼夜攻城不息。被董勋引景众登城，就据了台城。把梁主拘于太极东堂④，以五百甲士防卫内外，周围铁桶相似。

景遂入宫，恣意肆取宫中宝玩珍鼎前代法器之类，又选美好宫嫔，名姬千数，悉归于己。景阴体弘壮，淫毒无度，夜御数十人，犹不遂其所欲。闻溧阳公主⑤音律超众，容色倾国，欲纳为妃。遂使小黄门田香儿，以紫玉软丝同心结儿一奁，并合欢水果，盛以金泥小盒，密封遗公主。公主启看，左右皆怒，劝主碎其盒，拒而不纳。公主曰："不然，非尔辈所知。侯王天下豪杰，父王昔曾梦猕猴升御榻，正应今日。我不束身归侯王，则萧氏无遗类矣。"遂以双凤名锦被，珊瑚嵌金交莲枕，遗侯景。景见田香儿

---

① 储贰——皇太子。

② 荻（dí）——多年生草本植物。

③ 台城——建康宫城。

④ 太极东堂——建康宫中太极殿，有东、西堂。

⑤ 溧阳公主——梁简文帝的女儿。

回奏,大悦,遣亲近左右数十人迎公主。定情之夕,景虽狎①毒万端,主亦曲为忍受。日亲不移,致景宠结,得以颠倒是非,妨于朝务,保全公族,主之力也。后王伟劝景废立,尽除衍族,主与伟忤,爱弛。

梁主既为侯景所制,不得来见支公。所求多不遂意,饮膳亦为所裁节。忧愤成疾,口苦索蜜不得,荷荷而殂,年八十六岁。景秘不发丧,支长老早已知道,况时节已至,不可待也,在寺里坐化了。

且说梁湘东王绎痛梁主被景幽死,遂自称假黄钺②大都督中外诸军,承制起兵,来诛侯景。先使竟陵太守王僧辩领五千人马,来复台城。军到湘州地方,僧辩暗令赵伯超来探听侯景消息。伯超恐路上不好行,装做个平常商人,行到柏桐尖山边深林里走过,望见梁主与支公二人,各倚着一杖,缓缓的行来。伯超走近,见了梁主,吃这一惊不小,连忙跪下奏道:“陛下与长老因甚到此?今要往何处去?”梁主回答道:“朕功行已满,与长老往西天竺极乐国去。有封书寄与湘东王,正没人可寄,卿可仔细收好,与朕寄去。”说了,梁主就袖中取出书,递与赵伯超。伯超刚接得书,就不见了梁主与支公。后伯超探听侯景消息,回复王僧辩,忙将书送上湘东王,说见梁主一事。湘东王拆开书看,是一首古风,诗云:

奸虏窃神器,毒痛流四海。
嗟哉萧正德,为景所愚卖。
凶逆贼君父,不复为翊戴。
惟彼湘东王,愤起忠勤在。
落星霸先谋③,使景台城败;
窜身依答仁,为鸱所屠害;
身首各异处,五子诛夷外;
暴尸陈市中,争食民心快!
今我脱敝履,去住两无碍;
极乐为世尊,自在兜利界④。

---

① 狎——毒。
② 假黄钺——黄钺,就是金斧,为帝王的仪仗。大将假黄钺,表示特殊的宠命。
③ 落星霸先谋——梁元帝承圣元年,王僧辩、陈霸先进军建康,于石头城西连营立栅,直至落星墩;用陈霸先的计策,大败侯景。
④ 兜利界——即兜率天,佛经上所谓欲界六天的第四天。

篡逆安在哉？铁钺诛千载。

湘东王读罢是诗，泪涕潜流，不胜呜咽。后王僧辩、陈霸先攻破侯景，景竟欲走吴依答仁。羊侃二子羊鹍杀之，暴景尸于市，民争食之，并骨亦尽。溧阳公主亦食其肉，雪冤于天，期以自死。景五子皆被北齐杀尽。于诗无一不验。诗曰：

堪笑世人眼界促，只就目前较祸福。
台城去路是西天，累世证明有空谷。

# 第三十八卷　任孝子烈性为神

参透"风流"二字禅，好姻缘作恶姻缘。痴心做处人人爱，冷眼观时个个嫌。闲花野草且休拈，赢得身安心自然。山妻本是家常饭，不害相思不费钱。

这首词，单道着色欲乃忘身之本，为人不可苟且。

话说南宋光宗朝绍熙元年，临安府在城清河坊①南首升阳库②前有个张员外，家中巨富，门首开个川广生药铺。年纪有六旬，妈妈已故。止生一子，唤着张秀一郎，年二十岁，聪明标致。每日不出大门，只务买卖。父母见子年幼，抑且买卖其门如市，打发不开。铺中有个主管，姓任名珪，年二十五岁。母亲早丧，止有老父，双目不明，端坐在家。任珪大孝，每日辞父出，到晚才归参父，如此孝道。祖居在江干牛皮街③上。是年冬间，凭媒说合，娶得一妻，年二十岁，生得大有颜色，系在城内日新桥④河下做凉伞的梁公之女儿，小名叫做圣金。自从嫁与任珪，见他笃实本分，只是心中不乐，怨恨父母：千不嫁万不嫁，把我嫁在江干，路又远，早晚要归家不便。终日眉头不展，面带忧容，妆饰皆废。这任珪又向早出晚归，因此不满妇人之意。原来这妇人未嫁之时，先与对门周待诏之子名周得有奸。

---

① 清河坊——南宋临安朝天门内御街西坊名。清河坊北为融和坊，南为升阳宫。

② 升阳库——即升阳宫，南宋时户部点检所所属酒库的名称。

③ 牛皮街——在临安东南城外，钱塘江边上。

④ 日新桥——在临安城中御街东小河上。

此人生得丰姿俊雅，专在三街两巷，贪花恋酒，趋奉得妇人中意。年纪三十岁，不要娶妻，只爱偷婆娘。周得与梁姐姐暗约偷期，街坊邻里，那一个不晓得。因此梁公、梁婆又无儿子，没奈何只得把女儿嫁在江干，省得人是非。这任珪是个朴实之人，不曾打听仔细，胡乱娶了。不想这妇人身虽嫁了任珪，一心只想周得，两人余情不断。

荏苒光阴，正是：

　　看见垂杨柳，回头麦又黄。
　　蝉声犹未断，孤雁早成行。

忽一日，正值八月十八日潮生日①。满城的佳人才子，皆出城看潮。这周得同两个弟兄，俱打扮出候潮门②。只见车马往来，人如聚蚁。周得在人丛中丢撇了两个弟兄，潮也不看，一迳投到牛皮街那任珪家中来。原来任公每日只闭着大门，坐在楼檐下念佛。周得将扇子柄敲门，任公只道儿子回家，一步步摸出来，把门开了。周得知道是任公，便叫声："老亲家，小子施礼了。"任公听着不是儿子声音，便问："足下何人？有何事到舍下？"周得道："老亲家，小子是梁凉伞姐姐之子。有我姑表妹嫁在宅上，因看潮特来相访。令郎姐夫在家么？"任公双目虽不明，见说是媳妇的亲，便邀他请坐。就望里面叫一声："娘子，有你阿舅在此相访。"这妇人在楼上正纳闷，听得任公叫，连忙浓添脂粉，插戴钗环，穿几件色服，三步挪做两步，走下楼来。布帘内瞧一瞧："正是我的心肝情人！多时不曾相见。"走出布帘外，笑容可掬，向前相见。这周得一见妇人，正是：

　　分明久旱逢甘雨，赛过他乡遇故知。
　　只想洞房欢会日，那知公府献头时？

两个并肩坐下。这妇人见了周得，神魂飘荡，不能禁止。遂携周得手揭起布帘，口里胡说道："阿舅，上楼去说话。"这任公依旧坐在楼檐下板凳上念佛。

这两个上得楼来，就抱做一团。妇人骂道："短命的！教我思量得你成病，因何一向不来看我？负心的贼！"周得笑道："姐姐，我为你嫁上江头来，早晚不得见面，害了相思病，争些儿不得见你。我如常要来，只怕你

---

① 潮生日——每年旧历八月十八日钱塘江潮，最盛，俗称此日为潮生日。
② 候潮门——临安东南城门名。

老公知道,因此不敢来望你。”一头说,一头搂抱上床,解带卸衣,叙旧日海誓山盟,云情雨意。

霎时云收雨散,各整衣巾。妇人搂住周得在怀里道:“我的老公早出晚归,你若不负我心,时常只说相访,老子又瞎,他晓得甚么!只顾上楼和你快活,切不可做负心的。”周得答道:“好姐姐,心肝肉,你既有心于我,我决不负于你,我若负心,教我堕阿鼻地狱,万劫不得人身。”这妇人见他设咒,连忙捧过周得脸来,舌送丁香,放在他口里道:“我心肝,我不枉了有心爱你。从今后频频走来相会,切不可使我倚门而望。”道罢,两人不忍分别。只得下楼别了任公,一直去了。妇人对任公道:“这个是我姑娘的儿子,且是本分淳善,话也不会说,老实的人。”任公答道:“好,好。”妇人去灶前安排中饭与任公吃了,自上楼去了,直睡到晚。任珪回来,参了父亲,上楼去了。夫妻无话,睡到天明。辞了父亲,又入城而去。俱各不提。

这周得自那日走了这遭,日夜不安,一心想念。歇不得两日,又去相会,正是情浓似火。此时牛皮街人烟稀少,因此走动,只有数家邻舍,都不知此事。不想周得为了一场官司,有两个月不去相望。这妇人淫心似火,巴不得他来。只因周得不来,恹恹成病,如醉如痴。正是:

乌飞兔劫,朝来暮往何时歇?女娲只会炼石补青天,岂会熬胶粘日月?

倏忽又经元宵,临安府居民门首,扎缚①灯棚,悬挂花灯,庆贺元宵。不期这周得官事已了,打扮衣巾,其日巳牌时分,径来相望。却好任公在门首念佛,与他施礼罢,径上楼来。袖中取出烧鹅熟肉,两人吃了,解带脱衣上床。如糖似蜜,如胶似漆,恁意颠鸾倒凤,出于分外绸缪。日久不曾相会,两个搂做一团,不舍分开。耽搁长久了,直到申牌时分,不下楼来。这任公肚中又饥,心下又气,想道:“这阿舅今日如何在楼上这一日?”便在楼下叫道:“我肚饥了,要饭吃!”妇人应道:“我肚里疼痛,等我便来。”任公忍气吞声,自去门前坐了,心中暗想:“必有跷蹊,今晚孩儿回来问他。”这两人只得分散,轻轻移步下楼,款款开门,放了周得去了。那妇人假意叫肚痛,安排些饭与任公吃了,自去楼上思想情人,不在话下。

① 扎缚——捆缚、结扎。

却说任珪到晚回来，参见父亲。任公道："我儿且休要上楼去，有一句话要问你。"任珪立住脚听，任公道："你丈人丈母家，有个甚么姑舅的阿舅，自从旧年八月十八日看潮来了这遭，以后不时来望，径直上楼去说话，也不打紧；今日早间上楼，直到下午，中饭也不安排我吃。我忍不住叫你老婆，那阿舅听见我叫，慌忙去了。我心中十分疑惑，往日常要问你，只是你早出晚回，因此忘了。我想男子汉与妇人家在楼上一日，必有奸情之事。我自年老，眼又瞎，管不得，我儿自己慢慢访问则个。"任珪听罢，心中大怒，火急上楼。端的是：

口是祸之门，舌为斩身刀。

闭口深藏舌，安身处处牢。

当时任珪大怒上楼，口中不说，心下思量："我且忍住，看这妇人分豁①。"只见这妇人坐在楼上，便问道："父亲吃饭也未？"答应道："吃了。"便上楼点灯来，铺开被，脱了衣裳，先上床睡了。任珪也上床来，却不倒身睡去，坐在枕边问那妇人道："我问你家那有个姑长阿舅，时常来望你？你且说是那个。"妇人见说，爬将起来，穿起衣裳，坐在床上。柳眉剔竖，娇眼圆睁，应道："他便是我爹爹结义的妹子养的儿子，我的爹娘记挂我，时常教他来望我。有甚么半丝麻线②！"便焦躁发作道："兀谁在你面前说长道短来？老娘不是善良君子，不裹头巾的婆婆！洋③块砖儿也要落地，你且说是谁说黄道黑，我要和你会同问得明白。"任珪道："你不要嚷！却才父亲与我说，今日甚么阿舅，在楼上一日，因此问你则个。没事便罢休，不消得便焦躁。"一头说，一头便脱衣裳自睡了。那妇人气喘气促，做神做鬼，假意儿装妖作势，哭哭啼啼道："我的父母没眼睛，把我嫁在这里。没来由教他来望，却教别人说是道非。"又哭又说。任珪睡不着，只得爬起来，那妇人头边搂住了，抚恤道："便罢休，是我不是。看往日夫妻之面，与你赔话便了。"那妇人倒在任珪怀里，两个云情雨意，狂了半夜，俱不提了。

任珪天明起来，辞了父亲入城去了。每日巴巴结结，早出晚回。那痴婆一心只想要偷汉子，转转寻思："要待何计脱身？只除寻事回到娘家，

① 分豁——分解、开脱。

② 半丝麻线——些微私弊。下面无丝有线，即无私有弊。

③ 洋——同漾。抛、撒。

方才和周得做一块儿,要个满意。"日夜挂心,捻指又过了半月。

忽一日饭后,周得又来,拽开门儿径入,也不与任公相见,一直上楼。那妇人向前搂住,低声说道:"叵耐这瞎老驴,与儿子说道你常来楼上坐定说话,教我分说得口皮都破,被我葫芦提①瞒过了。你从今不要来,怎地教我舍得你?可寻思计策,除非回家去与你方才快活。"周得听了,眉头一簇,计上心来:"如今屋上猫儿正狂,叫来叫去。你可漏屋处抱得一个来,安在怀里,必然抓碎你胸前。却放了猫儿,睡在床上啼哭。等你老公回来,必然问你。你说:'你的好爷,却来调戏我;我不肯顺他,他将我胸前抓碎了。'你放声哭起来,你的丈夫必然打发你归家去。我每日得和你同欢同乐,却强如偷鸡吊狗,暂时相会。且在家中住了半年三个月,却又再处。此计大妙!"妇人伏②道:"我不枉了有心向你,好心肠,有见识!"二人和衣倒在床上调戏了。云雨罢,周得慌忙下楼去了。正是:

老龟烹不烂,移祸于枯桑。

那妇人伺候了几日,忽一日,捉得一个猫儿,解开胸膛,包在怀里。这猫儿见衣服包笼,舒脚乱抓。妇人忍着疼痛,由他抓得胸前两奶粉碎。解开衣服,放他自去。此是申牌时分,不做晚饭,和衣倒在床上,把眼揉得绯红,哭了叫,叫了哭。将近黄昏,任珪回来,参了父亲。到里面不见妇人,叫道:"娘子,怎么不下楼来?"那妇人听得回了,越哭起来。任珪径上楼,不知何意,问道:"吃晚饭也未?怎地又哭?"连问数声不应。那淫妇巧生言语,一头哭,一头叫道:"问甚么!说起来妆你娘的谎子③。快写休书,打发我回去,做不得这等猪狗样人!你若不打发我回家去,我明日寻个死休!"说了又哭。任珪道:"你且不要哭,有甚事对我说。"这妇人爬将起来,抹了眼泪,擗开胸前,两奶抓得粉碎,有七八条血路,教丈夫看了道:"这是你好亲爷干下的事!今早我送你出门,回身便上楼来。不想你这老驴老畜生,轻手轻脚跟我上楼,一把双手搂住,摸我胸前,定要行奸。吃我不肯,他便将手把我胸前抓得粉碎,那里肯放!我慌忙叫起来,他没意思,方才摸下楼去了。教我眼巴巴地望你回来。"说罢,大哭起来,道:"我

① 葫芦提——湖涂、含糊。

② 伏——佩服、倾倒。

③ 妆谎子——出丑、露乖。

家不是这般没人伦畜生驴马的事。”任珪道：“娘子低声！邻舍听得，不好看相。”妇人道：“你怕别人得知，明日讨乘轿子，抬我回去便罢休。”任珪虽是大孝之人，听了这篇妖言，不由得：

怒从心上起，恶向胆边生。

“正是‘画虎画皮难画骨，知人知面不知心’。罢罢，原来如此！可知道前日说你与甚么阿舅有奸，眼见得没巴鼻，在我面前胡说，今后眼也不要看这老禽兽！娘子休哭，且安排饭来吃了睡。”这妇人见丈夫听他虚说，心中暗喜，下楼做饭，吃罢去睡了。正是：

娇妻唤做枕边灵，十事商量九事成。

这任珪被这妇人情色昏迷，也不问爷却有此事也无。过了一夜，次早起来，吃饭罢，叫了一乘轿子，买了一只烧鹅，两瓶好酒，送那妇人回去。妇人收拾衣包，也不与任公说知，上轿去了。抬得到家，便上楼去。周得知道便过来，也上楼去，就搂做一团，倒在梁婆床上，云情雨意。周得道：“好计么？”妇人道：“端的你好计策！今夜和你放心快活一夜，以遂两下相思之愿。”两个狂罢，周得下楼去要买办些酒馔之类。妇人道：“我带得有烧鹅美酒，与你同吃。你要买时，只觅些鱼菜时果足矣。”周得一霎时买得一尾鱼，一只猪蹄，四色时新果儿，又买下一大瓶五加皮酒，拿来家里，教使女春梅安排完备，已是申牌时分。妇人摆开桌子，梁公梁婆在上坐了，周得与妇人对席坐了，使女筛酒，四人饮酒，直至初更。吃了晚饭，梁公梁婆二人下楼去睡了。这两个在楼上，正是：欢来不似今日，喜来更胜当初。正要称意停眠整宿，只听得有人敲门。正是：

日间不做亏心事，半夜敲门不吃惊。

这两个指望做一夜快活夫妻，谁想有人敲门。春梅在灶前收拾未了，听得敲门，执灯去开门。见了任珪，惊得呆了，立住脚头，高声叫道：“任姐夫来了！”周得听叫，连忙穿衣径走下楼。思量无处躲避，想空地里有个东厕，且去东厕躲闪。这妇人慢慢下楼道：“你今日如何这等晚来？”任珪道：“便是出城得晚，关了城门。欲去张员外家歇，又夜深了，因此来这里歇一夜。”妇人道：“吃晚饭了未？”任珪道：“吃了，只要些汤洗脚。”春梅连忙掇脚盆来，教任珪洗了脚。妇人先上楼，任珪却去东厕里净手。时下有人拦住，不与他去便好，只因来上厕，争些儿死于非命。正是：

恩义广施，人生何处不相逢？冤仇莫结，路逢狭处难回避。

任珪刚跨上东厕,被周得劈头揪住,叫道:"有贼!"梁公、梁婆、妇人、使女各拿一根柴来乱打。任珪大叫道:"是我,不是贼!"众人不由分说,将任珪痛打一顿。周得就在闹里一径走了。任珪叫得喉咙破了,众人方才放手。点灯来看,见了任珪,各人都呆了。任珪道:"我被这贼揪住,你们颠倒打我,被这贼走了。"众人假意埋怨道:"你不早说!只道是贼,贼倒却走了。"说罢,各人自去。任珪忍气吞声道:"莫不是藏甚么人在里面,被我冲破,到打我这一顿?且不要慌,慢慢地察访。"听那更鼓已是三更,去梁公床上睡了。心中胡思乱想,只睡不着。捱到五更,不等天明,起来穿了衣服便走。梁公道:"待天明吃了早饭去。"任珪被打得浑身疼痛,那有好气?也不应他,开了大门,拽上了,趁星光之下,直望候潮门来。

却忒早了些,城门未开。城边无数经纪行贩,挑着盐担,坐在门下等开门。也有唱曲儿的,也有说闲话的,也有做小买卖的。任珪混在人丛中,坐下纳闷。你道事有凑巧,物有偶然,正所谓:

吃食少添盐醋,不是去处休去。
要人知重勤学,怕人知事莫做。

当时任珪心下郁郁不乐,与决不下。内中忽有一人说道:"我那里有一邻居梁凉伞家,有一件好笑的事。"这人道:"有甚么事?"那人道:"梁家有一个女儿,小名圣金,年二十余岁。未曾嫁时,先与对门周待诏之子周得通奸。旧年嫁在城外牛皮街卖生药的主管叫做任珪。这周得一向去那里来往,被瞎阿公识破,去那里不得了。昨日归在家里,昨晚周得买了嗄饭好酒,吃到更尽。两个正在楼上快活,有这等的巧事,不想那女婿更深夜静,赶不出城,径来丈人家投宿。奸夫惊得没躲避处,走去东厕里躲了。任珪却去东厕净手,你道好笑么?那周得好手段,走将起来劈头将任珪揪住,倒叫:'有贼!'丈人、丈母、女儿,一齐把任珪烂酱打了一顿,奸夫逃走了。世上有这样的异事!"众人听说了,一齐拍手笑起来,道:"有这等没用之人!被奸夫淫妇安排,难道不晓得?"这人道:"若是我,便打一把尖刀,杀做两段!那人必定不是好汉,必是个煨脓烂板乌龟。"又一个道:"想那人不晓得老婆有奸,以致如此。"说了又笑一场。正是:

情知语是钩和线,从头钓出是非来。

当时任珪却好听得备细,城门正开,一齐出城,各分路去了。此时任珪不出城,复身来到张员外家里来,取了三五钱银子,到铁铺里买了一柄解腕尖刀①,和鞘插在腰间。思量钱塘门晏公庙②神明最灵,买了一只白公鸡,香烛纸马,提来庙里,烧香拜告:"神圣显灵!任珪妻梁氏,与邻人周得通奸,夜来……"如此如此,前话一一祷告罢,将刀出鞘,提鸡在手,问天买卦:"如若杀得一个人,杀下的鸡在地下跳一跳;杀他两个人,跳两跳。"说罢,一刀剁下鸡头,那鸡在地下一连跳了四跳,重复从地跳起,直从梁上穿过,坠将下来,却好共是五跳。当时任珪将刀入鞘,再拜,望神明助力报仇。化纸出庙,上街,东行西走,无计可施,到晚回张员外家歇了。没情没绪,买卖也无心去管。次日早起,将刀插在腰间,没做理会处。欲要去梁家干事,又恐撞不着周得,只杀得老婆也无用,又不了事。转转寻思,恨不得咬他一口。径投一个去处,有分教任珪小胆翻为大胆,善心改作恶心;大闹了日新桥,鼎沸了临安府。正是:

青龙与白虎同行,吉凶事全然未保。

这任珪东撞西撞,径到美政桥③姐姐家里,见了姐姐说道:"你兄弟这两日有些事故,爹在家没人照管,要寄托姐姐家中住几时,休得推故。"姐姐道:"老人家多住些时也不妨。"姐姐果然教儿去接任公,扶着来家。

这日任珪又在街坊上串了一回,走到姐姐家,见了父亲,将从前事,一一说过,道:"儿子被这泼淫妇虚言巧语,反说父亲如何如何,儿子一时被惑,险些堕他计中。这口气如何消得?"任公道:"你不要这淫妇便了,何须呕气?"任珪道:"有一日撞在我手里,决无干休!"任公道:"不可造次。从今不要上他门,休了他,别讨个贤慧的便罢。"任珪道:"儿子自有道理。"辞了父亲并姐姐,气忿忿的入城。恰好是黄昏时候,走到张员外家,将上件事一一告诉:"只有父亲在姐姐家,我也放得心下。"张员外道:"你且忍耐,此事须要三思而行。自古道:'捉奸见双,捉贼见赃。'倘或不了事,枉受了苦楚。若下在死囚牢中,无人管你。你若依我说话,不强如杀害人性命。冤家只可解,不可结。"任珪听得劝他,低了头,只不言语。员外教养娘安排酒饭相待,教去房里睡,明日再作计较。任珪谢了。到房中寸心如割,和衣倒在床上,翻来复去,延捱到四更尽了,越想越恼,心头火

① 解腕尖刀——即解手刀。随身携带的小佩刀。
② 晏公庙——在杭州钱塘门夹城巷内。相传晏公是一水神。
③ 美政桥——在临安东南嘉会门外。

按捺不住。起来抓扎①身体急捷②,将刀插在腰间,摸到厨下,轻轻开了门,靠在后墙。那墙苦不甚高,一步爬上墙头。其时夏末秋初,其夜月色正明如昼。将身望下一跳,跳在地上。道:"好了!"一直望丈人家来。

隔十数家,黑地里立在屋檐下,思量道:"好却好了,怎地得他门开?"踌躇不决。只见卖烧饼的王公,挑着烧饼担儿,手里敲着小小竹筒过来。忽然丈人家门开,走出春梅,叫住王公。将钱买烧饼。任珪自道:"那厮当死!"三步作一步,奔入门里,径投胡梯边梁公房里来。掇开房门,拔刀在手,见丈人、丈母俱睡着。心里想道:"周得那厮必然在楼上了。"按住一刀一个,割下头来,丢在床前。正要上楼,却好春梅关了门,走到胡梯边。被任珪劈头揪住,道:"不要高声!若高声,便杀了你。你且说,周得在那里?"那女子认得是任珪声音,情知不好了,见他手中拿刀,大叫:"任姐夫来了!"任珪气起,一刀砍下头来,倒在地下,慌忙大踏步上楼去杀奸夫淫妇。正是:

种瓜得瓜,种豆得豆。天网恢恢,疏而不漏。

当时任珪跨上楼来。原来这两个正在床上狂荡,听得王公敲竹筒,唤起春梅买烧饼,房门都不闭,卓上灯尚明。径到床边,妇人已知,听得春梅叫,假做睡着。任珪一手按头,一手将刀去咽喉下切下头来,丢在楼板上。口里道:"这口怒气出了,只恨周得那厮不曾杀得,不满我意。"猛想神前杀鸡五跳,杀了丈人、丈母、婆娘、使女,只应得四跳。那鸡从梁上跳下来,必有缘故。"抬头一看,却见周得赤条条的伏在梁上。任珪叫道:"快下来,饶你性命!"那时周得心慌,爬上去了,一见任珪,战战兢兢,慌了手脚,禁③了爬不动。任珪性起,从床上直爬上去,将刀乱砍,可怜周得从梁上倒撞下来。任珪随势跳下,踏住胸脯,搠了十数刀。将头割下,解开头发,与妇人头结做一处。将刀入鞘,提头下楼。到胡梯边,提了使女头,来寻丈人、丈母头,解开头发,五个头结做一块,放在地上。

此时东方大亮,心中思忖:"我今杀得快活,称心满意。逃走被人捉住,不为好汉。不如挺身首官,便吃了一剐,也得名扬于后世。"遂开了

---

① 抓扎——扎缚、收拾。
② 急捷——利落、迅速。
③ 禁——像被巫术禁住了一样,不能爬动。

门，叫两边邻舍，对众人道："婆娘无礼，人所共知。我今杀了他一家，并奸夫周得。我若走了，连累高邻吃官司，如今起烦①和你们同去出首。"众人见说未信，慌忙到梁公房里看时，老夫妻两口俱没了头。胡梯边使女尸倒在那里。上楼看时，周得被杀死在楼上，遍身刀搠伤痕数处，尚在血里，妇人杀在床上。众人吃了一惊，走下楼来。只见五颗头结做一处，都道："真好汉子！我们到官，依直与他讲就是。"道犹未了，嚷动邻舍、街坊、里正、缉捕人等，都来缚住任珪。任珪道："不必缚我，我自做自当，并不连累你们。"说罢，两手提了五颗头，出门便走。众邻舍一齐跟定，满街男子妇人，不计其数来看，哄动满城人，只因此起，有分教任珪，正是：

生为孝子肝肠烈，死作明神姓字香。

众邻舍同任珪到临安府，大尹听得杀人公事，大惊，慌忙升厅。两下公吏人等排立左右，任珪将五个人头，行凶刀一把，放在面前，跪下告道："小人姓任名珪，年二十八岁，系本府百姓，祖居江头牛皮街上。母亲早丧，止有老父，双目不明。前年冬间，凭媒说合，娶到在城日新桥河下梁公女儿为妻，一向到今。小人因无本生理，在卖生药张员外家做主管。早去晚回，日常间这妇人只是不喜。至去年八月十八日，父亲在楼下坐定念佛。原来梁氏未嫁小人之先，与邻人周得有奸。其日本人来家，称是姑舅哥哥来访，径自上楼说话。日常来往，痛父眼瞎不明。忽日父与小人说道：'甚么阿舅常常来楼上坐，必有奸情之事。'小人听得说，便骂婆娘。一时小人见不到，被这婆娘巧语虚言，说道老父上楼调戏。因此三日前，小人打发妇人回娘家去了。至日，小人回家晚了，关了城门，转到妻家投宿。不想奸夫见我去，逃躲东厕里。小人临睡，去东厕净手，被他劈头揪住，喊叫有贼。当时丈人、丈母、婆娘、使女，一齐执柴乱打小人，此时奸夫走了。小人忍痛归家，思想这口气没出处。不合夜来提刀入门，先杀丈人、丈母，次杀使女，后来上楼杀了淫妇。猛抬头，见奸夫伏在梁上，小人爬上去，乱刀砍死。今提五个首级首告，望相公老爷明镜。"大尹听罢，呆了半晌。遂问排邻②，委果供认是实。所供明白，大尹钧旨，令任珪亲笔供招。随即差个县尉，并公吏仵作人等，押着任珪到尸边检验明白。其日

① 起烦——劳驾、相烦。

② 排邻——邻居。

人山人海来看。

险道神①脱了衣裳,这场话非同小可。

当日一齐同到梁公家,将五个尸首一一检验讫,封了大门。县尉带了一干人犯,来府堂上回话道:"检得五个尸,并是凶身自认杀死。"大尹道:"虽是自首,难以免责。"交②打二十下,取具长枷枷了,上了铁镣手肘,令狱卒押下死囚牢里去。一干排邻回家。教地方公同作眼,将梁公家家财什物变卖了,买下五具棺材,盛下尸首。听候官府发落。

且说任珪在牢内,众人见他是个好男子,都爱敬他。早晚饭食,有人管顾。不在话下。

临安府大尹,与该吏③商量:任珪是个烈性好汉,只可惜下手忒狠了,周旋他不得。只得将文书做过,申呈刑部,刑部官奏过天子,令勘官勘得本犯奸夫淫妇,理合杀死。不合杀了丈人、丈母、使女,一家非死三人。着令本府待六十日限满,将犯人就本地方凌迟示众。梁公等尸首烧化,财产入官。

文书到府数日,大尹差县尉率领仵作、公吏、军兵人等,当日去牢中取出任珪。大尹将朝廷发落文书,教任珪看了。任珪自知罪重,低头伏死。大尹教去了锁枷镣肘,上了木驴。只见:

四道长钉钉,三条麻索缚。

两把刀子举,一朵纸花摇。

县尉人等,两棒鼓,一声锣,簇拥推着任珪,前往牛皮街示众。但见犯由牌④前引,棍棒后随。当时来到牛皮街,围住法场,只等午时三刻。其日看的人,两行如堵。将次午时,真可作怪,一时间天昏地黑,日色无光,狂风大作,飞砂走石,播土扬泥,你我不能相顾。看的人惊得四分五落,魄散魂飘。少顷,风息天明,县尉并刽子众人看任珪时,绑索长钉,俱已脱落,端然坐化在木驴之上。众人一齐发声道:"自古至今,不曾见有这般奇异的怪事。"监斩官惊得木麻,慌忙令仵作、公吏人等,看守任珪尸首。自己忙拍马到临安府,禀知大尹。大尹见说,大惊,连忙上轿,一同到法场看

---

① 险道神——出殡时在前引行的。开路神君。

② 交——同教。

③ 该吏——值班的吏员。

④ 犯由牌——犯由即罪状。犯由牌,即写着犯人罪状的木牌。

时，果然任珪坐化了。大尹径来刑部禀知此事，着令排邻地方人等，看守过夜。明早奏过朝廷，凭圣旨发落。次日巳牌时分，刑部文书到府，随将犯人任珪尸首，即时烧化，以免凌迟。县尉领旨，就当街烧化。城里城外人，有千千万万来看，都说："这样异事，何曾得见？何曾得见？"

却说任公与女儿，知得任珪死了，安排些羹饭，外甥挽了瞎公公，女儿抬着轿子，一齐径到当街祭祀了，痛哭一场。任珪的姐姐，教儿子挽扶着公公，同回家奉亲过世。

话休絮烦，过了两月余，每遇黄昏，常时出来显灵。来往行人看见者，回去便患病，备下羹饭纸钱当街祭献，其病即痊。忽一日，有一小儿来牛皮街闲耍，被任珪附体起来。众人一齐来看，小儿说道："玉帝怜吾是忠烈孝义之人，各坊城隍、土地保奏，令做牛皮街土地。汝等善人可就我屋基立庙，春秋祭祀，保国安民。"说罢，小儿遂醒。当坊邻佑，看见如此显灵，那敢不信？即日敛出财物，买下木植，将任珪基地盖造一所庙宇。连忙请一个塑佛高手，塑起任珪神像，坐于中间，虔备三牲福礼①祭献。自此香火不绝，祈求必应，其庙至今尚存。后人有诗题于庙壁，赞任珪坐化为神之事，诗云：

铁销石朽变更多，只有精神永不磨。
除却奸淫拚自死，刚肠一片赛阎罗。

# 第三十九卷　汪信之一死救全家

白发苏堤老妪，不知生长何年？相随宝驾共南迁，往事能言旧汴。

前度君王游幸，一时询旧凄然。鱼羹妙制味犹鲜，双手擎来奉献。

话说大宋乾道淳熙年间，孝宗皇帝登极，奉高宗为太上皇。那时金邦和好，四郊安静，偃武修文，与民同乐。孝宗皇帝时常奉着太上乘龙舟来西湖玩赏。湖上做买卖的，一无所禁，所以小民多有乘着圣驾出游，赶趁生意。只卖酒的也不止百十家。

---

① 福礼——祀神用的供品。

且说有个酒家婆姓宋，排行第五，唤做宋五嫂。原是东京人氏，造得好鲜鱼羹，京中最是有名的。建炎中随驾南渡，如今也侨寓苏堤赶趁。一日太上游湖，泊船苏堤之下，闻得有东京人语音，遣内官召来，乃一年老婆婆。有老太监认得他是汴京樊楼下住的宋五嫂，善煮鱼羹，奏知太上。太上提起旧事，凄然伤感，命制鱼羹来献。太上尝之，果然鲜美，即赐金钱一百文。此事一时传遍了临安府，王孙公子，富家巨室，人人来买宋五嫂鱼羹吃。那老妪因此遂成巨富。有诗为证：

一碗鱼羹值几钱？旧京遗制动天颜。
时人倍价来争市，半买君恩半买鲜。

又一日，御舟经过断桥。太上舍舟闲步，看见一酒肆精雅。坐启内设个素屏风，屏风上写《风入松》词一首，词云：

一春常费买花钱，日日醉湖边。玉骢惯识西湖路，骄嘶过沽酒楼前。红杏香中歌舞，绿杨影里秋千。　暖风十里丽人天，花压鬓云偏。画船载得春归去，余情付湖水湖烟。明日重移残酒，来寻陌上花钿。

太上览毕，再三称赏，问酒保此词何人所作？酒保答言："此乃太学生于国宝①醉中所题。"太上笑道："此词虽然做得好，但末句'重移残酒'，不免带寒酸之气。"因索笔就屏上改云："明日重扶残醉"。即日宣召于国宝见驾，钦赐翰林待诏。那酒家屏风上添了御笔，游人争来观看，因而饮酒，其家亦致大富。后人有诗，单道于国宝际遇②太上之事，诗曰：

素屏风上醉题词，不道君王眄睐奇。
若问姓名谁上达？酒家即是魏无知。

又有诗赞那酒家云：

御笔亲删墨未干，满城闻说尽争看。
一般酒肆偏腾涌，始信皇家雨露宽。

那时南宋承平之际，无意中受了朝廷恩泽的不知多少。同时又有文武全才，出名豪侠，不得际会风云，被小人诬陷，激成大祸，后来做了一场

---

① 于国宝——于，当作俞。宋孝宗淳熙中太学生，以《风入松》词为高宗所赏，遂显。有《醒庵遗珠集》。

② 际遇——幸遇。受到有权势的人的提拔重用。

没挞煞[①]的笑话,此乃命也,时也,运也。正是:

时来风送滕王阁,运退雷轰荐福碑。

话说乾道年间,严州遂安县有个富家,姓汪名孚,字师中,曾登乡荐[②],有财有势,专一武断乡曲,把持官府,为一乡之豪霸。因杀死人命,遇了对头,将汪孚问配吉阳军[③]去。他又夤缘魏国公张浚,假以募兵报效为由,得脱罪籍回家,益治赀产,复致大富。他有个嫡亲兄弟汪革,字信之,是个文武全才。从幼只在哥哥身边居住,因与哥哥汪孚酒中争论一句闲话,别口气只身径走出门,口里说道:"不致千金,誓不还乡!"身边只带得一把雨伞,并无财物,思想:"那里去好?我闻得人说,淮庆一路有耕冶可业,甚好经营;且到彼地,再作道理。"只是没有盘缠。心生一计:自小学得些枪棒拳法在身,那时抓缚衣袖,做个把势模样。逢着马头聚处,使几路空拳,将这伞权为枪棒,撇个架子。一般有人喝采,赍发几文钱,将就买些酒饭用度。

不一日,渡了扬子江。一路相度地势,直至安庆府。过了宿松,又行三十里,地名麻地坡。看见荒山无数,只有破古庙一所,绝无人居,山上都是炭材。汪革道:"此处若起个铁冶[④],炭又方便,足可擅一方之利。"于是将古庙为家,在外纠合无籍之徒[⑤],因山作炭,卖炭买铁,就起个铁冶。铸成铁器,出市发卖。所用之人,各有职掌,恩威并著,无不钦服。数年之间,发个大家事起来。遣人到严州取了妻子,来麻地居住。起造厅屋千间,极其壮丽。又占了本处酤坊,每岁得利若干。又打听望江县有个天荒湖,方圆七十余里,其中多生鱼蒲之类。汪革承佃为己业,湖内渔户数百,皆服他使唤,每岁收他鱼租,其家益富。独霸麻地一乡,乡中有事,俱由他武断。出则佩刀带剑,骑从如云,如贵官一般。四方穷民,归之如市。解衣推食,人人愿出死力。又将家财交结附近郡县官吏,若与他相好的,酒杯来往;若与他作对的,便访求他过失。轻则遣人讦讼,败其声名;重则私

---

① 没挞煞——荒唐、无聊。

② 乡荐——唐代应试进士者,都由州县荐举,称为乡荐。登乡荐,就是考取乡试。

③ 吉阳军——宋代以崖州(广东崖县)为吉阳军。

④ 铁冶——冶铁工场。

⑤ 无籍之徒——游民。

令亡命等于沿途劫害,无处踪迹。以此人人惧怕,交欢恐后,分明是:

郭解重生,朱家再出①。气压乡邦,名闻郡国。

话分两头。却说江淮宣抚使皇甫倜,为人宽厚,颇得士心。招致四方豪杰,就中选骁勇的,厚其资粮,朝夕训练,号为“忠义军”。宰相汤思退忌其威名,要将此缺替与门生刘光祖。乃阴令心腹御史,劾奏皇甫倜糜费钱粮,招致无赖凶徒,不战不征,徒为他日地方之害。朝廷将皇甫倜革职,就用了刘光祖代之。那刘光祖为人又畏懦,又刻薄,专一阿奉宰相,乃悉反皇甫倜之所为,将忠义军散遣归田,不许占住地方生事。可惜皇甫倜几年精力,训练成军,今日一朝而散。这些军士,也有归乡的,也有结伙走绿林中道路的。

就中单表二人,程彪、程虎,荆州人氏。弟兄两个,都学得一身好武艺。被刘光祖一时驱逐,平日有的请受②都花消了,无可存活,思想投奔谁好。猛然想起洪教头洪恭,今住在太湖县南门仓巷口,开个茶坊。他也曾做军校,昔年相处得好,今日何不去奔他,共他商议资身之策?二人收拾行李,一径来太湖县寻取洪恭。洪恭恰好在茶坊中,相见了,各叙寒温,二人道其来意。洪恭自思家中蜗窄,难以相容。当晚杀鸡为黍,管待二人,送在近处庵院歇了一晚。次日,洪恭又请二人到家中早饭,取出一封书信,说道:“多承二位远来,本当留住几时,争奈家贫待慢。今指引到一个去处,管取情投意合,有个小小富贵。”二人谢别而行,将书札看时,上面写道:“此书送至宿松县麻地坡汪信之十二爷开拆。”二人依言来到麻地坡,见了汪革,将洪恭书札呈上。汪革拆开看时,上写道:

侍生洪恭再拜,字达信之十二爷阁下:自别台颜,时切想念。兹有程彪、程虎兄弟,武艺超群,向隶籍忠义军。今为新统帅散遣不用,特奉荐至府,乞留为馆宾,令郎必得其资益。外敝县有湖荡数处,颇有出产,阁下屡约来看,何迟迟耶?专候拨冗一临。若得之,亦美业也。

汪革看毕大喜,即唤儿子汪世雄出来相见。置酒款待,打扫房屋安歇。自此程彪、程虎住在汪家,朝夕与汪世雄演习弓马,点拨枪棒。

---

① 郭解、朱家——汉代著名的游侠。

② 请受——俸禄、薪俸。

不觉三月有余，汪革有事欲往临安府去。二程闻汪革出门，便欲相别。汪革问道："二兄今往何处？"二程答道："还到太湖会洪教头则个。"汪革写下一封回书，寄与洪恭，正欲赍发二程起身，只见汪世雄走来，向父亲说道："枪棒还未精熟，欲再留二程过几时，讲些阵法。"汪革依了儿子言语，向二程说道："小儿领教未全，且屈宽住一两个月，待不才回家奉送。"二程见汪革苦留，只得住了。

却说汪革到了临安府，干事已毕。朝中讹传金虏败盟，诏议战守之策。汪革投匦①上书，极言向来和议之非。且云："国家虽安，忘战必危。江淮乃东南重地，散遣忠义军，最为非策。"末又云："臣虽不才，愿倡率两淮忠勇，为国家前驱，恢复中原，以报积世之仇，方表微臣之志。"天子览奏，下枢密院会议。这枢密院官都是怕事的，只晓得临渴掘井，那会得未焚徙薪？况且布衣上书，谁肯破格荐引？又未知金鞑子真个杀来也不，且不覆奏，只将温言好语，款留汪革在本府候用。汪革因此逗留临安，急切未回。正是：

将相无人国内虚，布衣有志枉嗟吁。
黄金散尽貂裘敝，悔向咸阳去上书。

话分两头。再说程彪、程虎二人住在汪家，将及一载，胸中本事倾倒得授与汪世雄，指望他重重相谢。那汪世雄也情愿厚赠，奈因父亲汪革，一去不回。二程等得不耐烦，坚执要行。汪世雄苦苦相留了几遍，到后来，毕竟留不住了。一时手中又值空乏，打并②得五十两银子，分送与二人，每人二十五两，衣服一套，置酒作别。席上汪世雄说道："重承二位高贤屈留赐教，本当厚赠，只因家父久寓临安，二位又坚执要去，世雄手无利权，只有些小私财，权当路费。改日两位若便道光顾，尚容补谢。"二人见银两不多，大失所望。口虽不语，心下想道："洪教头说得汪家父子，万分轻财好义，许我个小富贵。特特而来，淹留一载，只这般赍发起身，比着忠义军中请受，也争不多。早知如此，何不就汪革在家时，即便相辞，也少不得助些盘费。如今汪革又不回来，欲待再住些时，又吃过了送行酒了。"只得怏怏而别。临行时，与汪世雄讨封回书与洪教头。汪世雄文理不甚

---

① 投匦（guǐ）——匦，意见箱一类的匣子。投匦，即向皇帝上书言事。
② 打并——收拾、准备。

通透,便将父亲先前写下这封书,递与二程,托他致意,二程收了。汪世雄又送一程,方才转去。

当日二程走得困乏,到晚寻店歇宿,沽酒对酌,各出怨望之语。程虎道:"汪世雄不是个三岁孩儿,难道百十贯钱钞,做不得主?直恁装穷推故,将人小觑!"程彪道:"那孩子虽然轻薄,也还有些面情。可恨汪革特地相留,不将人为意,数月之间,书信也不寄一个。只说待他回家奉送,难道十年不回,也等他十年?"程虎道:"那些倚着财势,横行乡曲,原不是什么轻财好客的孟尝君。只看他老子出外,儿子就支不动钱钞,便是小家样子。"程彪道:"那洪教头也不识人,难道别没个相识,偏荐到这三家村去处?"二个一递一句,说了半夜,吃得有八九分酒了,程虎道:"汪革寄与洪教头书,书中不知写甚言语,何不拆来一看?"程彪真个解开包裹,将书取出,湿开封处看时,上写道:

侍生汪革再拜,覆书子敬教师门下:久别怀念,得手书如对面,喜可知也。承荐二程,即留与小儿相处。奈彼欲行甚促,仆又有临安之游,不得厚赠。有负来意,惭愧,惭愧!

书尾又写细字一行,云:

别谕俟从临安回即得践约,计期当在秋凉矣。革再拜。

程虎看罢,大怒道:"你是个富家,特地投奔你一场,便多将金帛结识我们,久后也有相逢处。又不是雇工代役,算甚日子久近!却说道欲行甚促,不得厚赠,主意原自轻了。"程虎便要将书扯碎烧毁,却是程彪不肯,依旧收藏了。说道:"洪教头荐我兄弟一番,也把个回信与他,使他晓得没甚汤水①。"程虎道:"也说得是。"当夜安歇无话。

次早起身,又行了一日,第三日赶到太湖县,见了洪教头,洪恭在茶坊内坐下,各叙寒温。原来洪恭向来娶下个小老婆,唤做细姨,最是帮家做活,看蚕织绢,不辞辛苦,洪恭十分宠爱。只是一件,那妇人是勤苦作家的人,水也不舍得一杯与人吃的。前次程彪、程虎兄弟来时,洪恭虽然送在庵院安歇,却费了他朝暮两餐,被那妇人絮咶②了好几日。今番二程又来,洪恭不敢延款了,又乏钱相赠;家中存得几匹好绢,洪恭要赠与二程。

① 汤水——油水、好处。

② 絮咶——咶,同聒。唠叨不休、噜苏。

料是细姨不肯，自到房中，取了四匹揣在怀里。刚出房门，被细姨撞见，拦住道："老无知，你将这绢往那里去？"洪恭遮掩不过，只得央道："程家兄弟，是我好朋友。今日远来别我还乡，无物表情。你只当权借这绢与我，休得违拗。"细姨道："老娘千辛万苦，织成这绢，不把来白送与人的。你自家有绢，自家做人情，莫要干涉老娘。"洪恭又道："他好意远来看我，酒也不留他吃三杯了，这四匹绢怎省得？我的娘，好歹让我做主这一遭儿，待送他转身，我自来赔你的礼。"说罢就走。细姨扯住衫袖，道："你说他远来，有甚好意？前番白白里吃了两顿，今番又做指望。这几匹绢，老娘自家也不舍得做衣服穿；他有甚亲情往来，却要送他？他要绢时，只教他自与老娘取讨。"洪恭见小老婆执意不肯，又怕二程等久，只得发个狠，洒脱袖子，径奔出茶坊来。惹得细姨猴急，发起话来道："甚么没廉耻的光棍，非亲非眷，不时到人家蒿恼！各人要达时务便好，我们开茶坊的人家，有甚大出产？常言道：'贴人不富自家穷。'有我们这样老无知老禽兽，不守本分，惯一招引闲神野鬼，上门闹吵！看你没饭在锅里时节，有那个好朋友，把一斗五升来资助你？"故意走到屏风背后，千禽兽万禽兽的骂。原来细姨在内争论时，二程一句句都听得了，心中十分焦燥。又听得后来骂詈①，好没意思，不等洪恭作别，取了包裹便走。洪恭随后赶来，说道："小妾因两日有些反目，故此言语不顺，二位休得计较。这粗绢四匹，权折一饭之敬，休嫌微鲜。"程彪、程虎那里肯受，抵死推辞。洪恭只得取绢自回，细姨见有了绢，方才住口。正是：

从来阴性吝啬，一文割舍不得。

剥尽老公面皮，恶断朋友亲戚。

大抵妇人家勤俭惜财，固是美事，也要通乎人情。比如细姨一味悭吝，不存丈夫体面，他自躲在房室之内，做男子的免不得出外，如何做人？为此恩变为仇，招非揽祸，往往有之。所以古人说得好，道是："妻贤夫祸少，子孝父心宽。"

闲话休提。再说程彪、程虎二人，初意来见洪教头，指望照前款留，他便细诉心腹，再求他荐到个好去处，又作道理。不期反受了一场辱骂，思量没处出气。所带汪革回书未投，想起："书中有别谕候秋凉践约等话，

---

① 骂詈（lì）——咒骂、谩骂指责。

不知何事？心里正恨汪革，何不陷他谋叛之情，两处气都出了？好计，好计！只一件，这书上原无实证，难以出首，除非如此如此……”二人离了太湖县，行至江州，在城外觅个旅店，安放行李。

次日，弟兄两个改换衣装，到宣抚司衙门前踅了一回。回来吃了早饭，说道：“多时不曾上浔阳楼，今日何不去一看？”两个锁上房门，带了些散碎银两，径到浔阳楼来。那楼上游人无数，二人倚栏观看。忽有人扯着程彪的衣袂，叫道：“程大哥，几时到此？”程彪回头看，认得是府内惯缉事的①，诨名叫做“张光头”。程彪慌忙叫兄弟程虎，一齐作揖，说道：“一言难尽。且同坐吃三杯，慢慢的告诉。”当下三人拣副空座头坐下，吩咐酒保取酒来饮。张光头道：“闻知二位在安庆汪家做教师，甚好际遇！”程彪道：“甚么际遇！几乎弄出大事来！”便附耳低言道：“汪革久霸一乡，渐有谋叛之意。从我学弓马战阵，庄客数千，都教演精熟了，约太湖洪教头洪恭，秋凉一同举事。教我二人纠合忠义军旧人为内应，我二人不从，逃走至此。”张光头道：“有甚证验？”程虎道：“见有书札托我回复洪恭，我不曾替他投递。”张光头道：“书在何处？借来一看。”程彪道：“在下处。”三人饮了一回，还了酒钱。张光头直跟二程到下处，取书看了道：“这是机密重情，不可泄漏。不才即当禀知宣抚司，二位定有重赏。”说罢，作别去了。

次日，张光头将此事密密的禀知宣抚使刘光祖。光祖即捕二程兄弟置狱，取其口词，并汪革复洪恭书札，密地飞报枢密府。枢密府官大惊，商量道：“汪革见在本府候用，何不擒来鞫问？”差人去拿汪革时，汪革已自走了。原来汪革素性轻财好义，枢密府里的人，一个个和他相好，闻得风声，预先报与他知道，因此汪革连夜逃回。枢密府官见拿汪革不着，愈加心慌，便上表奏闻天子。天子降诏，责令宣抚使捕汪革、洪恭等。宣抚司移文安庆李太守，转行太湖、宿松二县，拿捕反贼。

却说洪恭在太湖县广有耳目，闻风先已逃避无获。只有汪革家私浩大，一时难走。此时宿松县令正缺，只有县尉姓何名能，是他权印。奉了郡檄。点起土兵②二百余人，望麻地进发。行未十里，何县尉在马上思量

---

① 惯缉事的——善于缉捕罪犯的差役。

② 土兵——地方兵。

道："闻得汪家父子骁勇，更兼冶户鱼户，不下千余。我这一去可不枉送了性命？"乃与土兵都头商议，向山谷僻处屯住数日，回来禀知李太守道："汪革反谋，果是真的。庄上器械精利，整备拒捕。小官寡不敌众，只得回军。伏乞钧旨，别差勇将前去，方可成功。"李公听信了，便请都监①郭择商议。郭择道："汪革武断一乡，目无官府，已非一日。若说反叛，其情未的。据称拒捕，何曾见官兵杀伤？依起愚见，不须动兵，小将不才，情愿挺身到彼，观其动静。若彼无叛情，要他亲到府中分辨。他若不来，剿除未晚。"李公道："都监所言极当，即烦一行。须体察仔细，不可被他瞒过。"郭择道："小将理会得。"李公又问道："将军此行，带多少人去？"郭择道："只亲随十余人足矣。"李公道："下官将一人帮助。"即唤缉捕使臣王立到来。王立朝上唱个喏，立于旁边。李公指着道："此人胆力颇壮，将军同他去时，缓急有用。"原来郭择与汪革素有交情，此行轻身而往，本要劝谕汪革，周全其事。不期太守差王立同去，他倚着上官差遣，便要夸才卖智，七嘴八张，连我也不好做事了。欲待推辞不要他去，又怕太守疑心。只得领诺，怏怏而别。

次早，王立抓扎停当，便去催促郭择起身。又向郭择道："郡中捕贼文书，须要带去。汪革这厮，来便来，不来时，小人带着都监一条麻绳扣他颈皮。王法无亲，那怕他走上天去！"郭择早有三分不乐，便道："文书虽带在此，一时不可说破，还要相机而行。"王立定要讨文书来看，郭择只得与他看了。王立便要拿起，却是郭择不肯，自己收过，藏在袖里。当日郭择和王立都骑了马，手下跟随的，不上二十个人，离了郡城，望宿松而进。

却说汪革自临安回家，已知枢密院行文消息，正不知这场是非，从何而起。却也自恃没有反叛实迹，跟脚牢实，放心得下。前番何县尉领兵来捕，虽不曾到麻地，已自备细知道。这番如何不打探消息？闻知郡中又差郭都监来，带不满二十人，只怕是诱敌之计，预戒庄客，大作准备。吩咐儿子汪世雄，埋伏壮丁伺候。倘若官兵来时，只索抵敌。却说世雄妻张氏，乃太湖县盐贾张四郎之女，平日最有智数。见其夫装束，问知其情，乃出房对汪革说道："公公素以豪侠名，积渐为官府所忌。若其原非反叛，官府亦自知之。为今之计，不若挺身出辨，得罪犹小，尚可保全家门。倘一

① 都监——军官名。

有拒捕之名，弄假成真，百口难诉，悔之无及矣。”汪革道：“郭都监，吾之故人，来时定有商量。”遂不从张氏之言。

再说郭择到了麻地，径至汪革门首，汪革早在门外迎候，说道：“不知都监驾临，荒僻失于远接。”郭择道：“郭某此来，甚非得已，信之必然相谅。”两个揖让升厅，分宾坐定，各叙寒温。郭择看见两厢廊庄客往来不绝，明晃晃摆着刀枪，心下颇怀悚惧。又见王立跟定在身旁，不好细谈。汪革开言问道：“此位何人？”郭择道：“此乃太守相公所遣王观察也。”汪革起身，重与王立作揖，道：“失瞻①，休罪！”便请王立在厅侧小阁儿内坐下，差个主管相陪，其余从人俱在门首空房中安扎。一时间备下三席大酒：郭择客位一席，汪革主位相陪一席，王立另自一席。余从满盘肉，大瓮酒，尽他醉饱。饮酒中间，汪革又移席书房中小坐，却细叩郭择来意。郭择隐却郡檄内言语，只说道：“太守相公深知信之被诬，命郭某前来劝喻。信之若藏身不出，便是无丝有线了；若肯至郡分辨，郭某一力担当。”汪革道：“且请宽饮，却又理会。”郭择真心要周全汪革，乘王立不在眼前，正好说话，连次催并②汪革决计。汪革见逼得慌，愈加疑惑。此时六月天气，暑气蒸人，汪革要郭择解衣畅饮，郭择不肯。郭择连次要起身，汪革也不放。只管斟着大觥相劝，自巳牌至申牌时分，席还不散。郭择见天色将晚，恐怕他留宿，决意起身，说道：“适郭某所言，出于至诚，并无半字相欺。从与不从，早早裁决，休得两相耽误。”汪革带着半醉，唤郭择的表字道：“希颜是我故人，敢不吐露心腹。某无辜受谤，不知所由。今即欲入郡参谒，又恐郡守不分皂白，阿附上官，强入人罪。鼠雀贪生，人岂不惜命？今有楮券③四百，聊奉希颜表意，为我转限两三个月，我当向临安借贵要之力，与枢密院讨个人情。上面先说得停妥，方敢出头。希颜念吾平日交情，休得推委。”郭择本不欲受，只恐汪革心疑生变，乃佯笑道：“平昔相知，自当效力，何劳厚赐？暂时领爱，容他日璧还。”却待舒手去接那楮券，谁知王观察王立站在窗外，听得汪革将楮券送郭择，自己却没甚贿赂，带着九分九厘醉态，不觉大怒，拍窗大叫道：“好都监！枢密院奉圣旨着

① 失瞻——失敬。

② 催并——催促。

③ 楮(chǔ)券——纸币。

本郡取谋反犯人，乃受钱转限，谁人敢担这干系？”原来汪世雄率领壮丁，正伏在壁后。听得此语，即时跃出，将郭择一索捆翻，骂道：“吾父与你何等交情，如何藏匿圣旨文书，吃骗吾父入郡，陷之死地？是何道理？”王立在窗外听见势头不好，早转身便走。正遇着一条好汉，提着朴刀①拦住。那人姓刘名青，绰号“刘千斤”，乃汪革手下第一个心腹家奴，喝道：“贼子那里走！”王立拔出腰刀厮斗，夺路向前，早被刘青左臂上砍上一刀。王立负痛而奔，刘青紧步赶上。只听得庄外喊声大举，庄客将从人乱砍，尽皆杀死。王立肩胛上又中了一朴刀，情知逃走不脱，便随刀仆地，妆做僵死。庄客将挠钩拖出，和众死尸一堆儿堆向墙边。汪革当厅坐下，汪世雄押郭择当面，搜出袖内文书一卷。汪革看了大怒，喝教斩首。郭择叩头求饶道：“此事非关小人，都因何县尉妄禀拒捕，以致太守发怒。小人奉上官差委，不得已而来。若得何县尉面对明白，小人虽死不恨。”汪革道：“砍下你这驴头也罢，省得那狗县尉没有了证见。”吩咐权锁在耳房中。教汪世雄即时往炭山冶坊等处，凡壮丁都要取齐②听令。

却说炭山都是村农怕事，闻说汪家造反，一个个都向深山中藏躲。只有冶坊中大半是无赖之徒，一呼而集，约有三百余人。都到庄上，杀牛宰马，权做赏军。庄上原有骏马三匹，日行数百里，价值千金。那马都有名色，叫做：

　　惺惺骝，小骢骒，番婆子。

又平日结识得四个好汉，都是胆勇过人的，那四个？

　　龚四八，董三，董四，钱四二。

其时也都来庄上，开怀饮酒，直吃到四更尽，五更初，众人都醉饱了，汪革扎缚起来，真像个好汉：

　　头总旋风髻，身穿白锦袍；
　　鞥鞋③兜脚紧，裹肚系身牢；
　　多带穿杨箭，高擎斩铁刀；
　　雄威真罕见，麻地显英豪。

---

① 朴刀——一种长柄刀，刀杆可以装上或卸下。

② 取齐——会合、等齐。

③ 鞥(wēng)鞋——高统御寒靴子。

汪革自骑着番婆子,控马的用着刘青,又是一个不良善的。怎生模样?

刚须环眼威风凛,八尺长躯一片锦。

千斤铁臂敢相持,好汉逢他打寒噤。

汪革引着一百人为前锋。董三、董四、钱四二共引三百人为中军。汪世雄骑着小骢骒①,却教龚四八骑着惺惺骝相随,引一百余人,押着郭都监为后队。分发已定,连放三个大硫,一齐起身,望宿松进发,要拿何县尉。正是:

人无害虎心,虎有伤人意。

离城约五里之近,天色大明。只见钱四二跑上前向汪革说道:"要拿一个县尉,何须惊天动地;只消数人突然而入,缚了他来就是。"汪革道:"此言有理。"就教钱四二押着大队屯住,单领董三、董四、刘青和二十余人前行,望见城濠边一群小儿连臂而歌,歌曰:

二六佳人姓汪,偷个船儿过江。

过江能几日?一杯热酒难当。

歌之不已。汪革策马近前叱之,忽然不见,心下甚疑。到县前时,已是早衙时分,只见静悄悄地,绝无动静。汪革却待下马,只见一个直宿的老门子,从县里面唱着哩嗹花儿②的走出,被刘青一把拿住问道:"何县尉在那里?"老门子答道:"昨日往东村勾摄公事未回。"汪革就教他引路,径出东门。约行二十余里,来到一所大庙,唤做福应侯庙,乃是一邑之香火,本邑奉事甚谨,最有灵应。老门子指道:"每常官府下乡,只在这庙里歇宿,可以问之。"汪革下马入庙,庙祝见人马雄壮,刀仗鲜明,正不知甚人,唬得尿流屁滚,跪地迎接。汪革问他县尉消息,庙祝道:"昨晚果然在庙安歇,今日五更起马,不知去向。"汪革方信老门子是实话,将他放了。就在庙里打了中火,遣人四下踪迹县尉,并无的信。看看捱至申牌时分,汪革心中十分焦燥,教取火来,把这福应侯庙烧做白地,引众仍回旧路。刘青道:"县尉虽然不在,却有妻小在官廨中。若取之为质,何愁县尉不来。"汪革点头道:"是。"行至东门,尚未昏黑,只见城门已闭。却是王观察王立不

① 骢骒(cōng kè)——毛青白色相杂的母马。

② 哩嗹花儿——指《莲花落》词"哩嗹(一作哩哩)莲花"。哩嗹,是声词,没有意义。

曾真死，负痛逃命入城，将事情一一禀知巡检。那巡检唬得面如土色，一面吩咐闭了城门，防他啰唣；一面申报郡中，说汪革杀人造反，早早发兵剿捕。再说汪革见城门闭了，便欲放火攻门。忽然一阵怪风，从城头上旋将下来，那风好不利害！吹得人毛骨俱悚，惊得那匹番婆子也直立嘶鸣，倒退几步。汪革在马上大叫一声，直跌下地来。正是：

未知性命如何，先见四肢不举。

刘青见汪革坠马，慌忙扶起看时，不言不语，好似中恶模样，不省人事。刘青只得抱上雕鞍，董三、董四左右防护，刘青控马而行。转到南门，却好汪世雄引着二三十人，带着火把接应，合为一处。又行二里，汪革方才苏醒，叫道："怪哉！分明见一神人，身长数丈，头如车轮，白袍金甲，身坐城堵①上，脚垂至地。神兵簇拥，不计其数，旗上明写'福应侯'三字。那神人舒左脚踢我下马，想是神道怪我烧毁其庙，所以为祸也。明早引大队到来，白日里攻打，看他如何？"汪世雄道："父亲还不知道，钱四二恐防累及，已有异心，不知与众人如何商议了，他先洋洋而去。以后众人陆续走散，三停中已去了二停。父亲不如回到家中再作计较。"汪革听罢，懊恨不已。

行至屯兵之地，见龚四八，所言相同。郭择还锁押在彼，汪革一时性起，拔出佩刀，将郭择劈做两截。引众再回麻地坡来，一路上又跑散了许多人。到庄点点人数，止存六十余人。汪革叹道："吾素有忠义之志，忽为奸人所陷，无由自明。初意欲擒拿县尉，究问根由，报仇雪耻。因借府库之资，招徕豪杰，跌宕江淮，驱除这些贪官污吏，使威名盖世。然后就朝廷恩抚，为国家出力，建万世之功业。今吾志不就，命也。"对龚四八等道："感众兄弟相从不舍，吾何忍负累？今罪犯必死，此身已不足惜，众兄弟何不将我绑去送官，自脱其祸？"龚四八等齐声道："哥哥说那里话！我等平日受你看顾大恩，今日患难之际，生死相依，岂有更变？哥哥休将钱四二一例看待。"汪革道："虽然如此，这麻地坡是个死路，若官兵一到，没有退步。大抵朝廷之事，虎头蛇尾，且暂为逃难之计，倘或天天可怜，不绝尽汪门宗祀，此地还是我子孙故业。不然，我汪革魂魄，亦不复到此矣。"言讫，扑簌簌两行泪下。汪世雄放声大哭，龚四八等皆泣下，不能仰视。汪革道："天明恐有军马来到，事不宜迟矣，天荒湖有渔户可依，权且躲

① 城堵——城墙。

避。"乃尽出金珠,将一半付与董三、董四,教他变姓易名,往临安行都为贾,布散流言,说何县尉迫胁汪革,实无反情。只当公道不平,逢人分析。那一半付与龚四八,教他领了三岁的孙子,潜往吴郡藏匿。官府只虑我北去通虏,决不疑在近地。事平之后,径到严州遂安县,寻我哥哥汪师中,必然收留,乃将三匹名马分赠三人。龚四八道:"此马毛色非凡,恐被人识破,不可乘也。"汪革道:"若遗与他人,有损无益。"提起大刀,一刀一匹,三马尽皆杀死。庄前庄后,放起一把无情火,必必剥剥,烧得烈焰腾天。汪革与龚、董三人,就火光中洒泪分别。世雄妻张氏,见三岁的孩儿去了,大哭一场,自投于火而死。若汪革早听其言,岂有今日?正是:

良药苦口,忠言逆耳。有智妇人,赛过男子。

汪革伤感不已,然无可奈何了。天色将明,吩咐庄客:不愿跟随的,听其自便。引了妻儿老少,和刘青等心腹三十余人,径投望江县天荒湖来,取五只渔船,分载人口,摇向芦苇深处藏躲。

话分两头。却说安庆李太守见了宿松县申文,大惊,忙备文书各上司处申报。一面行文各县,招集民兵剿贼。江淮宣抚司刘光祖将事情装点大了,奏闻朝廷。旨意倒下枢密院,着本处统帅约会各郡军马,合力剿捕,毋致蔓延。刘光祖各郡调兵,到者约有四五千之数;已知汪革烧毁房舍,逃入天荒湖内,又调各处船兵水陆并进。又支会①平江一路,用兵邀截,以防走逸。那领兵官无非是都监、提辖②、县尉、巡检之类,素闻汪革骁勇,党羽甚众,人有畏怯之心。陆军只屯住在望江城外,水军只屯在里湖港口,抢掳民财,消磨粮饷,那个敢下湖捕贼?住了二十余日,湖中并无动静。有几个大胆的乘个小拌船,哨探出去,望见芦苇中烟火不绝,远远的鼓声敲响。不敢近视,依旧拌转,又过几日,烟火也没了,鼓声也不闻了。水哨③禀知军官,移船出港,筛锣④擂鼓,摇旗呐喊而前,搗⑤入湖中。连打鱼的小船都四散躲过,并不见一只。向芦苇烟起处搜看时,鬼脚迹也没一个了。但见几只破船上堆却木屑和草根,煨得船板焦黑。浅渚上有两

① 支会——通知。
② 提辖——军官名。专管统领军队。训练教阅,以督捕盗贼,肃清境内。
③ 水哨——宋代水军中的一种轻快哨船的名称。
④ 筛锣——敲锣。
⑤ 搗——同荡。

三面大鼓，鼓上缚着羊，连羊也饿得半死了。原来鼓声是羊蹄所击，烟火乃木屑。汪革从湖入江，已顺流东去，正不知几时了。军官惧罪，只得将船追去。行出江口，只见五个渔船，一字儿泊在江边，船上立着个汉子，有人认得这船是天荒湖内的渔船。拢船去拿那汉子查问时，那汉子噙着眼泪，告诉道："小人姓樊名速，川中人氏，因到此做些小商贩，买卖已毕，与一个乡亲同坐一只大船，三日前来此江口，撞着这五个渔船。船上许多好汉，自称汪十二爷，要借我大船安顿人口，将这五个小船相换。我不肯时，腰间拔出雪样的刀来便要杀害，只得让与他去了。你看这个小船，怎过得川江？累我重复觅船，好不苦也！"船上两个军官商量道："眼见得换船的汪十二爷，便是汪革了。他人众已散，只有两只大船，容易算计了，且放心赶去。"行至采石矶边，见江面上摆列战舰无数。却是太平郡差出军官，领水军把截采石，盘诘行船，恐防反贼汪革走逸。打听的实，两处军官相会。安庆军官说起："汪革在湖中逃走入江，劫上两支大客船，装载家小之事，料他必从此过。小将跟寻下来，如何不见？"采石军官听说，大惊顿足道："我被这奸贼瞒过了也！前两日辰牌时分，果有两只大客船，船中满载家小。其人冠带来谒，自称姓王名中一，为蜀中参军，任满赴行都升补。想来'汪'字半边是'王'字，'革'字下截是'中一'二字，此人正是汪革。今已过去，不知何往矣。"两处军官度道，失了汪革正贼，料瞒不过，只得从实申报上司。上司见汪革踪迹神出鬼没，愈加疑虑，请枢密院悬下赏格，画影图形，各处张挂。有能擒捕汪革者，给赏一万贯，官升三级；获其嫡亲家属一口者，赏三千贯，官升一级。

却说汪革乘着两只客船，径下太湖。过了数日，闻知官府挨捕紧急，料是藏躲不了，将客船凿沉湖底，将家小寄顿一个打鱼人家，多将金帛相赠，约定一年后来取。却教刘青跟随儿子汪世雄，间道往无为州漕司①出首，说父亲原无反情，特为县尉何能陷害，见今逃难行都，乞押去追寻，免致兴兵调饷。此乃保全家门之计，不可迟滞。世雄被父亲所逼，只得去了。漕司看了汪世雄首词，问了备细，差官锁押到临安府，挨获汪革，一面禀知枢密等院衙门去讫。

---

① 漕司——宋代称转运使为漕司，管催征赋税、出纳钱粮、办理上供以及漕运等事。

却说汪革发脱家小，单单剩得一身，改换衣装，径望临安而走。在城外住了数日，不见儿子世雄消息，想起城北厢官①白正，系向年相识，乃夜入北关，叩门求见。白正见是汪革，大惊，便欲走避。汪革扯住说道："兄长勿疑，某此来束手投罪，非相累也。"白正方才心稳，开言问道："官府捕足下甚急，何为来此？"汪革将冤情告诉了一遍，如今愿借兄长之力，得诣阙自明，死亦无恨。白正留汪革住了一宿，次早报知枢密府，遂下于大理院狱中。狱官拷问他家属何在，及同党之人姓名，汪革道："妻小都死于火中，只有一子名世雄，一向在外做客，并不知情。庄丁俱是村民，各各逃命去讫，亦不记姓名。"狱官严刑拷讯，终不肯说。

却说白正不愿领赏，记功升官，心下十分可怜汪革，一应狱中事体，替他周旋。临安府闻说反贼汪革投到，把做异事传播。董三、董四知道了，也来暗地与他使钱。大尹院上官下吏都得了贿赂，汪革稍得宽展。遂于狱中上书，大略云：

> 臣汪革，于某年某月投匦献策，愿倡率两淮忠义，为国家前驱破虏，恢复中原。臣志在报国如此，岂有贰心？不知何人谤臣为反，又不知所指何事。愿得其人与臣面质，使臣心迹明白，虽死犹生矣。

天子见其书，乃诏九江府押送程彪、程虎二人，到行都并下大理鞫问。其时无为州漕司文书亦到，汪世雄也来了。那会审一日，好不热闹。汪革父子相会，一段悲伤，自不必说。看见对头，却是二程兄弟，出自意外，倒吃一惊，方晓得这场是非的来历。刑官审问时，二程并无他话。只指汪革所寄洪恭之书为据。汪革辨道："书中所约秋凉践约，原欲置买太湖县湖荡，并非别情。"刑官道："洪恭已在逃了，有何对证？"汪世雄道："闻得洪恭见在宣城居住，只拿他来审，便知端的。"刑官一时不能决，权将四人分头监候，行文宁国府去了。不一日，本府将洪恭解到。刘青在外面已自买嘱解子，先将程彪、程虎根由备细与洪恭说了。洪恭料得没事，大着胆进院。遂将写书推荐二程，约汪革来看湖荡，及汪家赍发薄了，二人不悦，并赠绢不受之故，始末根由，说了一遍。汪革回书，被程彪、程虎藏匿不付。两头怀恨，遂造此谋，诬陷平人，更无别故。堂上官录了口词，向狱中取出

① 厢官——南宋临安城内外，分成南、北、左、右诸厢，各置厢官，管理百姓的诉讼。

汪家父子、二程兄弟面证。程彪、程虎见洪恭说得的实了,无言可答。汪革又将何县尉停泊中途,诈称拒捕,以致上司激怒等因,说了一遍。问官再四推鞫无异,又且得了贿赂,有心要周旋其事。当时判出审单,略云:

审得犯人一名汪革,颇有侠名,原无反状。始因二程之私怨,妄解书词;继因何尉之讹言,遂开兵衅。察其本谋,实非得已。但不合不行告辨,纠合凶徒,擅杀职官郭择及土兵数人。情虽可原,罪实难宥。思其束手自投,显非抗拒。但行凶非止一人,据革自供当时逃散,不记姓名。而郡县申文,已有刘青名字。合行文本处访拿治罪,不可终成漏网。革子世雄,知情与否,亦难悬断。然观无为州首词与同恶相济者不侔,似宜准自首例,姑从末减①。汪革照律该凌迟处死,仍枭首示众,决不待时。汪世雄杖脊发配二千里外。程彪、程虎首事妄言,杖脊发配一千里外。俱俟凶党刘青等到后发遣②。洪恭供明释放。县尉何能捕贼无才,罢官削籍。

狱具,复奏天子。圣旨依拟。刘青一闻这个消息,预先漏③与狱中,只劝汪革服毒自尽。汪革这一死,正应着宿松城下小儿之歌。他说"二六佳人姓汪",汪革排行十二也;"偷个船儿过江",是指劫船之事;"过江能几日?一杯热酒难当",汪革今日将热酒服毒,果应其言矣。古来说童谣,乃天上荧惑星化成小儿,预言祸福。看起来汪革虽不曾成什么大事,却被官府大惊小怪,起兵调将,骚扰几处州郡,名动京师,忧及天子,便有童谣预兆,亦非偶然也。

闲话休提。再说汪革死后,大理院官验过,仍将死尸枭首悬挂国门。刘青先将尸骸藏过,半夜里偷其头去藁葬于临安北门十里之外。次日私对董三说知其处,然后自投大理院,将一应杀人之事,独自承认,又自诉偷葬主人之情。大理院官用刑严讯,备诸毒苦,要他招出葬尸处,终不肯言。是夜受苦不过,死于狱中。后人有诗赞云:

从容就狱申王法,慷慨捐生报主恩。
多少朝中食禄者,几人殉义似刘青?

---

① 末减——减刑、从轻发落。

② 发遣——遣行、施行。

③ 漏——透漏。

大理院官见刘青死了，就算个完局。狱中取出汪世雄及程彪、程虎，决断发配。董三、董四在外，已自使了手脚，买嘱了行杖的，汪世雄皮肤也不曾伤损。程彪、程虎着实吃了大亏，又兼解子也受了买嘱，一路上将他两个难为。行至中途，程彪先病故了，只将程虎解去，不知下落。那解汪世雄的得了许多银两，刚行得三四百里，将他纵放。汪世雄躲在江湖上，使枪棒卖药为生，不在话下。

再说董三、董四收拾了本钱，往姑苏寻着了龚四八，领了小孩子；又往太湖打鱼人家，寻了汪家老小。三个人扮作仆者模样，一路跟随，直送至严州遂安县汪师中处。汪孚问知详细，感伤不已，拨宅安顿。龚、董等都移家附近居住。却有汪孚卫护，地方上谁敢道个不字。

过了半载，事渐冷了。汪师中遣龚四八、董四二人，往麻地坡查理旧时产业。那边依旧有人造炭冶铁，问起缘故，却是钱四二为主，倡率乡民做事，就顶了汪革的故业。只有天荒湖渔户不肯从顺。董四大怒，骂道："这反复不义之贼，恁般享用得好，心下何安？我拼着性命，与汪信之哥哥报仇。"提了朴刀，便要寻钱四二赌命。龚四八止住道："不可，不可。他既在此做事，乡民都帮助他的。寡不敌众，枉惹人笑。不如回复师中，再作道理。"二人转至宿松。何期正在郭都监门首经过，有认得董四的，闲着口，对郭都监的家人郭兴说道："这来的矮胖汉，便是汪革的心腹帮手，叫做董学，排行第四。"郭兴听罢，心下想道："家主之仇，如何不报？"让一步过去，出其不意，从背心上狠的一拳，将董四抑倒，急叫道："拿得反贼汪革手下杀人的凶徒在此！"宅里奔出四五条汉子出来，街坊上人一拥都来，唬得龚四八不敢相救，一道烟走了。郭兴招引地方将董四背剪捆起，头发都搏得干干净净，一步一棍，解到宿松县来。此时新县官尚未到任，何县尉又坏官去了，却是典史掌印，不敢自专，转解到安庆李太守处。李太守因前番汪革反情不实，轻事重报，被上司埋怨了一场，不胜懊悔。今日又说起汪革，头也疼将起来，反怪地方多事，骂道："汪革杀人一事，奉圣旨处分了当。郭择性命已偿过了，如何又生事扰害？那典史与他起解，好不晓事！"嘱教将董四放了。郭兴和地方人等，一场没趣而散。董四被郭家打伤，负痛奔回遂安县去。

却说龚四八先回。将钱四二占了炭冶生业，及董四被郭家拿住之事，细说一遍。汪孚度道必然解郡，却待差人到安庆去替他用钱营干①。忽见董四光着头奔回，诉说如此如此，若非李太守好意，性命不保。汪孚道："据官府口气，此事已撇过一边了。虽然董四哥吃了些亏，也得了个好消息。"又过几日，汪孚自引了家童二十余人，来到麻地坡，寻钱四二与他说话。钱四二闻知汪孚自来，如何敢出头？带着妻子，连夜逃走去了，倒撇下房屋家计。汪孚道："这不义之物，不可用之。"赏与本地炭户等，尽他搬运，房屋也都拆去了。汪孚买起木料，烧砖造瓦，另盖起楼房一所。将汪革先前炭冶之业，一一查清，仍旧汪氏管业。又到天荒湖拘集渔户，每人赏赐布钞，以收其心。这七十里天荒湖，仍为汪氏之产。又央人向郡中上下使钱，做汪孚出名，批了执照。汪孚在麻地坡住了十个多月，百事做得停停当当，留下两个家人掌管，自己回遂安去。

不一日，哲宗皇帝晏驾②，新天子即位，颁下诏书，大赦天下。汪世雄才敢回家，到遂安拜见了伯伯汪师中，抱头而哭。闻得一家骨肉无恙，母子重逢，小孩儿已长成了，是汪孚取名，叫做汪千一。汪世雄心中一悲一喜。过了数日，汪世雄禀过伯伯，同董三到临安走遭，要将父亲骸骨奔归埋葬。汪孚道："此是大孝之事，我如何阻挡？但须早去早回。此间武疆山广有隙地，风水尽好，我先与你葺理葬事。"汪世雄和董三去了。一路无事，不一日，负骨而回。重备棺木殡殓，择日安葬。事毕，汪孚向侄儿说道："麻地坡产业虽好，你父亲在彼，挫了威风。又地方多有仇家，龚四八和董三、董四多有人认得，你去住不得了。我当初为一句闲话上，触了你父亲，憋口气走向麻地坡去了，以致弄出许多事来。今日将我的产业尽数让你，一来是见成事业，二来你父亲坟茔在此，也好看管，也教你父亲在九泉之下，消了这口怨气。那麻地坡产业，我自移家往彼居住，不怕谁人奈何得我。"汪世雄拜谢了伯伯。当日汪孚将遂安房产帐目，尽数交付汪世雄明白，童仆也分下一半。自己领了家小，向麻地坡一路而去。从此遂安与宿松，分做二宗，往来不绝。汪世雄凭藉伯伯的财势，地方无不信服。只为妻张氏赴火身死，终身不娶，专以训儿为事。后来汪千一中了武举，

① 营干——办理、处理事情。

② 晏驾——皇帝死。

直做到亲军指挥使①之职，子孙繁盛无比。这段话本叫做“汪信之一死救全家”。后人有诗赞云：

烈烈轰轰大丈夫，出门空手立家模。
情真义士多帮手，赏薄宵人②起异图。
仗剑报仇因迫吏，挺身就狱为全孥。
汪孚让宅真高谊，千古传名事岂诬？

# 第四十卷　沈小霞相会出师表

闲向书斋阅古今，偶逢奇事感人心；忠臣翻受奸臣制，肮脏英雄泪满襟。　　休解绶，慢投簪，从来日月岂常阴？到头祸福终须应，天道还分贞与淫。

话说国朝嘉靖年间，圣人在位，风调雨顺，国泰民安。只为用错了一个奸臣，浊乱了朝政，险些儿不得太平。那奸臣是谁？姓严名嵩，号介溪，江西分宜人氏。以柔媚得幸，交通宦官，先意迎合，精勤斋醮，供奉青词，由此骤致贵显。为人外装曲谨，内实猜刻。谗害了大学士夏言，自己代为首相，权尊势重，朝野侧目。儿子严世蕃，由官生③直做到工部侍郎。他为人更狠，但有些小人之才，博闻强记，能思善算。介溪公最听他的说话，凡疑难大事，必须与他商量，朝中有“大丞相”、“小丞相”之称。他父子济恶，招权纳贿，卖官鬻爵。官员求富贵者，以重赂献之，拜他门下做干儿子，即得超迁显位。由是不肖之人，奔走如市，科道④衙门，皆其心腹牙爪。但有与他作对的，立见奇祸，轻则杖谪，重则杀戮，好不利害！除非不要性命的，才敢开口说句公道话儿；若不是真正关龙逢⑤、比干，十二分忠君爱国的，宁可误了朝廷，岂敢得罪宰相？其时有无名子感慨时事，将

① 亲军指挥使——宋代侍卫亲军马军司、侍卫亲军步军司所统禁军，每军设有都指挥使、副都指挥使；一军统领若干指挥，每指挥设指挥使、副指挥使。
② 宵人——坏人、小人。
③ 官生——即受荫入国子监读书或高级官员子弟应乡试者。
④ 科道——即明代六科给事中、十三道监察御史。
⑤ 关龙逢——夏时人。夏桀暴虐，关龙逢力谏，被桀杀死。

《神童诗》改成四句云：

少小休勤学，钱财可立身。

君看严宰相，必用有钱人。

又改四句，道是：

天子重权豪，开言惹祸苗。

万般皆下品，只有奉承高。

只为严嵩父子恃宠贪虐，罪恶如山，引出一个忠臣来，做出一段奇奇怪怪的事迹，留下一段轰轰烈烈的话柄。一时身死，万古名扬。正是：

家多孝子亲安乐，国有忠臣世泰平。

那人姓沈名炼，别号青霞，浙江绍兴人氏。其人有文经武纬之才，济世安民之志。从幼慕诸葛孔明之为人，孔明文集上有《前出师表》、《后出师表》，沈炼平日爱诵之，手自抄录数百遍，室中到处粘壁。每逢酒后，便高声背诵，念到"鞠躬尽瘁，死而后已"。往往长叹数声，大哭而罢。以此为常，人都叫他是狂生。嘉靖戊戌年中了进士，除授知县之职。他共做了三处知县，那三处？溧阳、茌平、清丰。这三任官做得好，真个是：

吏肃惟遵法，官清不爱钱。

豪强皆敛手，百姓尽安眠。

因他生性伉直，不肯阿奉上官，左迁锦衣卫经历①。一到京师，看见严家赃秽狼藉，心中甚怒。忽一日值公宴，见严世蕃倨傲之状，已自九分不象意。饮至中间，只见严世蕃狂呼乱叫，旁若无人，索巨觥飞酒，饮不尽者罚之。这巨觥约容酒斗余，两坐客惧世蕃威势，没人敢不吃。只有一个马给事，天性绝饮；世蕃故意将巨觥飞到他面前，马给事再三告免，世蕃不依。马给事略沾唇，面便发赤，眉头打结，愁苦不胜。世蕃自去下席，亲手揪了他的耳朵，将巨觥灌之。那给事出于无奈，闷着气，一连几口吸尽。不吃也罢，才吃下时，觉得天在下，地在上，墙壁都团团转动，头重脚轻，站立不住。世蕃拍手呵呵大笑。沈炼一肚子不平之气，忽然揎袖而起，抢那只巨觥在手，斟得满满的，走到世蕃面前说道："马司谏承老先生赐酒，已沾醉不能为礼，下官代他酬老先生一杯。"世蕃愕然，方欲举手推辞，只见

① 锦衣卫经历——锦衣卫，为明代的禁卫军，管侍卫、缉捕、刑狱等事。锦衣卫设有经历司，掌公文出纳。

沈炼声色俱厉道:“此杯别人吃得,你也吃得。别人怕着你,我沈炼不怕你!”也揪了世蕃的耳朵灌去。世蕃一饮而尽。沈炼掷杯于案,一般拍手呵呵大笑。唬得众官员面如土色,一个个低着头,不敢则声。世蕃假醉,先辞去了。沈炼也不送,坐在椅上,叹道:“咳,‘汉、贼不两立’!‘汉、贼不两立’!”一连念了七八句,这句书也是《出师表》上的说话,他把严家比着曹操父子。众人只怕世蕃听见,倒替他捏两把汗。沈炼全不为意,又取酒连饮几杯,尽醉方散。

睡到五更醒来,想道:“严世蕃这厮,被我使气①,逼他饮酒,他必然记恨来暗算我。一不做,二不休,有心只是一怪,不如先下手为强。我想严嵩父子之恶,神人怨怒。只因朝廷宠信甚固,我官卑职小,言而无益,欲待觑个机会,方才下手。如今等不及了,只当做张子房在博浪沙中椎击秦始皇,虽然击他不中,也好与众人做个榜样。”就枕头上思想疏稿,想到天明有了,起来焚香盥手,写就表章。表上备说严嵩父子招权纳贿,穷凶极恶,欺君误国十大罪,乞诛之以谢天下。圣旨下道:“沈炼谤讪大臣,沽名钓誉,着锦衣卫重打一百,发去口外②为民。”严世蕃差人吩咐锦衣卫官校,定要将沈炼打死。喜得堂上官③,是个有主意的人,那人姓陆名炳,平时极敬重沈公的节气;况且又是属官,相处得好的。因此反加周全,好生打个出头棍儿④,不甚利害。户部注籍,保安州为民。沈炼带着棒疮,即日收拾行李,带领妻子,雇着一辆车儿,出了国门⑤,望保安进发。

原来沈公夫人徐氏,所生四个儿子。长子沈襄,本府廪膳秀才⑥,一向留家。次子沈衮、沈褒,随任读书。幼子沈袠,年方周岁。嫡亲五口儿上路,满朝文武,惧怕严家,没一个敢来送行。有诗为证:

一纸封章忤庙廊,萧然行李入遐荒。
相知不敢攀鞍送,恐触权奸惹祸殃。

---

① 使气——任性、发脾气。

② 口外——关外。

③ 堂上官——衙门的长官。

④ 出头棍儿——行杖时棒头打人则重,棒中部打人则较轻。不以棒头而以棒的中间部分打着人身,叫做出头棍子。是行杖者徇情的一种手法。

⑤ 国门——国都的城门。

⑥ 廪膳秀才——明清时由府、州、县按时发给银子和粮食补助的生员。

一路上辛苦，自不必说，且喜到了保安州了。那保安州属宣府，是个边远地方，不比内地繁华。异乡风景，举目凄凉，况兼连日阴雨，天昏地黑，倍加惨戚。欲赁间民房居住，又无相识指引，不知何处安身是好？正在徬徨之际，只见一人打个小伞前来，看见路旁行李，又见沈炼一表非俗，立住了脚，相了一回，问道："官人尊姓？何处来的？"沈炼道："姓沈，从京师来。"那人道："小人闻得京中有个沈经历，上本要杀严嵩父子，莫非官人就是他么？"沈炼道："正是。"那人道："仰慕多时，幸得相会。此非说话之处，寒家离此不远，便请携宝眷同行到寒家权下，再作区处。"沈炼见他十分殷勤，只得从命。行不多路便到了，看那人家，虽不是个大大宅院，却也精致。那人揖沈炼至于中堂，纳头便拜。沈炼慌忙答礼，问道："足下是谁？何故如此相爱？"那人道："小人姓贾名石，是宣府卫一个舍人①。哥哥是本卫千户，先年身故无子，小人应袭；为严贼当权，袭职者都要重赂，小人不愿为官。托赖祖荫，有数亩薄田，务农度日。数日前闻阁下弹劾严氏，此乃天下忠臣义士也。又闻编管在此，小人渴欲一见，不意天遣相遇，三生有幸！"说罢又拜下去。沈公再三扶起，便教沈衮、沈褒与贾石相见。贾石教老婆迎接沈奶奶到内宅安置。交卸了行李，打发车夫等去了。吩咐庄客，宰猪买酒，管待沈公一家。贾石道："这等雨天，料阁下也无处去，只好在寒家安歇了。请安心多饮几杯，以宽劳顿。"沈炼谢道："萍水相逢，便承款宿，何以当此？"贾石道："农庄粗粝，休嫌简慢。"当日宾主酬酢②，无非说些感慨时事的说话。两边说得情投意合，只恨相见之晚。

过了一宿，次早沈炼起身，向贾石说道："我要寻所房子，安顿老小，有烦舍人指引。"贾石道："要什么样的房子？"沈炼道："只像宅上这一所，十分足意了，租价但凭尊教。"贾石道："不妨事。"出去踅了一回，转来道："赁房尽有，只是龌龊低洼，急切难得中意的。阁下不若就在草舍权住几时，小人领着家小，自到外家去住。等阁下还朝，小人回来，可不稳便。"沈炼道："虽承厚爱，岂敢占舍人之宅？此事决不可。"贾石道："小人虽是

① 舍人——明代卫所武官应袭子弟。

② 酬酢(zuò)——酒席上宾主互相敬酒。主敬客叫"酬"，客敬主叫"酢"。泛指应酬。

村农,颇识好歹。慕阁下忠义之士,想要执鞭坠镫,尚且不能;今日天幸降临,权让这几间草房与阁下作寓,也表得我小人一点敬贤之心,不须推逊。"话毕,慌忙吩咐庄客,推个车儿,牵个马儿,带个驴儿,一伙子将细软家私搬去,其余家常动使家火,都留与沈公日用。沈炼见他慨爽,甚不过意,愿与他结义为兄弟。贾石道:"小人是一介村农,怎敢僭扳贵宦?"沈炼道:"大丈夫意气相许,那有贵贱?"贾石小沈炼五岁,就拜沈炼为兄,沈炼教两个儿子拜贾石为义叔,贾石也唤妻子出来都相见了,做了一家儿亲戚。贾石陪过沈炼吃饭已毕,便引着妻子到外舅李家去讫。自此沈炼只在贾石宅子内居住,时人有诗叹贾舍人借宅之事,诗曰:

倾盖相逢意气真,移家借宅表情亲。
世间多少亲和友,竞产争财愧死人。

却说保安州父老,闻知沈经历为上本参严阁老贬斥到此,人人敬仰,都来拜望,争识其面。也有运柴运米相助的,也有携酒肴来请沈公吃的,又有遣子弟拜于门下听教的。沈炼每日间与地方人等,讲论忠孝大节,及古来忠臣义士的故事。说到关心处,有时毛发倒竖,拍案大叫;有时悲歌长叹,涕泪交流。地方若老若小,无不耸听欢喜。或时唾骂严贼,地方人等齐声附和,其中若有不开口的,众人就骂他是不忠不义。一时高兴,以后率以为常。又闻得沈经历文武全材,都来合他去射箭。沈炼教把稻草扎成三个偶人,用布包裹,一写"唐奸相李林甫",一写"宋奸相秦桧",一写"明奸相严嵩",把那三个偶人做个射鹄①。假如要射李林甫的,便高声骂道:"李贼看箭!"秦贼、严贼,都是如此。北方人性直,被沈经历[illegible]得热闹了,全不虑及严家知道。自古道:"若要不知,除非莫为。"世间只有权势之家,报新闻的极多。早有人将此事报知严嵩父子,严嵩父子深以为恨,商议要寻个事头杀却沈炼,方免其患。适值宣大总督员缺,严阁老吩咐吏部,教把这缺与他门下干儿子杨顺做去。吏部依言,就将杨侍郎杨顺差往宣大总督。杨顺往严府拜辞,严世蕃置酒送行,席间摒人而语,托他要查沈炼过失。杨顺领命,唯唯而去。正是:

合成毒药惟需酒,铸就钢刀待举手。
可怜忠义沈经历,还向偶人夸大口。

---

① 射鹄——箭靶。

却说杨顺到任不多时，适遇大同鞑虏俺答，引众入寇应州地方，连破了四十余堡，掳去男妇无算。杨顺不敢出兵救援，直待鞑虏去后，方才遣兵调将，为追袭之计。一般筛锣击鼓，扬旗放炮，都是鬼弄，那曾看见半个鞑子的影儿？杨顺情知失机惧罪，密谕将士，搜获避兵的平民，将他劗①头斩首，充做鞑虏首级，解往兵部报功，那一时不知杀死了多少无辜的百姓。沈炼闻知其事，心中大怒，写书一封，教中军官送与杨顺。中军官晓得沈经历是个揽祸的太岁，书中不知写甚么说话，那里肯与他送。沈炼就穿了青衣小帽，在军门伺候杨顺出来，亲自投递。杨顺接来看时，书中大略说道：一人功名事极小，百姓性命事极大。杀平民以冒功，于心何忍？况且遇鞑贼止于掳掠，遇我兵反加杀戮，是将帅之恶，更甚于鞑虏矣。书后又附诗一首，诗云：

杀生报主意何如？解道②"功成万骨枯"。
试听沙场风雨夜，冤魂相唤觅头颅。

杨顺见书大怒，扯得粉碎。

却说沈炼又做了一篇祭文，率领门下子弟，备了祭礼，望空祭奠那些冤死之鬼。又作《塞下吟》云：

云中一片虏烽高，出塞将军已著劳。
不斩单于诛百姓，可怜冤血染霜刀。

又诗云：

本为求生来避虏，谁知避虏反戕生？
早知虏首将民假，悔不当时随虏行。

杨总督标下有个心腹指挥，姓罗名铠，抄得此诗并祭文，密献于杨顺。杨顺看了，愈加怨恨，遂将第一首诗改窜数字，诗曰：

云中一片虏烽高，出塞将军枉著劳。
何似借他除佞贼，不须奏请上方刀。

写就密书，连改诗封固，就差罗铠送与严世蕃。书中说：沈炼怨恨相国父子，阴结死士剑客，要乘机报仇。前番鞑虏入寇，他吟诗四句，诗中有借虏除佞之语，意在不轨。世蕃见书大惊，即请心腹御史路楷商议。路楷曰：

---

① 劗(zàn)——砍头、割头。

② 解道——会说、会咏。

"不才若往按彼处,当为相国了当这件大事。"世蕃大喜,即吩咐都察院便差路楷巡按宣大。临行世蕃治酒款别,说道:"烦寄语杨公,同心协力,若能除却这心腹之患,当以侯伯世爵相酬,决不失信于二公也。"路楷领诺。不一日,奉了钦差敕令,来到宣府,到任与杨总督相见了。路楷遂将世蕃所托之语,一一对杨顺说知。杨顺道:"学生为此事朝思暮想,废寝忘餐,恨无良策,以置此人于死地。"路楷道:"彼此留心,一来休负了严公父子的付托,二来自家富贵的机会,不可错过。"杨顺道:"说得是,倘有可下手处,彼此相报。"当日相别去了。

杨顺思想路楷之言,一夜不睡。次早坐堂,只见中军官报道:"今有蔚州卫拿获妖贼二名,解到辕门外,伏听钧旨。"杨顺道:"唤进来。"解官磕了头,递上文书,杨顺拆开看了,呵呵大笑。这二名妖贼,叫做阎浩、杨胤夔,系妖人萧芹之党。原来萧芹是白莲教的头儿,向来出入虏地,惯以烧香惑众,哄骗虏酋俺答,说自家有奇术,能咒人使人立死,喝城使城立颓。虏酋愚甚,被他哄动,尊为国师。其党数百人,自为一营。俺答几次入寇,都是萧芹等为之向导,中国屡受其害。先前史侍郎做总督时,遣通事重赂虏中头目脱脱,对他说道:"天朝情愿与你通好,将俺家布粟换你家马,名为'马市',两下息兵罢战,各享安乐,此是美事。只怕萧芹等在内作梗,和好不终。那萧芹原是中国一个无赖小人,全无术法,只是狡伪,哄诱你家,抢掠地方,他于中取事。郎主①若不信,可要萧芹试其术法。委的喝得城颓,咒得人死,那时合当重用;若咒人人不死,喝城城不颓,显是欺诳,何不缚送天朝?天朝感郎主之德,必有重赏。'马市'一成,岁岁享无穷之利,煞强如抢掠的勾当。"脱脱点头道是,对郎主俺答说了,俺答大喜,约会萧芹,要将千骑随之,从右卫②而入,试其喝城之技。萧芹自知必败,改换服色,连夜脱身逃走,被居庸关守将盘诘,并其党乔源、张攀隆等拿住,解到史侍郎处,招称妖党甚众,山陕畿南,处处俱有。一向分头缉捕,今日阎浩、杨胤夔亦是数内有名妖犯。杨总督看见获解到来,一者也算他上任一功,二者要借这个题目,牵害沈炼,如何不喜?当晚就请路御史,来后堂商议道:"别个题目摆布沈炼不了,只有白莲教通虏一事,圣上

① 郎主——指外国国君及少数民族酋长。

② 右卫——指大同右卫,治所设于定边卫城,在今山西右玉县西。

所最怒。如今将妖贼阎浩、杨胤夔招中,窜入沈炼名字,只说浩等平日师事沈炼,沈炼因失职怨望,教浩等煽妖作幻,勾虏谋逆。天幸今日被擒,乞赐天诛,以绝后患。先用密禀禀知严家,教他叮嘱刑部作速复本。料这番沈炼之命,必无逃矣。"路楷拍手道:"妙哉,妙哉!"

两个当时就商量了本稿,约齐了同时发本。严嵩先见了本稿及禀帖,便教严世蕃传语刑部。那刑部尚书许论,是个罢软没用的老儿,听见严府吩咐,不敢怠慢,连忙复本,一依杨、路二人之议。圣旨倒下,妖犯着本处巡按御史即时斩决。杨顺荫一子锦衣卫千户,路楷纪功,升迁三级,俟京堂①缺推用②。

话分两头。却说杨顺自发本之后,便差人密地里拿沈炼下于狱中。慌得徐夫人和沈衮、沈褒没做理会,急寻义叔贾石商议。贾石道:"此必杨、路二贼为严家报仇之意,既然下狱,必然诬陷以重罪。两位公子及今逃窜远方,待等严家势败,方可出头。若住在此处,杨、路二贼,决不干休。"沈衮道:"未曾看得父亲下落,如何好去?"贾石道:"尊大人犯了对头,决无保全之理。公子以宗祀为重,岂可拘于小孝,自取灭绝之祸?可劝令堂老夫人,早为远害全身之计。尊大人处贾某自当央人看觑,不烦悬念。"二沈便将贾石之言,对徐夫人说知。徐夫人道:"你父亲无罪陷狱,何忍弃之而去?贾叔叔虽然相厚,终是个外人。我料杨、路二贼奉承严氏,亦不过与你爹爹作对,终不然累及妻子。你若畏罪而逃,父亲倘然身死,骸骨无收,万世骂你做不孝之子,何颜在世为人乎?"说罢,大哭不止。沈衮、沈褒齐声恸哭。贾石闻知徐夫人不允,叹惜而去。

过了数日,贾石打听的实,果然扭入白莲教之党,问成死罪。沈炼在狱中大骂不止。杨顺自知理亏,只恐临时处决,怕他在众人面前毒骂,不好看相,预先问狱官责取病状,将沈炼结果了性命。贾石将此话报与徐夫人知道,母子痛哭,自不必说。又亏贾石多有识熟人情,买出尸首,嘱咐狱卒:若官府要枭示时,把个假的答应。却瞒着沈衮兄弟,私下备棺盛殓,埋于隙地。事毕,方才向沈衮说道:"尊大人遗体已得保全,直待事平之后,

① 京堂——明代称在京堂上官为京堂或京堂官。

② 推用——即推升。明代制度,官员必俟考满,方能升授;若员缺当补,不等考满即升。

方好指点与你知道,今犹未可泄漏。"沈衮兄弟感谢不已。贾石又苦口劝他弟兄二人逃走,沈衮道:"极知久占叔叔高居,心上不安。奈家母之意,欲待是非稍定,搬回灵柩,以此迟延不决。"贾石怒道:"我贾某生平,为人谋而尽忠,今日之言,全是为你家门户,岂因久占住房,说发你们起身之理?既嫂嫂老夫人之意已定,我亦不敢相强。但我有一小事,即欲远出,有一年半载不回,你母子自小心安住便了。"觑着壁上贴得有前后《出师表》各一张,乃是沈炼亲笔楷书,贾石道:"这两幅字可揭来送我,一路上做个记念。他日相逢,以此为信。"沈衮就揭下二纸,双手折叠,递与贾石。贾石藏于袖中,流泪而别。原来贾石算定杨、路二贼,设心不善,虽然杀了沈炼,未肯干休。自己与沈炼相厚,必然累及,所以预先逃走,在河南地方宗族家权时居住,不在话下。

却说路楷见刑部复本,有了圣旨,便于狱中取出阎浩、杨胤夔斩讫,并要割沈炼之首,一同枭示。谁知沈炼真尸已被贾石买去了,官府也那里辨验得出,不在话下。

再说杨顺看见止于荫子,心中不满,便向路楷说道:"当初严东楼①许我事成之日,以侯伯爵相酬,今日失言,不知何故?"路楷沉思半晌,答道:"沈炼是严家紧对头,今止诛其身,不曾波及其子。斩草不除根,萌芽复发。相国不足我们之意,想在于此。"杨顺道:"若如此,何难之有?如今再上个本,说沈炼虽诛,其子亦宜知情,还该坐罪,抄没家私,庶国法可伸,人心知惧。再访他同射草人的几个狂徒,并借屋与他住的,一齐拿来治罪,出了严家父子之气,那时却将前言取赏,看他有何推托?"路楷道:"此计大妙!事不宜迟,乘他家属在此,一网而尽,岂不快哉!只怕他儿子知风逃避,却又费力。"杨顺道:"高见甚明。"一面写表申奏朝廷,再写禀帖到严府知会,自述孝顺之意;一面预先行牌保安州知州,着用心看守犯属,勿容逃逸。只等旨意批下,便去行事。诗曰:

破巢完卵从来少,削草除根势或然。
可惜忠良遭屈死,又将家属媚当权。

再过数日,圣旨下了,州里奉着宪牌,差人来拿沈炼家属,并查平素往来诸人姓名,一一挨拿。只有贾石名字,先经出外,只得将在逃开报。此

① 严东楼——严世蕃,号东楼。

见贾石见几之明也。明人有诗赞云：

义气能如贾石稀，全身远避更知几。
任他罗网空中布，争奈仙禽天外飞！

却说杨顺见拿到沈衮、沈褒，亲自鞫问，要他招承通虏实迹。二沈高声叫屈，那里肯招？被杨总督严刑拷打，打得体无完肤，沈衮、沈褒熬炼不过，双双死于杖下。可怜少年公子，都入枉死城中。其同时拿到犯人，都坐个同谋之罪，累死者何止数十人。幼子沈袠尚在襁褓，免罪，随着母徐氏，另徙在云州极边，不许在保安居住。

路楷又与杨顺商议道："沈炼长子沈襄，是绍兴有名秀才，他时得地，必然衔恨于我辈。不若一并除之，永绝后患，亦要相国知我用心。"杨顺依言，便行文书到浙江，把做钦犯，严提沈襄来问罪。又吩咐心腹经历金绍，择取有才干的差人，赍文前去，嘱他中途伺便，便行谋害，就所在地方，讨个病状回缴。事成之日，差人重赏，金绍许他荐本超迁。金绍领了台旨，汲汲而回，着意的选两名积年干事的公差，无过是张千、李万。金绍唤他到私衙，赏了他酒饭，取出私财二十两相赠。张千、李万道："小人安敢无功受赐？"金绍道："这银两不是我送你的，是总督杨爷赏你的，教你赍文到绍兴去拿沈襄，一路不要放松他。须要……"如此如此，这般这般，"回来还有重赏。若是怠慢，总督老爷衙门不是取笑的，你两个自去回话！"张千、李万道："莫说总督老爷钧旨，就是老爷吩咐，小人怎敢有违？"收了银两，谢了金经历。在本府领下公文，急忙上路，往南进发。

却说沈襄，号小霞，是绍兴府学廪膳秀才。他在家久闻得父亲以言事获罪，发去口外为民，甚是挂怀，欲亲到保安州一看。因家中无人主管，行止两难。忽一日，本府差人到来，不由分说，将沈襄锁缚，解到府堂。知府教把文书与沈襄看了备细，就将回文和犯人交付原差，嘱他一路小心。沈襄此时方知父亲及二弟，俱已死于非命，母亲又远徙极边，放声大哭。哭出府门，只见一家老小，都在那里搅做一团的啼哭。原来文书上有"奉旨抄没"的话，本府已差县尉封锁了家私，将人口尽皆逐出。沈小霞听说，真是苦上加苦，哭得咽喉无气。霎时间亲戚都来与小霞话别，明知此去多凶少吉，少不得说几句劝解的言语。小霞的丈人孟春元，取出一包银子，送与二位公差，求他路上看顾女婿，公差嫌少不受。孟氏娘子又添上金簪子一对，方才收了。沈小霞带着哭，吩咐孟氏道："我此去死多生少，你休为我忧念,只当我已死一般,在爷娘家过活。你是书礼之家,谅无再醮之事,我也放心得下。”指着小妻闻淑女说道:“只这女子年纪幼小,又无处着落,合该教他改嫁。奈我三十无子,他却有两个半月的身孕,他日倘生得一男,也不绝了沈氏香烟。娘子你看我平日夫妻面上,一发带他到丈人家去住几时,等待十月满足,生下或男或女,那时凭你发遣他去便了。”话声未绝,只见闻氏淑英说道:“官人说那里话,你去数千里之外,没个亲人朝夕看觑,怎生放下?大娘自到孟家去,奴家情愿蓬首垢面,一路伏侍官人前行。一来官人免致寂寞,二来也替大娘分得些忧念。”沈小霞道:“得个亲人做伴,我非不欲;但此去多分不幸,累你同死他乡何益?”闻氏道:“老爷在朝为官,官人一向在家,谁人不知?便诬陷老爷有些不是的勾当,家乡隔绝,岂是同谋?妾帮着官人到官申辨,决然罪不至死。就使官人下狱,还留贱妾在外,尚好照管。”孟氏也放丈夫不下,听得闻氏说得有理,极力撺掇丈夫带淑女同去。沈小霞平日素爱淑女,有才有智,又见孟氏苦劝,只得依允。

当夜众人齐到孟春元家,歇了一夜。次早,张千、李万催趱上路,闻氏换了一身布衣,将青布裹头,别了孟氏,背着行李,跟着沈小霞便走。那时分别之苦,自不必说。一路行来,闻氏与沈小霞寸步不离,茶汤饭食,都亲自搬取。张千、李万初时还好言好语,过了扬子江,到徐州起旱,料得家乡已远,就做出嘴脸来,呼幺喝六,渐渐难为他夫妻两个来了。闻氏看在眼里,私对丈夫说道:“看那两个泼①差人,不怀好意,奴家女流之辈,不识路径,若前途有荒僻旷野的所在,须是用心提防。”沈小霞虽然点头,心中还只是半疑不信。

又行了几日,看见两个差人,不住的交头接耳,私下商量说话。又见他包裹中有倭刀一口,其白如霜,忽然心动,害怕起来,对闻氏说道:“你说这泼差人,其心不善,我也觉得有七八分了。明日是济宁府界上,过了府去,便是大行山、梁山泊。一路荒野,都是响马出入之所。倘到彼处,他们行凶起来,你也救不得我,我也救不得你,如何是好?”闻氏道:“既然如此,官人有何脱身之计,请自方便。留奴家在此,不怕那两个泼差人生吞了我。”沈小霞道:“济宁府东门内,有个冯主事,丁忧在家。此人最有侠

---

① 泼——无赖可恶。有时也作卑贱解释。

气，是我父亲极相厚的同年，我明日去投奔他，他必然相纳。只怕你妇人家，没志量打发这两个泼差人，累你受苦，于心何安？你若有力量支持他，我去也放胆。不然与你同生同死，也是天命当然，死而无怨。”闻氏道：“官人有路尽走，奴家自会摆布，不劳挂念。”这里夫妻暗地商量，那张千、李万辛苦了一日，吃了一肚酒，齁齁的熟睡，全然不觉。

次日早起上路，沈小霞问张千道：“前去济宁还有多少路？”张千道：“只四十里，半日就到了。”沈小霞道：“济宁东门内冯主事，是我年伯，他先前在京师时，借过我父亲二百两银子，有文契在此。他管过北新关①，正有银子在家。我若去取讨前欠，他见我是落难之人，必然慨付。取得这项银两，一路上盘缠，也得宽裕，免致吃苦。”张千意思有些作难，李万随口应承了，向张千耳边说道：“我看这沈公子，是忠厚之人，况爱妾行李都在此处，料无他故。放他去走一遭，取得银两，都是你我二人的造化，有何不可？”张千道：“虽然如此，到饭店安歇行李，我守住小娘子在店上，你紧跟着同去，万无一失。”

话休絮烦，看看巳牌时分，早到济宁城外，拣个洁净店儿，安放了行李。沈小霞便道：“你二位同我到东门走遭，转来吃饭未迟。”李万道：“我同你去，或者他家留酒饭也不见得。”闻氏故意对丈夫道：“常言道：‘人面逐高低，世情看冷暖。’冯主事虽然欠下老爷银两，见老爷死了，你又在难中，谁肯唾手交还？枉自讨个厌贱，不如吃了饭赶路为上。”沈小霞道：“这里进城到东门不多路，好歹去走一遭，不折了什么便宜。”李万贪了这二百两银子，一力撺掇该去。沈小霞吩咐闻氏道：“耐心坐坐，若转得快时，便是没想头了。他若好意留款，必然有些赍发，明日雇个轿儿抬你去。这几日在牲口上坐，着你好生不惯。”闻氏觑个空，向丈夫丢个眼色，又道：“官人早回，休教奴久待则个。”李万笑道：“去多少时，有许多说话，好不老气！”闻氏见丈夫去了，故意招李万转来嘱咐道：“若冯家留饭坐得久时，千万劳你催促一声。”李万答应道：“不消吩咐。”比及李万下阶时，沈小霞已走了一段路了。李万托着大意，又且济宁是他惯走的熟路，东门冯主事家，他也认得，全不疑惑。走了几步，又里急起来，觑个毛坑上自在方

① 北新关——在杭州北武林门外十里，其地商旅辐辏，明代设有关卡征税。管过北新关，指曾管过北新关的税务。

便了，慢慢的望东门而去。

却说沈小霞回头看时，不见了李万，做一口气急急的跑到冯主事家。也是小霞合当有救，正值冯主事独自在厅，两人京中，旧时识熟，此时相见，吃了一惊。沈襄也不作揖，扯住冯主事衣袂道："借一步说话。"冯主事已会意了，便引到书房里面。沈小霞放声大哭，冯主事道："年侄有话快说，休得悲伤，误其大事。"沈小霞哭诉道："父亲被严贼屈陷，已不必说了；两个舍弟随任的，都被杨顺、路楷杀害，只有小侄在家，又行文本府提去问罪，一家宗祀，眼见灭绝。又两个差人，心怀不善，只怕他受了杨、路二贼之嘱，到前途大行、梁山等处暗算了性命。寻思一计，脱身来投老年伯。老年伯若有计相庇，我亡父在天之灵，必然感激。若老年伯不能遮护小侄，便就此触阶而死，死在老年伯面前，强似死于奸贼之手。"冯主事道："贤侄不妨。我家卧室之后，有一层复壁，尽可藏身，他人搜捡不到之处。今送你在内权住数日，我自有道理。"沈襄拜谢道："老年伯便是重生父母。"冯主事亲执沈襄之手，引入卧房之后，揭开地板一块，有个地道。从此钻下，约走五六十步，便有亮光，有小小廊屋三间，四面皆楼墙围裹，果是人迹不到之处。每日茶饭，都是冯主事亲自送入。他家法极严，谁人敢泄漏半个字？正是：

深山堪隐豹，柳密可藏鸦。
不须愁汉吏，自有鲁朱家。

且说这一日，李万上了毛坑，望东门冯家而来。到于门首，问老门公道："主事老爷在家么？"老门公道："在家里。"又问道："有个穿白的官人来见你老爷，曾相见否？"老门公道："正在书房里吃饭哩。"李万听说，一发放心。看看等到未牌，果然厅上走一个穿白的官人出来。李万急上前看时，不是沈襄。那官人径自出门去了。李万等得不耐烦，肚里又饥，不免问老门公道："你说老爷留饭的官人，如何只管坐了去，不见出来？"老门公道："方才出去的不是？"李万道："老爷书房中还有客没有？"老门公道："这到不知。"李万道："方才那穿白的是甚人？"老门公道："是老爷的小舅，常常来的。"李万道："老爷如今在那里？"老门公道："老爷每常饭后，定要睡一觉，此时正好睡哩。"李万听得话不投机，心下早有二分慌了，便道："不瞒大伯说，在下是宣大总督老爷差来的。今有绍兴沈公子名唤沈襄，号沈小霞，系钦提人犯。小人提押到于贵府，他说与你老爷有同年叔侄之谊,要来拜望。在下同他到宅,他进宅去了,在下等候多时,不见出来,想必还在书房中。大伯,你还不知道,烦你去催促一声,教他快快出来,要赶路走。”老门公故意道:“你说的是甚么说话?我一些不懂。”李万耐了气,又细细的说一遍。老门公当面的一啐,骂道:“见鬼!何常有什么沈公子到来?老爷在丧中,一概不接外客。这门上是我的干纪①,出入都是我通禀,你却说这等鬼话!你莫非是白日撞②么?强装么公差名色,掏摸东西的。快快请退,休缠你爷的帐③!”李万听说,愈加着急,便发作起来道:“这沈襄是朝廷要紧的人犯,不是当要的,请你老爷出来,我自有话说。”老门公道:“老爷正瞌睡,没甚事,谁敢去禀?你这獠子④,好不达时务!”说罢洋洋的自去了。李万道:“这个门上老儿好不知事,央他传一句话甚作难。想沈襄定然在内,我奉军门钧帖,不是私事,便闯进去怕怎的?”李万一时粗莽,直撞入厅来,将照壁拍了又拍,大叫道:“沈公子好走动了。”不见答应,一连叫唤了数声,只见里头走出一个年少的家童,出来问道:“管门的在那里?放谁在厅上喧嚷?”李万正要叫住他说话,那家童在照壁后张了张儿,向西边走去了。李万道:“莫非书房在那西边?我且自去看看,怕怎的?”从厅后转西走去,原来是一带长廊。李万看见无人,只顾望前而行。只见屋宇深邃,门户错杂,颇有妇人走动。李万不敢纵步,依旧退回厅上,听得外面乱嚷。李万到门首看时,却是张千来寻李万不见,正和门公在那里斗口。张千一见了李万,不由分说,便骂道:“好伙计,只贪图酒食,不干正事!巳牌时分进城,如今申牌将尽,还在此闲荡!不催趱犯人出城去,待怎么?”李万道:“呸!那有什么酒食?连人也不见个影儿!”张千道:“是你同他进城的!”李万道:“我只登了个东,被蛮子⑤上前了几步,跟他不上。一直赶到这里,门上说有个穿白的官人在书房中留饭,我说定是他了。等到如今不见出来,门上人又不肯通报,清水也讨不得一杯吃。老哥,烦你在此等候等候,替我到下处医了肚皮再来。”张千道:“有你这样不干事的人!是甚么样犯人,却放他独自行走?

---

① 干纪——干系、责任。

② 白日撞——白天入室的窃贼。

③ 缠帐——无休止的纠缠。

④ 獠(liáo)子——旧时对西南少数民族的一种侮蔑的称呼。骂人之词。

⑤ 蛮子——旧时对南方人的一种轻侮的称呼。

就是书房中,少不得也随他进去。如今知他在里头不在里头?还亏你放慢线儿讲话。这是你的干纪,不关我事!”说罢便走。李万赶上扯住道:“人是在里头,料没处去。大家在此帮说句话儿,催他出来,也是个道理。你是吃饱的人,如何去得这等要紧?”张千道:“他的小老婆在下处,方才虽然嘱咐店主人看守,只是放心不下。这是沈襄穿鼻的索儿,有他在,不怕沈襄不来。”李万道:“老哥说得是。”当下张千先去了。

李万忍着肚饥守到晚,并无消息。看看日没黄昏,李万腹中饿极了,看见间壁有个点心店儿,不免脱下布衫,抵当几文钱的火烧来吃。去不多时,只听得扛门声响,急跑来看,冯家大门已闭上了。李万道:“我做了一世的公人,不曾受这般呕气!主事是多大的官儿,门上直恁作威作势?也有那沈公子好笑,老婆行李都在下处,既然这里留宿,信也该寄一个出来。事已如此,只得在房檐下胡乱过一夜,天明等个知事的管家出来,与他说话。”此时十月天气,虽不甚冷,半夜里起一阵风,樕樕的下几点微雨,衣服都沾湿了,好生凄楚。

捱到天明雨止,只见张千又来了。却是闻氏再三再四催逼他来的。张千身边带了公文解批,和李万商议,只等开门,一拥而入,在厅上大惊小怪,高声发话。老门公拦阻不住,一时间家中大小都聚集来,七嘴八张,好不热闹。街上人听得宅里闹吵,也聚拢来,围住大门外闲看。惊动了那有仁有义守孝在家的冯主事,从里面踱将出来。且说冯主事怎生模样?

头带栀子花匾折孝头巾,身穿反折缝稀眼粗麻衫,腰系麻绳,足着草履。

众家人听得咳嗽响,道一声:“老爷来了。”都分立在两边。主事出厅问道:“为甚事在此喧嚷?”张千、李万上前施礼道:“冯爷在上,小的是奉宣大总督爷公文来的,到绍兴拿得钦犯沈襄,经由贵府。他说是冯爷的年侄,要来拜望。小的不敢阻挡,容他进见。自昨日上午到宅,至今不见出来,有误程限,管家们又不肯代禀。伏乞老爷天恩,快些打发上路。”张千便在胸前取出解批和官文呈上,冯主事看了,问道:“那沈襄可是沈经历沈炼的儿子么?”李万道:“正是。”冯主事掩着两耳,把舌头一伸,说道:“你这班配军①,好不知利害!那沈襄是朝廷钦犯,尚犹自可;他是严相国

① 配军——发配充军的人,称为配军。宋明之间,常用以咒骂兵士。

的仇人,那个敢容纳他在家?他昨日何曾到我家来?你却乱话,官府闻知传说到严府去,我是当得起他怪的?你两个配军,自不小心,不知得了多少钱财,买放了要紧人犯,却来图赖我!”叫家童与他乱打那配军出去,把大门闭了,不要惹这闲是非,严府知道不是当要。冯主事一头骂,一头走进宅去了。大小家人,奉了主人之命,推的推,㧐①的㧐,霎时间被众人拥出大门之外,闭了门,兀自听得嘈嘈的乱骂。张千、李万面面相觑,开了口合不得,伸了舌缩不进。张千埋怨李万道:“昨日是你一力撺掇,教放他进城,如今你自去寻他。”李万道:“且不要埋怨,和你去问他老婆,或者晓得他的路数,再来抓寻便了。”张千道:“说得是,他是恩爱的夫妻,昨夜汉子不回,那婆娘暗地流泪,巴巴的独坐了两三个更次。他汉子的行藏,老婆岂有不知?”两个一头说话,飞奔出城,复到饭店中来。

却说闻氏在店房里面听得差人声音,慌忙移步出来,问道:“我官人如何不来?”张千指李万道:“你只问他就是。”李万将昨日往毛厕出恭,走慢了一步,到冯主事家起先如此如此,以后这般这般,备细说了。张千道:“今早空肚皮进城,就吃了这一肚寡气。你丈夫想是真个不在他家了,必然还有个去处,难道不对小娘子说的?小娘子趁早说来,我们好去抓寻。”说犹未了,只见闻氏噙着眼泪,一双手扯住两个公人叫道:“好,好,还我丈夫来!”张千、李万道:“你丈夫自要去拜什么年伯,我们好意容他去走走,不知走向那里去了,连累我们,在此着急,没处抓寻。你倒问我要丈夫,难道我们藏过了他?说得好笑!”将衣袂掣开,气忿忿地对虎一般坐下。闻氏倒走在外面,拦住出路,双足顿地,放声大哭,叫起屈来。老店主听得,忙来解劝。闻氏道:“公公有所不知,我丈夫三十无子,娶奴为妾。奴家跟了他二年了,幸有三个多月身孕,我丈夫割舍不下,因此奴家千里相从。一路上寸步不离。昨日为盘缠缺少,要去见那年伯,是李牌头②同去的。昨晚一夜不回,奴家已自疑心。今早他两个自回,一定将我丈夫谋害了。你老人家替我做主,还我丈夫便罢休。”老店主道:“小娘子休得急性,那排长③与你丈夫前日无怨,往日无仇,着甚来由,要坏他性

① 㧐(sǒng)——推。

② 牌头——公差、差役。

③ 排长——同牌头。

命?”闻氏哭声转哀道:“公公,你不知道我丈夫是严阁老的仇人,他两个必定受了严府的嘱托来的,或是他要去严府请功。公公,你详情①,他千乡万里,带着奴家到此,岂有没半句说话,突然去了。就是他要走时,那同去的李牌头,怎肯放他?你要奉承严府,害了我丈夫不打紧,教奴家孤身妇女,看着何人?公公,这两个杀人的贼徒,烦公公带着奴家同他去官府处叫冤。”张千、李万被这妇人一哭一诉,就要分析几句,没处插嘴。老店主听见闻氏说得有理,也不免有些疑心,倒可怜那妇人起来,只得劝道:“小娘子说便是这般说,你丈夫未曾死也不见得,好歹再等候他一日。”闻氏道:“依公公等候一日不打紧,那两个杀人的凶身,乘机走脱了,这干系却是谁当?”张千道:“若果然谋害了你丈夫要走脱时,我弟兄两个又到这里则甚?”闻氏道:“你欺负我妇人家没张智②,又要指望奸骗我。好好的说,我丈夫的尸首在那里?少不得当官也要还我个明白。”老店官见妇人口嘴利害,再不敢言语。店中闲看的,一时间聚了四五十人,闻说妇人如此苦切,人人恼恨那两个差人,都道:“小娘子要去叫冤,我们引你到兵备道③去。”闻氏向着众人深深拜福,哭道:“多承列位路见不平,可怜我落难孤身,指引则个!这两个凶徒,相烦列位,替奴家拿他同去,莫放他走了。”众人道:“不妨事,在我们身上。”张千、李万欲向众人分剖时,未说得一言半字,众人便道:“两个排长不消辨得,虚则虚,实则实,若是没有此情,随着小娘子到官,怕他则甚!”妇人一头哭,一头走,众人拥着张千、李万,搅做一阵的,都到兵备道前,道里尚未开门。

那一日正是放告日期,闻氏束了一条白布裙,径抢进栅门,看见大门上架着那大鼓,鼓架上悬着个槌儿,闻氏抢槌在手,向鼓上乱挝,挝得那鼓振天的响。唬得中军官失了三魂,把门吏丧了七魄,一齐跑来,将绳缚住,喝道:“这妇人好大胆!”闻氏哭倒在地,口称泼天冤枉。只见门内幺喝之声,开了大门,王兵备坐堂,问击鼓者何人。中军官将妇人带进,闻氏且哭且诉,将家门不幸遭变,一家父子三口死于非命,只剩得丈夫沈襄,昨日又被公差中途谋害,有枝有叶的细说了一遍。王兵备唤张千、李万上来,问

① 详情——仔细地推详。
② 张智——主张、见识、办法。
③ 兵备道——明代按察司副使、佥事分道整饬兵备。

其缘故。张千、李万说一句,妇人就剪一句,妇人说得句句有理,张千、李万抵搪不过。王兵备思想道:"那严府势大,私谋杀人之事,往往有之,此情难保其无。"便差中军官押了三人,发去本州勘审。

那知州姓贺,奉了这项公事,不敢怠慢,即时扣了店主人到来,听四人的口词。妇人一口咬定二人,谋害他丈夫;李万招称为出恭慢了一步,因而相失;张千、店主人都据实说了一遍。知州委决不下。那妇人又十分哀切,像个真情;张千、李万又不肯招认。想了一回,将四人闭于空房,打轿去拜冯主事,看他口气若何。

冯主事见知州来拜,急忙迎接归厅,茶罢,贺知州提起沈襄之事,才说得沈襄二字,冯主事便掩着双耳道:"此乃严相公仇家,学生虽有年谊,平素实无交情。老公祖休得下问,恐严府知道,有累学生。"说罢站起身来道:"老公祖既有公事,不敢留坐了。"贺知州一场没趣,只得作别。在轿上想道:"据冯公如此惧怕严府,沈襄必然不在他家,或者被公人所害也不见得;或者去投冯公见拒不纳,别走个相识人家去了,亦未可知。"

回到州中,又取出四人来,问闻氏道:"你丈夫除了冯主事,州中还认得有何人?"闻氏道:"此地并无相识。"知州道:"你丈夫是甚么时候去的?那张千、李万几时来回复你的说话?"闻氏道:"丈夫是昨日未吃午饭前就去的,却是李万同出店门。到申牌时分,张千假说催趱上路,也到城中去了。天晚方回来,张千兀自向小妇人说道:'我李家兄弟跟着你丈夫冯主事家歇了,明日我早去催他出城。'今早张千去了一个早晨,两人双双而回,单不见了丈夫,不是他谋害了是谁?若是我丈夫不在冯家,昨日李万就该追寻了,张千也该着忙,如何将好言语稳住小妇人?其情可知:一定张千、李万两个在路上预先约定,却教李万乘夜下手。今早张千进城,两个乘早将尸首埋藏停当,却来回复我小妇人。望青天爷爷明鉴!"贺知州道:"说得是。"张千、李万正要分辨,知州相公喝道:"你做公差所干何事?若非用计谋死,必然得财买放,有何理说!"喝教手下将那张、李重责三十,打得皮开肉绽,鲜血迸流,张千、李万只是不招。妇人在旁,只顾哀哀的痛哭,知州相公不忍,便讨夹棍将两个公差夹起。那公差其实不曾谋死,虽然负痛,怎生招得?一连上了两夹,只是不招。知州相公再要夹时,张、李受苦不过,再三哀求道:"沈襄实未曾死,乞爷爷立个限期,差人押小的捱寻①沈襄,还那闻氏便了。”知州也没有定见,只得勉从其言。闻氏且发尼姑庵住下。差四名民壮,锁押张千、李万二人,追寻沈襄,五日一比。店主释放宁家。将情具由申详兵备道,道里依缴②了。

张千、李万一条铁链锁着,四名民壮,轮番监押。带得几两盘缠,都被民壮搜去,为酒食之费;一把倭刀,也当酒吃了。那临清去处又大,茫茫荡荡,来千去万,那里去寻沈公子?也不过一时脱身之法。闻氏在尼姑庵住下,刚到五日,准准的又到州里去啼哭,要生要死。州守相公没奈何,只苦得批较③差人张千、李万。一连比了十数限,不知打了多少竹批④,打得爬走不动。张千得病身死,单单剩得李万,只得到尼姑庵来拜求闻氏道:“小的情极⑤,不得不说了。其实奉差来时,有经历金绍,口传杨总督钧旨,教我中途害你丈夫,就所在地方,讨个结状⑥回报。我等口虽应承,怎肯行此不仁之事?不知你丈夫何故,忽然逃走,与我们实实无涉。青天在上,若半字虚情,全家祸灭。如今官府五日一比,兄弟张千,已自打死;小的又累死,也是冤枉。你丈夫的确未死,小娘子他日夫妇相逢有日。只求小娘子休去州里啼啼哭哭,宽小的比限,完全狗命,便是阴德。”闻氏道:“据你说不曾谋害我丈夫,也难准信;既然如此说,奴家且不去禀官,容你从容查访。只是你们自家要上紧用心,休得怠慢。”李万喏喏连声而去。有诗为证:

白金廿两酿凶谋,谁料中途已失囚。
锁打禁持熬不得,尼庵苦向妇人求。

官府立限缉获沈襄,一来为他是总督衙门的紧犯,二来为妇人日日哀求,所以上紧严比。今日也是那李万不该命绝,恰好有个机会。却说总督杨顺,御史路楷,两个日夜商量,奉承严府,指望旦夕封侯拜爵;谁知朝中有个兵科给事中吴时来,风闻杨顺横杀平民冒功之事,把他尽情劾奏一

---

① 捱寻——捱同挨。追寻、寻访。

② 依缴——缴,指下属向上级缴差的覆文。依缴,即批准覆文中所陈述的对事务的处理。

③ 批较——官府手下人如不按期完成差事,受即杖责,称比较。

④ 竹批——一端劈开的竹棒、竹杖。作刑具。

⑤ 情极——发急。

⑥ 结状——证明事情已经了结的文书。

本,并劾路楷朋奸助恶。嘉靖爷正当设醮祝釐,见说杀害平民,大伤和气,龙颜大怒,着锦衣卫扭解来京问罪。严嵩见圣怒不测,一时不及救护,到底亏他于中调停,止于削爵为民。可笑杨顺、路楷杀人媚人,至此徒为人笑,有何益哉?再说贺知州听得杨总督去任,已自把这公事看得冷了;又闻氏连次不来哭禀,两个差人又死了一个,只剩得李万,又苦苦哀求不已。贺知州吩咐,打开铁链,与他个广捕文书①,只教他用心缉访,明是放松之意。李万得了广捕文书,犹如捧了一道赦书,连连磕了几个头,出得府门,一道烟走了。身边又无盘缠,只得求乞而归,不在话下。

却说沈小霞在冯主事家复壁之中,住了数月,外边消息无有不知,都是冯主事打听将来,说与小霞知道。晓得闻氏在尼姑庵寄居,暗暗欢喜。过了年余,已知张千、李万都逃了,这公事渐渐懒散。冯主事特地收拾内书房三间,安放沈襄在内读书,只不许出外,外人亦无有知者。冯主事三年孝满,为有沈公子在家,也不去起复做官。

光阴似箭,一住八年。值严嵩一品夫人欧阳氏卒,严世蕃不肯扶柩还乡,唆父亲上本留己侍养,却于丧中簇拥姬妾,日夜饮酒作乐。嘉靖爷天性至孝,访知其事,心中甚是不悦。时有方士蓝道行,善扶鸾之术。天子召见,教他请仙,问以辅臣贤否。蓝道行奏道:"臣所召乃是上界真仙,正直无阿,万一箕下判断有忤圣心,乞恕微臣之罪。"嘉靖爷道:"朕正愿闻天心正论,与卿何涉?岂有罪卿之理?"蓝道行书符念咒,神箕自动,写出十六个字来,道是:

高山番草,父子阁老。日月无光,天地颠倒。

嘉靖爷爷看了,问蓝道行道:"卿可解之。"蓝道行奏道:"微臣愚昧未解。"嘉靖爷道:"朕知其说。'高山'者,'山'字连'高',乃是'嵩'字。'番草'者,'番'字'草'头,乃是'蕃'字。此指严嵩、严世蕃父子二人也。朕久闻其专权误国,今仙机示朕,朕当即为处分,卿不可泄于外人。"蓝道行叩头,口称不敢,受赐而出。

从此嘉靖爷渐渐疏了严嵩。有御史邹应龙,看见机会可乘,遂劾奏严世蕃凭藉父势,卖官鬻爵,许多恶迹,宜加显戮。其父严嵩溺爱恶子,植党

---

① 广捕文书——即海捕文书,不指定地点,随处可以缉捕人犯的文书。通缉令。

蔽贤,宜亟赐休退,以清政本。嘉靖爷见疏大喜,即升应龙为通政右参议①。严世蕃下法司,拟成充军之罪,严嵩回籍。未几,又有江西巡按御史林润,复奏严世蕃不赴军伍,居家愈加暴横,强占民间田产,畜养奸人,私通倭虏,谋为不轨。得旨三法司②提问,问官勘实覆奏,严世蕃即时处斩,抄没家财,严嵩发养济院③终老。被害诸臣尽行昭雪。

冯主事得此喜信,慌忙报与沈襄知道,放他出来,到尼姑庵访问那闻淑女。夫妇相见,抱头而哭。闻氏离家时,怀孕三月,今在庵中生下一孩子,已十岁了。闻氏亲自教他念书,五经皆已成诵,沈襄欢喜无限。冯主事方上京补官,教沈襄同去讼理父冤,闻氏暂迎归本家园上居住。沈襄从其言,到了北京。冯主事先去拜了通政司邹参议,将沈炼父子冤情说了,然后将沈襄讼冤本稿送与他看,邹应龙一力担当。次日,沈襄将奏本往通政司挂号投递。圣旨下,沈炼忠而获罪,准复原官,仍进一级,以旌其直。妻子召还原籍。所没入财产,府县官照数给还。沈襄食廪年久准贡④,敕授知县之职。沈襄复上疏谢恩,疏中奏道:"臣父炼向在保安,因目击宣大总督杨顺,杀戮平民冒功,吟诗感叹,适值御史路楷,阴受严世蕃之嘱,巡按宣大,与杨顺合谋,陷臣父于极刑,并杀臣弟二人,臣亦几于不免。冤尸未葬,危宗几绝,受祸之惨,莫如臣家。今严世蕃正法,而杨顺、路楷安然保首领于乡,使边廷万家之怨骨,衔恨无伸;臣家三命之冤魂,含悲莫控。恐非所以肃刑典而慰人心也。"圣旨准奏,复提杨顺、路楷到京,问成死罪,监刑部牢中待决。

沈襄来别冯主事,要亲到云州,迎接母亲和兄弟沈衮到京,依傍冯主事寓所相近居住;然后往保安州访求父亲骸骨,负归埋葬。冯主事道:"老年嫂处适才已打听个消息,在云州康健无恙。令弟沈衮,已在彼游庠⑤了。下官当遣人迎之。尊公遗体要紧,贤侄速往访问,到此相会令堂可也。"沈襄领命,径往保安。一连寻访两日,并无踪迹。第三日,因倦借

---

① 通政右参议——通政司,官署名,掌内外章奏。通政司设置左右参议各一人。

② 三法司——即刑部、都察院、大理寺。

③ 养济院——一种官办的收容贫民的机构。

④ 准贡——准作贡生。

⑤ 游庠(xiáng)——科举时代,经州县考试录取为生员而入学。

坐人家门首,有老者从内而出,延进草堂吃茶。见堂中挂一轴子,乃楷书诸葛孔明两次《出师表》也。表后但写年月,不着姓名。沈小霞看了又看,目不转睛。老者道:“客官为何看之?”沈襄道:“动问老丈,此字是何人所书?”老者道:“此乃吾亡友沈青霞之笔也。”沈小霞道:“为何留在老丈处?”老者道:“老夫姓贾名石,当初沈青霞编管此地,就在舍下作寓。老夫与他八拜之交,最相契厚。不料后遭奇祸,老夫惧怕连累,也往河南逃避。带得这二幅《出师表》,裱成一幅,时常展视,如见吾兄之面。杨总督去任后,老夫方敢还乡。嫂嫂徐夫人和幼子沈衮,徙居云州,老夫时常去看他。近日闻得严家势败,吾兄必当昭雪,已曾遣人去云州报信。恐沈小官人要来移取父亲灵柩,老夫将此轴悬挂在中堂,好教他认认父亲遗笔。”沈小霞听罢,连忙拜倒在地,口称“恩叔”。贾石慌忙扶起道:“足下果是何人?”沈小霞道:“小侄沈襄,此轴乃亡父之笔也。”贾石道:“闻得杨顺这厮,差人到贵府来提贤侄,要行一网打尽之计。老夫只道也遭其毒手,不知贤侄何以得全?”沈小霞将临清事情,备细说了一遍,贾石口称难得,便吩咐家童治饭款待。沈小霞问道:“父亲灵柩,恩叔必知,乞烦指引一拜。”贾石道:“你父亲屈死狱中,是老夫偷尸埋葬,一向不敢对人说知。今日贤侄来此搬回故土,也不枉老夫一片用心。”

说罢,刚欲出门,只见外面一位小官人骑马而来。贾石指道:“遇巧,遇巧!恰好令弟来也。”那小官便是沈衮。下马相见,贾石指沈小霞道:“此位乃大令兄讳襄的便是。”此日弟兄方才识面,恍如梦中相会,抱头而哭。贾石领路,三人同到沈青霞墓所,但见乱草迷离,土堆隐起。贾石引二沈拜了,二沈俱哭倒在地。贾石劝了一回道:“正要商议大事,休得过伤。”二沈方才收泪。贾石道:“二哥、三哥,当时死于非命,也亏了狱卒毛公存仁义之心,可怜他无辜被害,将他尸藁葬于城西三里之外。毛公虽然已故,老夫亦知其处,若扶令先尊柩回去,一起带回,使他父子魂魄相依,二位意下何如?”二沈道:“恩叔所言,正合愚弟兄之意。”当日又同贾石到城西看了,不胜悲感。次日,另备棺木,择吉破土,重新殡殓。二人面色如生,毫不朽败,此乃忠义之气所致也。二沈悲哭自不必说。当时备下车仗,抬了三个灵柩,别了贾石起身。临别沈襄对贾石道:“这一轴《出师表》,小侄欲问恩叔取去,供养祠堂,幸勿见拒。”贾石慨然许了,取下挂轴相赠。二沈就草堂拜谢,垂泪而别。沈襄先奉灵柩到张家湾①,觅船装载。

沈襄复身又到北京,见了母亲徐夫人,回复了说话,拜谢了冯主事起身。此时京中官员,无不追念沈青霞忠义,怜小霞母子扶柩远归,也有送勘合②的,也有赠赙金③的,也有馈赆仪④的。沈小霞只受勘合一张,余俱不受。到了张家湾,另换了官座船,驿递起人夫一百名牵缆,走得好不快。不一日,来到临清,沈襄吩咐座船,暂泊河下,单身入城,到冯主事家投了主事平安书信,园上领了闻氏淑女并十岁儿子下船。先参了灵柩,后见了徐夫人。那徐氏见了孙儿如此长大,喜不可言。当初只道灭门绝户,如今依旧有子有孙;昔日冤家,皆恶死见报。天理昭然,可见做恶人的到底吃亏,做好人的到底便宜。

闲话休提。到了浙江绍兴府,孟春元领了女儿孟氏,在二十里外迎接。一家骨肉重逢,悲喜交集。将丧船停泊马头,府县官员都在吊孝。旧时家产,已自清查给还。二沈扶柩葬于祖茔,重守三年之制,无人不称大孝。抚按又替沈炼建造表忠祠堂,春秋祭祀。亲笔《出师表》一轴,至今供奉在祠堂之中。

服满之日,沈襄到京受职,做了知县。为官清正,直升到黄堂知府。闻氏所生之子,少年登科,与叔叔沈衮同年进士。子孙世世书香不绝。

冯主事为救沈襄一事,京中重其义气,累官至吏部尚书。忽一日,梦见沈青霞来拜候道:"上帝怜某忠直,已授北京城隍之职。屈年兄为南京城隍,明日午时上任。"冯主事觉来甚以为疑,至日午,忽见轿马来迎,无疾而逝。二公俱已为神矣。有诗为证,诗曰:

生前忠义骨犹香,魂魄为神万古扬。
料得奸魂沉地狱,皇天果报自昭彰。

---

① 张家湾——在通州(今北京通县)南十五里,明时为南北水陆交通要会,十分繁盛。

② 勘合——明代官府公文,一式两份,中盖骑缝章,以供勘验。

③ 赙(fù)金——助人办丧事的钱。

④ 赆(jìn)仪——临别时赠送的财物、送行的路费和礼品。

**图书在版编目（CIP）数据**

喻世明言/（明）冯梦龙著.—北京:华夏出版社，2013.8（2018.8重印）
（中国古典文学名著丛书）
ISBN 978-7-5080-7505-1

Ⅰ.①喻… Ⅱ.①冯… Ⅲ.①话本小说－中国－明代 Ⅳ.①I242.3

中国版本图书馆CIP数据核字(2013)第041316号

**喻世明言**

---

**作　　者**　[明]冯梦龙　著
**责任编辑**　韩平　高苏

**出版发行**　华夏出版社
**经　　销**　新华书店
**印　　刷**　三河市少明印务有限公司
**装　　订**　三河市少明印务有限公司
**版　　次**　2013年8月北京第1版
　　　　　　2018年8月北京第3次印刷
**开　　本**　880×1230　1/32
**印　　张**　14.875
**字　　数**　388千字
**定　　价**　13.00元

---

**华夏出版社**　地址:北京市东直门外香河园北里4号　邮编:100028
网址:www.hxph.com.cn　电话:(010)64663331(转)
若发现本版图书有印装质量问题，请与我社营销中心联系调换。